Joachim Kügler

Der Jünger, den Jesus liebte

STUTTGARTER BIBLISCHE BEITRÄGE 16

Herausgegeben von

Hubert Frankemölle und Frank-Lothar Hossfeld

Joachim Kügler

Der Jünger, den Jesus liebte

Literarische, theologische und historische Untersuchungen zu einer Schlüsselgestalt johanneischer Theologie und Geschichte.
Mit einem Exkurs über die Brotrede in Joh 6.

Verlag
Katholisches Bibelwerk GmbH
Stuttgart

CIP-Titelaufnahme der Deutschen Bibliothek

Kügler, Joachim:
Der Jünger, den Jesus liebte:
literar., theol. u. histor. Unters.
zu e. Schlüsselgestalt johanneischer Theologie u. Geschichte ;
mit e. Exkurs über d. Brotrede in Joh 6 / Joachim Kügler. –
Stuttgart: Verl. Kath. Bibelwerk, 1988
    (Stuttgarter Biblische Beiträge; 16)
    ISBN 3-460-00161-5
NE: GT

ISBN 3-460-00161-5
Alle Rechte vorbehalten
© 1988 Verlag Katholisches Bibelwerk GmbH, Stuttgart
Druck und Bindung: Weihert-Druck, Darmstadt

Lothar und Andreas

DER JÜNGER, DEN JESUS LIEBTE

Literarische, theologische und historische Untersuchungen zu einer
Schlüsselgestalt johanneischer Theologie und Geschichte

Mit einem Exkurs über die Brotrede in Joh 6

INHALTSVERZEICHNIS

VORWORT

Dem Lesen der Glaubenden zu dienen, Lesende kompetent zu machen, damit sie die Aussagen der Texte selbst wahrnehmen können, das sollte das Ziel wissenschaftlicher Exegese sein. Versteht sich Bibelwissenschaft in diesem Sinne als Vor- und Nachbereitung des eigentlichen Lesens, und nicht als Instanz obrigkeitlicher Bevormundung der Nichtfachleute, so dient sie dem Aufbau einer geschwisterlichen Kirche, in der alle nach ihren jeweiligen Fähigkeiten versuchen, das gemeinsame Verstehen zu fördern. Es würde mich freuen, wenn diese Arbeit ein klein wenig dazu beitragen könnte, daß Exegese als Wissenschaft ihr Selbstverständnis in diese Richtung entwirft.

Die vorliegende Arbeit wurde von der Katholischen Fakultät der Universität Bamberg im Sommersemester 1987 unter dem Titel "KYRIE, TIS ESTIN; Exegetische und historische Untersuchung zur Gestalt des 'Jüngers, den Jesus liebte,' im Johannesevangelium" als Doktorarbeit angenommen. Sie wurde für den Druck nur unwesentlich verändert; vor allem der Exkurs erhielt einen günstigeren Ort, aktuelle Literatur wurde möglichst berücksichtigt.

Zu danken habe ich

vor allem meinem Freund Prof.Dr. Ulrich BUSSE. Ohne seine Einladung, als Hilfskraft an der Herausgabe des Kommentars von Ernst Haenchen mitzuarbeiten, wäre ich nicht bei der Johannesexegese gelandet. In zahllosen Gesprächen mit ihm reifte allmählich meine eigene Sicht der johanneischen Problematik.

meinem Lehrer Prof.Dr. Paul HOFFMANN, der mein Projekt, dieses zunächst fremde Kind, als sein eigenes annahm und betreute. Er hat mir den nötigen Freiraum für ein selbständiges Arbeiten eingeräumt und auch meine Gehversuche auf methodologischem Neuland mit seiner exegetischen Erfahrung und kritisch-wohlwollendem Interesse begleitet.

Herrn Prof.Dr. Ernst Ludwig GRASMÜCK, der sich weit über die Rolle eines Zweitkorrektors hinaus engagiert hat. Er hat mich gelehrt, was es heißt, Versprechen zu halten, als er sich auch durch schwerste Krankheit nicht davon abhalten ließ, das Korreferat zu erstellen.

meinem Erzbischof Dr. Elmar Maria KREDEL, der mich für die Zeit der Promotion vom Priesterseminar beurlaubte.

Frau Dipl.-Theol.in Barbara KÖRBER-HÜBSCHMANN und Frau Helga STEIN, die die mühsame Schreibarbeit übernommen hatten.

der Bischöflichen Studienförderung CUSANUSWERK, deren Stipendium für die materielle Basis meiner Arbeit sorgte.

Herrn Prof.Dr. Hubert FRANKEMÖLLE für die Aufnahme in diese Reihe und dem UNIVERSITÄTSBUND Bamberg für die ehrende Auszeichnung.

meinem Regens Dr. Michael HOFMANN für seine Solidarität.

Ein ganz spezieller Dank geht an Prof.Dr. Johannes Stöhr. Seine sicherlich vom Geiste echter Mitbrüderlichkeit getragene, fürsorgliche Kritik hat mich ermuntert, manche Formulierung, die bei nicht recht gewogenen Lesern zu dogmatischen Mißverständnissen hätte führen können, für die Drucklegung zu verbessern.

meiner Heimatgemeinde St.Martin, Weismain, dem Erzbischöflichen Ordinariat Bamberg und der Universität Bamberg für großzügige Druckkostenzuschüsse.

Mein herzlichster Dank gilt jenen, die mir mit Rat und Tat zur Seite standen, und mich auch in Krisen liebevoll ertragen und getragen haben, also besonders Ulrike BECHMANN, Monika ENDRES-DECHANT, Fritz DECHANT, Anna DECHANT, Joachim WILD, Ulrich DEMETER, Andreas GROHER und Lothar BAUMÜLLER. Stellvertretend für alle, die mir nahestehen, ist den beiden Letztgenannten dieses Buch auch gewidmet.

0. Der Jünger, den Jesus liebte, als exegetisches Problem

Daß es überhaupt ein Lieblingsjünger-Problem in der Johannesexegese gibt, ist der historischen Kritik zuzuschreiben. Jahrhunderte nämlich gab es kein solches Problem, weil die altkirchliche Tradition, die die anonyme Figur, die wir in Joh 13.19.20 finden und die in Joh 21 zum Autor des Joh erklärt wird, mit dem Zebedaiden Johannes identifizierte, einfach weitergereicht wurde.[1] Erst die Kritiker des 19. Jahrhunderts empfanden diese Identifizierung als problematisch und arbeiteten (im Rahmen ihrer Kritik an der historischen Zuverlässigkeit der Evangelien überhaupt) an der Auflösung dessen, was vorher Konsens gewesen war.[2] Wie folgenreich diese Arbeit geworden ist, zeigt sich z.B. daran, daß GNILKA 1983 in einem für ein breiteres Publikum gedachten Kommentar feststellen kann, die Identifizierung des Zebedaiden mit dem geliebten Jünger sei "heute weitgehend auch im Bereich der katholischen Exegese fallen gelassen worden."[3] Durch diesen Abbau kirchlicher Tradition ist freilich das Problem nicht gelöst worden, die Frage nach dem geliebten Jünger ist vielmehr in eine Vielzahl von Einzelproblemen historischer, literarischer und entstehungsgeschichtlicher Art zersplittert. So kann z.B. literarisch gefragt werden, ob der Lieblingsjünger mit einer im Text vorkommenden Figur (etwa Lazarus) zu identifizieren sei. Nach der Identität der Figur kann aber auch historisch gefragt werden: Welche Person der außertextlichen Wirklichkeit könnte gemeint sein? Diese Frage hat auch eine literarische Komponente, wenn einer erzählten Figur, die mit dem geliebten Jünger identifiziert wird, auch eine außertextliche Existenz zugeordnet wird. Die Frage dagegen, welche theologischen oder symbolischen Inhalte mit der Figur verbunden sein könnten, ist wieder ganz auf der literarischen Ebene beheimatet.

---

1) Zur altkirchlichen Tradition vgl. HAENCHEN 1980, 5-21.
2) Über diesen Prozeß informiert SCHÜRER 1889. Vgl. auch HAENCHEN 1980, 23-44, der die Linie bis ins 20. Jahrhundert weiterzieht.
3) GNILKA 1983, 7.

Im Blick auf den Entstehungsprozeß des Joh erhebt sich schließlich
die Frage, auf welcher Schicht des Werkes die Texte, in denen der
Lieblingsjünger vorkommt, anzusiedeln sind. Sind sie allesamt Produkt einer späteren Redaktion oder gehören sie verschiedenen
Schichten an, so daß es eine Entwicklung des Lieblingsjünger-Kon-
zepts im Text selber gibt, etwa von einer rein symbolischen Auffassung hin zu einem historisierenden Verständnis durch die Redaktion in Joh 21?
An dieser Fülle von Fragen und auch an der Tatsache, daß die verschiedenen Ebenen, auf denen die Fragen liegen, teils nicht hinreichend unterschieden, teils nicht methodisch exakt koordiniert
wurden, mag es liegen, daß ein neuer Konsens in Bezug auf den geliebten Jünger noch immer nicht erreicht wurde, auch wenn die Tendenz dahin geht, ihn als namentlich unbekannte Gründerautorität
der johanneischen Schule und/oder Gemeinde zu deuten.[1]
Wenn diese Frage nun erneut angegangen werden soll, so ist eine
genaue Ortsbestimmung des Projekts notwendig, und zwar was die Ar-
beitshypothesen, die Fragestellung und die Methoden angeht. Das
gilt umso mehr, als die jüngste Entwicklung der Johannesexegese
von einem heftigen Streit um Methoden geprägt ist.[2]

1. Theoretische Ortsbestimmung: Arbeitshypothesen, Fragestellung und Methoden

Die vorliegende Arbeit räumt den theologisch-literarischen Fragen
den Vorrang ein, d. h. es geht ihr zunächst um die Figur des geliebten Jüngers und um die mit der Figur verbundenen Inhalte und
Tendenzen. Demgegenüber rangieren entstehungsgeschichtliche und
historische Fragen erst an zweiter Stelle.
Diese Reihenfolge ist nicht willkürlich gewählt, sondern entspricht den von STIERLE beschriebenen Relationen zwischen Text
und Geschichte. Während nämlich - so stellt er fest - Geschichte

---

1) Vgl. BECKER 1986, 38 f.
2) Vgl. BECKER 1986.

den Text der Geschichte fundiert, so interpretiert andererseits der Text die Geschichte und macht sie überhaupt erst sichtbar.[1] Daraus wird hier der Schluß gezogen, daß, wenn es um Dekodierung und Hermeneutik geht, dem Text der Primat vor der Geschichte einzuräumen ist. Geschichte ist ohne den Text nicht zugänglich. Das gilt selbst dann, wenn es hier nicht um die erzählte Geschichte Jesu, sondern um die implizierte Geschichte der johanneischen Gemeinde(n) geht.[2]

Das Joh wird hier behandelt als einheitliches, literarisches Werk, und dies geschieht unter Zuhilfenahme von Theoremen der modernen Sprach- und Literaturwissenschaft.

Diesem Vorhaben stellt sich nun freilich sofort ein Hindernis in den Weg, das - wenn schon nicht beseitigt - doch explizit zur Kenntnis genommen werden muß:

Einerseits gibt es inzwischen eine beachtliche Tradition exegetischer Rezeption sprach- und literaturwissenschaftlicher Theorien,[3] andererseits verlaufen die Fronten immer noch so kreuz und quer, daß offensichtlich noch nicht die Zeit gekommen ist, eine exegetische Methodologie unter Berücksichtigung aller relevanten Probleme zu entwerfen; keine der vielen Versuche hat normative Kraft erlangen können. In dieser Situation liegt es begründet, daß ich - zumindest im theoretischen Teil - nicht auf der Fülle der exegetischen Rezeptionsversuche aufbaue. Das hätte eine umfassende Diskussion nötig gemacht, die in diesem Rahmen nicht möglich ist. Das entsprechende Theoriematerial wird vielmehr vor allem aus erster Hand, also von der Sprach- und Literaturwissenschaft direkt genommen.[4]

---

1) Vgl. STIERLE 1975a, 50.

2) Vgl. zur Priorität des Textes bei der Rekonstruktion seines historischen Hintergrunds: VILLIERS 1984, 72 f.

3) Vgl. etwa die Listen bei ZIMMERMANN/KLIESCH 1982, 268-270.

4) Dieses Vorgehen mag dazu führen, daß meine Arbeit für jene, die mit der neueren Methodendiskussion wenig vertraut sind, mehr an Innovationen vorgibt, als sie faktisch erbringt. Ich kann hier nur darauf vertrauen, daß die Sachkundigen erkennen, wo tatsächlich Neuerungen eingebracht werden.

Dieses Vorgehen soll den Wert der vorangegangenen Unternehmungen nicht schmälern; ohne die Pioniere wäre dieser Versuch nicht möglich gewesen. Allerdings soll versucht werden, eine einseitige Bevorzugung einer wissenschaftlichen Richtung, wie sie für manche ältere Arbeit kennzeichnend ist, zu vermeiden. Ohne eine Garantie geben zu können, daß nicht auch in dieser Arbeit eine gewisse Bevorzugung einer oder mehrerer Theorien stattfindet, soll jedenfalls versucht werden, auf möglichst breiter Basis sprach- und literaturwissenschaftliche Erkenntnisse zu rezipieren.[1] Dieser kumulative Ansatz trägt dem Anliegen einer innerexegetischen Kommunikation Rechnung. In einer Situation nämlich, in der sich die französische Exegese seit langem dem Strukturalismus geöffnet hat[2], die englischsprachige Forschung daneben dem Reader-Response-Criticism einen deutlichen Einfluß einräumt[3], während sich die deutschsprachige Forschung eher an textlinguistischen bzw. texttheoretischen Arbeiten orientiert[4], muß jede Arbeit, die nicht schon innerexegetisch Kommunikationsbarrieren errichten will, unterschiedliche Theoriebildungen einbeziehen.

Im Grunde wäre hier die Entwicklung einer Metatheorie gefordert, die in der Lage wäre, auch die eher geschichtlich gewachsenen als theoretisch entwickelten Arbeitsschritte der konventionellen 'historisch-kritischen'[5] Exegese mit einzubeziehen. Diese Metatheorie kann hier nicht entwickelt werden. Die hier vollzogene Selektion von Theoremen unterschiedlicher Provenienz ist trotzdem

---

1) Einen guten Überblick über die verschiedenen literaturwissenschaftlichen Theorien und ihre Zusammenhänge gibt Mac KNIGHT 1985.
2) Vgl. etwa BOVON 1971; LEON-DUFOUR 1973.
   Ein Beispiel für eine Orientierung an strukturaler Erzähltheorie ist auch EGGER 1979.
3) Vgl. z.B. CULPEPPER 1983; KOTZE 1985; RAND 1985.
4) Hier vgl. z.B. HARDMEIER 1979; RITT 1979; FRANKEMÖLLE 1982, THEOBALD 1983. Auch OLSSON 1974 ist wohl dieser Richtung zuzurechnen. Eines der wenigen deutschen Beispiele für einen rezeptionsästhestischen Ansatz ist BROER 1978.
5) Die Anführungszeichen sollen darauf hinweisen, daß dieses der konventionellen Exegese üblicherweise zugeordnete Adjektiv mit der im 19. Jahrhundert gegebenen Bedeutung heute fast nichts mehr zu tun hat.

nicht willkürlich, sondern wird von drei Prinzipien gesteuert:

- Selegiert werden Theoreme, die sich im Kontext johanneischer Problematik als notwendig und hilfreich erweisen.
- Die Selektion beruht im allgemeinen auf der Annahme der Kompatibilität unterschiedlicher Theorien. Wo sich diese Annahme in der praktischen Erprobung als nicht haltbar erweist, muß eine begründete Entscheidung vorgelegt werden.
- Die Basis der Selektion bildet die Einsicht, daß sich die im Bereich exegetischer Arbeit relevant gewordenen Theorien auf eine aus zwei Elementen bestehende Matrix stellen lassen.

Bei den erwähnten Elementen handelt es sich zum einen um eine kommunikationstheoretische Orientierung,[1] die unter dem Stichwort 'Pragmatik' in allen Theorien - wenn auch in unterschiedlichem Ausmaß - Berücksichtigung findet, und zum anderen um die strukturalistische Verwurzelung, die selbst dort besteht, wo explizit gegen den Strukturalismus polemisiert wird. So nennt sich der amerikanische Reader-Response-Criticism zwar bisweilen stolz 'Post-Structuralism'[2], sein deutscher Zwilling Rezeptionsästhestik führt sich gleichwohl selbst auf den Prager Strukturalismus zurück.[3]

Die gemeinsame Matrix führt zu einer Verflechtung der unterschiedlichen theoretischen Ansätze, die einen 'Methodenpurismus' als sehr kurzsichtig erwiese. Ein kumulatives Vorgehen legt sich aber auch von der Komplexität des Textes her nahe. Das Joh als literarischer Erzähltext kann natürlich Gegenstand einer textlinguistischen Beschreibung als Text sein. Es ist allerdings die Frage, ob die Textlinguistik, die von ihrem eigenen Selbstverständnis her eine Wissenschaft vom Text allgemein ist,[4] in der Lage ist, diejenigen Phänomene ausreichend zu würdigen, die dem Text aufgrund seines literarischen Charakters eignen. Hier ist wohl eine Überschreitung dieses Ansatzes in Richtung auf Literaturwissenschaft

---

1) SCHMIDT 1975, 138 bezeichnet die Leserperspektive als "Konvergenzpunkt" unterschiedlicher Theorien.
2) Vgl. den Untertitel von TOMPKINS 1981a.
3) Vgl. WARNING 1975b, 9 f.
4) Vgl. LEWANDOWSKI 1984/85, 111 f. Zum Verhältnis von Literatur- und Textwissenschaft vgl. PLETT 1975, 11-15.

angefordert. Diese aber bleibt auf die Fundierung durch linguistische Deskription angewiesen, will sie nicht in Bereiche des
Genialisch-Unbeweisbaren abheben. Es gilt, literaturwissenschaftliche Aussagen auf empirische Daten zu gründen[1], und das scheint
mir ohne textlinguistische Grundlage kaum möglich zu sein.

Den Zwang, ein strukturalistisches 'Credo' abzulegen, habe ich
übrigens trotz allem nicht gesehen, da erstens die 'konventionelle'
Sprach- und Literaturwissenschaft längst strukturalistisch 'unter-
wandert' zu sein scheint,[2] andererseits von strukturalistischer
Seite her konzediert wird, daß eine adäquate Textanalyse auch
nichtstrukturalistisch erfolgen kann,[3] und schließlich selbst
kompetente Literaturwissenschaftler offensichtlich Probleme
haben, zu entscheiden, was strukturalistisch ist und was nicht
mehr.[4]

Schließlich ist noch zu sagen, daß der Ausgangspunkt meiner Überlegungen nicht die Absicht war, die 'historisch-kritische Methode'
und Sprach- und Literaturwissenschaft konvergieren zu lassen. Ausgangspunkt war vielmehr die Problematik, der ich im Zusammenhang
mit dem Joh begegnete, und die nach einer befriedigenden theoretischen Lösung verlangte. Wiewohl die konventionelle Exegese dafür
keine Lösungsmöglichkeit bot, zeigte es sich doch, daß auf dem
'Umweg' über Textlinguistik, Rezeptionsästhetik usw. verschiedene
Arbeitsschritte der 'historisch-kritischen' Vorgehensweise von
diesen Theoriebildungen her legitimiert werden können. Dabei sind
freilich (in je unterschiedlichem Ausmaß) Modifikationen notwendig, wie sich zeigen wird.

Daß meine theoretischen Überlegungen eine gewisse Kenntnis der johanneischen Probleme immer schon voraussetzen, ist selbstverständlich zuzugeben. Wenn hie und da der Eindruck entstehen sollte,
die Theorie schieße über die tatsächlichen Anforderungen meiner

---

1) 'Empirisch' ist hier im Sinne von 'im Text beobachtbar'
verwendet, wobei Beobachtbarkeit freilich nicht als etwas Na-
turwüchsiges betrachtet wird, sondern als auf theoretischen
Voraussetzungen basierend. Vgl. TITZMANN 1977, 22 f.
2) Vgl. z.B. die Rezeption strukturalisticher Theoreme in LUDWIG 1985a.
3) Vgl. TITZMANN 1977, 383.385 f.
4) Vgl. hierzu die Kritik an JAUSS bei TITZMANN 1977, 13, Anm. 11.

exegetischen Praxis hinaus, so mag das daran liegen, daß ich es
für notwendig gehalten habe, ab und an über die Parzelle hinaus-
zugehen, die zu sondieren ist. Es gilt, der Gefahr zu entgehen,
auf einer Eisscholle zu treiben, ohne es zu merken.

1.1 Das Johannesevangelium als einheitlicher Text

1.1.1 Literarkritik in der Krise

Hartwig THYENs Vorschlag, den Redaktor, der die heute vorliegende
Fassung des Joh verantwortet, fortan 'Evangelist' zu nennen[1],
geht in seiner Relevanz über den Bereich der bloßen Nomenklatur
weit hinaus. Er gibt zum einen das weit verbreitete Unbehagen an
einer vorrangig literarkritisch orientierten Exegese wieder und
signalisiert andererseits die Entscheidung, das Joh in seinem
vollen Umfang, also von Joh 1,1 bis 21,25, als eine Einheit zu
lesen.
Das erwähnte Unbehagen hat wohl vor allem mit der konzeptionellen
Belastung zu tun, die sich die literarkritische Forschung (und
nicht nur in der Johannesexegese) aufgeladen hat, indem sie vor
allem nach dem 'guten Alten' fragte, nach dem Urevangelium, das
eine törichte Redaktion verunstaltet habe. Diese konzeptionelle
Ausrichtung, die theologische Wertung und literarische Einordnung
verbindet, rührt m. E. aus der Geschichte der Literarkritik.In dem
erbitterten Kampf des 19. Jahrhunderts um die 'Echtheit' des Joh
standen die frühen Literarkritiker zwischen Apologeten einerseits
und historischen Kritikern andererseits. Mit Teilungshypothesen,
die es erlaubten, sowohl kritische Einwände aufzunehmen, als auch
an einer ursprünglichen 'Echtheit' festzuhalten, nahmen sie eine
Vermittlungsposition ein und vertraten die These, "dass das Buch
dem innern Werthe nach theils ächt sei, theils unächt"[2].
DELFF formulierte 1890 ein Arbeitsprogramm, das auch für

---

1) Vgl. THYEN 1971, 356. In späteren Arbeiten immer wieder.
2) SCHWEIZER 1841, 6.

die früheren Arbeiten durchaus repräsentativ ist: "Daran also
liegt alles, ausser den synoptischen Evangelien einen wirklichen
authentischen Bericht, von einem wirklichen Schüler und Augenzeugen ausfindig zu machen. Und ein solcher ist nach meinen Forschun-
gen im vierten Evangelium enthalten; nicht das vierte Evangelium
unseres Kanons ist dieser Bericht, aber er ist in demselben enthalten."[1]

Alexander SCHWEIZER hatte seinem literarkritischen Versuch freilich gleich eine Befürchtung vorangestellt, die sich schnell be-
wahrheiten sollte:

"Vermittelnde Ansichten in solchem Kampfe missfallen heutzutage
leicht beiden Parteien; denn sehr viele Versuche dieser Art, weil
sie guten Theils weniger aus reinem Sinn für die Wahrheit als aus
schwacher Friedensliebe hervorgegangen, statt des Schwarzen oder
Weissen das Graue zu belieben suchen, haben die alte Achtung vor
der Mittelstrasse in üblen Ruf gebracht; indess so verdient die
Geringschätzung jenes Grauen ist, wird dennoch falls in Weisses
hie und da Schwarzes aufgetragen wäre, nicht zuzugeben sein, dass
darum Alles schwarz sei, oder Alles weiss."[2]

In der Tat geriet der literarkritische Versuch, das "Schwarze"
auszusondern, sehr früh unter Ideologieverdacht, und zwar nicht
nur von seiten der Apologeten der apostolischen Echtheit[3], die
in jedem Quellenscheidungsversuch einen Anschlag des Unglaubens
witterten, sondern auch bei den kritischen Forschern, die den Versuchen von WEISSE[4], SCHWEIZER[5], DELFF[6] u. a. wenig Gegenliebe
entgegenzubringen vermochten.

Als repräsentativ kann hier MEYERs Urteil von 1899 gelten:

"Das Motiv dieser Versuche ist recht durchsichtig: den Christus
der vergeistigten Reden konnte man auf dem Standpunkt der Schleier-
macher'schen und Ritschl'schen Theologie ganz wohl anerkennen, na-

---

1) DELFF 1890a, VI. Hervorhebung von mir.
2) SCHWEIZER 1941, 7.
3) Ein spätes Zeugnis findet sich bei RUCKSTUHL 1945, 156 f.
4) Vgl. WEISSE 1838.
5) Vgl. SCHWEIZER 1841.
6) Vgl. DELFF 1890a; ders. 1890b.

mentlich, wenn man dem Urapostel einige Selbständigkeit gewährte; den Wein von Kana aber und das wunderbare Brot mochte man nicht aus der Hand eines Urapostels annehmen."[1] Ein Jahrzehnt später pflichtete ihm BOUSSET bei:

"Die hier einsetzende Kritik war also von Anfang dogmatisch tendenziös bestimmt."[2] Wenn er dann freilich darauf hinweist, daß die literarkritische Arbeit trotz allem zu einer Vielzahl von guten literarischen Beobachtungen geführt habe, so verweist er damit zugleich auf einen möglichen Ausweg aus der konzeptionellen Überfrachtung der Literarkritik: die philologisch-literarische Arbeit, wie WELLHAUSEN[3] und SCHWARTZ[4] sie versuchten.

WELLHAUSEN sieht das Dilemma seiner Vorläufer recht klar und konstatiert bissig, "daß die Überzeugung von der literarischen Einheit des vierten Evangeliums durch einige ältere Zerlegungsversuche eher bestärkt als erschüttert werden mußte."[5] Er folgert daraus, man dürfe "nicht fragen, was wertvoll und echt sei, oder wertlos und unecht. Man darf überhaupt nicht von vorneherein große Gesichtspunkte aufstellen; damit muß man aufhören, nicht anfangen. Ausgehen muß man vielmehr von einzelnen Anstößen, die sich bei der Exegese ergeben und ebensowohl in den didaktischen als in den historischen Teilen vorkommen."[6] So sehr der von WELLHAUSEN und SCHWARTZ provozierte Fortschritt zu begrüßen ist, kann doch nicht behauptet werden, ihre Arbeiten hätten durchweg mehr Rätsel gelöst als hinterlassen. Das mag vor allem daran gelegen haben, daß die beiden keinen wirklich überzeugenden Kriterienkatalog für ihre Sammlung von Spannungen und Brüchen hatten, und deswegen zu oft einen textfremden Rationalismus einsetzen mußten. So konnten sie zwar viele wertvolle Einzelbeobachtungen machen, die z. T. noch heute Gültigkeit besitzen; zu einem einsichtigen und überzeugenden Modell der Entstehungsgeschichte des Textes gelang-

---

1) MEYER 1899, 262.
2) BOUSSET 1909, 2.
3) Vgl. WELLHAUSEN 1907; ders. 1908.
4) Vgl. SCHWARTZ 1907; ders. 1908.
5) WELLHAUSEN 1908, 4.
6) WELLHAUSEN, a.a.O.

ten sie freilich nicht. SCHWARTZ ist sich dessen vielleicht bewußt gewesen, als er von der Versuchung sprach, "ermüdet und mutlos das kritische Messer aus der Hand zu legen"[1].

Obwohl der Mangel an geeigneten Kriterien ein Kennzeichen auch der weiteren literarkritischen Forschung blieb[2], setzte sich in der Folge die Literarkritik auf breiter Front durch. DOBSCHÜTZ konstatierte 1929, daß die These von der Uneinheitlichkeit des Joh inzwischen "wissenschaftlich hoffähig" geworden sei und sich "immer mehr durchgesetzt" habe.[3] Diesen Trend konnte auch die religionsgeschichtliche Fragestellung nicht umkehren.[4]

Vielmehr kommt es durch den Kommentar BULTMANNs von 1941 zu einer großangelegten Synthese von Religionsgeschichte und Literarkritik. Dieses Werk, unbestritten die reifste Frucht literarkritischer Arbeit am Joh, macht aber gerade deutlich, daß die Methode ihre Eierschalen immer noch nicht abgestreift hatte. Im Laufe eines Jahrhunderts hatte sie sich zwar aus den Verstrickungen der Verfasserschaftsfrage lösen können, war aber doch geblieben, was sie anfangs war, der Versuch, Schwarzes aus Weißem auszuscheiden, ein Kind dogmatisch bestimmter Exegese. Bei den alten Literarkritikern hatte das Urteil 'sekundär' immer eine Feststellung über literarisches Alter und theologische Wertigkeit bedeutet. Solange man freilich davon ausging, im Joh Äußerungen eines Apostels und/oder Augenzeugen zu finden, war die Wertskala nicht ohne jede Berechtigung. Sobald aber diese Voraussetzung fiel, fiel auch die Grundlage für einen traditionsgeschichtlichen Archaismus; theologische Kritik, die natürlich legitim bleibt, muß sich andere Kriterien suchen als die Dignität des höheren Alters. Daß BULTMANN, obwohl er nicht mit einem Augenzeugenbericht rechnete, Literarkritik und theologische Sachkritik koppelt, zeigt sich z.B. an seiner Behandlung der Brotrede in Joh 6. Während "der Evangelist der kultisch-sakramentalen Frömmigkeit kritisch gegenübersteht", ist der eucharistische Teil 6,51c-58 "von der kirchlichen Redaktion

---

1) SCHWARTZ 1908, 497.
2) Vgl. die Feststellung von FAURE 1922, 99.
3) DOBSCHÜTZ 1929, 161.
4) Vgl. BAUER 1929, der in seinem Forschungsbericht den Akzent auf die Religionsgeschichte legt.

hinzugefügt", um ein vermeintliches Defizit zu beheben.[1] Dieses Zeugnis einer sakramentalistischen Zensur der Großkirche ist nicht nur literarisch, sondern auch theologisch sekundär. Es stellt für die Auslegung des "Evangelium des Johannes" (!) eine quantité négligeable dar, weil es im Gegensatz zur Intention des 'Evangelisten' steht, der "zwar nicht direkt gegen die Sakramente polemisiert, ihnen aber kritisch oder wenigstens zurückhaltend gegenübersteht."[2] Der Terminus "Evangelist" ist hier nicht eine nüchterne Benennung des Endredaktors, sondern stellt einen theologischen Wertbegriff dar.[3] Er zielt auf den Autor des eigentlichen Evangeliums, welches nicht der vorliegende Text ist, sondern ein vom Exegeten erst herzustellender.[4] Hier liegt die Gefahr natürlich erschreckend nahe, daß die Theologie des Auslegers und die Aussage des erst rekonstruierten und dann interpretierten Textes zu einer solchen Homogenität verschmelzen, daß der Exeget nicht mehr mit dem Text, sondern nur noch mit sich selbst kommuniziert. Diese Gefahr potenziert sich noch dadurch, daß BULTMANN ja nicht nur zwischen 'Evangelist' und Redaktion unterscheidet, sondern auch noch mehrere Quellen dem 'Evangelium' zugrunde legt und Textumstellungen in größerem Umfang für notwendig hält.[5]
Daß BULTMANN der genannten Gefahr erlegen sei, soll hier nicht behauptet werden. Festzustellen ist aber jedenfalls, daß bei ihm eine völlige Verdrängung des vorliegenden Textes als Auslegungsobjekt stattfindet und damit die Redaktion notgedrungen ihren Status als Textproduktion verliert. Sie gerät in die Rolle einer Textzerstörung, und dies sowohl theologisch - sie zensiert - als auch literarisch: sie bringt keinen sinnvollen Text hervor.
Es entsteht bei einem solchen Vorgehen dann recht leicht "das miserable Klischee, als handele es sich bei dem Redaktor um einen geistlosen Interpolator, der als rechtgläubiger Eiferer kein an-

---

1) BULTMANN 1941, 162.
2) BULTMANN 1959a, 412.
3) Das ist im übrigen bei THYEN nicht viel anders, weswegen ich auf den Ausdruck ganz verzichte.
4) Vgl. die Kritik THYENs 1974, 291.
5) Einen Überblick über BULTMANNs entstehungsgeschichtliche Hypothese gibt SMITH 1965. Vgl. auch die frühe Kritik von KÄSEMANN 1947.

deres Interesse gehabt haben soll als das, ein dogmatisches Defizit zu beheben.[1] Wo aber der redaktionelle Endtext literarisch und theologisch so abgewertet wird und das Interesse nur noch dem geheimnisvoll verborgenen 'Evangelisten' und seinem Kerygma gilt, da wird Literaturkritik als Auslegungsmethode eingesetzt.[2]

Das heißt dann konkret, daß aus einem Text, dessen Eschatologie z.B. sowohl präsentische als auch futurische Elemente enthält, ein Text erhoben wird, der das Heil (im Sinne einer realized eschatology) im Jetzt verkündet. Die Rechtfertigungslast für diese Uminterpretation des vorgegebenen Textes wird der Literarkritik aufgebürdet. Wenn wir uns klarmachen, daß es sich bei ihr aber im strengen Sinne um eine Methode handelt, die bestenfalls Aussagen über die relative Chronologie innerhalb eines mehrschichtigen Textes machen kann, dann sehen wir, daß sie dort, wo sie zur Fundierung theologischer Werturteile herangezogen wird, hoffnungslos überfordert ist. BULTMANNs Konzept führt außerdem zum Entwurf einer theologischen Diastase zwischen 'Evangelist' und Redaktion. Das ist deswegen ein Problem, weil so zwar die Unterscheidung von Tradition und Redaktion erheblich leichter fällt, sich gleichzeitig aber die Frage stellt nach der Motivation des redaktionellen Vorgehens. Einen Text zu bearbeiten, das heißt ja, ihn partiell oder ganz zu übernehmen. Die Frage ist, ob da eine allzu große Kluft zwischen Tradition und Redaktion wahrscheinlich ist. Trotz dieses Problems hat diese Polarisierung ihre Freunde gefunden; RICHTER, LANGBRANDTNER und BECKER wären hier etwa zu nennen.[3] Sogar HAENCHEN, der in seinem Kommentar so gerne gegen BULTMANN polemisiert, hat sich ihr nicht entziehen können, so daß sein Herausgeber Ulrich BUSSE fragt, "ob es noch wirklich einsichtig ist, wenn der Redaktor trotz seiner theologischen Opposition zu den Aussagen der Vorlage gerade diese übernimmt und seiner Ab-

---

1) THYEN 1979b, 106 f. Dieses Klischee ist alt. Es findet sich z.B. schon bei DELFF 1890a, 12 f; SPITTA 1910, 404.436.451 f; FAURE 1922, 120.
2) Vgl. BAUM-BODENBENDER 1984, 103.
3) Gegenüber BULTMANN ist bei den Genannten die Polarisierung freilich schon insofern abgemildert, als sie Redaktion als innergemeindlichen Vorgang ansehen.

sicht gemäß überarbeitet und ergänzt."[1] Daß diese Frage verneint werden muß, ist in den letzten Jahren zunehmend deutlich geworden.[2]

1.1.2 Hinwendung zur Synchronie: Das Johannesevangelium als Text

Aus den festgestellten Defiziten der literarkritisch orientierten Forschung ist als Konsequenz zu ziehen, daß der Literarkritik eine bescheidenere Rolle in der Johannesexegese zugewiesen werden muß. Sie kann nicht in dem Sinn als Auslegungsmethode eingesetzt werden, daß sie theologische Werturteile fundiert und den Endtext als Text verdrängt. Die Johannesexegese muß sich vielmehr zu einem Ansatz bequemen, der Redaktion als TEXTPRODUKTION akzeptiert und folglich ihrem Produkt den Status eines TEXTs zubilligt. Auch ist auf jede überzogene Polarisierung zwischen Tradition und Redaktion zu verzichten. Letztere muß als Arbeit mit Tradition (und nicht bloß an ihr) anerkannt werden.

Einer synchronen Lektüre ist deshalb nicht nur aufgrund linguistischer Prinzipien,[3] sondern auch als Reaktion auf Defizite johanneischer Literarkritik der Primat einzuräumen. Als Ausgangspunkt läßt sich dann formulieren, daß das Joh (von textkritischen Überlegungen abgesehen) in seiner überlieferten Gestalt, also in der gegebenen Textfolge und einschließlich des 21. Kapitels, als kohärentes Werk verstanden werden muß.

Diesem Ansatz, den Hartwig THYEN mehrmals vertreten hat,[4] stellt sich nun freilich ein Problem, das WENGST zur Sprache bringt, wenn er THYEN vorwirft, dieser Ansatz gleiche dem Versuch, das corpus paulinum von seiner "pastoralbrieflichen Redaktion her" zu interpretieren.[5] Nun ist es sicher überzogen, das Joh mit einer

---

1) BUSSE 1981, 141.
2) Vgl. die kritischen Äußerungen von THYEN 1978, 355 f; WENGST 1981, 21-28; SCHNACKENBURG 1984, 97 f; DAUER 1986, 78 f; SCHNELLE 1987, 22.
3) Vgl. dazu THEOBALD 1978, 161 f.
4) Vgl. z.B. THYEN 1980, 163.
5) WENGST 1981, 20.

Textsammlung zu vergleichen[1], aber die zugrunde liegende, von der literarkritischen Forschung ererbte Frage ist berechtigt und lautet: Handelt es sich beim Joh in der Endfassung um einen Text oder nicht? Die Antwort auf diese Frage hängt natürlich vom Textbegriff ab, der zugrunde gelegt wird.

Ein rein pragmatisch orientiertes Textverständnis, das einen Text einfach als Äußerung sieht, die durch zwei Kommunikationspausen begrenzt ist, muß die Frage nach dem Textstatus des Joh ohne Zögern bejahen. Es ist uns kein Textteil überliefert, der vor Joh 1,1 zu stehen hätte, und auch keiner, der an 21,25 anzuschließen wäre, folglich wäre das Joh ein Text.

Nun ist ein solches Textverständnis für die alltägliche Face-to-face-Kommunikation in gewissem Umfang sicher zutreffend. Hier wird die Textualität einer Äußerung nämlich durch die Einbettung in eine konkrete Kommunikationssituation abgesichert. Wo eine Äußerung verbaler Teil eines größeren, auch nonverbale Signale umfassenden Kontexts ist, kann ihre Sinnhaftigkeit durch diesen Kontext pragmatisch abgestützt werden. Sie ist dann kohärenter Text, d.h. sie ermöglicht dem Adressaten die Sinnbildung, obwohl ihr auf der Textebene die Merkmale eines Textes weitgehend fehlen. Der Mangel an Kohäsion[2], also der innertextlichen Absicherung der Textualität, wird durch die Informativität des Kontextes ausgeglichen. Extremfall sind hier Kurztexte wie "Hilfe! Feuer!".[3] Dieser Ausruf wird durch die konkrete Situation eines Brandes hinreichend sinnhaft gemacht.

Ein solches pragmatisches Textverständnis ist nun allerdings auf literarische Texte nicht anzuwenden, weil ihnen die konkrete Kommunikationssituation fehlt. Als teildeterminierte, situationsabstrakte Gebilde[4] sind sie weit stärker strukturiert, weil sie

---

1) WENGST ist sich hier mit Georg RICHTER, gegen den er polemisiert, darin einig, daß das Joh in der heutigen Form keine Einheit ist. Anders als RICHTER nimmt er allerdings seine literarkritische Aufgabe nicht ernst.
2) Zum Begriff 'Kohäsion' im Unterschied zu 'Kohärenz' vgl. LEWANDOWSKY 1984/85, 526-528.
3) Das Beispiel stammt von DRESSLER 1972, 1.
4) Vgl. SCHMIDT 1972, 66 f.

durch ihre hohe Strukturiertheit den Ausfall der Stabilisierung durch einen kommunikationssichernden Kontext auffangen müssen. "Der fehlende gemeinsame situative Rahmen, der zur Vereindeutigung (Monosemierung) der potentiell vieldeutigen Botschaft dient, muß im Text durch besondere Strukturmerkmale aufgewogen werden. Dies wird vor allem erreicht durch eine kohärente Struktur, deren Aufbau vom ersten Satz an zur Konstruktion des intendierten Sinns hinführen soll."[1] Es kann also davon ausgegangen werden, daß insbesondere literarische Texte ihre Kohärenz auf Kohäsion gründen, also die Sinnkonstitution der Lesenden durch die semantisch-logische Organisation des Textes steuern. Zwar kann auch bei nichtkohäsiven Äußerungen eine Kohärenzbildung durch die Rezipierenden stattfinden,[2] allerdings ist eine Exegese, die sich literaturwissenschaftlich verantworten und nicht bloßer Eigensinn sein will, darauf angewiesen, ihre Interpretation an textliche Gegebenheiten rückzubinden. Selbst dann nämlich, wenn wir den rezeptionsästhetischen Ansatz übernehmen, den viele Literaturwissenschaftler vertreten, müssen wir uns doch darüber im klaren sein, daß damit keine Hinwendung zu purer Subjektivität gemeint sein kann. Denn auch wenn Bedeutung keine im Text versteckte Größe ist, sondern ein Produkt der Interaktion von Text und Lesenden, wie ISER betont,[3] so muß es doch, falls literarischen Texten nicht der Status eines Kommunikationsmittels abgesprochen werden soll,[4] im literarischen Text Strukturen geben, die den Akt des Lesens in irgendeiner Weise steuern, so daß der Text nicht ausschließlich Projektionsfläche für die Lesenden ist. Das wird wohl auch auf rezeptionsästhetischer Seite so gesehen, zumindest bezeichnet ISER den Text als "eine 'Rezeptionsvorgabe' und damit ein Wirkungspotential, dessen Strukturen Verarbeitungen in Gang setzen und bis zu einem gewissen Grade kontrollieren."[5]

---

1) ZERBST 1985, 50. Vgl. auch ISER 1984, 114 f.
2) VELDE 1981, 29 verweist auf die Kommunikation zwischen Aphatikern und Sprachtherapeuten.
3) Vgl. ISER 1975a, 229.
4) Zum literarischen Text als kommunikative Größe: ZERBST 1985, 48 ff.
5) ISER 1984, 1.

Deshalb läßt sich auch der Bereich der Rezeptionsästhetik in zwei Fragestellungen unterteilen:

Da ist einmal die **historisch-soziologische** Frage nach tatsächlich erfolgter, dokumentierter Rezeption[1], zum anderen gibt es die **texttheoretische** Frage nach den Vorgaben, die der literarische Text als Wirkungspotential macht; und dieses Gebiet berührt sich mit dem der Textanalyse. Hier ist allerdings zu beachten, daß der Text als Wirkungs<u>potential</u> bezeichnet wird. Dieser Textbegriff impliziert die Auffassung, daß der Textsinn nicht ein für allemal feststeht, sondern in der Realisierung durch die jeweiligen Lesenden auf verschiedene Weise konstituiert werden kann. Diese Auffassung von der Polyvalenz (SCHMIDT) oder Unbestimmtheit (ISER) wurde als Infragestellung[2] bzw. Ende[3] wissenschaftlicher Interpretation (als Suche nach der richtigen Interpretation) verstanden.

TITZMANN greift ISER deswegen heftig an und setzt die These entgegen, daß das Postulat der richtigen Interpretation ebenso begründbar wie unverzichtbar sei.[4]

In dieser Auseinandersetzung muß - auch auf die Gefahr hin, ungebührlich abzuschweifen - Stellung bezogen werden, weil es dabei auch um den Status der vorliegenden Arbeit geht.

Zunächst ist festzustellen, daß ISERs Akt des Lesens und TITZMANNs Textanalyse zwei unterschiedliche Aspekte behandeln. Während es ISER um eine Beschreibung des Textes in Bezug auf das <u>Lesen an sich</u> geht, ist TITZMANNs Gegenstand die <u>wissenschaftliche Textanalyse</u>.

Was nun die tatsächlich erfolgende, alltägliche Lektüre angeht, so ist sicher ISER Recht zu geben, daß die Bandbreite der Sinnbildungsmöglichkeiten durch die Lesenden außerordentlich groß ist. Das beruht darauf, daß in hohem Maß subjektive Dispositionen zum Tragen kommen, und die Normallektüre oft nicht unterscheidet zwischen Textsinn und Konnotationen, zwischen Textsinn und existen-

---

1) Diese Frage ist aufgrund des Fehlens entsprechender Dokumente für die früheste Zeit für uns belanglos.
2) Vgl. SCHMIDT 1975, 145-166; ders. 1979; BROER 1978, 22-26.
3) Vgl. FAULSTICH 1985, 38 f.
4) Vgl. TITZMANN 1977, 227 f.

tieller Bedeutung. Das ist auch so lange legitim, wie es um subjektive Sinnbildung im privaten Bereich geht. Sobald es aber
darum geht, in Austausch und Auseinandersetzung mit anderen einen
Konsens in Bezug auf den Sinn, der einem Text zugeordnet werden
kann oder soll, zu finden, müssen Sinnkonstitutionen begründet,
rein subjektive Konnotationen eventuell als unbegründet zurückgenommen werden. Dies geschieht im Bereich wissenschaftlicher Interpretation, aber auch allgemein in jeder Lesegemeinschaft, in der
ein Bedarf an Verständigung und Konsens über den Sinn bestimmter
Texte besteht, also auch in der Kirche.

Eine wissenschaftliche Interpretation hat zunächst einige grundlegende Regeln zu beachten, will sie wissenschaftlich kommunikationsfähig sein:[1]

1. Ihre Aussagen müssen intersubjektiv eindeutig sein, was definierte oder zumindest umschriebene Begriffe voraussetzt.

2. Die Aussagen einer solchen Interpretation müssen widerspruchsfrei sein und

3. empirisch[2] nachprüfbar.[3]

Konkurrierende Interpretationen, die diese Regel beachten, sind
untereinander vergleichbar, und es kann prinzipiell entschieden
werden, welche von ihnen die bessere ist.

An diesem Sachverhalt ändern auch Unbestimmtheit und Leerstellen
nichts. Sie führen zwar zu Zwei- und Mehrdeutigkeiten im Text,
während aber die Normallektüre an solchen Stellen die subjektiven
Konnotationen der Lesenden besonders zum Zuge kommen läßt, ist
die wissenschaftliche Interpretation hier vor die Aufgabe gestellt,
die Mehrdeutigkeiten exakt zu beschreiben und auf ihren Sinn zu
befragen. Das Gleiche gilt für Widersprüche im Text. Solche Phänomene dürfen nicht als Ausgangspunkt beliebiger Sinnbildung dienen,
sondern müssen als Signifikanten, also als bedeutungstragende

---

1) Vgl. zum Folgenden TITZMANN 1977, 21-24.
2) Zum Begriff 'empirisch' vgl. oben.
3) Diese drei Grundregeln gelten selbstredend auch dann, wenn
   meine eigene Arbeit hinter dem darin ausgedrückten Anspruch zurückbleiben mag.

Elemente erkannt und analysiert werden.[1]

Daß dies übrigens gar kein prinzipieller Unterschied zu einer ge-übten Normallektüre sein muß, mag an einem Beispiel deutlich wer-den:

Nehmen wir an, in einer Erzählung wird eine Person - im Unterschied zu allen anderen Personen - in keiner Weise hinsichtlich ihres Äußeren charakterisiert. Für die Lesenden besteht dann natürlich die Möglichkeit, sich von dieser Person ein beliebiges, völlig individuelles Bild zu entwerfen. Eine geübte, auf die Signale des Textes hörende Lektüre wird freilich in ihre Vorstellungsbildung das Fehlen äußerer Merkmale ebenso aufnehmen[2], wie eine wissen-schaftliche Interpretation diese Leerstelle[3] beschreiben und deu-ten wird. D. h. in beiden Fällen wird die Leerstelle nicht ein-fach gefüllt, sondern vielmehr im Hinblick auf ihre Funktion im Text ausgewertet. Der Unterschied zwischen Lesen und Interpretation scheint hier vor allem darin zu liegen, daß ersteres sich zumindest teilweise unter der Bewußtseinsschwelle vollzieht, während sich letztere um eine explizite, rational begründbare Sinnbildung bemüht. Nun war dieses Beispiel freilich geradezu unzulässig ein-fach und darf deswegen in seiner Aussagekraft nicht überschätzt werden. Fundamentale Unterschiede zwischen Lektüre und Interpreta-tion würden sonst verwischt. Es darf ja nicht übersehen werden, daß beim Lesen ständig nicht nur objektiv beschreibbare Textstruk-turen, sondern auch objektive und subjektive Konnotationen[4] zum Zuge kommen. Diese Konnotationen spielen zugleich eine wichtige Rolle im Hinblick auf die existentielle Bedeutung, die ein litera-rischer Text für Lesende gewinnen kann. Einer wissenschaftlichen Interpretation als Beschreibung der dem Text zugrunde liegenden Ordnung[5] muß es um das intersubjektiv Nachprüfbare gehen. Den Be-

---

1) Vgl. TITZMANN 1977, 191 ff.224.
2) Vgl. ISER 1984, 223.
3) Ich lehne mich hier an den Sprachgebrauch von TITZMANN 1977, 237 an. 'Leerstelle' bezieht sich dementsprechend auf Abweichun-gen von Vollständigkeitsstandards, die der Text selbst aufbaut.
4) Zur Unterscheidung von subjektiven und objektiven Konnotationen siehe unter 1.3.2.1. Vgl. einstweilen TITZMANN 1977, 47.
5) Vgl. TITZMANN 1977, 381.

reich der objektiven Konnotationen wird sie noch berücksichtigen
können, alles nur Subjektive hat dagegen auszuscheiden. Es sollte
klar sein, daß hier gegenüber dem Lesevorgang bzw. der Leseerfah-
rung des oder der einzelnen eine Verkürzung und Verarmung stattfindet. Diese Ausklammerung des Subjektiven ist aber geradezu notwendig, wenn es um Konsensbildung geht. Das bedeutet aber auch,
daß Interpretationen als eine Art der Textverarbeitung das Lesen
als eine andere nicht verdrängen oder ersetzen wollen darf. Dagegen wird es - vor allem bei zeitlich und kulturell distanzierten
und deshalb 'schwierigen' Texten - ihre Aufgabe sein, überhaupt
erst wieder die Voraussetzung zu schaffen, damit eine Sinnbildung,
die nicht bloße Projektion ist, stattfinden kann. Ziel ist nicht
das Ersetzen des Lesens durch die ideale Interpretation,[1] sondern
die Ausbildung entsprechender Kompetenz von Lesern und Leserinnen.
In diesem Sinne will die vorliegende Arbeit Textinterpretation
sein.[2]

In der Kontroverse zwischen TITZMANN und ISER stelle ich mich
also, was die vorliegende wissenschaftliche Arbeit angeht, auf
die Seite TITZMANNs, insofern ich trotz der Polyvalenz literarischer Texte am Postulat der eindeutigen Textanalyse festhalte.
Gleichzeitig gehe ich aber über TITZMANN hinaus, indem ich mit
ISER die pragmatische Seite von Unbestimmtheit und Leerstellen
stärker betone, und frage, was sich im Rahmen einer literaturwissenschaftlichen Pragmatik über die intendierte Wirkung auf die Lesenden sagen läßt.

Doch zurück nun zu unserem eigentlichen Problem! Wenn in dieser
Arbeit die Einhaltung fundamentaler Interpretationsregeln ange-
strebt wird, und zu diesen Regeln auch gehört, daß interpretatorische Aussagen am Text empirisch verifizierbar sein müssen, dann
gilt diese Regel auch für die getroffene Grundsatzentscheidung,

---

1) Diese Interpretation ist als wissenschaftstheoretisches Postulat
   unverzichtbar, selbst wenn die ideale Interpretation in der
   Praxis vielleicht nicht geschrieben wird. Vgl. TITZMANN 1977,
   24.381.
2) Es handelt sich freilich um eine Interpretation, die teilweise
   ihre eigenen Voraussetzungen erst erarbeiten muß. Vgl. das
   unten zum Problem des 'Repertoires' Gesagte.

das Joh als sinnvolles Ganzes zu nehmen. Diese Arbeitshypothese
muß also durch den Aufweis innertextlicher Kohäsion gerechtfertigt
werden.

Es ist nachzuweisen, daß das Joh in seiner Endfassung ein sinnvolles, strukturiertes Ganzes darstellt, ein Determinationsgefüge,
dessen Elemente und Elementgruppen sich so aufeinander beziehen,
daß sie sich gegenseitig bestimmen und erhellen.[1] Gelingt dieser
Nachweis nicht, stellt sich also z.B. heraus, daß Joh 21 ohne Bezug zu Joh 1-20 ist und/oder sich die Arbeit der Redaktion in den
ersten zwanzig Kapiteln auf das Anbringen vereinzelter Glossen beschränkt, dann müßte die Kohärenzentscheidung revidiert werden.[2]
Daß dies tatsächlich erfolgen muß, ist vom gegenwärtigen Stand
der Forschung her freilich ziemlich unwahrscheinlich, weil zum
einen die Fülle der inzwischen als redaktionell eingestuften Textteile so groß ist, daß es sich schon deshalb nahelegt, in der Endredaktion die gestaltende Kraft des heutigen Textes zu sehen.
Quantität allein ist freilich kein wirklich zwingendes Argument.
Es kommt allerdings hinzu, daß sich zwischen redaktionellen Textteilen und dem Makrotext eindeutige Beziehungen nachweisen lassen.
So kommt, um nur ein Beispiel zu nennen, CULPEPPER bei seiner literaturwissenschaftlichen Untersuchung des Erzählerstandpunkts im
Joh zu dem Ergebnis, daß eine "striking congruence in the points
of view of the narrator and the farewell discourse"[3] besteht. Sowohl Jesus als auch der Erzähler sind omniszient und retrospektiv.
Beide sind ideologisch wie phraseologisch nicht zu unterscheiden.[4]
Die Korrelation zwischen Erzählerkommentaren und den Themen der
Abschiedsrede ist überraschend. Es fehlen auf seiten des Erzählers
lediglich die Themen 'Weggang Jesu' und 'Liebe und Einheit unter
den Jüngern'. "With these exceptions, the narrator's explanatory
or interpretative comments deal with all of the main themes of

---

1) Vgl. WEINRICH 1977, 145. Der hier zugrunde gelegte Textbegriff
   deckt sich weitgehend mit EGGER 1987, 28-30.
2) Vgl. THYEN 1974, 52.
3) CULPEPPER 1983, 38.
4) Vgl. CULPEPPER 1983, 36.

the farewell discourse, and with only one or two exceptions |...|
every point at which the narrator intervenes to interpret a
statement is related to concerns dealt with by the farewell discourse."[1]

Da nun die Kapitel 15-17, also der Großteil der Abschiedsrede, in
der Literarkritik seit WELLHAUSEN[2] ein geradezu klassischer
Fall eines redaktionellen Textes ist, kann die Arbeit der Redaktion kaum als bloß mechanisches Aufsetzen von Glossen angesehen
werden. Sie stellt vielmehr offensichtlich eine gestalterische Arbeit dar, die im redaktionellen Text ein neues einheitliches
Ganzes hervorbringt.

Die hier angeführten Beobachtungen mögen als recht subjektiv aus-
gewählt erscheinen. Zur vorläufigen Begründung des Entschlusses,
den überlieferten Text als einheitlich zu lesen, genügen sie
jedoch. Die entscheidende Begründung muß die exegetische Arbeit
selbst erbringen.

1.1.3 Synchrone Interpretation und literarkritische Tradition: Der theoretische Ort der Literarkritik

Mit der Absicht, das Joh als einheitlichen Text zu lesen, ist nun
freilich sofort die Frage verbunden, wie sich eine solche Interpretation zur Tradition der literarkritischen Arbeit verhält. Ein
Interpretationsansatz, der beansprucht, frühere Vorgehensweisen
zu überbieten, muß ja deren nicht widerlegte Teile in sich enthalten. [3] Das heißt, es kann nicht darum gehen, die Literarkritik
einfach beiseite zu wischen, und so zu tun, als ob es die Anstöße,
die Anlaß zu entsprechender Forschung gaben, nun plötzlich nicht

---

1) CULPEPPER 1983, 39.
2) Vgl. WELLHAUSEN 1907, 7-15; ders. 1908, 68-80;
   SCHWARTZ 1908, 184 f; MEYER 1962 I, 313;
   BROWN 1966/70, 582-586.745; LINDARS 1972, 50 f;
   THYEN 1974, 240; SCHNACKENBURG 1975, 101-103.190.230;
   RICHTER 1977, 67.78.171 f.266; LANGBRANDTNER 1977, 61.106;
   THYEN 1979b, 129; BECKER 1979/81, 477;
   PAINTER 1981, 526.532.; KAEFER 1984, 263.
3) Vgl. LABROISSE 1979, 312, der sich hier auf LAKATOS stützt.

mehr gäbe. Auch eine synchrone Lektüre muß vielmehr die Tatsache
ernstnehmen, daß das Joh offensichtlich ein Text ist, der eine
längere Entstehungsgeschichte hinter sich gebracht hat. Sie ist
von daher herausgefordert, der Literarkritik einen theoretischen
Ort zuzuweisen.[1] Diese Herausforderung ist auch durchaus schon
erkannt worden.

1.1.3.1 Literarkritik als sekundäres Hilfsmittel der Interpretation?

THEOBALD versucht - für das Gebiet der Synoptiker-Exegese - das
Problem folgendermaßen zu lösen.[2]
Er stellt fest, daß ein Text, der Traditionen verarbeitet, nicht
als Dialog zwischen Tradition und Redaktion, sondern als Kommuni-
kationsakt zwischen Autor und Adressaten zu deuten sei. Der Text
müsse als in sich suffizient betrachtet werden, also als mit
allem ausgestattet, was für sein Verstehen notwendig sei. Insofern
der Text eine kritische Dialogsituation nicht eigens kenntlich

---

1) Diese Frage bleibt selbst bei den neuesten methodologischen
Entwürfen ohne befriedigende Antwort. Bei SCHWEIZER 1986
gehört Literarkritik einfach zum Bereich der Textkonstitution
(vgl. a.a.O. 37.119-132). EGGER 1987 setzt die Literarkritik
als Element der diachronen Betrachtungsweise recht unvermittelt
neben die Lektüre unter synchronem Aspekt (vgl. a.a.O. 159 ff).
Den Beitrag der Diachronie erwähnt er nur sehr allgemein als
"ein vertieftes Verständnis" (a.a.O. 159). STENGER 1987 sieht
den Beitrag der diachronen Betrachtung in der Erklärung von
Phänomenen, die sich synchron nur beschreiben lassen (vgl.
a.a.O. 41-43). Die Literarkritik selbst wird nicht eigens begründet (vgl. a.a.O. 65-67).
2) Vgl. zum Folgenden THEOBALD 1978, 162 f.
Ein weiterer Integrationsversuch findet sich bei FRANKEMÖLLE
1982, 65.69. Er ist allerdings zu knapp, als daß er ausführlich
diskutiert werden könnte. Vorgesehen ist dort eine "synchrone
Literarkritik", die Spannungen und Brüche aufgreift, um sie
als pragmatisches Signal an die Lesenden auszuwerten. Abgesehen
davon, daß eine synchrone Literarkritik trockenes Wasser ist,
wäre die Untersuchung von Brüchen und Spannungen im Hinblick
auf ihre kommunikative Potenz ein Gegenstand textlinguistischer
Kohärenzbeschreibung und hätte mit Literarkritik zunächst
nichts zu tun.
Ich verstehe Literarkritik (wie üblich) als Frage nach schriftlichen Vorstufen/Vorlagen eines Textes. Vgl. auch EGGER 1987,162.

mache, könne also auch die Kenntnis der rezipierten und/oder korrigierten Tradition bei den angezielten Hörern nicht vorausgesetzt werden.

Ist damit die Bedeutung der Literarkritik drastisch reduziert, so hält THEOBALD doch daran fest, daß die Kenntnis der Entstehungsgeschichte eines Textes "Wesentliches zum Verständnis beitragen"[1] könne, weil sie etwa den Hintergrund liefere, um die Intention eines Textes zu profilieren oder etwa eine Verfremdungsabsicht des Redaktors zu entdecken. Aber, so schränkt er dann wieder ein, hier gehe es um die Klangfarbe des sprachlichen Signals, nicht aber um seine Kontur.

An THEOBALDs Thesen ist sicher richtig, daß ein Text nicht sofort als Dialog zwischen Tradition und Redaktion genommen werden darf, wenn er sich nicht durch seine Struktur als ein solcher Dialog zu erkennen gibt. Dieses Prinzip gerät aber sehr schnell an seine Geltungsgrenze, und zwar dort, wo ein Text mit Tradition dialogisiert, ohne dies - aus welchen Gründen auch immer - deutlich zu machen; also ohne die Tradition als solche hervorzuheben. Dies kann dann der Fall sein, wenn eine Autorin bzw. ein Autor die Kenntnis der Quellen beim angezielten Publikum voraussetzt. Tradition gehört dann in den Bereich der Text-Präsuppositionen, und die textwissenschaftliche Erkenntnis der herausragenden Bedeutung von Präsuppositionen für die kommunikative Qualität von Texten[2] macht deutlich, daß die These von der Suffizienz eines Textes nicht zutrifft, zumindest nicht mit der Striktheit, in der sie THEOBALD formuliert.

Die Frage ist nun, ob etwa im Fall des Joh die Kenntnis der verarbeiteten Tradition bei den auktorialen Lesern und Leserinnen präsupponiert ist. Diese Frage läßt sich m. E. durchaus bejahen.

---

1) THEOBALD 1978, 163.
2) Vgl. SCHMIDT 1976, 94:
   "Eine erfolgreiche Verständigung zwischen Partnern in einem kommunikativen Handlungsspiel kann nur erreicht werden, wenn die Kommunikationspartner über eine zureichende gemeinsame Menge von Präsuppositionen verfügen."

Wie gesagt ist ja das Gedankenmodell von BULTMANN und anderen abzulehnen, demzufolge die Redaktion des Joh eine fremde Theologie
zensiert, um sie großkirchlich salonfähig zu machen. Vielmehr ist
mit RICHTER, BROWN, THYEN und anderen davon auszugehen, daß die
Redaktion eine _johanneische_ ist, d. h., daß sie ihre eigene Tradition neu bearbeitet. Demnach geht es bei der Redaktion "um das an-
gemessene Verständnis der _eigenen_ Überlieferung, nicht um die
Amalgamierung einer fremden."[1] Diese Erkenntnis stützt sich unter
anderem auch auf die stilstatistischen Arbeiten von SCHWEIZER[2]
und RUCKSTUHL[3]. Ihr Ergebnis, daß nämlich das Joh einschließlich
Joh 21 ein gewisses Maß stilistischer Geschlossenheit zeige, ist
oft als Todesstoß für die Literarkritik verstanden worden, weil
man meinte, hier durchgehend den Stil eines individuellen Schrift-
stellers nachweisen zu können. Unter dem Aspekt dieses Anspruchs
ist diese Stilstatistik inzwischen vernichtend kritisiert worden.[4]
Zunächst wies HIRSCH darauf hin, daß die Stilstatistik dann
nichts beweist, wenn zwischen Redaktion und von ihr überarbeitetem
Text ein enger geistiger Zusammenhang besteht. Für diesen Fall
ist nämlich damit zu rechnen, daß die Redaktion die Stileigentüm-
lichkeiten ihrer Tradition bewußt und/oder unbewußt übernehmen
wird.[5] Die Feststellung einer stilistischen Eigentümlichkeit des
Joh tangierte also von vorneherein nur Konzepte, die - wie etwa
das BULTMANNs - eine größere Distanz zwischen Tradition und Redaktion annehmen. Diese Überlegung hat in der Folge dazu geführt, in
den SCHWEIZER-/RUCKSTUHLschen Ergebnissen nicht den Beweis für
den Ideolekt eines einzelnen Autors zu sehen, sondern sie vielmehr als ein Indiz für einen einheitlichen Soziolekt zu werten.[6]

---

1) THYEN 1974, 236, Anm.1. Vgl. auch a.a.O., 317.330 u.ö.
2) Vgl. SCHWEIZER 1939.
3) Vgl. RUCKSTUHL 1951.
4) Vgl. z.B. KÄSEMANN 1949/50, 205-207; HIRSCH 1950/51;
   MENDNER 1952, 419-421, HAENCHEN 1955, 307-309;
   ders. 1980, 65 ff; BECKER 1969/70, 132 f;
   THYEN 1971, 344, Anm. 4.; RICHTER 1977, 54.67-71.195.
5) Vgl. HIRSCH 1950/51, bes. 129 f.
6) Vgl. THYEN 1977a, 283, Anm. 62; ders. 1977b, 214; BECKER
   1979/81, 34.
   Zur johanneischen Sprache aus soziolinguistischer Sicht vgl.
   jetzt MALINA 1985, 11-17.

In der Tat wird trotz der methodologischen Schwächen dieser Stati-
stik, die ihre Aussagekraft überhaupt mindern, ihr relativer Wert
darin liegen, daß sie die These von der johanneischen Redaktion
untermauert.

Dies gilt trotz der jüngsten Einwände von DAUER, der darauf
insistiert, mit der Aufgabe, Spracheigentümlichkeiten im Joh zu
untersuchen, sei zu leichtfertig umgegangen worden, und der
darauf hinweist, daß die "'klassischen' Stilcharakteristika, die
in der Johannesforschung zusammengestellt wurden," nun "gerade
keine theologisch gefüllten Ausdrücke" sind, "die am ehesten noch
auf eine gemeinsame Sprache einer Schule im Sinne eines Soziolekts
schließen lassen, sondern völlig unbetonte und unbedeutende
sprachliche Floskeln, Redewendungen etc."[1]

Dieser Einspruch hat zunächst durchaus seine Berechtigung; in der
Tat wurde die Aufgabe, Literarkritik und Stilkritik zu koppeln,
nicht recht wahrgenommen, was nun freilich auch an der bis jetzt
noch höchst problematischen Lage einer wissenschaftlichen Stil-
theorie liegt.[2] Eine Stilanalyse, die diesen Namen auch verdienen
wollte, müßte jedenfalls über SCHWEIZER und RUCKSTUHL weit hinausgehen, müßte Stil als Gesamtheit sprachlicher Ausdrucksmittel ansehen und wäre von daher nur auf der Basis moderner Linguistik
durchführbar.

Was nun aber den Hinweis auf die theologisch irrelevanten Floskeln
angeht, so hat DAUER offensichtlich das zweite Argument ignoriert,[3] das in der Diskussion eine Rolle spielte, ebenfalls von
HIRSCH stammt und von HAENCHEN ausgebaut wurde:
Gerade die Kleinigkeiten (ἵνα epexegeticum, das 'johanneische'
ἐκεῖνος, οὖν, das Asyndeton) lassen sich als Kennzeichen spät-
griechischer Redeweise erklären.[4] HAENCHEN verweist auf die
nichtliterarische Koine Epiktets und konstatiert: "man muß zwischen

---

1) DAUER 1986, 77.
2) Vgl. zu diesem Problemkreis die Stichworte 'Stil', 'Stilanalyse'
   und 'Stilistik' bei LEWANDOWSKI 1984/1985, 1047-1050.
3) Das gilt auch für POYTHRESS 1984a; ders. 1984b, der das Problem
   des Soziolekts nicht beachtet und die These einer individuellen Eigenart einfach setzt (vgl. 1984b, 354).
4) Vgl. HIRSCH 1950/51, 139; sehr ausführlich HAENCHEN 1980, 66-74.

dem Stil eines einzelnen Autors und dem einer bestimmten Schicht unterscheiden."[1]

Das heißt nun aber nicht anderes, als daß auch von diesem Punkt her nur das mögliche Bild des Verhältnisses zwischen Tradition und Redaktion beeinflußt wird. Da es sich hier offensichtlich um sozial geprägten Sprachgebrauch handelt, wäre der Nachweis dieser Charakteristika bei Tradition und Redaktion nur ein Indiz für eine gewisse soziale Kontinuität. Diese Kontinuität stärkt aber ebenfalls die These von der johanneischen Redaktion.

Wenn nun aber die Redaktion nichts Fremdes übernimmt, sondern ihre eigene Tradition neu auslegt, dann ist die Bekanntschaft mit dieser Tradition bei den angezielten Leserinnen und Lesern einfach vorauszusetzen. Das heißt aber nichts anderes, als daß das Joh jenseits der Geltungsgrenze von THEOBALDs Lösungsversuch liegt, der ja auf der Voraussetzung der Unbekanntheit beruht.

1.1.3.2 Literarkritik als Repertoire-Erforschung

Es gilt also einen anderen Weg zu finden, um die Stellung der Literarkritik im Konzept synchroner Lektüre befriedigend theoretisch zu beschreiben.

Im folgenden soll dies mit Hilfe von Wolfgang ISERs Konzept der Repertoirebildung von literarischen Texten versucht werden.[2]

Im Anschluß an die Sprechakttheorie beschreibt ISER drei wesentliche Voraussetzungen für das Gelingen sprachlichen Kommunikationshandelns:

"Die Äußerung des Sprechers muß sich auf eine **Konvention** berufen, die auch für den Empfänger gilt. Die Verwendung der Konvention muß situationsangemessen sein, und das heißt, sie muß von **akzeptierten Prozeduren** gesteuert werden. Schließlich muß die Bereitschaft der Beteiligten, sich auf eine Sprachhandlung einzulassen, in dem gleichen Maße gegeben sein, in dem die **Situation** definiert ist, in der sich eine solche Handlung vollzieht."[3] Fallen wesent-

---

1) HAENCHEN 1955, 208.
2) Vgl. zum Folgenden ISER 1984, 87-143.
3) ISER 1984, 92.

liche Teile dieser drei Bedingungen aus, so wird das Gelingen der Kommunikation gefährdet oder ausgeschlossen. Nun kann sich aber literarische Rede nicht einfach auf Konventionen und akzeptierte Prozeduren stützen, und ihr fehlt auch der eindeutige situative Kontext, der die Bedeutung des Textes stabilisieren könnte. Fehlen ihr damit also die zentralen Bestandteile einer erfolgreichen Sprachhandlung?

Diese Frage kann deshalb verneint werden, weil literarische Rede nicht völlig konventionslos ist. Sie setzt Konventionen freilich anders ein als die Alltagsrede. Letztere bezieht sich auf vertikal strukturierte Konventionen und Prozeduren. Vertikal bedeutet hier: "Was vorher galt, gilt auch jetzt; was bisher die Handlung regulierte, wird jetzt angerufen. In den Sprechakten geschieht folglich nicht eine Berufung auf Konvention überhaupt, sondern auf deren Geltung."[1] Die literarisch-fiktionale Rede dagegen bezieht sich nicht auf die Geltung von Konventionen, sondern auf Konventionen an sich. Sie selektiert Elemente aus den Konventionsbeständen ihrer jeweiligen Lebenswelt und macht sie selbst thematisch. Konventionen werden dadurch aus ihrer Vertikalität gelöst und horizontal organisiert.[2] Diesen Vorgang bezeichnet ISER als REPERTOIREBILDUNG. Über das Repertoire, die Textstrategie und die Beteiligung der Lesenden (Realisation) bilden literarische Texte ihre eigene Situation und schaffen so die Voraussetzung für ein Gelingen der Kommunikation. Auf Strategien soll hier nicht eingegangen werden, ebensowenig auf den Vorgang der Realisation.[3] Statt dessen wollen wir uns auf das Repertoire konzentrieren. Die Repertoirebildung geschieht so, daß sich der Text auf ihm vorausliegende, bekannte Größen bezieht. Dieser Bezug geht "auf soziale und historische Normen, auf den soziokulturellen Kontext im weitesten Sinne, aus dem Text der herausgewachsen ist - kurz auf das, was die Prager Strukturalisten als die außerästhetische

---

1) ISER 1984, 99.
2) Was die Horizontalisierung angeht, bilden rhetorische, didaktische und propagandistische Texte eine gewisse Ausnahme. Vgl. dazu ISER 1984, 139.
3) Vgl. aber ISER 1984, 143 ff.

Realität bezeichnet haben."[1] Weil es hier um Extratextuelles
geht, ist das Repertoire des Textes der Ort, wo die Textimmanenz
aufgebrochen wird. Hier wird nun schon klar, daß es eine synchrone
Lektüre im Grunde gar nicht geben kann, weil der Text sich selbst
transzendiert und auf etwas vor ihm Liegendes verweist. Er muß
diese Grenzüberschreitung vollziehen, um sein Kommunikationsziel
nicht zu verfehlen und das heißt, daß dieser Schritt auch auf der
Rezeptionsseite nachvollzogen werden muß, wenn Kommunikation
stattfinden soll. Daß die Lesenden den Bezug auf außertextliche
Größen tatsächlich vollziehen, fällt dort natürlich nicht ins Auge, wo die Repertoire-Elemente des Textes in zeitlicher und sozio-
kultureller Nähe zu den Lesenden stehen. Daraus entsteht dann der
Eindruck 'synchroner' Lektüre. Bei ferner stehenden Texten entsteht dieser Eindruck dadurch, daß die Zeichen des Textes mit In-
halten besetzt werden, die den Lesenden zeitgenössisch und daher
vertraut sind. Die Tatsache, daß außertextliche Normen und Konzepte aufgegriffen werden, bedeutet nach ISER nun aber nicht, daß
sie einfach abgebildet würden, vielmehr werden sie - auf unter-
schiedlichste Art und Weise - bearbeitet. Gesellschaftliche Normen, Konventionen und Traditionen werden, indem sie zu Repertoire-
Elementen werden, zu einem Interaktionspol herabgestuft, also in
einen Zustand der Reduktion versetzt. Aus ihrem alten Zusammenhang
gelöst, werden sie "anderer Beziehungen fähig, ohne die alte
Beziehung völlig zu verlieren, die ursprünglich durch sie bezeichnet war. Ja diese muß bis zu einem gewissen Grade gegenwärtig
bleiben, um den notwendigen Hintergrund zur Verfügung zu haben,
von dem sich die neue Verwendung abheben läßt."[2] Ein Repertoire-
Element ist deswegen mit seiner Herkunft nicht identisch, wird
aber auch nicht allein durch seine neue Verwendung definiert,
weil es seinen alten Ort als Horizont parat hält.

---

1) ISER 1984, 115. ISER macht später (1984, 118) klar, daß mit
   'Realität' Wirklichkeitsmodelle gemeint sind, also Sinnsysteme
   zur Reduktion von Komplexität und Weltkontingenz.
2) ISER 1984, 166.

Aus der Analogie zu den Erfolgsbedingungen von Sprechakten kann
nun geschlossen werden, daß die Kenntnis des Repertoires für die
Lesenden eine wichtige Voraussetzung für das Textverstehen ist.
"Der Bestimmtheitsgrad des Repertoires bildet eine elementare Voraussetzung für eine mögliche Gemeinsamkeit zwischen Text und Leser. Denn eine Kommunikation kann nur dort stattfinden, wo diese
Gemeinsamkeit gegeben ist."[1] Wenn nun der literarische Text von
vorhandenen Sinnsystemen[2] lebt, deren Fragmente er in Normen,
Konzepten und Traditionen in sein Repertoire übernimmt, dann besteht für die Lesenden, die diese Systeme nicht kennen, natürlich
die Aufgabe, sich deren Kenntnis anzueignen. Diese Aufgabe stellt
sich dort mit besonderer Dringlichkeit, wo die Lesenden in größerer sozio-kulturellen Distanz zum Text stehen. Für Leser und Leserinnen, für die die Normen des Repertoires zu einer historischen
Welt geworden sind, weil sie an ihrem Geltungshorizont nicht mehr
oder - wie das bei christlichen Lesern des Joh der Fall ist - nur
mehr wirkungsgeschichtlich partizipieren, besteht, wenn sie denn
mit dem Text und nicht nur mit sich selbst kommunizieren wollen,
die Aufgabe, die verarbeiteten Weltbemächtigungssysteme bzw. deren Fragmente kennenzulernen.

Das ist dann nicht allzu problematisch, wenn sich Literatur auf
die dominanten Systeme ihrer Epoche bezieht, denn die sind meistens
gut bekannt, weil auch nichtliterarisch belegt. Dort aber, wo
sich literarische Texte auf Systeme von untergeordnetem Rang beziehen, ist die Problemlage ungleich schwieriger. Beim Joh haben
wir jedenfalls damit zu rechnen, daß sich der Text neben Groß-
systemen[3] wie etwa 'jüdisch-hellenistische Theologie' auch auf

---

1) ISER 1984, 116, vgl. auch 118.
2) Ich verwende 'Sinnsystem' so allgemein wie ISER und meine damit Systeme zur Wahrnehmung bzw. Konstruktion von Welt. Mit
   STIERLE 1975b, 363 ließe sich auch von Konzepten (="Instrumen-
   te für die Organisation und Kommunikation von Erfahrung") sprechen. Derselbe Sachverhalt wird bei WARNING 1983, 201 als
   "Schemata der Aneignung, der Interpretation und der handelnden
   Gestaltung von Wirklichkeit" bezeichnet.
3) Das Sinnsystem 'hellenistisch-jüdische Theologie' ist epochal
   gesehen natürlich ebenfalls ein Subsystem. In Bezug auf christliche Systeme kann es freilich als Großsystem gelten.

ein Subsystem 'johanneische Theologie' bezieht. Dieses Subsystem einer sozio-kulturellen Randgruppe ist nirgends dokumentiert außer durch die im Text verarbeitete Tradition[1]; und damit wären wir beim Problem der Literarkritik.

Für dieses Problem ist es sehr bedeutsam, daß das Repertoire literarischer Texte nicht bloß aus außertextlichen Normen und Konzepten besteht, die zeitgenössischen Systemen entnommen sind. "Es zieht in mehr oder minder verstärktem Maße auch vorangegangene Literatur, ja oftmals ganze Traditionen in zitathafter Abbreviatur in den Text hinein. Die Elemente des Repertoires bieten sich immer als eine Mischung aus vorangegangener Literatur und außertextuellen Normen."[2] Das heißt nun nichts anderes, als daß die redigierende Übernahme und Verarbeitung eines oder mehrerer vorliegender Texte, die als bekannt vorausgesetzt werden, ein besonderer Fall von Repertoirebildung ist. Die Einkapselung von Bekanntem geschieht hier durch Redigierung. Dabei sind die Grenzen zwischen wörtlicher Übernahme und freier Anspielung freilich fließend. Soweit es sich bei den Vorlagen um bekannte Größen handelt, geht es dabei immer um die Einbeziehung literarischer Tradition in das Repertoire. Dadurch wird - ganz wie bei den nichtliterarischen Repertoire-Elementen - einerseits ein bekannter Horizont aufgeblendet, andererseits aber reproduziert ein solches Einbeziehen "Artikulationsmuster bestimmter Textintensionen, die nun nicht mehr gemeint sind, zugleich aber eine Orientierung setzen, in deren Verfolgung das Gemeinte zu suchen ist."[3]

Das heißt, daß bei den literarischen Elementen des Repertoires dieselbe Spannung zwischen altem Ort und neuer Verwendung besteht wie bei den nichtliterarischen (Normen und Konventionen) und daß diese Spannung die gleiche informative Funktion erfüllt. Damit dürfte klar sein, daß die Bedeutung der Kenntnis der einbezogenen Literatur ebenso wichtig ist, wie die der außertextlichen Systeme. Dort, wo Literatur durch Bearbeitung einbezogen ist, muß also -

---

1) Zur Frage der Johannesbriefe s.u. 1.3.2.1.
2) ISER 1984, 132.
3) ISER 1984, 133.

sofern sie nicht anderweitig dokumentiert ist - Literarkritik
stattfinden. Für die Johannes-Exegese ergibt sich damit folgendes
Bild:

Da sich die Bekanntheit der von der Redaktion verarbeiteten
johanneischen 'Vorlage'[1] bei den Adressaten und Adressatinnen
als zumindest wahrscheinlich bezeichnen läßt, gehört diese 'Vorlage' zu den Repertoire-Elementen des Joh. Damit erhält die Literarkritik den texttheoretischen Status der Repertoire-Erforschung.
Sie ist damit kein beliebiger Arbeitsschritt, sondern ein notwendiger; das geht aus der Bedeutung des Repertoires für das Textverstehen unmittelbar hervor. Es geht hier nicht um die Klangfarbe,
sondern um die Kontur des sprachlichen Signals.

Dieses Urteil läßt sich dadurch weiter begründen, daß wir nochmals
die oben erwähnte historisch-soziale Situation des Joh einbeziehen.

Es kann ja als bekannt vorausgesetzt werden, daß das Christentum
in neutestamentlicher Zeit nicht zu den prägenden gesellschaftlichen Kräften gehörte, sondern die Gemeinden eher in einer sozialen
Rand- bzw. Untergrundexistenz lebten. Ihre Literatur kann von daher gar nicht für die Teilnahme am literarischen Kommunikationsprozeß der Gesellschaft(en) des römischen Weltreiches gedacht gewesen sein, sondern muß als Binnenliteratur primär auf die Kommunikation zwischen christlichen Gemeinden bzw. innerhalb einer Gemeinde ausgerichtet gewesen sein. Diese allgemeine Überlegung
gilt ganz genauso auch für das Joh. Auch bei diesem Text handelt
es sich nicht um einen großgesellschaftlich orientierten Text,
sondern um einen Gruppentext. Er nährt sich von den Traditionen
dieser Gruppe, reagiert auf deren Probleme und hat ihre Mitglieder
als Publikum im Auge. Das Joh dürfte daher den Normen, Werten,
Realitätskonzepten und Weltanschauungen dieser Gruppe besonders
eng verbunden und deswegen auch sein Code von diesem Publikum
(bzw. von dem Bild, das der Autor sich von diesem Publikum macht)

---

1) Es soll hier zunächst offen bleiben, ob es sich dabei um einen
oder mehrere Texte handelt. Deswegen stehen die Anführungszeichen.

geprägt sein. Nun ist aber mit ISER festzustellen, daß immer dort, wo Literatur besonders publikumsbezogen ist, und der Leserstandort von daher vorkalkuliert wird, für diejenigen Verständnisprobleme auftreten, die den Text lesen, ohne den reproduzierten Code noch zu teilen.[1] "Wird der Leserblickpunkt von den gegebenen Anschauungen eines bestimmten historischen Publikums her geprägt, dann kann er nur durch die historische Rekonstruktion der dieses Publikum beherrschenden Ansichten wieder lebendig werden".[2]
Eine solche Rekonstruktion ist beim Joh, da die gruppenprägende theologische Tradition im Text aufgehoben und sonst nicht belegt ist,[3] nur über eine literarkritische Untersuchung zu gewinnen. Ziel ist dabei die Kenntnis der 'Vorlage' als eines Dokuments der gemeindlichen Anschauungen. Wenn Literatur immer an der Grenze von Sinnsystemen anzusiedeln und als Reaktion auf deren selbst- oder fremdproduzierte Geltungsschwächen zu verstehen ist[4], dann heißt das mit Blick auf das Joh, daß die Redaktion eine Reaktion darstellt auf Probleme des Sinnsystems 'johanneische Theologie', wie es die übernommene Tradition repräsentiert. D. h. zwar nicht, daß die Redaktion sofort in eine oppositorische Stellung zu dieser Tradition gebracht werden dürfte, es heißt aber, daß die von der Redaktion als problematisch eingestufte Position als eine zumindest mögliche Interpretation der Tradition begriffen werden muß. Diese Erkenntnis teilt übrigens auch Georg RICHTER, wenn er feststellt, "daß an der Entstehung der Situation, in der sich der Redaktor und seine Gemeinde befinden, das ursprüngliche Evangelium zumindest mitbeteiligt war."[5]

Mit all diesen Überlegungen dürfte der theoretische Ort der Literarkritik innerhalb einer 'synchronen' Lektüre - soweit mög- lich - geklärt sein. Damit ist hoffentlich zugleich deutlich ge-

---

1) Vgl. ISER 1984, 247.
2) ISER 1984, a.a.O.
3) Zu den Johannesbriefen s.u.
4) Vgl. ISER 1984, 120-122; auch STIERLE 1975b, 363 f.
5) RICHTER 1977, 112. Vgl. a.a.O., 357, einschließlich Anm. 49.
   Ob seine christologische Engführung der Problematik richtig ist, wird noch zu diskutieren sein.

worden, was es heißt, wenn ich vom Joh als einheitlichem Text
spreche. Es geht dabei jedenfalls nicht darum, die Entstehungsgeschichte zu ignorieren und den Text einfach als plane Fläche anzugehen.

1.2 Das Johannesevangelium als literarischer Text

1.2.1 Das Johannesevangelium als historiographischer Text

Im vorausgegangenen Abschnitt wurde das Joh als literarischer
Text bezeichnet und auch so behandelt. Die Selbstverständlichkeit,
mit der dies geschah, legt sich durch den Forschungsstand einfach
nahe. Daß wir es nämlich beim Joh mit Literatur zu tun haben,
kann als breiter Konsens der Forschung gelten; was freilich noch
lange nicht heißt, daß allenthalben die nötigen Konsequenzen aus
dieser Qualifizierung gezogen würden. Der literarische Charakter
biblischer Texte kann natürlich einfach festgelegt werden: "Literature is what we read as literature, so instead of attempting to
define the Bible as literature according to the descriptive and
historical criteria, we read the Bible as literature."[1] Eine Exegese freilich, die nach dem oben formulierten Prinzip arbeitet,
kann damit nicht zufrieden sein, und muß ihre Textsortenbestimmung[2] an den Test selbst rückbinden. Es muß dann gefragt werden

---

1) Mac KNIGHT 1980, 63.
2) Mit RAIBLE 1980 sind Textsorten von Gattungen zu unterscheiden.
   Zwar sind auch Gattungszuweisungen Textsortenbestimmungen, allerdings sind sie erst dann sinnvollerweise als Gattungszuordnungen anzusehen, wenn sie Merkmalsbestimmungen aus mehreren
   der sechs von RAIBLE aufgezählten Merkmalsbereiche (Kommunikationssituation, Objektbereich, Ordnungsstruktur, Verhältnis
   zur Wirklichkeit, Medium, sprachliche Gestaltung) beinhalten
   (vgl. RAIBLE 1980, 338-346). Da das Joh im Folgenden über die
   Opposition Literatur|Nichtliteratur nur hinsichtlich eines
   Merkmals, nämlich Verhältnis zur Wirklichkeit, festgelegt werden soll, handelt es sich um eine Textsortenbestimmung. Probleme

nach bestimmten Signalen, die den literarischen Charakter des Textes anzeigen. Die Suche nach einem solchen "Codewechsel-Code"[1] ist allerdings problematisch: Zwar wird in Joh 21,24 ein makrosyntaktisches Signal gesetzt, das die Lesenden auf eine bestimmte Rezeption festlegt, aber es geht hier offensichtlich nicht um einen Codewechsel in Richtung Literatur. Das Joh will nämlich, so ist aus diesem Signal zu schließen, als Augenzeugenbericht mit entsprechendem 'historischen' Wahrheitsanspruch gelesen werden.[2]
Diese Beobachtung am Joh bestätigt die allgemeine Feststellung HENGELs, der es für unmöglich hält, die Evangelien aus dem Zusammenhang der hellenistisch-römischen Biographie und Geschichtsschreibung zu lösen.[3] Er verweist auf Justin, der die Evangelien in die Nähe der antiken Philosophenbiographien rückt, indem er sie als ἀπομνημονεύματα τῶν ἀποστόλων bezeichnet, und so zugleich deutlich macht, daß antike Leser wohl keine Schwierigkeiten hatten, die Evangelien als zum historiographischen Komplex gehörend zu rezipieren.[4] Dies wird ganz verständlich, wenn wir TALBERTs Charakterisierung der antiken Biographien beachten: "ancient biography is prose narrative about a person's life, presenting supposedly historical facts which are selected to reveal the character or essence of the individual, often with the purpose of affecting the behavior of the reader."[5] Auf der Grundlage dieser

---

der Evangeliengattungen stehen deshalb nicht im Zentrum des Interesses. Die angezielte Textsortenbestimmung impliziert die Qualifizierung von Fiktionalität als primärem Kennzeichen von Literatur. Damit soll nicht bestritten werden, daß Literatur auch anders definiert werden kann. Wohl aber soll behauptet werden, daß über die Frage nach dem Verhältnis zur Wirklichkeit der Literaturbegriff am stringentesten gefaßt werden kann.

1) Vgl. WEINRICH 1971, 9.
2) Vgl. STOLT 1975, 114.
3) Vgl. HENGEL 1979, 23; jetzt auch DORMEYER/FRANKEMÖLLE 1984,1581.
4) Vgl. HENGEL 1979, 31 f. Zu den Hintergründen von Justins Bezeichnung vgl. ABRAMOWSKI 1983.
5) TALBERT 1977, 17. Seine Unterscheidung von 'biography' und 'history' kann hier vernachlässigt werden, da er beide Textsorten als historiographische dem Roman gegenüberstellt (16 f).

Beschreibung besteht nun überhaupt kein Problem, das Joh als biographischen Text im antiken Sinne anzusehen.[1] Ein entscheidendes Problem kommt freilich darin zum Ausdruck, daß TALBERT von vermeintlich historischen Fakten spricht. Heutigen Leserinnen und Lesern ist es nämlich, sofern ihr Wirklichkeitskonzept von der europäischen Aufklärung geprägt ist, kaum möglich, dem kommunikationssteuernden Signal im Joh 21 zu folgen und das Joh einfach als Historie wahrzunehmen. Das Joh genügt nachaufklärerischen Ansprüchen an historische Sachtexte nicht. Das hat die historische Kritik des 19. Jahrhunderts ja mit aller Entschiedenheit deutlich gemacht, und die in der zweiten Hälfte dieses Jahrhunderts neu einsetzende Frage nach dem historischen Jesus hat ebenfalls eingeschärft, daß die ältesten Traditionen sich in den synoptischen Evangelien finden und das Joh nach heutigen Maßstäben als historisches Zeugnis recht problematisch ist.[2]

Hinter diese Einsicht führt kein Weg zurück. Der Versuch, das prägende Wirklichkeitskonzept der nördlichen Hemisphäre zu eliminieren und das Joh so zu rezipieren bzw. zu interpretieren, als seien wir dem Text zeitgenössisch und teilten sein antikes Wirklichkeitskonzept, ist ein äußerst gewagtes Unterfangen. Es ginge hier nämlich um die Einführung einer fiktiven Rezeptionsrolle in den Kommunikationsvorgang. LANDWEHR stellt dazu fest: "Ein Rezi-

---

1) Zur Diskussion um die Evangeliengattung soll nicht weiter Stellung genommen werden. Vgl. dazu DORMEYER/FRANKEMÖLLE 1984; VORSTER 1983; ders. 1984. Letzterer zieht sich auf den narrativen Charakter der Evangelien zurück. Damit ist das Problem aber nicht gelöst. Da es nämlich sowohl literarisch-fiktionale als auch nichtfiktionale Erzählung gibt, bleibt diese Textsortenbestimmung im Vorfeld der Entscheidung Literatur oder Historiographie und ist auch keine Gattungszuweisung.
2) Diese Feststellung widerspricht nicht der kirchlichen Lehre von der Historizität der Evangelien. Zwar ist nach DEI VERBUM 19 daran festzuhalten, daß die Geschichte Jesu in die Evangelien eingegangen ist, die Konzilkonstitution erkennt aber auch nachösterliche, geistgewirkte Interpretations-, Traditions- und Redaktionsprozesse an. Daß diese in der Entstehungsgeschichte des Joh eine besonders wichtige Rolle spielten, muß als Konsens der Forschung gelten. Bedauerlich bleibt freilich, daß in lehramtliche Dokumente die Differenzierung zwischen antiker und moderner Historiographie noch nicht eingegangen ist.

pient, der trotz verändertem Seinsmodus der Referenzbereiche zu kointentionaler Rezeption bereit sein will, nimmt die Rolle eines Zeitgenossen des Produzenten an. Eine solche Rolle ist aber immer **fiktiv**, zum einen, da der Rezipient sein Vorwissen und seine Wirklichkeitskriterien nicht einfach negieren kann, zum anderen, da in der rezeptiven Setzung des Referenzbereichs als 'real' trotz des Wissens um dessen Irrealität auch dieser fiktiviert wird."[1] Damit taucht die Alternative auf, entweder das Joh als literarisch-fiktionalen Text zu rezipieren, oder die Rolle eines antiken Lesers bzw. einer Leserin zu spielen, und es als Geschichtsschreibung zu lesen bzw. zu interpretieren.

Zu dieser Alternative ist zu sagen, daß sie in dieser Einfachheit nur scheinbar existiert. Zum einen laufen die beiden Rezeptionsweisen auf Fiktivität hinaus, zum anderen müssen beide mit dem Komplex 'Historiographie' in irgendeiner Weise umgehen. Unter beiden Aspekten hat der literarisch-fiktionale Ansatz bedeutende Vorzüge. Wenn es um die Fiktivität geht, kann er sich auf eine sozial abgesicherte Konvention stützen und muß nicht Gefahr laufen, in eine ungeregelte Spaltung von Lebenswelt und Lesewelt zu geraten.[2] Zum anderen wird der Versuch, das Joh als historiographischen Sachtext zu lesen, letztlich doch das moderne Konzept von Geschichtsschreibung zugrunde legen, während eine literarisch-fiktionale Rezeption es sich leisten kann, den historiographischen Charakter des Textes im antiken Sinne durchaus zuzugestehen; und zwar deshalb, weil sich nachweisen läßt, daß die antike Historiographie einen Kommunikationsbereich darstellt, der dem heutiger literarisch-fiktionaler Texte in vielem entspricht.

Der antiken Geschichtsschreibung liegen nämlich andere Konzepte zugrunde als der heutigen. Ist letztere, vornehmlich in ihrer bürgerlichen Ausprägung, vorrangig an der Feststellung von Fakten interessiert, so spielen in der Antike auch andere Orientierungen eine explizierbare Rolle. Gehören in unserem kulturellen

---

1) LANDWEHR 1975, 155.
2) Vgl. FUCHS 1986, 47 f mit Anm. 19, der zu Recht vor einer "Schizophrenie zwischen biblischem Glauben und realem Leben" (48, Anm. 19) warnt.

Rahmen historische Texte - von Grenzfällen wie Golo Manns Wallenstein-Biographie einmal abgesehen - eindeutig in den Bereich der Sachtexte, so unterliegt die antike Geschichtsschreibung einem deutlichen Einfluß literarischer Normen und Konzepte und kann von daher aus heutiger Sicht kaum aus dem Bereich der Literatur ausgegliedert werden und dem der Sachtexte zugeordnet werden.

1.2.2 Das Johannesevangelium im Rahmen der antiken Historiographie als literarisch-fiktionalem Komplex

MAURER 1982 und SACKS 1984 haben übereinstimmend darauf hingewiesen, daß bei Thukydides, Lukian und vielen anderen eindeutig rhetorische Entwicklungen das Verständnis von Historiographie beeinflussen. SACKS stellt fest, daß "Polybius appears to be the great crusader for authentic speeches."[1] Aber, und das ist entscheidend, er stellt damit eben zugleich die große Ausnahme dar.[2] Die Mehrzahl der griechisch-hellenistischen Geschichtsschreiber bevorzugt einen anderen Weg, nämlich "a thoroughly creative approach to speeches in historic writing."[3] Dieser 'kreative' Ansatz sah in den Reden einen legitimen Bereich des Fiktiven, der Erfindungsgabe des Autors.

Thukydides als modellhafte Gestalt antiker Historiographie stellt es als sein Prinzip dar, das den Umständen entsprechend Notwendige zu berichten. Damit ist zwar keinesfalls die Suche nach Tatsachenwahrheit aufgegeben, es werden allerdings Prinzipien der Personen-, Gegenstand- und Situationsangemessenheit aus der Rhetorik auf die Reden in Geschichtswerken übertragen.[4] Damit bleibt Thukydides letztlich dem von ihm kritisierten Standpunkt Herodots treu. Dieser hatte die Reden zur Charakterisierung von Situation und Handelnden und zur Beleuchtung von Motiven benutzt. Entsprechend stellt DIESNER fest, "daß Herodot in den Re-

---

1) SACKS 1984, 123.
2) Zur Außenseiterrolle des Polybius vgl. schon NORDEN 1915, 81 f.
3) SACKS 1984, 123.
4) Vgl. MAURER 1982, 530; SACKS 1984, 125.

den am ehesten zu philosophischer und historischer Reflexion vor-
stößt, zu der der Hauptbericht keine Gelegenheit gibt."[1] Wenn
nun Thukydides gegen seinen Vorgänger polemisiert und "seine un-
kritische, mehr auf das Unterhaltsame, ja Ergötzliche als auf
ernste Wissenschaftlichkeit bedachte Methode"[2] angreift, so
geht es doch nur um eine graduelle Veränderung, nicht um eine
prinzipielle Abkehr, von dem, was SACKS 'creative approach' genannt hat. Diese Abkehr hätte ja die Beschränkung auf das tatsächlich Gesprochene bedeutet.[3] Der Ansatz von Thukydides (Herodot)
wird z.B. von dem vor der Zeitenwende in Rom tätigen Dionys von
Halikarnass weitergeführt. SACKS konstatiert: "Dionysius does
not expect Thucydides to record the ipsissima verba or anything
close to it; rather, Dionysius expects only to prepon (i. e.
what is appropriate)".[4] Damit ist die ursprünglich rhetorische
Kategorie der Adäquatheit zu einem beherrschenden Prinzip der Geschichtsschreibung geworden.

Aus der Kritik, die Lukian von Samosata, um einen weiteren Namen
zu nennen, an der Historiographie seiner Zeit übt, könnte geschlossen werden, daß sie sich in hohem Maße der erbaulichen Un-
terhaltungsliteratur angenähert hatte. Sofern dies zutrifft,
könnte es als Ausweitung des fiktiven Anteils verstanden und
damit auf die seit Herodot prinzipiell geltende Regelung zurückgeführt werden. Lukian fordert in seiner Kritik nun aber keineswegs eine Abkehr von dieser Regelung, eine Hinwendung zum factum
brutum. Er vertritt vielmehr die bekannte Position. Angemessenheit
an Person und Situation ist das Kriterium für gute Geschichtsschreibung. Hinzu kommt ein ästhetischer Aspekt, nämlich die Forderung nach Klarheit. Es wird dem Historiker sogar erlaubt, in
den Reden seine eigene Beredsamkeit zur Schau zu stellen.[5]

---

1) DIESNER 1985, xxxvii.
2) DIESNER 1985, xxxix.
3) Die gleiche spannungsvolle Einheit von Herodot-Kritik und
   prinzipieller Kontinuität findet sich bei Thukydides übrigens
   auch in Bezug auf die mythische Frühzeit. Vgl. dazu DIESNER
   1985, xxix.
4) SACKS 1984, 126 f.
5) Vgl. MAURER 1982, 530 f; SACKS 1985, 124 f.

Die skizzierte Position stellt - wie gesagt - keine Außenseiter-
position dar, sondern spiegelt die prägende Theorie griechischer
und hellenistischer Historiographie wider, die sich auch im jüdischen Bereich massiv auswirkt.[1] Es ist festzuhalten, daß zumindest für den Bereich der Reden die Frage nach der Faktizität
des Berichteten in einem für uns erstaunlichen Maße zurückgedrängt
wird, einer literarisch-poetischen Verdichtung des Gehalts von
Geschichte Platz macht, und damit die Kommunikationsregelung der
Fiktionalität eine zwar begrenzte, aber unbestreitbare Relevanz
erhält. Wir können deshalb mit MAURER von einer "Rhetorisierung
und Poetisierung der antiken Historiographie" sprechen.[2] Aufgrund der Zulassung legitimer Fiktion (wobei freilich der Anteil
fiktiver Elemente für uns größer sein mag als für Zeitgenossen)
erscheint es berechtigt, antike Texte, die den Anspruch erheben,
Geschichtsschreibung zu sein, nicht als Sachtexte in unsere
Kategorie der Historiographie, sondern als zumindest partiell
fiktionale in den Bereich der Literatur einzuordnen und entsprechend zu behandeln.[3] Die geschichtlich herausgebildete Katego-
rienverschiebung veranlaßt uns also, das Joh einerseits dem Bereich der antiken Geschichtsschreibung zuzuordnen, und es zugleich
literarisch-fiktional zu rezipieren.

Dabei hat die fiktionale Rezeption als eine zentripetale [4] gegenüber der nichtliterarischen Rezeption als einer zentrifugalen
den entscheidenden - und im Kontext von Theologie und Kirche
besonders wichtigen - Vorteil, dem Text auch dann seine Wahrheit

---

1) Zur jüdischen Historiographie in hellenistisch-römischer Zeit
   vgl. SIGAL 1984, bes. 164 f.173 f.
2) MAURER 1982, 531.
3) Diese Einordnung nimmt auch schon NORDEN 1915, 81-96 vor, wenn
   er die Beziehungen zwischen Historiographie einerseits und
   Poesie und Rhetorik andererseits breit belegt und die antike
   Auffassung von Geschichtsschreibung für der modernen Auffassung diametral entgegengesetzt erklärt.
4) Zur Opposition 'zentripetale versus zentrifugale Rezeption'
   vgl. STIERLE 1975, 348-377, wobei das Phänomen der quasiprag-
   matischen Rezeption für unseren Zusammenhang vernachlässigt
   werden kann.

zugestehen zu können, wenn sein Bezug zu den historischen Tat-
sachen aus heutiger Sicht als vielfach vermittelt anzusehen ist.
Eine Rezeption als Sachtext muß dagegen gerade dem informativen
Gehalt des Textes Priorität einräumen; und das heißt, daß der
Text dann auch 'erledigt' ist, wenn seine Sachinformationen als
unzutreffend eingestuft werden.[1]

1.2.3 'Heiterkeit der Kunst'? - Das Johannesevangelium und der Übergang vom kollektivem Gedächtnis zum Konzept legitimer Fiktionalität

Gegen einen literarischen Ansatz kann nun aber eingewandt werden,
daß mit einer literarisch-fiktionalen Rezeption im Rahmen der
Konventionen heutiger literarischer Kommunikation eine bestimmte
Rezeptionshaltung verbunden ist, die mit WEINRICHs berühmter Formulierung als "Heiterkeit der Kunst"[2] bezeichnet werden kann
und sich mit LANDWEHR näherhin als Fiktivierung der Rezeptionsrolle beschreiben läßt.[3] Diese Fiktivierung der Rezeption ist
keine Willkür eines Publikums, das sich aus einem vielleicht un-
bequemen Angesprochensein davonstehlen will. Die Vermeidung eines direkten Angesprochenseins ist vielmehr innerhalb heutiger
Literaturkonventionen die Regel: Favorisiert wird eine entpragma-
tisierte Rezeption als ein nicht an der pragmatisch-informativen
Textdimension orientiertes Wahrnehmen in ästhetischer Distanz.[4]
Diese (keineswegs wirkungslose) Rezeption in gelassener Distanz
bedeutet, daß der Bezugsrahmen literarisch rezipierter Texte

---

1) Da das Joh als normativer Text der christlichen Kirchen
   schwerlich 'erledigt' sein kann, impliziert eine Rezeption
   als historiographischer Sachtext einen Rückfall in die Auseinandersetzungen zwischen Apologeten und Kritikern um den historischen Gehalt des Textes, und das letzte Jahrhundert lebt un-
   weigerlich wieder auf.
2) Vgl. WEINRICH 1971, 12 ff.
3) LANDWEHR 1975, 168 f führt als Beispiel Handkes 'Publikumsbe-
   schimpfung' an, bei der das Publikum die Anreden an das Publikum in der Regel auf eine fiktive Rolle des Theaterpublikums
   bezieht. Bezugspunkt ist nicht das Ich des realen Zuschauers.
4) Vgl. ZERBST 1985, 62 f.

nicht primär die soziale Lebenswelt ist, und Literatur zunächst andere als sozio-pragmatische Aufgaben und Wirkungen hat, wie SCHMIDT energisch betont hat.[1]

Hier drängt sich natürlich die Frage auf, ob eine solche Haltung angemessen ist einem Text gegenüber, der in diesem Sinne sicher nicht Literatur sein will und doch ganz offensichtlich auf die konkrete Situation einer Zielgruppe ausgerichtet ist. Um die Frage zuzuspitzen:

Können die direkten Anreden an das 'Publikum', die sich z.B. in Joh 19,35 und 20,31 finden, so rezipiert werden, wie LANDWEHR dies beschrieben hat? Immerhin könnte selbst die Verfasserangabe in Joh 21,24 unter einer entsprechenden Konvention als bloßes literarisches Spiel angesehen werden. Was nun, wenn eine der heutigen Regelung entsprechende Konvention von Fiktionalität vom Text vorausgesetzt ist? Ist unsere Zuordnung zur Historiographie doch hinfällig?

Diese Frage zu verneinen, legt sich nahe aufgrund der Tatsache, daß die als Heiterkeit der Kunst bezeichnete, unpragmatische Rezeptionshaltung eine Kommunikationsregelung ist, die keineswegs kulturell invariant, sondern die Folge einer historischen Entwicklung ist. Auf diesen Umstand macht SCHMIDT aufmerksam, wenn er feststellt, daß es hier um eine wandelbare Größe geht, die sich in Abhängigkeit von den Prämissen des jeweiligen Literaturverständnisses verändert. Die Kommunikationsregelung 'Fiktionalität' bzw. 'Heiterkeit' hat sich in der Literaturgeschichte erst allmählich zu einer dominanten Größe entwickelt.[2] Da nun diese Entwicklung nicht geradlinig verlief[3], läßt sich zwar sagen, daß die Regelung zunehmend dominant wurde, es kann aber nicht einfach behauptet werden, sie habe für antike Texte keine Relevanz beses-

---

1) Vgl. SCHMIDT 1972, 68.
2) Vgl. SCHMIDT 1975, 183 f, der die Entwicklung dominant auf politische Faktoren zurückführt. RÖSLER 1980 sieht eher - zumindest was die Entstehung angeht - kulturimmanente Gründe, nämlich Probleme des Übergangs von Mündlichkeit zur Schriftlichkeit.
3) Vgl. RÖSLER 1980, 283.

sen. Dies gilt umso mehr, da wir ja gesehen haben, daß Fiktionalität selbst für antike Geschichtsschreibung nicht irrelevant
ist und daß der Text, um den es hier geht, wie alle neutestamentlichen Texte nach der Entdeckung der Fiktionalität anzusiedeln
ist. Letztere ist mit RÖSLER für die Zeit zwischen dem achten
und dem vierten Jahrhundert v. Chr. anzusetzen[1], und wurde von
Aristoteles theoretisch abgeschlossen. Bei Aristoteles mündet
eine vorhergehende Problematisierung des Verhältnisses von
Dichtung und Wahrheit in die Theorie von einer eigenen, nämlich
fiktionalen Wahrheit der Dichtung. Der Dichter wird davon suspendiert, das tatsächlich Geschehene zu berichten. Sein legitimer
Bereich ist das, was nach Wahrscheinlichkeit oder Notwendigkeit
möglich ist. Deswegen ist die Dichtung als auf das Allgemeine gerichtet der am Einzelfall klebenden Geschichtsschreibung vorzuziehen. Aristoteles liefert mit diesen Überlegungen die theoretische Basis für Fiktonalität als Kommunikationsregelung, und zwar
unter Berücksichtigung der Produktions- wie auch der Rezeptionsseite.[2]

Diesem Bewertungskonzept für Literatur steht in der Antike nun
die platonische Verurteilung der Dichter als Lügner diametral gegenüber: "Dichter werden als Lehrer gesehen, ihre Werke auf ihren Wahrheitsgehalt und die von ihnen ausgehende Verhaltenssteuerung hin überprüft und - da die Bilanz für Platon weitgehend
negativ ausfällt - verworfen."[3] Das bedeutet nichts anderes,
als daß es für Platon keinen positiven Begriff von Fiktionalität
gibt.

Auffällig ist nun, daß die christliche Spätantike nicht die Einschätzung von Aristoteles übernimmt, sondern im Gegenteil Platon
rezipiert, was dann zum Teil bis in die Neuzeit hinein wirksam

---

1) Vgl. RÖSLER 1980, 284.
2) Zum aristotelischen Dichtungskonzept vgl. RÖSLER 1980, 309-311;
   MAURER 1982, 527 f. Dort finden sich auch die entsprechenden
   Quellennachweise.
3) RÖSLER 1980, 308.

bleibt.[1]

Von Augustin und Späteren auf eine neutestamentliche Schrift zurückzuschließen und zu behaupten, auch hier läge kein positiver Fiktionalitätsbegriff vor, ist zwar verlockend. Ein solcher Schluß wäre aber gewagt und keinesfalls zwingend. Trotzdem kann die Position Platons hilfreich sein, um zu einer Antwort auf die Frage zu gelangen, ob das Joh nun Fiktionalität als eine positive Kategorie voraussetzt oder nicht. Dazu müssen wir allerdings den Ort beachten, an dem diese Position im Prozeß der Entdeckung der Fiktionalität steht.[2]

Sie ist als eine konservative Position Reflex eines traditionellen Literaturbegriffs, der in seiner Undifferenziertheit aus dem mündlichen Stadium der griechischen Kultur stammt. Dieser uniforme Literaturbegriff ist dadurch gekennzeichnet, daß er verschiedene Textsorten nicht bezüglich ihrer Wahrheitsqualität unterscheidet. Epische Dichtung, Philosophie und Geometrie werden einem "für alle Arten von Texten einheitlich geltenden, dabei zugleich unspezifischen Wahrheitsgebot"[3] unterworfen. Diese Nichtdifferenzierung hinsichtlich der Wahrheitsqualität hängt mit der Funktion zusammen, die Dichtung in einer oral geprägten Kultur hat. RÖSLER beschreibt diese Funktion (in Anlehnung an den Soziologen Maurice HALBWACHS) als Ordnung durch Formung und Vermittlung von Tradition. Indem die Dichtung "die Überkommenheit, das Verwurzeltsein des bestehenden Systems sozialer, religiöser und politischer Strukturen und Regelungen aufweist, trägt sie zu seiner Aufrechterhaltung bei."[4] Diese identitätsstiftende und identitätssichernde Leistung als kollektives Gedächtnis der Gruppe kann die Dichtung natürlich nur erfüllen, wenn unterstellt wird, daß die Tradition in der Regel eine objektive und verbindliche Wahrheit ist. Die sachliche Richtigkeit der Dichtung ist

---

1) Vgl. MAURER 1982, 528; auch WEINSTOCK 1927, 141, der darauf hinweist, daß die platonische Kritik über die Vermittlung epikureischer Mythenkritik zum Material christlicher Polemik gegen die Götter des Volksglaubens wurde.
2) Die folgenden Überlegungen stützen sich auf RÖSLER 1980.
3) RÖSLER 1980, 287.
4) RÖSLER 1980, 290 f.

deshalb ein notwendiges Postulat der an der Kommunikation Beteiligten. Die Wahrheit der Dichtung ist sowohl vom Publikum unterstellt, als auch Gegenstand dichterischen Selbstverständnisses.
"Dichtung als Fiktion - ein solches Konzept liegt hier notwendig
außerhalb des Horizonts."[1] Die Wahrheit der Dichtung ist so
wichtig, daß selbst dort, wo dichterische Kreativität und Erfin-
dung zum Zuge kommt, dies nicht als Fiktion angesehen, sondern
mittels einer Inspirationslehre (Musen!) theologisch abgesichert
wird. So ist ein hinsichtlich der Wahrheitsqualität undifferen-
ziertes Dichtungskonzept nötig und möglich. Es bleibt auch nach
der Übernahme der Schrift noch lange prägend, wird aber zunehmend
problematisch, da es den Gegebenheiten einer Schriftkultur
einfach nicht angemessen ist. Kennzeichnend für eine Schriftkultur ist ja ein enormes Anwachsen des gesellschaftlichen Wissens-
vorrates. Dies führt zu einer zunehmenden Spezifizierung der Dis-
kurstypen, zu einem Anwachsen der verfügbaren Informationen und
nicht zuletzt zu einer Konkurrenz differenzierter Traditionen.[2]
Den damit verbundenen Kontroversen ist eine Regelung der Kommunikation, die auf dem uniformen Wahrheitspostulat oraler Kultur
basiert, einfach nicht gewachsen und muß deshalb zu Kommunika-
tionsstörungen führen. Die Unangemessenheit des oralen Konzepts
äußert sich in der immer deutlicheren Thematisierung der Unwahrheit von Dichtung.. Während zunächst dieses Problem gar nicht gesehen wird, wird später (Hesiod) die Möglichkeit falscher Inspiration zugestanden. Es folgt die Absicht, daß Dichter irren oder
gar lügen können (Pindar). Schließlich taucht der Vorwurf auf,
Dichter betrieben Effekthascherei und vernachlässigten die oft
unspektakuläre Wahrheit. Hatte die entstehende Historiographie
sich zunächst durch Akribie und kritische Schärfe von der Dichtung
unterschieden, aber deren Wahrheit als Geschichtsdarstellung
nicht grundsätzlich in Frage gestellt, so zeigt die spätere Kritik der Historiker an den auf bloße Unterhaltung bedachten Dich-
tern das Ende des alten Konzepts an.

---

1) RÖSLER 1980, 291.
2) Vgl. GOODY/WATT 1981, 70-73.

"Ein Schritt weiter bedeutet zugleich seinen Zusammenbruch. Denn diesen Schritt tun heißt einräumen: Wenn Dichtung anderen Zielen dient als Geschichtsschreibung oder Physik, dann ist dichterische 'Unwahrheit' ja gar nicht Lüge, sondern legitim."[1]

Wie gesagt verweigert Platon diesen Schritt und bleibt auf der Ebene des alten Konzepts der uniformen Unterscheidung von Wahrheit und Lüge stehen. Da er aber einerseits in einem Entwicklungsstadium steht, in dem das Faktum der Fiktivität von Dichtung feststeht, und er sich andererseits zu einer positiven Würdigung dieses Fiktiven nicht entschließen kann, muß er also die Dichtung als Lüge verurteilen. Aristoteles geht dagegen dazu über, dem Fiktiven im Sinne einer Konvention 'Fiktionalität' für literarische Kommunikation eine eigene, positive Rolle zuzuweisen.

Für unseren Zusammenhang ist es nun wichtig zu sehen, daß RÖSLER das grundlegende Movens dieses Prozesses in den Impulsen sieht, die vom Übergang zur Schriftkultur ausgehen. Ohne die konkreten politischen Umstände der weiteren Entwicklung des Fiktionalitätskonzepts, deren Relevanz SCHMIDT betont[2], leugnen zu wollen, ist doch der aus der Dialektik von Oralität und Literalität resultierende Impuls als besonders wichtig anzusehen. Handelt es sich doch hier - wenn schon nicht um eine kulturelle Invariante -, so doch zumindest um ein Phänomen, das in vielen Kulturen anzutreffen ist.[3] Von daher besteht auch ein gewisses Recht, in der Entwicklung des christlichen Schrifttums mit analogen Prozessen zu rechnen. Wir haben es ja hier ebenfalls mit einem Übergang von Mündlichkeit zu Schriftlichkeit zu tun. Aus mündlichen Traditionen, die in ganz besonderer Weise die Identität einer Gruppe stiften[4], wird in einem bestimmten Stadium der Entwicklung eine schriftlich fixierte Größe.

Bei der Rekonstruktion dieser Analogie ist nun aber zu beachten, daß sich der vermutete christliche Entwicklungsprozeß natürlich

---

1) RÖSLER 1980, 308.
2) Vgl. SCHMIDT 1975, 183 f.
3) Vgl. die Vielzahl der bei GOODY 1981 gesammelten Studien.
4) Hier ist an die gemeindebildende Dynamik urchristlicher Erzählung und Predigt gedacht. Zur sozio-pragmatischen Relevanz mündlicher Tradition vgl. KELBER 1979, 26-37.

vor dem Hintergrund bzw. im Rahmen römisch-hellenistischer Schriftkultur abspielt. Die frühen Christen lebten und sprachen ja in einer Medienwelt, die im vollen Sinne literal geprägt war und auch über ein entsprechendes Dichtungskonzept verfügte. War aber das frühe Christentum "in einem kulturellen Milieu beheimatet, welches der Schreibkunst und dem geschriebenen Wort seit geraumer Zeit einen beträchtlichen Wert beigemessen hatte"[1] so ist es höchst unwahrscheinlich, daß die christlichen Gemeinden lange ein völlig unangetastetes orales Konzept, das Tradition per se für wahr hält, aufrecht erhalten konnten. Es ging ja hier nicht um die Neuentdeckung von Schrift, sondern um die Verschriftlichung einer bestimmten Tradition. Wenn wir dies beachten, gelangen wir zu der Annahme, daß ein orales Konzept von vorneherein nur für die spezifisch christlich-jüdische Tradition gegolten hat. Wahrscheinlich ist also mit zwei Normsystemen zu rechnen, einem für die nicht-christlichen Traditionen und einem für die eigene Überlieferung.

Gegen ein vollständig orales Konzept für christliche Tradition kann als Argument angeführt werden: Das Joh in seiner heutigen Form steht nicht an der Schwelle zwischen Mündlichkeit und Schriftlichkeit. Zum einen ist offensichtlich schon verschriftlichte Tradition verarbeitet, zum anderen steht dem auch die vielfach vertretene Theorie von der Existenz einer johanneischen Schule (s.u. 1.3.2.1) entgegen. Mit einer solchen Schule wäre ja die intensive Beschäftigung mit Schreiben und Lesen verbunden, weshalb sie als ein Phänomen schriftlicher Kultur anzusehen ist.[2]

Sollte auch noch die Annahme der Kenntnis der synoptischen Evangelien zutreffen,[3] so wäre es vollends unwahrscheinlich, daß wir es hier noch mit einer selbstverständlichen Akzeptanz von Tradition zu tun haben. Die jedenfalls recht selektive Verwertung

---

1) KELBER 1979, 22. Vgl. ders. 1983, 16.
2) Vgl. KELBER 1979, 25 f.
3) Zu diesem Problem vgl. unter 1.3.2.1.

der Synoptiker spräche dafür sicherlich nicht. Das Joh scheint
somit eher in eine Entwicklungsphase zu gehören, in der auch in
Bezug auf die jüdisch-christliche Tradition kein intaktes orales
Konzept mehr existiert, sondern Schriftlichkeit schon prägenden
Einfluß hatte, und zwar auch insofern, als sie zur Verbreitung,
Begegnung und Konkurrenz verschiedener Traditionen führte.
Auch ist aus der Tatsache, daß der (angebliche) Verfasser nicht
explizit als 'inspiriert'[1] dargestellt wird, sondern seine Autorität vor allem durch seine Augenzeugenschaft gewinnt, zu schließen, daß das Joh die Trennung von Dichtung und Geschichtsschreibung kennt und also nicht ein uniformes Konzept von Dichtung voraussetzt. Dichterische Kreativität wird jedenfalls nicht explizit
'inspirationstheologisch' abgesichert, auch wenn der geliebte
Jünger in einer besonderen Beziehung zum Parakleten steht.
Umgekehrt ist nun freilich auch nicht anzunehmen, daß das Joh in
einem Stadium der Entwicklung stünde, wie es Aristoteles repräsentiert: Dichtung als eigener Kommunikationsbereich mit anderen
Aufgaben als Darstellung von tatsächlich Geschehenem. Wenn wir
berücksichtigen, wie lange sich in der griechischen Kultur nach
dem Übergang zur Schriftlichkeit orale Konzepte noch halten konnten, ist es gänzlich unwahrscheinlich, daß wir es beim Joh oder
im NT überhaupt mit einem entwickelten Fiktionalitätskonzept zu
tun haben.[2] Eher ist anzunehmen, daß auch nach dem Einsetzen
des Verschriftlichungsprozesses mündliche Tradition nicht nur
weiter existierte, sondern auch konzeptionellen Einfluß auf die
Schriftlichkeit hatte,[3] und zwar derart, daß die identitätssichernde Funktion von Tradition erhalten blieb. Es ging aller
Wahrscheinlichkeit nach weiterhin vorrangig um Ordnung und Formung von Tradition im Sinne eines kollektiven Gedächtnisses.
Wenn KELBER (in Bezug auf das Markusevangelium) feststellt, "daß

---

1) Es geht hier nicht um Inspiration im theologisch-dogmatischen
   Sinne, sondern - in Analogie zum oben erwähnten Musen-Konzept
   der Griechen - um die explizite Absicherung schriftstelleri-
   scher Kreativität.
2) Die Polemik gegen die 'Mythen', die sich in 1 Tim 1,4; 4,7;
   Tit 1,14; 2 Petr 1,16 findet, spricht jedenfalls nicht dafür.
3) Vgl. KELBER 1979, 22.43 f; ders. 1983, 17.

das Evangelium nicht als natürliches Ergebnis mündlicher Über-
lieferungskräfte, sondern vielmehr als eine kritische Alternative
zur mündlichen Seinsweise zu verstehen ist"[1], so ist das kein
Argument gegen die These einer oralen Orientierung frühchrist-
licher Schriftlichkeit. Vielmehr wäre KELBERs Feststellung, das
schriftliche Medium ermögliche es, zum Ursprung zurückzukehren
und Jesus als Autorität der Vergangenheit zu fixieren[2], durchaus
ein Ansatzpunkt für Überlegungen, wie sie hier in Bezug auf das
Joh angestellt wurden. Aus dieser Feststellung wird nämlich deutlich, daß die markinische Kritik an Überlieferung ihre Dynamik
aus dem Rückzug auf das noch Ältere, ja den Ursprung, gewinnt,
und es ist ebenfalls klar, daß das Markusevangelium seine vergan-
genheitssichernde Funktion auch nur unter der Voraussetzung von
Nicht-Fiktionalität erfüllen kann.[3]
Was nun das Joh betrifft, so läßt sich die Vermutung, es läge
ein Fiktionalitätskonzept vor, durch weitere Argumente unwahrscheinlich machen.
Hier ist zunächst auf die vermutliche Kenntnis der synoptischen
Evangelien zurückzukommen. Die schon erwähnte Tatsache, daß allenfalls eine sehr selektive Übernahme synoptischen Traditions-
gutes stattgefunden hat, die zudem auf sehr behutsame Art durchgeführt wurde, deutet darauf hin, daß diese Tradition wohl als
eine fremde betrachtet wurde. Das zeigt nun aber umgekehrt, daß
das Joh selbst nicht nur sprachlich, sondern auch funktional auf
eine bestimmte Gruppe und deren Identitätssicherung orientiert
ist, daß der Autor sich also durchaus noch als Vertreter der Interessen eines bestimmten Kollektivs verstand.[4]

---

1) KELBER 1979, 51.
2) Vgl. KELBER 1979, 50 f.
3) Das heißt übrigens auch, daß die dichterische Kreativität,
   die KELBER Markus zuschreibt, auf der Rezeptionsseite nicht
   bewußt werden durfte.
4) HALBWACHS 1967, 73: "Jedes kollektive Gedächtnis hat eine
   zeitlich und räumlich gegrenzte Gruppe zum Träger." Vgl. auch
   a.a.O., 68. Die von HALBWACHS 1967, 66-77 durchgeführte Gegenüberstellung von Kollektivgedächtnis und Geschichte könnte
   übrigens als Widerspruch zur Einordnung des Joh als Geschichts-

Weiter ist darauf hinzuweisen, daß das aristotelische Fiktionali-
tätstheorem seine kulturpraktische Basis offensichtlich in der
Ausbildung eines privaten Leseaktes hat. RÖSLER jedenfalls bezeichnet den privaten Leseakt als ausschlaggebend für die völlige
Ausbildung des Fiktionalitätskonzepts: "das Aristotelische Theorem ist das Theorem eines Lesers."[1] Was das Joh angeht, so dürfte der weitgehende exegetische Konsens, daß die Evangelien nicht
in privater Lektüre, sondern durch gemeindliches Vorlesen und Hören rezipiert wurden, durch die Tatsache abgestützt werden, daß
die Narratee-Rolle (s.u. 1.3.2.2) textlich durch die 2. Person
Plural realisiert wird,[2] der Erzähler sich also an eine Gruppe
richtet. Ohne von diesem innertextlichen Befund sofort auf die
außertextliche Situation schließen zu wollen, wird hier doch zumindest ein Indiz für die reale Rezeptionsweise zu sehen sein.[3]
Es gibt also eine ganze Anzahl von Anzeichen dafür, daß das Joh
aus den sozio-pragmatischen Anforderungen eines kollektiven
Gedächtnisses noch nicht entlassen ist. Damit ergibt sich folgende Hypothese:
Für das Joh ist einerseits keine naive Bindung an die Autorität
einer an sich wahren Tradition anzunehmen, andererseits ist doch
noch insofern mit oraler Orientierung zu rechnen, als es keine
Entwicklung eines positiven Fiktionalitätskonzepts gab. Das
vierte Evangelium setzt weder eine uniforme Wahrheitsvermutung
für Dichtung, noch ein ausdifferenziertes Konzept von Fiktionalität als spezifischer Wahrheit der Dichtung voraus.

---

schreibung verstanden werden. Hier darf aber nicht übersehen
werden, daß HALBWACHS einen modernen Geschichtsbegriff einsetzt, während es in Bezug auf das Joh um den antiken geht.
Für das Joh zutreffend finde ich allerdings seine Opposition
'lebendige Kontinuität (kollektives Gedächtnis) vs. künstliche
Kontinuität' (Geschichte), denn die Herstellung von Kontinuität,
die Einkleidung des Neuen als Altes scheint mir in der Tat
ein Kennzeichen des Joh zu sein.
1) RÖSLER 1980, 317; vgl. zur Rolle des privaten Lesens 314-317.
2) Vgl. Joh 19,35; 20,31.
3) Für Lk könnte das Problem dann natürlich anders liegen, dort
   wendet sich der Erzähler ja an einen einzelnen (Theophilus)
   als Narratee!

Das Joh befände sich damit in etwa auf dem Stande Platons: Fiktivität ist (etwa in Bezug auf nichtchristliche oder 'falsche' christliche Tradition) bekannt, wird aber nicht positiv gewürdigt, weil das alte Wahrheitspostulat aufrecht erhalten bleibt.[1] Es ist also anzunehmen, daß im johanneischen Christentum ein Normensystem in Bezug auf Literatur existierte, das Dichtung wegen ihrer Fiktionalität als Lüge ablehnte. Die Existenz eines solchen Systems erklärt, warum ein Text mit (auch für den Autor?)[2] eindeutig fiktionalen Elementen als historiographischer Sachtext eingeordnet werden will: Unter der Voraussetzung einer solchen Norm bleibt einem Autor, der überhaupt einen Wahrheitanspruch erheben will, gar keine andere Wahl, als Dichtung als Nichtdichtung auszugeben. Dies wurde andererseits durch die beschriebene Poetisierung der antiken Geschichtsschreibung wesentlich erleichtert. Wenn es nun aber für das Joh eine positive Erwartungsnorm 'Fiktionalität' höchstwahrscheinlich nicht gegeben hat, dann ist auch die Rezeptionshaltung gelassener Distanz keine diesem Text gegenüber adäquate Haltung. Das Joh muß viel stärker, als wir dies von heutiger Literatur gewohnt sind, in Bezug auf die lebensweltliche Situation gelesen werden. Dies gilt umso mehr, da das Fehlen von Fiktionalität als normierter Erwartung mit der sozio-pragmatischen Funktionalität damaliger Dichtung zu tun hat.

---

1) Es soll hier selbstredend nicht behauptet werden, Platon oder platonische Tradition sei bewußt rezipiert worden. Es geht nur um die Behauptung einer Analogie. Was im übrigen die mögliche Gegenthese angeht, die christlichen Kommunikationsregelungen rührten von der Tatsache her, daß alttestamentliches Schrifttum als Geschichtsschreibung gelesen worden und als Vorbild für das eigene Dichten übernommen worden sei, so erklärt sie nicht, warum die Erzählungen des AT als Historiographie verstanden wurden. Der von mir angestellte Versuch soll alttestamentlichen Einfluß nicht ausschließen und könnte zugleich erklären, warum hier Geschichtsschreibung gesehen wurde.

2) Die Frage, inwieweit Fiktion als bewußte Größe vorliegt und inwieweit der Autor sich auf Tradition bzw. Inspiration stützen zu können meinte, ist noch explizit anzugehen. Dies gilt auch für das hier implizierte moralische Problem. Voraussetzung hierfür sind allerdings die einzelnen Textanalysen.

1.3 Das Johannesevangelium und sein historischer Kontext

Was nun die eben postulierte lebensweltbezogene Lektüre angeht, so sollte natürlich sofort klar sein, daß diese Lebenswelt nicht die unsere sein kann, die der Text ja nicht kennt. Die Bezugswelt des Textes ist die ihm zeitgenössische Welt seiner intendierten Leser.

Wenn wir uns diesen Sachverhalt klar machen, gerät der Text in eine historische Distanz, die ebenso schmerzlich wie unvermeidbar ist. Es kann im Kontext wissenschaftlicher Textinterpretation keine quasi zeitgenössische Lektüre geben. Versuchen wir das Problem mit Hilfe von Überlegungen ISERs näher zu fassen:[1]

Dadurch, daß Literatur ihre Funktion aus Geltungsschwächen zeitgenössischer Sinnsysteme gewinnt, die sie entweder vor Einbrüchen abdichten oder in ihrer Problematik und Defizienz deutlich machen will, erreicht sie eine Beteiligung der Lesenden. Diese Beteiligung ist für das zeitgenössische Publikum, das die Normen und Systemfragmente kennt, die der Text in sein Repertoire aufgenommen hat, unmittelbar gegeben, denn es partizipiert in seiner Lebenswelt an der Gültigkeit der betreffenden Systeme. "Sind aber die Normen des Repertoires für den Leser durch die zeitliche Distanz zu einer historischen Welt geworden, weil er nicht mehr an dem Geltungshorizont partizipiert, aus dem das Repertoire geschöpft ist, dann bieten sich ihm die umcodierten Normen als Verweisungen auf diesen Geltungshorizont. Dadurch läßt sich die historische Situation wiedergewinnen, auf die sich der Text als Reaktion bezogen hatte."[2]

Es handelt sich dabei aber eben nicht um eine partizipierende Einstellung der Lesenden, sondern um eine betrachtende. Diese Einstellung bedeutet nun freilich nicht, daß der Text seine innovative Kraft verlöre. Sie äußert sich freilich anders als bei

---

1) Vgl. zum Folgenden ISER 1984, 130-132.
2) ISER 1984, 131.

partizipierender Einstellung. Aus betrachtender Perspektive kann
es nicht mehr um die ins Repertoire aufgenommenen Einzelnormen gehen, weil diese in der Lebenswelt nicht mehr relevant sind. Deswegen richtet sich der Blick auf den Gesamtzusammenhang, aus dem
der Text sein Repertoire aufgebaut hat. Dabei rücken die betreffenden Sinnsysteme mit ihren Stärken und Schwächen in den Blick,
die der Text bearbeitet.

ISER stellt hier das Aktualisierungsproblem in einer Perspektive
dar, die eine Konvergenz 'historisch-kritischer' Tradition und rezeptionsästhetischer Literaturwissenschaft möglich erscheinen
läßt. Die Einbettung des Textes in seinen Kontext, d. h. in den
Verweisungszusammenhang, aus dem das Repertoire selegiert wurde,
ist die Voraussetzung für eine - in betrachtender Einstellung
sich vollziehende - Sinnbildung der Lesenden. Da diese Sinnbildung aber als die Voraussetzung erscheint für das Gewinnen von
Bedeutung als Übernahme des Textsinns durch die Lesenden in ihre
eigene Existenz, gehören historische Einbettung und existentielle
Bedeutsamkeit zusammen.[1]

Gerade um der existentiellen Dimension willen, die im kirchlichen
Raum ja mit besonderer Intensität eingefordert wird, ist also
eine vorhergehende Einbettung des Textes in seine historische
Welt nötig, weil nur so erkannt werden kann, was der Text eigentlich sagen will. Und letzteres muß doch Gegenstand aller Bemühungen sein, wenn wir den Text nicht aus dem Bereich der Kommunikation ausgliedern und der bloßen Projektion freigeben wollen.[2]

---

1) Die vielbeklagte existentielle Bedeutungslosigkeit wissenschaftlicher Exegese könnte also (entgegen geläufigen Erklärungsmu-
stern) daher rühren, daß der Text nicht exakt genug in seinen
historischen Verweisungszusammenhang eingerückt wird. Die
Sinnkonstitution wird einfach dadurch erschwert, daß wir das
Repertoire der betreffenden Texte erst mühsam rekonstruieren
müssen.

2) FUCHS 1986, 44-46 spricht in Bezug auf das Problem des Respekts
vor der Fremdheit des Texts zutreffend von "Kommunikations-
ethik". Mir scheint hier auch der Offenbarungscharakter der
biblischen Texte berührt. Ein Text, der völlig auf die Bezugsrahmen der Rezipienten geholt wird, indem seine Fremdheit neu-
tralisiert wird, kann den Lesenden - allen gegenteiligen Beteuerungen zum Trotz - nicht Offenbarung sein; er hat ihnen nämlich nichts zu sagen, was sie nicht immer schon wüßten.

Auch wenn es zwischen der alten Formgeschichte und ihrer Frage nach dem "Sitz im Leben" und der Texttheorie mit ihrer Betonung der Textpragmatik große Unterschiede gibt, so sind sie sich doch beide darin einig, daß es um Texte in Funktion gehen muß, wobei freilich nur die Texttheorie eine theoretisch einigermaßen abgesicherte Möglichkeit bietet, Text und Kontext in Verbindung zu setzen. Bei literarischen Texten von Pragmatik zu reden, heißt - das haben wir schon gesehen - von ihrer Arbeit an Sinnsystemen zu reden, also von ihrem Repertoire und dem Horizont, aus dem es stammt. Gerade wenn also der Text als Element in einem kommunikativen Handlungsspiel gesehen wird - und dies ist ein Axiom moderner Textwissenschaft - muß historisch gearbeitet werden, muß der Text in seinem Bezug auf eine für uns historisch gewordene Welt ernst genommen werden. Um Mißverständnissen vorzubeugen, muß allerdings gesagt werden:

Es geht hier nicht um die Neuauflage des Zweischritts, wie er in historisch-kritischer Tradition die Regel war, nämlich erst auszuarbeiten, was der Text damals bedeutete, um dann erst zu fragen, was er heute bedeuten könnte.[1] Die damalige Bedeutung des Textes ist, da wir für die früheste Zeit keine Rezeptionsdokumente haben, unwiederbringlich dahin; wir können nicht in die Haut der Erstrezipienten schlüpfen, um den Text so zu lesen, wie sie ihn lasen. Wir müssen uns allerdings darum bemühen, die für die kommunikative Potenz des Textes wesentlichen Elemente zu erarbeiten. Diese historische Aufgabe geht allerdings einer Lektüre voraus; sie will sie ermöglichen, nicht ersetzen. Es geht darum, kompetent zu werden, um den Text (in betrachtender Einstellung) lesen zu können und seine innovatorische Kraft zu erfahren.[2] Es könnte nun der Eindruck entstehen, als ob ich mich in einen Widerspruch hineinmanövriert hätte: erst die Betonung der Situationslosigkeit literarischer Texte - dann das Eintreten für die Einbettung in den historischen Kontext.

---

1) Zum Dilemma dieses Zweischritts vgl. MÜLLER 1984, 346 f.
2) Vgl. CULPEPPER 1984, bes. 471 f.475; siehe auch die Ausführungen oben.

Um diesen Eindruck als falsch zu erweisen, ist nun genauer abzuklären, was

1. mit 'Situationslosigkeit' gemeint ist, und

2. was es mit dem historischen Kontext und seiner Relevanz für
   die Interpretation eigentlich auf sich hat.

1.3.1 Die Situationslosigkeit des literarischen Textes

Die Situationslosigkeit literarischer Texte hat in meinem
Sprachgebrauch mit Ungeschichtlichkeit oder Übergeschichtlich-
keit nichts zu tun, obwohl es Texte geben mag, die so etwas anstreben.

Unter Situationslosigkeit ist der Sachverhalt zu verstehen,
daß literarischer Kommunikation der konkret faßbare situative
Rahmen fehlt. Genauer gesagt, dieser Rahmen ist nicht ein für
allemal definiert, sondern kann beliebig wechseln. Literarische
Texte können unter den verschiedensten Bedingungen rezipiert
werden. Deswegen gibt es keine direkt zugängliche Gemeinsamkeit
des Wahrnehmungsraumes der auf Produktions- und Rezeptionsseite
an der Kommunikation Beteiligten. Diese Lösung von einer bestimmten situativen Verankerung wird hier als Situationslosigkeit bezeichnet, und damit der weitere Begriff im Sinne von
SCHMIDT, der auch noch jeden Bezug auf die Lebenswelt der
Lesenden ausklammert[1], aufgrund der von heutigen Verhältnissen
differierenden Situation der Antike (s. o.) eingeschränkt. Ich
teile damit in etwa die Position von WARNING, der feststellt,
"daß sich die Sprechsituation in fiktionaler Rede zwar aus der
unmittelbaren Determinierung durch eine Gebrauchssituation
löst, ohne daß freilich diese Gebrauchssituation einfach ent-
fiele."[2] Dieser engere Begriff von Situationslosigkeit impliziert also - und deswegen war die Übernahme des ISERschen Re-
pertoire-Konzepts möglich - durchaus einen Lebensweltbezug

---

1) Vgl. SCHMIDT 1972, 66-68.
2) WARNING 1983, 192 f.

auch fiktionaler Texte: Wenn literarisch-fiktionale Texte auch
im Vergleich zur mündlichen Face-to-face-Kommunikation situa-
tionsgelöst sind, so sind sie dies doch nicht im Hinblick auf
eine komplexe Voraussetzungssituation[1], die bei gruppenorien-
tierten Texten recht konkret werden kann.

1.3.2 Der Text und sein historischer Hintergrund

Was nun die Frage nach dem historischen Kontext angeht, so ist
zweierlei zu unterscheiden; nämlich einmal die historische Einbettung im Sinne des Repertoires und zweitens die weitergehende,
historisch interessierte Frage nach historischen Daten, die
aus dem Text gewonnen werden können.

1.3.2.1 Der historische Kontext und seine Relevanz für die Textinterpretation

Die Relevanz der historischen Situierung, wie sie aus dem Vorgang der Repertoirebildung resultiert, braucht hier nicht wiederholt werden. Es ist klar, daß es hier einfach um das vom
Text präsupponierte und von daher für eine hinreichende Interpretation notwendige Wissen geht. Die Relevanz dieses Wissens
läßt sich über ISER hinaus präziser fassen, wenn TITZMANNs Unterscheidung zwischen

- faktisch relevantem,

- sekundär faktisch relevantem, und

- potentiell relevantem kulturellen Wissen hinzugenommen wird.[2]

TITZMANN geht davon aus, daß kulturelles Wissen logisch in einzelne Propositionen zerlegt werden kann, die dann mit Propositionen, die der Text entweder direkt setzt, oder die aus ihm
abgeleitet werden können, verglichen werden.

---

1) Vgl. dazu neben ISER auch STIERLE 1975b, 356 f.378-382;
   WARNING 1983, 191-206.
2) Vgl. zum Folgenden TITZMANN 1977, 274-330.

Unter faktisch relevantem Wissen ist zu verstehen die Menge
derjenigen kulturellen Propositionen, die gegebene oder abge-
leitete Textpropositionen total oder partiell bestätigen oder
negieren. Wenn also - so TITZMANNs Beispiel[1] - aus einem Text
eine Aussage über die Existenz Gottes ableitbar ist, so sind
all jene kulturellen Aussagen faktisch relevant, die in der
Kultur des Textes zur Existenz Gottes auffindbar sind, gleichgültig, ob sie die Textproposition negieren, modifizieren
oder affirmieren.

Alle kulturellen Aussagen aber, die eine Aussage über Gott machen, sind ebenfalls einbezogen, und zwar als potentiell relevant. Da nämlich eine Aussage über die Existenz Gottes notwendig auch die Intension des Gottesbegriffs, also die Merkmale,
die diesem Term in der betreffenden Kultur zugeschrieben
werden, betrifft, sind alle kulturellen Aussagen über Gott relevant; in Abstufung zu den faktisch relevanten: potentiell
relevant.

Zwischen faktisch relevanten und nur potentiell relevanten Aussagen gibt es einen für die Textanalyse entscheidenden Status-
unterschied: Folgerungen, die mit Hilfe der ersteren gezogen
werden, sind, soweit sie logisch richtig sind, vom Text 'erzwun-
gen', während Folgerungen, die auf potentiell relevantem Wissen basieren, vom Text lediglich 'in Kauf genommen' werden.
Interpretatorische Schlüsse, die auf faktischer Relevanz beruhen, können als "tatsächlich nachweisbare Bedeutung" gelten,
bei Schlüssen dagegen, die aufgrund von potentiell relevantem
Wissen erfolgen, handelt es sich nur um "objektive Konnotationen"[2], um einen Konnotationsraum also, der zwar nicht
subjektiv-beliebig ist, aber andererseits auch nicht zum
Bereich des nachweisbaren Textsinns gehört. Potentiell relevante Propositionen können sekundär faktisch relevant werden,
wenn es entweder um kennzeichnendes Wissen geht (der Text
weist hinreichend viele Prädikate auf, die nötig sind, um ein

---

1) Vgl. TITZMANN 1977, 292 f.
2) TITZMANN 1977, 316.

von einer kulturellen Proposition Gekennzeichnetes zu identifizieren), oder wenn kulturelles Wissen, das zunächst nur potentiell relevant ist, vom Text funktionalisiert wird. Funktionalisiert ist eine kulturelle Proposition (A) in Bezug auf eine
textliche Aussage (B) dann, wenn (B) sich als logische Folgerung aus einer Menge von Propositionen darstellen läßt, die
der Text als kulturelles Wissen voraussetzt, und (A) zu dieser
Menge gehört.[1] Wir haben nun aber schon gesehen, daß das Joh
als gruppenorientierter Text einzuordnen ist. Eine pauschale
Rede von kulturellem Wissen ist deshalb für unsere Problemlage
nicht ausreichend. Wir müssen damit rechnen, daß in Bezug auf
das Joh drei Bereiche von solchem Wissen existieren.

Da ist zunächst die spezifische Tradition der johanneische(n)
Gemeinde(n). Was dieses Wissen angeht, so soll es in einem literarkritischen Arbeitsgang erarbeitet werden. Als weitere
Quelle solchen Wissens könnten natürlich auch die drei Johannesbriefe herangezogen werden. Dies soll aber hier unterbleiben,
und zwar aus folgenden Gründen:

Die Zuordnung der Johannesbriefe zum Evangelium ist umstritten.
Problemlos könnten sie verwendet werden, wenn nachweisbar
wäre, daß sie älter als das Joh sind. Dann könnte angenommen
werden, daß ihr Inhalt zum kulturellen Wissen der Gemeinde(n)
gehört. Sind sie aber jünger, so ergibt sich das Problem, daß
sie daraufhin untersucht werden müßten, was in ihnen an älterer
Tradition verarbeitet ist. Eine solche Untersuchung ist innerhalb dieser Arbeit nicht zu leisten. Überhaupt hängt die Zuordnung von Briefen und Evangelium von einer sauber durchgeführ-
ten Textanalyse aller vier Texte ab. Es ist von daher ratsam,
das Defizit einer möglicherweise unvollständigen Interpretation
dem Wagnis einer Arbeit mit unsicheren außertextlichen Daten
vorzuziehen. Dies gilt selbst dann, wenn eine besondere Nähe
zu 1 Joh zum Profil der Redaktion des Joh gehört.[2]

---

1) Vgl. TITZMANN 1977, 358.
2) Vgl. z.B. WELLHAUSEN 1907, 38; HIRSCH 1936, 123.172.174;
   THYEN 1971, 350 Anm. 19; RICHTER 1977, 72 f.409.

Nach allem, was wir bisher über das Joh wissen, ist eine enge
Verbindung zum Judentum anzunehmen, d. h. es ist damit zu rechnen, daß der Text auch die Kenntnis bestimmter Propositionen
jüdischer Provenienz pragmatisch präsupponiert. Da keine
Gruppe völlig isoliert vom Makrokontext der Gesellschaft leben kann, ist außerdem damit zu rechnen, daß das vom Text
vorausgesetzte Wissen zumindest teilweise auch aus kulturellem
Wissen der hellenistisch-römischen Großkultur besteht.
Die beiden letzten Bereich sind in der exegetischen Tradition
gewöhnlich unter dem Titel "Religionsgeschichte" abgehandelt
worden. Auch wenn es beim kulturellen Wissen natürlich nicht
nur um Religion geht, könnte dieser umstrittene Arbeitsschritt
doch mit der gegebenen Beschreibung der Relevanz außertextlichen
Wissens eine theoretische Fundierung erhalten.[1] Dies soll
hier nicht weiter ausgeführt werden, weil der "religionsgeschichtliche" Aspekt in dieser Arbeit nur in sehr bescheidenem
Umfang berücksichtigt wird.[2]
Klar ist jedenfalls, daß kulturelle Propositionen legitim in
der Textanalyse verwendet werden können, gleichgültig, ob sie
aus jüdischem oder heidnischem Bereich stammen. Entscheidend
ist einzig, daß ihre Relevanz festgestellt ist, sie also zum
Repertoire des Textes gehören.[3]

---

1) Vgl. KÜGLER 1987.
2) Ich wage diese weitere Lücke, weil interpretatorische Aussagen, die durch textinterne Daten bestätigt sind, durch text-
   externe Informationen niemals falsifiziert werden können
   (vgl. TITZMANN 1977, 385). Natürlich ist der Text, wenn prä-
   supponiertes Wissen nicht berücksichtigt wird, nur partiell
   interpretierbar, aber eine solche Interpretation ist - innertextliche Verifikation vorausgesetzt - niemals falsch,
   und die Grenze ihrer Möglichkeiten wird durch das Maß bestimmt, in dem kulturelles Wissen vom Text als relevant gesetzt ist (vgl. TITZMANN 1977, 384). Beim Joh als Gruppentext
   kann davon ausgegangen werden, daß die Relevanz gemeindlicher
   Tradition erheblich höher ist, als die 'religionsgeschichtli-
   cher' Aussagen. Diese sollen keinesfalls als irrelevant ab-
   getan werden, aber eine Interpretation, die sie nicht vollständig erfaßt, dürfte weniger Daten uninterpretiert stehen lassen, als eine, die die Gemeindetradition nicht berücksichtigt.
3) Ideologische Grabenkämpfe um die "religionsgeschichtliche
   Einordnung" könnten sich von einem solchen Ansatz her als
   ziemlich überflüssig erweisen.

Doch kehren wir zum Problem des gruppenspezifischen Wissens zurück.

Gruppenspezifisches Wissen spielt in der Interpretation von Texten, die auf den gesamtgesellschaftlichen Kommunikationsprozeß ausgerichtet sind, eine eher problematische Rolle. Es kann im Grunde nur dann Verwendung finden, wenn es über das Kriterium faktischer oder potentieller Relevanz hinaus die Bedingung erfüllt, sekundär faktisch relevant (Funktionalisierung!) oder vom Text selbst als anwendbar gekennzeichnet zu sein.[1] Wie schon gesagt, haben wir es beim Joh mit einem Text zu tun, der gerade nicht großgesellschaftlich ausgerichtet, sondern gruppenorientiert ist. Hier gilt die Regel:

"Wenn ein 'Text' eindeutig einer Menge gruppenspezifischen Wissens zugeordnet ist, dann kann die 'Text'-Analyse das dieser Gruppe spezifische Wissen einbeziehen, wenn es für eine Stelle potentiell oder zwar faktisch relevant, aber nicht vom Text bestätigt wird."[2]

Das heißt, daß die Zusatzbedingungen für die Relevanz von Gruppenwissen bei großgesellschaftlich orientierten Texten auf das Joh als Gruppentext nicht zutreffen. Bei Gruppentexten ist das für die entsprechende Gruppe spezifische Wissen nach denselben Relevanzkriterien zu beurteilen, wie sie für kulturelles Wissen allgemein gelten; und das heißt auch, daß in solchen Fällen eine adäquate Rezeption den Erwerb von Wissen voraussetzt, das dieser Gruppe eigen ist.[3] Was soll aber gelten, wenn eine Gruppe hinsichtlich ihres Wissens nicht homogen ist, sondern in ihr eine Teilgruppe mit spezialisiertem Wissen existiert? Sofern diese Gruppe nicht die Gruppe ist, auf die der Text ausgerichtet ist - dann würde ja die eben formulierte Regel gelten -, kann dieses Teilwissen nicht in die Textanalyse einbezogen werden. Wo ein Text nämlich einem gruppenspezifischen

---

1) Vgl. TITZMANN 1977, 325 f.
2) Vgl. TITZMANN 1977, 326. Die Anführungszeichen bei "Text" sollen verdeutlichen, daß er einen erweiterten Textbegriff verwendet, der auch nichtsprachliche Komplexe erfaßt.
3) Vgl. TITZMANN 1977, 326. S.o. 1.1.3.2!

Wissen zugeordnet ist, "darf nur das je allgemeinste Wissen der Gesamtgruppe in die Analyse einbezogen werden."[1] In Bezug auf das Joh stellt sich das Problem aufgrund der Hypothese, es habe in der (den) johanneischen Gemeinde(n) eine Gruppe von Gelehrten (Johanneische Schule) existiert.[2] Diese Gruppe könnte besonderes Wissen besessen haben, das von den übrigen Mitgliedern der Gruppe nicht geteilt und/oder nicht für wahr gehalten wurde, und welches nicht in der Analyse verwendet werden dürfte - von der Ausnahme der Funktionalisierung einmal abgesehen.

Nehmen wir die Kenntnis der Synoptiker als Beispiel:

Im Unterschied zu der lange dominierenden These von GARDNER-SMITH 1938, der eine direkte Abhängigkeit von den Synoptikern abgelehnt hatte, wird neuerdings wieder eine literarische Abhängigkeit von einem oder allen synoptischen Evangelien vertreten.[3] Dabei verdient die Variante den Vorzug, die diese Beziehung zu den Synoptikern der Redaktion zuschreibt.[4] Wenden wir nun unsere theoretisch formulierte Regel auf diesen Fall an, so ergibt sich:

Die Frage, ob die für die Redaktion des Joh verantwortliche Gruppe der Johanneischen Schule einen oder alle Synoptiker in der literarischen Endgestalt kannte, spielt in der Interpretation des Joh keine Rolle, solange nicht der Nachweis geführt wird, daß die verarbeiteten Synoptiker im Adressatenkreis, auf den das Evangelium zielt, zum Bestand des allgemeinen Wissens gehört hat. Dieses Wissen der johanneischen Gemeindeglieder darf

---

1) TITZMANN 1977, 328.
2) Vgl. HEITMÜLLER 1914; BOUSSET 1915, 316; CULPEPPER 1975. Die Existenz dieser Schule scheint kaum mehr bestritten zu sein: vgl. BECKER 1979/81, 40-43; SCHNELLE 1987, 53.
3) Vgl. z.B. NEIRYNCK 1982; ders. 1984.
4) Vgl. z.B. LANGBRANDTNER 1977, 17.56.82; THYEN 1977b, 102; ders. 1977a, 263.275.279.282 f.289.291.294; jetzt gut begründet von BAUM-BODENBENDER 1984, 176-218; bes. 217 f. In der älteren Forschung war diese These immer dort üblich, wo die redaktionelle Arbeit als Angleichung an die als normativ eingeschätzten Synoptiker gesehen wurden. Vgl. z.B. SPITTA 1910, 405 ff.

sich nicht auf die bloße Existenz der betreffenden Evangelien beziehen, sondern muß deren Textintentionen zumindest teilweise umfassen. Erst wenn dieser Nachweis gelingt, werden wir sagen können, das Joh präsupponiere die Kenntnis eines Synoptikers (oder aller) und beziehe dessen (deren) Textintentionen in sein Repertoire ein. Ich halte diesen Nachweis für schwierig, wo nicht unmöglich, und betrachte deswegen die synoptischen Evangelien bis zum Erweis des Gegenteils als nicht relevant für die Interpretation des Joh. Das soll natürlich nicht heißen, daß die 'synoptische Frage' nicht für andere Fragestellungen höchst wichtig wäre. So ist sie im Kontext einer Geschichte der johanneischen Gemeinde(n) unverzichtbar.[1] Dies gilt auch für die Frage nach der Stellung des Joh in der urchristlichen Literaturgeschichte, für die Frage, ob es eine selbständig entwickelte johanneische Evangelienform gegeben hat oder diese erst unter dem Einfluß der synoptischen Evangelien entsteht[2] usw.

An diesem Beispiel ist wohl gut zu sehen, wie sich historisches Wissen und interpretatorische Relevanz zueinander verhalten: Einerseits ist unter Umständen eine große Menge von außertextlichem Wissen nötig, um einen Text adäquat interpretieren zu können, andererseits ist nicht jedes Wissen (auch wenn es mit Hilfe der Texte gewonnen ist!) für die Interpretation relevant, und die Entscheidung über Relevanz oder Nichtrelevanz fällt am Text.

---

1) Vgl. die entsprechende Kritik an WENGST 1981 bei KÜGLER 1984, 60.
2) Es ist immerhin möglich, daß die johanneische Evangelienform erst durch die Redaktion geschaffen wurde. Dafür spräche, daß eine Grundschrift - wie sich zeigen wird - mindestens nicht mehr rekonstruierbar ist, und daß die historiographisch orientierte Textsorte 'Evangelium' dem theologischen Verkörperungsprogramm der Redaktion (s.u. 3.3.1) voll entspricht. Hinter dem historiographischen Anspruch steht nämlich "ein theologisches Bemühen. Die christologisch-soteriologische Reflexion soll unter allen Umständen von einem Wirklichkeitsverlust verschont bleiben." (BUSSE 1987, 521)

1.3.2.2 Das Problem der historischen Rückfrage

Beim Beispiel der 'synoptischen Frage' ging es um das Gewinnen
von historischem Wissen aus dem Text. Das geschieht in diesem
Fall durch den Vergleich mit anderen Texten. Es stellt sich
nun aber das Problem, wie historisches Wissen aus dem Text gewonnen werden kann, wenn es Vergleichsmöglichkeiten nicht
gibt. Dieses Problem stellt sich in zweifacher Hinsicht, einmal als Frage nach der Historizität der erzählten Welt, zum
anderen als Frage nach der historischen Situation von Autor
und intendiertem Publikum. Die historische Frage nach dem geliebten Jünger, die am Ende dieser Arbeit gestellt werden
soll, berührt beide Fragen. Dieser Jünger ist ja zunächst nur
eine Figur im Leben Jesu, wie das Joh es erzählt. Da das Joh
aber ein Text ist, der auf ein bestimmtes Publikum hin entworfen
ist, ist natürlich auch die Frage zu stellen, wie sich diese
erzählte Person zur historischen Kommunikationssituation des
Textes verhält.
Bei beiden Fragen ist die Eigenart literarischer Texte zu beachten.
Zunächst muß klar sein, daß die erzählte Welt als ganze eine
erzählte, fiktionale Welt ist. Das heißt nun keineswegs, daß
sich in fiktionalen Texten nicht Elemente fänden, die sich als
Wirklichkeitszitate[1] bezeichnen ließen. Der Anteil solcher Zitate mag gelegentlich sogar recht hoch sein. Das Problem, das
sich einer historischen Rückfrage stellt, besteht allerdings
darin, daß es innertextlich keine Möglichkeit gibt, Wirklichkeitszitate als historische Elemente von pur fiktiven Elementen
zu unterscheiden. Wirklichkeitzitate werden nämlich nicht etwa
als referentiabel von den fiktiven Elementen abgehoben, sondern haben innertextlich prinzipiell denselben Status wie
diese.[2]

---

1) Unter 'Wirklichkeitszitat' ist ein Textelement zu verstehen,
   das einen Aspekt außertextlicher Wirklichkeit (mehr oder weniger) direkt widerspiegelt.
2) Vgl. SCHMIDT 1972, 67; LANDWEHR 1975, 182.

Das erschwert die Rückfrage nach der Historizität bestimmter Elemente natürlich ganz enorm. Es bleiben im Grunde nur noch zwei legitime Vorgehensweisen übrig, nämlich einmal die, daß der Status bestimmter Elemente als Wirklichkeitszitate aufgrund außertextlicher Informationen eruiert wird und dann diejenige, daß die zur Debatte stehenden Elemente daraufhin befragt werden, welche Seinsmodalität ihnen nach historischem Wirklichkeitskonzept zuzuordnen ist. Hier scheiden dann diejenigen Elemente aus, die nach unserem heutigen Wirklichkeitskonzept mit der Seinsmodalität 'unmöglich' versehen werden müssen. Es bleiben alle jene Elemente übrig, denen die Seinsmodalität 'möglich', 'faktisch', 'notwendig' zugeordnet werden könnte. Da es nicht möglich ist, aufgrund eines fiktionalen Textes zwischen den drei Prädikaten zu entscheiden, wird - solange eben nicht andere Informationen zur Verfügung stehen - das logisch umfassendste Prädikat, nämlich 'möglich' zu wählen sein. Das heißt, daß es de facto nicht gelingen wird, ohne außertextliche Informationen die Faktizität eines Elements zu erweisen.

Was nun die Frage nach der historischen Situation und dem Publikum (das fällt beim Joh als Gruppentext ja weitgehend zusammen) angeht, so spielt die eben angestellte Überlegung ebenfalls eine große Rolle; denn die erzählte Welt ist nicht einfach Allegorese der Lebenswelt.[1] Schon gar nicht bei einem Text, der sich selbst als Geschichtsschreibung versteht. Bisweilen führt nämlich die literaturwissenschaftliche Einsicht, daß literarische Texte die Situation, auf die sie einwirken wollen, quasi auch 'in sich enthalten'[2], in der Exegese zu einem übergroßen Optimismus, was die Möglichkeit angeht, aus den Evangelien die Situation ihrer Entstehung zu rekonstruieren. Solchen Hypothesen[3] ist mit ISER die Warnung entgegenzuhalten:

---

1) Vgl. ONUKI 1982, 180.
2) WARNING 1983, 201 redet z.B. im Anschluß an LOTMAN 1972 davon, daß die Lebenswelt des intendierten Publikums im Text selbst in modellhafter Form wiederkehrt.
3) Im johanneischen Bereich wären etwa MARTYN 1968; ders. 1977; BROWN 1979; WENGST 1981 zu nennen. Zur Kritik solcher Entwürfe vgl. ONUKI 1982, 171 f.

"Es gehört zu den schier unaustilgbaren Naivitäten der Literaturbetrachtung zu meinen, Texte bildeten Wirklichkeit ab. Die Wirklichkeit der Texte ist immer erst eine von ihnen konstituierte und damit Reaktion auf Wirklichkeit."[1] Es gibt deshalb keinen geraden Weg aus der Textwirklichkeit heraus in die Lebenswirklichkeit hinein. So mag an den entsprechenden Entwürfen zur johanneischen Gemeindegeschichte manches, wenn nicht vieles, richtig sein, ihre Schwäche liegt vor allem darin, daß sie relativ wenig an methodologischen Vorüberlegungen bieten, wie die Gefahren eines solchen Unternehmens zu minimieren seien. Dies sei kurz an BROWN 1979 als dem wohl ausgereiftesten Versuch gezeigt.[2] BROWN geht von der Erkenntnis aus, daß das Evangelium im Hinblick auf eine bestimmte Gemeinde geschrieben ist, und deshalb Schlüsse auf die allgemeine Situation dieser Gemeinde zuläßt. Er hält es allerdings für schwierig, zu Spezifischem vorzudringen, und warnt davor, aus dem, was ein Evangelium sagt oder nicht sagt, phantasievolle Schlüsse über die Kirchengeschichte zu ziehen. Er versucht, das Element der Selbsttäuschung in seinem Entwurf durch drei Regeln auf ein Minimum zu reduzieren:

1. Die Rekonstruktion der Geschichte beruht auf dem vorliegenden Text und nicht auf hypothetisch rekonstruierten Quellen.

Hierzu ist, obwohl diese Frage in unserem Arbeitsgebiet nicht ganz so wichtig ist, zu sagen, daß eine historische Rückfrage natürlich beim Endtext als festem Ausgangspunkt ansetzen muß. Sobald es aber um frühere Stadien der Gemeindegeschichte geht, ist eine möglichst akkurate Literarkritik unerläßlich. Die dabei rekonstruierten Quellen mögen bis zu einem gewissen Grad hypothetisch sein, der Fehlerquotient ist bei einem solchen Vorgehen trotzdem geringer, als wenn sich die Rekonstruktion früherer Stadien auf eine Textgrundlage stützt, die quasi nur

---

1) ISER 1970, 11.
2) Vgl. zum Folgenden BROWN 1979, 18-21.

über den Daumen angepeilt wird.[1] Das gilt umso mehr, als BROWN ja bis zu den Anfängen der Gemeinde vordringen will!

2. Besonderer Wert wird auf diejenigen johanneischen Passagen gelegt, die von den Synoptikern differieren und bei denen letztere die historische Wahrscheinlichkeit auf ihrer Seite haben. Wo das Joh das Bild des historischen Auftretens Jesu klar verändert, ist es wahrscheinlich, daß theologische Motive eine Rolle spielen, die Einblick in die Gemeindesituation zulassen.

Über diese Regel ist zu sagen, daß sie nicht sonderlich dazu beitragen wird, den Anteil der Selbsttäuschung zu reduzieren; denn nicht alles, was nach unserem Wissen vom historischen Jesus abweicht, läßt sofort auf die Gemeindesituation schließen. Entscheidend wäre hier das Wissen, daß die damalige Gemeinde von Jesus hat. Das Argument, im Joh sei Augenzeugenmaterial verarbeitet, wäre wohl nur für die ältesten Schichten relevant, und die müßten erst einmal rekonstruiert werden. Wir sollten akzeptieren, daß wir es zunächst immer mit einem Bild zu tun haben, das ein Autor von einer bestimmten Vergangenheit entwirft. Teile dieses Bildes mögen seiner Gegenwart entnommen sein, so daß von einer Aktualisierung gesprochen werden kann; Teile dieses Bildes mögen aber auch einfach seinem Wissen von dieser Vergangenheit entsprechen. Stimmt nun dieses Wissen nicht mit unserem Wissen überein, so legt sich für uns natürlich der Schluß nahe, hier liege eine Aktualisierung im Blick auf die Situation des Autors vor. Dieser Schluß ist ebenso naheliegend wie ungerechtfertigt, denn es kann sich eben aus der Sicht des damaligen Wissens um eine historische und gerade nicht aktualisierende Information handeln. BROWN benutzt die These von Augenzeugenmaterial dazu, dieses Problem zu verschleiern und sein historisches Wissen zum Maßstab zu machen. Ein

---

1) Vgl. zum Problem der Literarkritik bei der historischen Rückfrage KÜGLER 1984, bes. 61 f.

solcher Maßstab könnte aber nur das damalige historische Wissen sein, womit wir wieder beim Problem außertextlicher Information wären. Die Annahme, die Redaktion habe die synoptischen Evangelien gekannt, führt hier wohl auch nicht weiter, weil natürlich offen bleiben muß, inwieweit sie diese für zuverlässige Quellen gehalten hat.

3. Schließlich stellt BROWN den Grundsatz auf, nur dann aus dem Schweigen des Evangeliums Schlüsse zu ziehen, wenn dieses Schweigen sich auf Sachverhalte bezieht, zu denen das Evangelium sich hätte äußern müssen.

Diesem Grundsatz ist voll zuzustimmen. Ein argumentum e silentio ist nur dann aussagekräftig, wenn sich eine in der Situation der Textentstehung bekannte Norm nachweisen läßt, gegen die dieses Schweigen verstößt. 'Norm' muß dabei natürlich nicht nur im engen Sinne verstanden werden, sondern kann sich auf den Gesamtbereich der Alternativen erstrecken. Betrachten wir ein kurzes Beispiel zur Verdeutlichung:
Wenn sich die These bestätigte, daß die Redaktion die synoptischen Evangelien kannte, und sich ferner nachweisen ließe, daß die Redaktion ein besonderes Interesse am Herrenmahl hatte, so lassen sich über die Frage, warum sie dann nicht die synoptischen Einsetzungsberichte übernahm, Rückschlüsse auf die historische Situation der Gemeinde ziehen. In dem Moment, wo die Kenntnis der Einsetzungsberichte sich nicht nachweisen läßt, fällt das in diesem Punkt bestehende Alternativfeld (Paradigma) weg, und der Verzicht der johanneischen Redaktion ist nicht mehr interpretierbar.[1]
Insgesamt dürfen die von BROWN formulierten Regeln wohl als unzureichend bezeichnet werden.[2]

---

1) Vgl. TITZMANN 1977, 87 zur Bedeutung der Alternativen in der Textanalyse. Das dort Gesagte gilt übertragen auch für die historische Rückfrage.
2) Vgl. das kritische Resümée von BECKER 1986, 32: "In der Tat, B. springt sehr unmittelbar von der Textebene in die historische Wirklichkeit. Hier liegt seine methodische Achillesferse."

Versuchen wir also das Problem erneut anzugehen.[1]

Auszugehen ist dabei vom Gesamttext als Zeichen. Dieses Zeichen hat eine pragmatische Dimension, die sich beschreiben läßt. Als Text in Funktion hat der Text bestimmte pragmatische Intentionen (Repertoire!). Aufgrund dieser Intentionen kann die grundsätzliche Frage gestellt werden: Unter der Voraussetzung welcher historischen Situation als Kommunikationshorizont ist ein Text mit diesen Intentionen sinnvoll? Diese Frage kann als Einstieg in den Übergang von der erzählten Welt in die Lebenswelt der Kommunikationsbeteiligten dienen. Hier wäre freilich der Einwand möglich: Wenn der Text in seiner Situation sinnlos, gar kontraproduktiv war, dann führt diese Frage doch zu ganz falschen Konstruktionen. Dieser Einwand übersieht etwas ganz Entscheidendes, nämlich daß wir, wenn wir aus einem Text seine Kommunikationssituation erschließen, natürlich immer nur zu jenem Bild der Situation vordringen, das der/die Textproduzent/-in von dieser gewonnen hatte. Seine bzw. ihre Einschätzung ist im Text encodiert, nicht die Situation selbst. Zwischen dieser Einschätzung der Situation und ihrem 'objektiven' Zustand eine Diskrepanz anzunehmen, ist natürlich legitim. Zwischen dieser Einschätzung und der pragmatischen Intention des Textes eine solche Diskrepanz anzunehmen, legt sich allerdings keinesfalls nahe. Hier ist vielmehr das Vorurteil der Sinnhaftigkeit - als Basisannahme jeder Textinterpretation - auf die pragmatische Textdimension auszudehnen. Allenfalls bei Einzelelementen kann

---

1) Die folgenden Überlegungen konkurrieren nicht mit der soziolinguistischen Perspektive, wie MALINA 1985 sie vorträgt. Auch dort geht es vorrangig darum, aus der pragmatischen Intention des Textes Schlüsse auf seine Kommunikationssituation zu ziehen. Die behandelten Normen und Konventionen werden lediglich mittels bestimmter Theorien zusätzlich kategorisiert, wobei es leider an hinreichenden methodologischen Erwägungen mangelt, was den kritischen Punkt des Überstiegs von der erzählten Welt auf die Lebenswelt der Kommunikationsbeteiligten angeht. Letzteres gilt auch für die wissenssoziologisch orientierten Arbeiten von RENNER 1982 und REBELL 1987.

festgestellt werden, daß sie im Hinblick auf die Textintention
insgesamt als unpassend, sinnlos usw. einzustufen sind.
Erst das - notwendig relativ unkonkrete - Bild der sich ergebenden historischen Situation im Sinne eines sinnvollen Kom-
munikationshorizonts ermöglicht es, einzelne Elemente auf
eine Entsprechung in der Lebenswelt der Gemeinde hin zu befragen. Dabei ist allerdings die Funktion dieser Elemente im
Text zu beachten. Hier geht es nicht nur um das oben thematisierte Problem der Aktualisierung, sondern allgemein um die
Frage, wie das betreffende Einzelelement an der Konstitution
der pragmatischen Dimension des Zeichens 'Text' beteiligt
ist. Vorrang sollte hier den Textelementen eingeräumt werden,
die in besonderer Weise an der kommunikativen Potenz des literarischen Textes beteiligt sind. Hier spielen auf der Produk-
tionsseite die Kategorien 'Erzähler' und 'implizierter Autor'
eine gewichtige Rolle, auf der Rezeptionsseite geht es um
den/die 'Narratee' bzw. 'fiktiven Adressaten' und den 'impliziten Leser'.[1] Die innertextlichen Kommunikationsebenen
lassen sich mit ZERBST 1985 folgendermaßen beschreiben:
Während es sich beim realen Autor und den real Lesenden um
außertextliche Größen handelt, lassen sich innertextlich drei
Ebenen unterscheiden.

Ebene I:	erzählte sendende Figur (z.B. Jesus)	erzählte empfangende Figur (z.B. die Juden)
Ebene II:	fiktiver Erzähler/ narrator	fiktive Adressaten/ narratees
Ebene III:	impliziter Autor/ implied author	implizite Leser/ implied readers [2]

In unserem Zusammenhang sind vor allem die Ebenen II und III
interessant. Beim 'fiktiven Erzähler' handelt es sich um die

---

1) Vgl. zu diesen Begriffen und zum Folgenden: CHATMAN 1978,
147-151; CULPEPPER 1983, 6.15-18; ZERBST 1985, 52-54.
2) Vgl. dieses Schema mit denen von ZERBST 1985, 52; CHATMAN
1978, 151.

Stimme, die die Geschichte erzählt und kommentiert. Ihm können
eine oder   mehrere Figuren zugeordnet werden, denen die Geschichte erzählt wird. So hat der Erzähler des lukanischen
Doppelwerks seinen Theophilus (Lk 1,3 f; Apg 1,1) und der johanneische Erzähler eine Ihr-Gruppe (19,35; 20,31). Diese
Gruppe nenne ich in Abweichung von ZERBST Narratees, wie dies
auch CHATMAN tut.[1] Dieser Begriff hat erstens den Vorteil,
nicht geschlechtsspezifisch zu sein,[2] und bringt zweitens
prägnant zum Ausdruck, daß es um Figuren geht, denen etwas erzählt wird. Beim 'impliziten Autor' handelt es sich nicht um
den realen Autor, sondern um das Bild, das sich aus dem
Ganzen des Werkes von seinem Produzenten gewinnen läßt. Hier
geht es nicht nur um die Erzählerrolle, sondern um alle Teile
des Werkes, also auch um die anderen Figuren und ihre Zuordnung. Der implizite Autor "is 'implied', that is, reconstruc-
ted by the reader from the narrative. He is not the narrator,
but rather the principle that invented the narrator, along
with everything else in the narrative, that stacked the cards
in this particular way, had these things happen to these cha-
racters, in the words or images."[3]
Der Rolle des impliziten Autors ist auf der Rezeptionsseite
eine implizite Leserrolle zugeordnet. Hier geht es genau wie
beim impliziten Autor nicht um eine faßbare Figur, wie dies
auf den Ebenen I und II der Fall ist, sondern um eine Rolle.
Diese Rolle läßt sich mit ISER als "die Gesamtheit der Vorori-
entierungen, die ein fiktionaler Text seinen möglichen Lesern
als Rezeptionsbedingungen anbietet", bezeichnen.[4] Er spricht

---

1) Vgl. CHATMAN 1978, 150 f.
2) Wenn ich in Bezug auf die Person, die das Joh produziert
   hat, öfters von 'Autor' rede, so geschieht dies nicht aus
   Frauenfeindlichkeit, sondern weil ich es für historisch unwahrscheinlich halte, daß Frauen im johanneischen Christentum eine so bedeutsame Rolle gespielt haben, daß sie an
   der Produktion gruppenrelevanter Texte beteiligt gewesen
   wären. Außerdem nehme ich damit Rücksicht auf die Verfasserangabe in 21,24.
3) CHATMAN 1978, 148.
4) ISER 1984, 60.

in diesem Zusammenhang auch von einer "strukturierten Hohl-
form"[1] und macht damit deutlich, daß die implizite Leserrolle
die Summe der Strukturen ist, die den Rezeptionsvorgang steuern sollen.

Wenn nun auch immer wieder völlig zu Recht betont wird, daß
die Verbindung

a) zwischen den innertextlichen Kommunikationsebenen des literarischen Textes und

b) zwischen den innertextlichen und den außertextlichen Ebenen
(realer Autor, reale Lesende)

überaus variabel ist, und die verschiedenen Ebenen deshalb
nicht vermischt werden dürfen,[2] so scheinen mir diese Ebenen
doch einen möglichen Zugang zum historischen Kontext darzustellen.

Voraussetzung ist freilich ein bestimmtes, nämlich paralleles
Verhältnis zwischen den Ebenen. Konstruieren wir ein 'Phantombild' eines solchen Textes:

Die Erzählfigur (narrator) ist als omnipräsent, omniszient
und omnikommunikativ ausgestaltet. Die allgegenwärtige Erzählfigur weiß also alles und teilt alles, was sie weiß, auch
mit. Sie ist von daher - und auch weil sich ihr Standpunkt
mit dem der Hauptfigur deckt und von den Intentionen des Ge-
samtwerkes bestätigt wird - absolut zuverlässig. Eine solche
Erzählfigur ist nur noch theoretisch, aber kaum noch praktisch
von der impliziten Autorenrolle zu unterscheiden. Aufgrund
dieser Parallelität kann - wenn auch ohne letzte Sicherheit -
auf den realen Autor bzw. die reale Autorin geschlossen werden, es sei denn, es stünden gravierende Indizien einem solchen Rückschluß entgegen. Wenn nun die implizite Leserrolle
in jenem Text so konstruiert ist, daß sie darauf ausgerichtet
ist, die Rezeption auf Übernahme des Standpunktes des impliziten Autors hinzulenken, und dies gleichzeitig auf Ebene II
den Narratees von der Erzählfigur auch explizit gesagt wird,

---

1) ISER 1984, 61.
2) Vgl. z.B. ZERBST 1985, 56; CHATMAN 1978, 149.

dann liegt hier ebenfalls eine Parallelität der innertextlichen Kommunikationsebenen vor, die auf eine Parallelität auch der außertextlichen Ebene schließen läßt.

In einer so aufgebauten Erzählung scheinen mir die Kommunikationsebenen einen vertretbaren Weg aus dem Text in die Lebenswelt der Kommunikationsbeteiligten darzustellen. Um Mißverständnisse zu vermeiden, muß gesagt werden, daß es eine Garantie für zuverlässige Ergebnisse hier natürlich auch nicht gibt. Die Gefahren dieses methodisch kontrollierten Vorgehens sind aber doch wohl geringer als bei einem einfachen Historisieren von Einzelheiten. Dieser Weg erfaßt übrigens nicht nur die Textelemente, die direkt an den Ebenen II und III beteiligt sind, sondern auch jene, die sich in einen indirekten Zusammenhang mit ihnen bringen lassen. Auf die Historisierung von Elementen, die mit den Ebenen II und III nichts zu tun haben, sollte völlig verzichtet werden. Die Tatsache nun, daß das Joh ein Text ist, der dem hier entworfenen 'Phantombild' ziemlich genau entspricht, wird im Laufe dieser Arbeit deutlich werden.

1.4 Skizze zum konkreten Vorgehen

Was die praktische Vorgehensweise in dieser Arbeit angeht, so soll in einem ersten Schritt das Untersuchungskorpus konstituiert werden. Es geht dabei um die Auswahl der relevanten Texte und um deren Zerlegung in syntaktische Bausteine ('Äußerungseinheiten'). Bei den einzelnen Textanalysen wird die vorgenommene Textabgrenzung jeweils begründet, ebenso die Textauflistung.

Bei der Durchführung der Analysen, in denen es vor allem um den Lieblingsjünger als _erzählte_ Figur geht, werde ich mich bemühen, die Fruchtbarkeit sprach- und literaturwissenschaftlicher Kategorien für die Exegese deutlich werden zu lassen. Diejenigen, die sich an der von Richter 1971 massiv vertrete-

nen Trennung von Form und Inhalt orientieren, werden diese
Trennung in der vorliegenden Arbeit vermissen. Ihnen sei gesagt, daß ich mit dem Aufgeben dieser Trennung nicht den Anspruch einer methodisch kontrollierten Exegese aufgegeben
habe. Ich sehe nur das Problem nicht in der Trennung liegen,
sondern in der Frage, welcher Inhalt welcher Form zugeordnet
werden soll. Außerdem ist zu sagen, daß die Scheidung von
Form und Inhalt kaum gelingen kann, weil Form (Zeichen) immer
schon mit Inhaltlichem (Bezeichnetem) zu tun hat. Wo die Trennung aber tatsächlich sauber gelingt, weil die Form primär
nicht semantisiert (d.h. mit einem bestimmten Inhalt gekoppelt)
ist, taucht sofort das Problem auf, daß die Form als inhalts-
los für die Textinterpretation irrelevant ist, oder erst aufgrund außertextlicher Normen sekundär semantisiert wird. Da
solche konventionellen Bedeutungszuordnungen kulturgeschicht-
lich sehr variabel sind, fehlt uns bei zeitlich und/oder kulturell fernen Texten in der Regel das für eine Interpretation
nötige kulturelle Wissen. Zum Postulat kultureller Invarianten
sollten wir uns aber auch hier nicht flüchten.[1] Ich behandle
den Text also als mehrschichtiges Zeichengebilde. Das heißt,
daß ich mit LOTMAN 1972 davon ausgehe, daß es mehrere semantische Ebenen im Text gibt, wobei ein Textdatum, das auf der
einen Ebene Inhalt ist, in Bezug auf die nächst höhere Ebene
wieder Zeichen oder Teil eines Zeichens sein kann, dem weitere
Bedeutungen zuzuordnen sind.

Ich beginne jede Textanalyse mit einer Untersuchung der Er-
zählkonstituente 'Zeit'. Dabei geht es allenfalls in zweiter
Linie um explizite Zeitangaben im Text. Im Vordergrund des Interesses stehen vielmehr Tempusgebrauch, Erzähltempo und Erzählprofil.

Anschließend findet eine Analyse der kohärentiellen Qualität
des jeweiligen Teiltextes statt. Dieser Arbeitsschritt ist
die Basis für weitere interpretatorische Schlüsse, vor allem
für die Charakterisierung der Personen, und des thematischen

---

1) Vgl. TITZMANN 1977, 77-79.225-227.

Kontexts, in dem diese stehen.

In einem zweiten Arbeitsgang werden die Texte dann literar-kritisch bearbeitet. Dieser Arbeitsschritt findet seine Basis ebenfalls in den Beobachtungen, die vorher zur Textkohärenz gemacht wurden. Ausgangspunkt ist also die Beschreibung der kohärentiellen Qualität des redaktionellen Texts. Dort, wo dann die "Kohärenzdichte merklich abnimmt bzw. der gesamte Text strukturell nur einen relativ oberflächlichen Zusammen-halt aufweist, gewinnt eine literarkritische Operation die nö-tige Stringenz. Daß es auch bei diesem Vorgehen noch ambiva-lente Befunde geben wird, bleibt unbestritten; dennoch dürfte der Ermessensspielraum gegenüber der üblichen Verfahrensweise erheblich eingeschränkt sein."[1]

Der Resultattext wird dann als Zeugnis johanneischer Tradition interpretiert. So werden die eruierten Textintentionen der verarbeiteten Texte als Repertoireelemente greifbar gemacht und mit dem Ergebnis der synchronen Textanalyse korreliert. Im Zuge der diachronen Betrachtungsweise wird auch versucht werden, Tradition und Redaktion literarisch, traditionsge-schichtlich und hinsichtlich ihres Verhältnisses zu den Synop-tikern und zum 1 Joh zu charakterisieren.

Wo außertextliches Wissen einbezogen wird, geschieht dies üb-rigens tendenziell spät, um den Erkenntnisfortschritt, den das Heranziehen dieses Wissens mit sich bringt, möglichst deutlich werden zu lassen.

In einem letzten Schritt der Arbeit soll schließlich nach dem historischen Hintergrund des Joh und der Lieblingsjünger-Figur im besonderen gefragt werden. Das konkrete Vorgehen dabei basiert einmal auf einer Sichtung des Textrepertoires und der redaktionellen Texte unter dem Aspekt ihrer pragmatischen In-tention und dann auf einer Zuordnung der in Frage stehenden Textelemente zu den textlichen Kommunikationsebenen. Es steht zu hoffen, daß es möglich ist, auf diesem Wege zu Ergebnissen zu gelangen, die wenigstens nicht völlig ins Reich der Fabel gehören.

---

1) MERKLEIN 1984, 158.

2. Textanalysen: Der Lieblingsjünger als erzählte Figur

2.1 Konstituierung des Untersuchungskorpus'

Der Jünger, den Jesus liebte, wird unter dieser Bezeichnung
im Joh fünfmal erwähnt:
Joh 13,23 (ὃν ἠγάπα); 19,26 (ὃν ἠγάπα); 20,2 (ὃν ἐφίλει);
21,7.20 (ὃν ἠγάπα).
Die entsprechenden Texte bilden selbstverständlich die primäre Grundlage der Untersuchung. Unter Zugrundelegung der dabei gewonnenen Erkenntnisse können sodann die in Joh 19,35;
18,15 f; 1,35 ff erwähnten anonymen Figuren auf ihre Identität
mit dem Lieblingsjünger hin überprüft werden. Bei 19,35 geschieht dies in unmittelbarem Anschluß an 19,25 ff, bei 18,15
f; 1,35 ff nach Abschluß der Textanalysen.
Die Abgrenzung der zu untersuchenden Texte wird jeweils begründet, wobei im voraus zuzugestehen ist, daß jeder solchen
Textabgrenzung ein Rest von Willkür anhaftet. Das liegt an
der Natur von Texten als Hierarchie von Teiltexten. Sie macht,
je nachdem auf welcher hierarchischen Ebene wir uns bewegen,
verschiedene Abgrenzungen möglich.
Die abgegrenzten Texte werden in syntaktische Bausteine zerlegt. Aufgrund der Tatsache, daß der Vers als sekundäre Text-
gliederung der Sprachstruktur in der Regel nicht entspricht,
habe ich die Kategorie der Äußerungseinheit übernommen. Sie
ist insofern eine umfassendere Kategorie als der Satz, weil
sie auch aphrastische (=nichtsatzhafte) Elemente umfaßt. Das
liegt daran, daß in dieser Kategorie die pragmatische Sprach-
dimension mit berücksichtigt ist.
Einen akzeptablen Kriterienkatalog zur Abgrenzung von Äußerungseinheiten hat Harald SCHWEIZER aufgestellt[1].

---

1) Vgl. SCHWEIZER 1984, 175; ders. 1981, 31 f; ders. 1986,
37-39.

Seine Kriterien werden im wesentlichen übernommen:

- Jede Äußerung hat nur ein finites Verb.
- Die Kategorie des Nominalsatzes ist zu berücksichtigen: Prädikationen können auch nominal gemacht werden.
- Nach Redeeinleitungen beginnt jeweils eine neue Äußerungseinheit.
- Relativsätze und mit Konjunktionen eingeleitete Nebensätze werden abgetrennt.
- Elemente, die selbständige inhaltliche Funktionen haben, werden auch dann abgetrennt, wenn es sich dabei um aphrastische Elemente handelt (Vokative und andere phatische Elemente, Textmarker bei thematischen Wenden etc.).
- Parallelisierte Gedanken werden abgetrennt.
- Infinitivkonstruktionen werden nicht abgetrennt.
- Beschreibungen von Einzelgliedern der Prädikation sind dann abzutrennen, wenn eine lockere Verbindung zum beschriebenen Element und das Gewicht der Beschreibung den Status einer selbständigen Äußerungseinheit nahelegen.

Was das Problem von Partizipalkonstruktionen angeht, so trenne ich die Partizipien, die durch Objekte erweitert sind, dann ab, wenn die Verbqualität des Partizips dominiert. Das Problem der Inklusion von Äußerungseinheiten habe ich so gelöst, daß die eingeschlossenen Einheiten zwar herausgelöst werden, aber ihr ursprünglicher Platz markiert wird, so daß der Text lesbar bleibt. Um Mißverständnissen vorzubeugen: Das Herauslösen geschieht nur der Übersichtlichkeit halber und bedeutet keine Textumstellung. Der auszulegende Text bleibt unverändert. Das gilt auch für Hinzufügungen in ( ). Hier handelt es sich nur um die verdeutlichende Wiederholung von Textelementen, die syntaktische Funktionen in zwei Äußerungseinheiten erfüllen.

Was die Textkritik angeht, so setze ich diese Arbeit weitgehend als geleistet voraus. Ich halte mich also im wesentlichen an NESTLE[26]. Einzelne Abweichungen davon werden jeweils begründet.

2.2   Der Lieblingsjünger in Joh 13

2.2.1 Begründung der Textabgrenzung

Die V.1-3 haben deutlich expositionelle Funktion. Das drückt sich in den - wenn auch sparsamen - Angaben zur äußeren Situation aus:
V.1 enthält eine Zeitangabe.
Als Personen werden in 13,1.2 Judas, Jesus und die Seinen erwähnt.
Auch die Information über ein Mahl wird gegeben. Die Mahlsituation wird zwar erst in 14,31 positiv aufgehoben, sie ist aber andererseits in 13,31 ff irrelevant und wird nicht mehr erwähnt. Für 13,1-30 dagegen ist sie bestimmend. 13,30 liefert abschließend eine zweite Zeitangabe, so daß die Szene durch zwei Zeitangaben gerahmt ist.
In 13,1-30 ist der Personenkreis konstant und unterscheidet sich vom vorhergehenden wie auch vom folgenden. Während in Joh 12 neben den Jüngern und Jesus noch eine Volksmenge erwähnt wird, tritt in 13,1-30 nur Jesus mit seinen Jüngern auf.
Von 13,31 ab findet sich ein neuer Personenkreis: Der Veräter ist hinausgegangen, es bleiben Jesus und die übrigen Jünger. Mit diesen Beobachtungen dürfte die Textabgrenzung hinreichend legitimiert sein.

2.2.2 · Textauflistung

Die vorgenommene Textauflistung läßt sich wie folgt begründen: Im Anschluß an Harald SCHWEIZER halte ich den Vokativ als kommunikationssicherndes Signal für eine pragmatisch[1] definierte, aphrastische Äußerungseinheit[2]. Deshalb stellen 6c.9b.25c eigene Äußerungseinheiten dar.

---

1) Es geht hier selbstverständlich um die Pragmatik der erzählten Kommunikation.
2) Zum Vokativ s.o. 2.1.

Daß ich 1a für selbständig halte, liegt daran, daß das Partizip als syntaktische Basis für 1b (und damit auch für 1c) ein gewisses Eigengewicht gewinnt. Deswegen steht das Subjekt auch hier, und nicht in 1e, dem formalen Hauptsatz. Ähnliches gilt für 3a, die syntaktische Basis von 3b-d, und für 22b, die Basis von 22c.

Die Selbständigkeit von 16a.20a.21d resultiert aus der Einordnung des doppelten Amen als ein phatisches Element. Da die Doppelung die phatische Funktion nur verstärkt, ergibt sich jeweils nur eine Äußerungseinheit, nicht zwei.

Zu begründen ist auch die Behandlung der Partizipien in 20c-f. Da eine Äußerungseinheit nur ein finites Verb aufweisen darf, mußte 20c-e aufgeteilt werden. Aufgrund der syntaktischen Verknüpfung von 20c und 20d legte es sich nicht nahe, 20d als Inklusion in eine gemeinsame Einheit 20c.20e aufzufassen. Damit war die Dreiteilung gegeben.

Da das Problem des zweiten finiten Verbs in 20f nicht auftauchte und zudem die Erweiterung durch das bloße Personalpronomen unbedeutend ist, habe ich hier auf eine weitere Unterteilung verzichtet.

Was schließlich die Abtrennung von 10e angeht, so ist darauf hinzuweisen, daß hier eine (einschränkende) Parallele zu 10d vorliegt. Solche Parallelgedanken sind als selbständige Äußerungseinheiten abzutrennen.[1] Diese Entscheidung wird übrigens in 11c bestätigt, wo der Erzähler 10e unter Ergänzung der Prädikation von 10d zitiert.

Eine solche Parallelkonstruktion liegt auch in 16d vor, wo das Verb von 16c zu ergänzen ist.

Was 10b angeht, so weiche ich deshalb von NESTLE[26] ab, weil ich die Wendung εἰ μὴ τοὺς πόδας trotz ihrer guten Bezeugung für eine spätere Glosse halte.[2]

---

1) siehe oben 2.1.

2) Vgl. SCHWARTZ 1907, 345; FRIDRICHSEN 1939, 95 Anm. 11;
   LOHMEYER 1939, 81 f; LAGRANGE 1936, 353 f;
   BULTMANN 1941, 357 Anm. 5, WIKENHAUSER 1948, 206;
   HARING 1951, 355; MICHL 1959, 702 f;
   BOISMARD 1964, 10-13; BROWN 1966/70, 567 f;
   DUNN 1970, 250 f; THYEN 1971, 348;
   LINDARS 1972, 451; LATTKE 1975, 151;
   SCHNACKENBURG 1975, 22-24; BEUTLER 1976, 197;
   RICHTER 1977, 45 Anm. 6; LANGBRANDTNER 1977, 53;
   BARRETT 1978, 441 f; BECKER 1979/81, 424;
   HULTGREN 1982, 540 f; GNILKA 1983, 106.
   Anders jetzt wieder bei THOMAS 1987.

Joh 13,

1a Πρὸ δὲ τῆς ἑορτῆς τοῦ πάσχα εἰδὼς ὁ Ἰησοῦς

b ὅτι ἦλθεν αὐτοῦ ἡ ὥρα

c ἵνα μεταβῇ ἐκ τοῦ κόσμου τούτου πρὸς τὸν πατέρα,

d ἀγαπήσας τοὺς ἰδίους τοὺς ἐν τῷ κόσμῳ,

e εἰς τέλος ἠγάπησεν αὐτούς.

2a καὶ δείπνου γινομένου,

b τοῦ διαβόλου ἤδη βεβληκότος εἰς τὴν καρδίαν

c ἵνα παραδοῖ αὐτὸν Ἰούδας Σίμωνος Ἰσκαριώτου,

3a εἰδὼς

b ὅτι πάντα ἔδωκεν αὐτῷ ὁ πατὴρ εἰς τὰς χεῖρας

c καὶ ὅτι ἀπὸ θεοῦ ἐξῆλθεν

d καὶ πρὸς τὸν θεὸν ὑπάγει,

4a ἐγείρεται ἐκ τοῦ δείπνου

b καὶ τίθησιν τὰ ἱμάτια,

c καὶ λαβὼν λέντιον

d διέζωσεν ἑαυτόν·

5a εἶτα βάλλει ὕδωρ εἰς τὸν νιπτῆρα

b καὶ ἤρξατο νίπτειν τοὺς πόδας τῶν μαθητῶν καὶ
   ἐκμάσσειν τῷ λεντίῳ

c ᾧ ἦν διεζωσμένος.

6a ἔρχεται οὖν πρὸς Σίμωνα Πέτρον·

b λέγει αὐτῷ,

c κύριε,

d σύ μου νίπτεις τοὺς πόδας·

7a ἀπεκρίθη Ἰησοῦς

b καὶ εἶπεν αὐτῷ;

c ὃ ἐγὼ ποιῶ

d σὺ οὐκ οἶδας ἄρτι,

e γνώσῃ δὲ μετὰ ταῦτα.

8a λέγει αὐτῷ Πέτρος·

b οὐ μὴ νίψῃς μου τοὺς πόδας εἰς τὸν αἰῶνα.

c ἀπεκρίθη Ἰησοῦς αὐτῷ·

d ἐὰν μὴ νίψω σε,

e οὐκ ἔχεις μέρος μετ' ἐμοῦ.

9a   λέγει αὐτῷ Σίμων Πέτρος·

  b   κύριε,

  c   μὴ τοὺς πόδας μου μόνον ἀλλὰ καὶ τὰς χεῖρας
        καὶ τὴν κεφαλήν.

10a   λέγει αὐτῷ ὁ Ἰησοῦς·

  b   ὁ λελουμένος οὐκ ἔχει χρείαν νίψασθαι,

  c   αλλ᾿ ἔστιν καθαρὸς ὅλος·

  d   καὶ ὑμεῖς καθαροί ἐστε,

  e   ἀλλ᾿ οὐχὶ πάντες.

11a   ᾔδει γὰρ τὸν παραδιδόντα αὐτόν·

  b   διὰ τοῦτο εἶπεν

  c   ὅτι οὐχὶ πάντες καθαροί ἐστε.

12a   Ὅτε οὖν ἔνιψεν τοὺς πόδας αὐτῶν

  b |καὶ| ἔλαβεν τὰ ἱμάτια αὐτοῦ

  c   καὶ ἀνέπεσεν πάλιν,

  d   εἶπεν αὐτοῖς·

  e   γινώσκετε

  f   τί πεποίηκα ὑμῖν;

13a   ὑμεῖς φωνεῖτέ με· ὁ διδάσκαλος, καί· ὁ κύριος,

  b   καὶ καλῶς λέγετε·

  c   εἰμὶ γάρ.

14a   εἰ οὖν ἐγὼ ἔνιψα ὑμῶν τοὺς πόδας ὁ κύριος καὶ
        ὁ διδάσκαλος,

  b   καὶ ὑμεῖς ὀφείλετε ἀλλήλων νίπτειν τοὺς πόδας·

15a   ὑπόδειγμα γὰρ ἔδωκα ὑμῖν

  b   ἵνα |15c| καὶ ὑμεῖς ποιῆτε.

  c   καθὼς ἐγὼ ἐποίησα ὑμῖν

16a   ἀμὴν ἀμὴν

  b   λέγω ὑμῖν,

  c   οὐκ ἔστιν δοῦλος μείζων τοῦ κυρίου αὐτοῦ

  d   οὐδὲ ἀπόστολος μείζων τοῦ πέμψαντος αὐτόν.

17a   εἰ ταῦτα οἴδατε,

  b   μακάριοί ἐστε

  c   ἐὰν ποιῆτε αὐτά.

18a   Οὐ περὶ πάντων ὑμῶν λέγω·

18b ἐγὼ οἶδα

c τίνας ἐξελεξάμην·

d ἀλλ' ἵνα ἦ γραφὴ πληρωθῇ·

e ὁ τρώγων μου τὸν ἄρτον

f ἐπῆρεν ἐπ' ἐμὲ τὴν πτέρναν αὐτοῦ.

19a ἀπ' ἄρτι λέγω ὑμῖν πρὸ τοῦ γενέσθαι,

b ἵνα πιστεύσητε

c ὅταν γένηται

d ὅτι ἐγώ εἰμι

20a ἀμὴν ἀμὴν

b λέγω ὑμῖν,

c ὁ λαμβάνων ἄν τινα

d (τινα) πέμψω

e ἐμὲ λαμβάνει,

f ὁ δὲ ἐμὲ λαμβάνων λαμβάνει τὸν πέμψαντά με.

21a Ταῦτα εἰπὼν |ὁ| Ἰησοῦς ἐταράχθη τῷ πνεύματι

b καὶ ἐμαρτύρησεν

c καὶ εἶπεν·

d ἀμὴν ἀμὴν

e λέγω ὑμῖν

f ὅτι εἷς ἐξ ὑμῶν παραδώσει με.

22a ἔβλεπον εἰς ἀλλήλους οἱ μαθηταὶ

b ἀπορούμενοι

c περὶ τίνος λέγει.

23a ἦν ἀνακείμενος εἷς ἐκ τῶν μαθητῶν αὐτοῦ ἐν
τῷ κόλπῳ τοῦ Ἰησοῦ,

b ὃν ἠγάπα ὁ Ἰησοῦς.

24a νεύει οὖν τούτῳ Σίμων Πέτρος πυθέσθαι

b τίς ἂν εἴη

c περὶ οὗ λέγει.

25a ἀναπεσὼν οὖν ἐκεῖνος οὕτως ἐπὶ τὸ στῆθος
τοῦ Ἰησοῦ

b λέγει αὐτῷ·

c κύριε,

d τίς ἐστιν;

26a ἀποκρίνεται |ὁ| Ἰησοῦς·

b ἐκεῖνός ἐστιν

c ᾧ ἐγὼ βάψω τὸ ψωμίον

d καὶ δώσω αὐτῷ.

e βάψας οὖν τὸ ψωμίον

f |λαμβάνει καὶ|

g δίδωσιν Ἰούδᾳ Σίμωνος Ἰσκαριώτου.

27a καὶ μετὰ τὸ ψωμίον τότε εἰσῆλθεν εἰς ἐκεῖνον
ὁ σατανᾶς.

b λέγει οὖν αὐτῷ ὁ Ἰησοῦς·

c ὃ ποιεῖς

d ποίησον τάχιον.

28a τοῦτο |δὲ| οὐδεὶς ἔγνω τῶν ἀνακειμένων

b πρὸς τί εἶπεν αὐτῷ·

29a τινὲς γὰρ ἐδόκουν,

b ἐπεὶ τὸ γλωσσόκομον εἶχεν Ἰούδας,

c ὅτι λέγει αὐτῷ |ὁ| Ἰησοῦς·

d ἀγόρασον

e ὧν χρείαν ἔχομεν εἰς τὴν ἑορτήν,

f ἢ τοῖς πτωχοῖς ἵνα τι δῷ.

30a λαβὼν οὖν τὸ ψωμίον

b ἐκεῖνος ἐξῆλθεν εὐθύς.

c ἦν δὲ νύξ.

2.2.3   Die Erzählkonstituente 'Zeit' in Joh 13,1-30

2.2.3.1 Theoretische Vorbemerkungen

"Une étude approfondie du temps devrait tenir compte du jeu subtil entre les imparfaits, les parfaits, les présents et les aoristes."[1] Dieser Forderung KIEFFERs nach einer Berücksichtigung der Tempusformen bei einer Analyse der Zeitdimension im Joh ist unbedingt recht zu geben. Er gibt allerdings sofort zu verstehen, daß er sich eine solche Untersuchung mittels der herkömmlichen Aspekttheorie vorstellt.[2]

Die folgende Analyse dagegen beruht auf der textlinguistischen Tempustheorie von Harald WEINRICH[3]. Die Anwendung dieser Theorie auf das neutestamentliche Griechisch hat natürlich vorläufig den Charakter eines Experiments, aber ohne solche Anwendungsversuche kann die Fruchtbarkeit dieser Theorie nicht abgesehen werden. WEINRICHs Theorie hat den entscheidenden Vorteil, daß sie im Unterschied zu herkömmlichen Tempustheorien die Tempussignale als textuelle, kommunikationssteuernde Signale auffaßt, und so die Grammatik um ihre pragmatische Seite bereichert.

Die Fundamentalkategorie dieser Theorie ist die Kategorie der Sprechhaltung.[4] Hier werden zwei Gruppen von Tempora unterschieden, nämlich einmal die erzählenden und dann die besprechenden Tempora. Ist an die Sprechhaltung des Erzählens die Gelassenheit als typischer Modus der Rezeption gekoppelt, so korrespondiert der Haltung des Besprechens Betroffenheit. Es ist wichtig festzuhalten, daß WEINRICH diese Unterscheidungen als Typologie von Sprechsituationen aufgefaßt haben will. Die Individualität des Einzelfalls soll von diesen Typen nicht suspendiert werden. Es gibt natürlich die spannende Erzählung und das langweilige Besprechen, das keineswegs betrifft. Diese Phänomene widerlegen

---

1) KIEFFER 1985, 404.
2) Vgl. KIEFFER 1985, a.a.O.
3) Vgl. WEINRICH 1977.
4) Zur Sprechhaltung vgl. WEINRICH 1977, 7-54.

die Theorie nicht, solange diese ein geeignetes Instrumentarium
bietet, auch sie zu beschreiben.

WEINRICHs zweite Kategorie ist die Sprechperspektive.[1] Hier
geht es um das, was als Zeitaspekt des Tempusgebrauchs bezeichnet werden könnte. Gemeint ist damit die Tatsache, daß neben
den 'zeitlosen' Nullstufentempora auch Tempora existieren, die
unter dem Aspekt von Rückschau bzw. Vorschau das relative Verhältnis zur Zeit des Sprechens zum Ausdruck bringen.

Eine dritte Kategorie bei der Analyse von Tempusformen wird mit
dem Begriff der Reliefgebung eingeführt.[2] Gemeint ist damit
die Fähigkeit bestimmter Sprachen, mittels zweier Tempora der
(erzählenden) Nullstufe zwischen Vordergrund und Hintergrund
des Textes zu unterscheiden.

Was nun die Anwendung dieser Theorie, die ja vor allem am Fran-
zösischen entwickelt wurde, auf das Altgriechische angeht, so
lassen sich aus WEINRICHs entsprechenden Hinweisen[3] folgende
Schlüsse ziehen:

Auch das Griechische unterscheidet zwei Tempusgruppen hinsichtlich der Sprechhaltung:

Die Tempusgruppe des Besprechens bilden:
Präsens, Perfekt, Futur, Futur II.

Die Tempusgruppe des Erzählens besteht aus:
Imperfekt, Aorist, Plusquamperfekt.

Was die Sprechperspektive angeht, so sind Präsens (besprechend)
und Imperfekt bzw. Aorist (erzählend) die zeitlosen Nullstufentempora. Perfekt (besprechend) und Plusquamperfekt (narrativ)
fungieren als Tempora der Rückschau, Futur und Futur II (beide
besprechend) als solche der Vorschau. Damit ergibt sich für die
narrative Tempusgruppe: Sie hat "kein erzählendes Futur, es sei
denn, man berücksichtigt die 'Modi' von vornherein mit im
Tempus-System, denn natürlich kann auch eine Vorschau in der Er-

---

1) Vgl. dazu WEINRICH 1977, 50-90.
2) Vgl. WEINRICH 1977, 91-107.
3) Vgl. zum Folgenden WEINRICH 1977, 288-293.

zählung zum Ausdruck gebracht werden."[1] Die Berücksichtigung
der Modi scheint mir in der Tat dringend geboten, zeigt sich
doch (z.B. in Joh 19,28c), daß der Konjunktiv des Aorists
futurische Funktion übernehmen kann.

Hinsichtlich der Reliefgebung schließt sich WEINRICH der schon
früher gemachten Feststellung an, daß der Aorist eher die Haupt-
momente einer Erzählung präsentiert. Er ist damit das erzählerische Vordergrundtempus. Das Imperfekt dagegen wird als Hintergrundtempus eingesetzt.

Innerhalb der besprechenden Gruppe werden die Funktionen des
Vordergrund- und des Hintergrundtempus' nicht durch zwei verschiedene Tempusformen ausgedrückt, sondern beide vom Präsens
erfüllt. Es kann also je nach Kontext sowohl den Hintergrund
als auch den Vordergrund repräsentieren. In Bezug auf die semi-
finiten Verbformen (Konjunktiv, Optativ, Imperativ, Infinitiv
und Partizipien) ist festzustellen, daß sie allesamt indifferent
hinsichtlich der Sprechhaltung sind. Das bedeutet, "daß diese
Semi-Formen nicht zwischen besprochener und erzählter Welt unterscheiden. Wozu sie gehören, muß aus dem Kontext oder aus der
Situation bekanntwerden."[2] Semi-Formen müssen allerdings nicht
unbedingt indifferent hinsichtlich der Reliefgebung sein. So ist
der Infinitiv Präsens als Infinitiv des Hintergrunds zu verstehen, der Infinitiv Aorist dagegen als der des Vordergrunds. Das
gleiche gilt für die Imperative: auch hier ist der Imperativ
Präsens der des Hintergrunds, während der Imperativ Aorist zur
Kennzeichnung des Vordergrunds eingesetzt wird. Zur Frage der
Partizipien äußert sich WEINRICH in Bezug auf das Griechische
nicht. Es kann allerdings geschlossen werden, daß die Partizipien, sofern ihre Verbqualität überwiegt, durchaus Aussagen
über die Sprechperspektive machen können, entsprechend der
Information, die das entsprechende Tempus des finiten Verbs
gibt. Hinsichtlich der Reliefgebung tritt das Problem auf, daß
es die Alternative Imperfekt = Hintergrund oder Aorist = Vordergrund nicht gibt. Die Annahme, daß jedes Aorist-Partizip die In-

---

1) WEINRICH 1977, 290.
2) WEINRICH 1977, 291.

formation Vordergrund geben solle, ist also wohl unsinnig. Im übrigen neigen semi-finite Formen aufgrund ihrer gegenüber den finiten Formen geringeren Informativität generell eher zum Hintergrund. Hier ist also Indifferenz anzunehmen: der Kontext gibt die entsprechende Information, wobei eine vorrangige Tendenz zur Hintergrundaussage besteht.

Die Analyse der Tempusformen führt, und hierin ist ein weiterer Vorteil von WEINRICHs Theorie zu sehen, sofort zu zwei weiteren Erzählphänomenen hin, nämlich zum Erzählprofil und zum Erzähltempo.

Unter Erzählprofil ist im Anschluß an STANZEL das Verhältnis zwischen narrativen und nichtnarrativen Textteilen in einer Erzählung zu sehen.[1] Das Erzählprofil ergibt sich also aus dem diffenzierten Einsatz von Textteilen, in denen der Erzähler diegetisch-narrativ agiert, und solchen, in denen der Erzähler quasi zurücktritt zugunsten einer mimetisch-dramatischen Gestaltung. Dieser Wechsel zwischen 'Erzählen' und 'Zeigen' berührt das Verhältnis zwischen Information und Informationsvermittler. Ist nämlich beim Erzählen ein Höchstmaß der Vermittlung und damit der Präsenz des vermittelnden Erzählers gegeben, so ist beim Zeigen "das Verhältnis umgekehrt: es enthält ein relatives Mindestmaß der Anwesenheit eines Erzählers."[2] Auf dem scheinbaren Ausschalten des erzählerischen Vermittlungsprozesses beruht die illusionsstiftende Wirkung der Mimesis. In diesem Anstreben von Unmittelbarkeit ist eine Analogie zum Einsatz von Tempora mit besprechender Sprechhaltung zu sehen. Die Frage kann gestellt werden, ob nicht die besprechenden Tempora in Erzähltexten besonders mit den mimetisch-dramatischen Teilen zusammenhängen. Jedenfalls sind diese Tempora in erzählenden Texten als Versuch des Gegensteuerns zu bezeichnen. Sie gehen nämlich als linguistische Signale der Betroffenheit gegen die mit Erzähltexten strukturell verbundene Rezeptionshaltung der Entspanntheit an.[3]

---

1) Zum Erzählprofil vgl. STANZEL 1979, 94-96; BAUM-BODENBENDER 1984, 35 f; SCHWARZE 1985b, 175-177.
2) SCHWARZE 1985b, 176.
3) Vgl. WEINRICH 1977, 38.

Die Frage der Korrelation von Sprechhaltung der Tempusformen
und Erzählprofil legt sich insbesondere beim Phänomen der direkten Rede nahe. Wir haben es hier ja einerseits mit einem starken
mimetischen Mittel zu tun[1], andererseits häuft sich z.B. im
Joh im Zusammenhang mit direkter Rede der Einsatz des historischen Präsens', also eines besprechenden Tempus'.[2] . Hier ist
ein unmittelbarer Zusammenhang zwischen Sprechhaltung und Er-
zählsituation mindestens zu vermuten.

Von den Tempusformen her legt sich auch ein Übergang zur Analyse
des Erzähltempos nahe. Mit Erzähltempo wird seit MÜLLER das Verhältnis zwischen erzählter Zeit und Zeit des Erzählens (Diskurszeit) bezeichnet.[3] Es ist klar, daß bei der Bestimmung des Erzähltempos die Erzählzeit, also die Zeit, die das Erzählen bzw.
Lesen eines Textes braucht, nicht exakt, sondern nur ungefähr
angegeben werden kann. Das gilt im großen und ganzen auch für
die erzählte Zeit, bei der - von expliziten Zeitangaben im Text
einmal abgesehen - eine exakte Messung in der Regel ebenfalls
nicht möglich sein wird. Wichtiger als eine exakte Messung ist
aber auch eine grobe Verhältnisbestimmung der beiden Zeiten und
Aufmerksamkeit für Veränderung in diesem Verhältnis. Für eine
grobe Verhältnisbestimmung sind folgende fünf Kategorien sinnvoll:[4]

Aussparung: Die Erzählzeit ist gleich Null, weil von einer (er-
schließbaren) Zeit nicht erzählt wird. Dieses Phänomen läßt sich nicht ganz klar von der

Raffung unterscheiden, weil die ausgesparte Zeit ja immer
nur faßbar ist als Lücke zwischen Erzähltem. Unter
Raffung ist die Erscheinung zu verstehen, daß die
erzählte Zeit höher ist als die Erzählzeit. Es
wird also 'schnell' erzählt. Dagegen wird von

Zeitdeckung gesprochen, wenn erzählte Zeit und Diskurszeit un-

---

1) Vgl. SCHWARZE 1985b, 177.
2) Über die Häufigkeit des historischen Präsens' bei λέγω vgl.
   O'ROURKE 1974, 586.589.
3) Vgl. MÜLLER 1947; LÄMMERT 1955, 82 f.89; WEINRICH 1977, 24 f;
   BAUM-BODENBENDER 1984, 40-43; SCHWARZE 1985b, 166-168.
4) Vgl. SCHWARZE 1985b, 167 f.

	gefähr gleich sind. Bei der Technik der
Zeitdehnung	ist die erzählte Zeit geringer als die Erzählzeit.
	Das Erzähltempo ist also niedrig. Unter
Pause	ist ein völliger Stillstand der erzählten Zeit bei
	Weiterlaufen der Diskurszeit zu verstehen.

Dieser Raster kann bei der Analyse des jeweiligen Einzeltextes hilfreich sein, um Veränderungen des jeweiligen Erzähltempos zu beobachten. Solche Veränderungen des Tempos sind deshalb signifikant, weil sich hier gewisse Schwerpunktsetzungen von Erzählungen erkennen lassen. So weist LÄMMERT den zeitlosen Aussagen - in der von mir benutzten Terminologie: den Pausen - die Funktion zu, Wertgefüge oder Themen zeitlos abstrakt zu präsentieren. Er findet hier "häufig die rein **geistigen** Höhepunkte eines Werkes."[1] Die Erzählhöhepunkte sieht er dagegen in jenen Partien liegen, in denen Zeitdeckung vorliegt, "Zeit also höchst 'wirklichkeitsnah' wirkt."[1] Der Konnex zwischen Tempusformen und Erzähltempo ist nun auf zwei Ebenen zu sehen. Einmal auf der der Reliefgebung und zweitens auf der der Sprechhaltung. Was die Reliefgebung angeht, so hat WEINRICH darauf aufmerksam gemacht, daß ein Überwiegen von Vordergrundtempora oft mit einem gerafften, knappen Erzählen zusammenhängt, während umgekehrt der gehäufte Einsatz von Hintergrundtempora auf ein langsameres Erzähltempo schließen läßt.[2] Diese Beobachtung muß übrigens der oben angeführten Deutung LÄMMERTs nicht widersprechen. Auch in einer in schnellem Erzähltempo gestalteten Erzählung wird es Partien geben, die durch eine Verlangsamung des Erzähltempos besonderes Gewicht erlangen. Und wenn diese Partien dann im Hintergrund stehen, dann ist das nur ein Zeichen, daß der Hintergrund hier besonders wichtig ist.
Eine Verlangsamung des Tempos tritt natürlich in den mimetischen

---

1) LÄMMERT 1955, 89. Daß LÄMMERT im Zusammenhang mit den zeitlosen Aussagen von 'Raffung' spricht, ist verwirrend. Aus dem Kontext wird m. E. aber klar, daß es um Pausen geht, nicht etwa um Aussparungen.
2) Vgl. WEINRICH 1977, 96-100.

Teilen einer Erzählung auf.[1] Hier kommen etwa durch den gehäuften Einsatz von direkter Rede erzählte Zeit und Diskurszeit weitgehend zur Deckung. Dieser Schwerpunktsetzung durch
langsameres Erzähltempo entspricht die illusionsbildende Wirkung, welcher wiederum der Einsatz besprechender Tempora
korrespondiert. Das alles zielt auf eine besonders intensive
Einbindung der Lesenden in die erzählte Welt.

Ein weiterer Zusammenhang zwischen Tempusgebrauch und Erzähltempo ist - und zwar ebenfalls auf der Ebene der Sprechhaltung
- in den Pausen zu sehen. Der Stillstand der erzählten Zeit
wird ja oft vom Erzähler für Reflexionen, Kommentare, Deutungen
und ähnliches benutzt. Da es dabei oft um ein Besprechen des
Erzählten geht, liegt hier der Einsatz von Tempora mit besprechender Sprechhaltung besonders nahe. Solches Besprechen hat
oft die Funktion, die erzählte Welt auf die Welt der Lesenden
hin zu öffnen. Der hierfür adäquaten Rezeptionshaltung der Betroffenheit entspricht die besondere Akzentsetzung durch den
Stillstand der erzählten Zeit. Diese Korrelation von Sprechhaltung der Tempora und Erzählprofil legt es nahe, auf ihrer
Basis eine präzisere Erfassung des Phänomens Erzählkommentare
anzuzielen. Es kann ja kein Zufall sein, wenn die Zählung solcher Kommentare im Joh zwischen 59 und 109 bzw. 112 schwankt.[2]
Dieses Schwanken rührt mit ziemlicher Sicherheit daher, daß
eine exakte Definition des Phänomens noch nicht erreicht
wurde. Wenn aber der Begriff überhaupt analytische Relevanz bekommen bzw. behalten soll, so ist eine präzise Definition unumgänglich. Da es nur dort sinnvoll ist, von einem Kommentar zu
sprechen, wo etwas besprochen wird, und da außerdem zum Bespre-
hen als Nichterzählen ein Stillstand der erzählten Zeit gehört,
definiere ich Erzählerkommentare wie folgt:

Ein Erzählerkommentar liegt dann vor, wenn in Erzählrede die
erzählte Zeit gleich Null ist (Pause) und im betreffenden Textteil ausschließlich (oder überwiegend) Tempora mit besprechender

---

1) Damit kommen wir zu der Konvergenz von Erzähltempo und Erzählprofil, die sich in LÄMMERTs Äußerung schon andeutete.
2) Zu den verschiedenen Zählungen vgl. CULPEPPER 1983, 17 f.

Sprechhaltung eingesetzt sind. Für die Fälle, wo der Erzähler
erklärend, wertend oder interpretierend in die Erzählung eingreift und so eine Pause erzeugt, aber narrative Tempusformen
überwiegen und nicht besprechende, benutze ich den allgemeinen
Begriff 'Erzählereinrede'. Der Zusammenhang zwischen den Begriffen 'Erzählerkommentar' und 'Erzählereinrede' ist so, daß
Erzählerkommentare eine Teilmenge der Erzählereinreden darstellen.
Die hier theoretisch abgeleiteten Zusammenhänge zwischen Tempusgebrauch, Erzähltempo und Erzählprofil sind bei der Analyse der
Einzeltexte natürlich erst zu verifizieren. Es legt sich jedenfalls nahe, diese drei Erzählphänomene in engem Zusammenhang zu
sehen, weswegen sich in den folgenden Textanalysen die Beobachtungen zum Erzähltempo und Erzählprofil jeweils an die Analyse
der Tempusformen anschließen.

2.2.3.2 Tempusformen

Verschaffen wir uns zunächst mit Hilfe einer Tabelle eine Übersicht
über den Tempusgebrauch in Joh 13,1-30.
Zur Erläuterung der Tabelle ist zu sagen, daß die verwendeten
Abkürzungen unter der Rubrik 'Sprechhaltung' für das 'Erzählen'
(= E) und für 'Besprechen' (= B) stehen. Die Abkürzungen in der
Spalte 'Perspektive' bezeichnen 'Rückschau' (= R), 'Nullstufe' (=
N) und 'Vorschau' (= Vs). Was die Reliefgebung betrifft, so sind
'Vordergrund' (= Vg) und 'Hintergrund' (= H) zu lesen.

Tempus	Sprechhaltung		Perspektive			Reliefgebung	
	E	B	R	N	Vs	Vg	H
13,1a Partizip Perfekt				x			
b Aorist	x			x		x	
c Konjunktiv Aorist	x				x		
d Partizip Aorist				x			
e Aorist	x			x		x	
2a Partizip Präsens				x			
b Partizip Perfekt			x				
c Konjunktiv Aorist	x				x		

Tempus	Sprechhaltung		Perspektive			Reliefgebung	
	E	B	R	N	Vs	Vg	H
13,3a Partizip Perfekt				x			
b Aorist	x			x		x	
c Aorist	x			x		x	
d Präsens		x		x			
4a Präsens		x		x			
b Präsens		x		x			
c Partizip Perfekt				x			
d Aorist	x			x		x	
5a Präsens		x		x			
b Aorist	x			x		x	
c Imperfekt	x			x			x
6a Präsens		x		x			
b Präsens		x		x			
c -							
d Präsens		x		x			
7a Aorist	x			x		x	
b Aorist	x			x		x	
c Präsens		x		x			
d Präsens		x		x			
e Futur		x			x		
8a Präsens		x		x			
b Konjunktiv Aorist	x				x		
c Aorist	x			x		x	
d Konjunktiv Aorist	x				x		
e Präsens		x		x			
9a Präsens		x		x			
b -							
c -							
10a Präsens		x		x			
b Präsens		x		x			
c Präsens		x		x			
d Präsens		x		x			
e -							
11a Plusquamperfekt	x			x			x
b Aorist	x			x		x	

Tempus	Sprechhaltung		Perspektive		Reliefgebung		
	E	B	R	N	Vs	Vg	H
13,11c Präsens		x		x			
12a Aorist	x			x		x	
b Aorist	x			x		x	
c Aorist	x			x		x	
d Aorist	x			x		x	
e Präsens		x		x			
f Perfekt		x	x				
13a Präsens		x		x			
b Präsens		x		x			
c Präsens		x		x			
14a Aorist	x			x		x	
b Präsens		x		x			
15a Perfekt		x	x				
b Konjunktiv Präsens		x		x			
c Aorist	x			x		x	
16a -							
b Präsens		x		x			
c Präsens		x		x			
d -							
17a Perfekt		x		x			
b Präsens		x		x			
c Präsens		x		x			
18a Präsens		x		x			
b Perfekt		x		x			
c Aorist	x			x		x	
d Konjunktiv Aorist	x				x		
e Partizip Präsens				x			
f Aorist	x			x		x	
19a Präsens		x		x			
b Konjunktiv Aorist	x				x		
c Konjunktiv Aorist	x				x		
d Präsens		x		x			
20a -							
b Präsens		x		x			
c Partizip Präsens				x			

Tempus	Sprechhaltung		Perspektive		Reliefgebung		
	E	B	R	N	Vs	Vg	H
13,20d Konjunktiv Aorist	X				X		
e Präsens		X		X			
f Präsens		X		X			
21a Aorist	X			X		X	
b Aorist	X			X		X	
c Aorist	X			X		X	
d -							
e Präsens		X		X			
f Futur		X			X		
22a Aorist	X			X		X	
b Partizip Präsens				X			
c Präsens		X		X			
23a Imperfekt	X			X			X
b Imperfekt	X			X			X
24a Präsens		X		X			
b Optativ Präsens		X		X			
c Präsens		X		X			
25a Partizip Aorist				X			
b Präsens		X		X			
c -							
d Präsens		X		X			
26a Präsens		X		X			
b Präsens		X		X			
c Futur		X			X		
d Futur		X			X		
e Partizip Aorist				X			
f Präsens		X		X			
g Präsens		X		X			
27a Aorist	X			X		X	
b Präsens		X		X			
c Präsens		X		X			
d Imperativ Aorist						X	
28a Aorist	X			X		X	
b Aorist	X			X		X	

Tempus	Sprechhaltung		Perspektive		Reliefgebung		
	E	B	R	N	Vs	Vg	H
13,29a Imperfekt	x			x			x
b Imperfekt	x			x			x
c Präsens		x		x			
d Imperativ Aorist						x	
e Präsens		x		x			
f Konjunktiv Aorist	x				x		
30a Partizip Aorist				x			
b Aorist	x			x		x	
c Imperfekt	x			x			x

Die Eintragungen bei 1a.3a.11a.17a.18b mögen zunächst überraschend sein. Die dort feststellbare Spannung zwischen der Tempusform und den Zuordnungen hinsichtlich der Sprechhaltung, Perspektive und Relief, beruht darauf, daß das Tempus entsprechend der grammatikalischen Form angegeben wurde, die Einordnung bei den übrigen drei Kategorien aber nach der tatsächlichen Verwendung erfolgte. So wird denn das Plusquamperfekt in 11a als Imperfekt (E|N|H) behandelt. Das Perfekt (1a.3a.17a.18a) wird wie das Präsens beschrieben (B|N|-).

Die in der Tabelle festgehaltenen Beobachtungen lassen sich weiter auswerten, wie folgt:

Die Sprechhaltung des Textes ist nicht sofort zu erkennen. Der statistische Befund spricht dafür, hier einen besprechenden Text vorliegen zu sehen. Von den 98 in der Kategorie 'Sprechhaltung' signifikanten Tempusformen entstammen 56 der besprechenden, dagegen nur 42 der erzählenden Tempusgruppe. Trotz dieses Befundes stellt 13,1-30 einen erzählenden Text dar. Dies läßt sich aus der Funktion der Tempusformen erkennen.

Das erste Argument für den narrativen Charakter stützt sich auf die dominierende Stellung narrativer Tempora in V. 1. In diesem Vers taucht keine Verbform mit besprechender Sprechhaltung auf, was für die Rezeption des Textes ganz entscheidend ist. Immerhin haben wir es hier mit dem Anfang des Teiltextes 13,1-30 zu tun und Textanfänge setzen bekanntlich entscheidende Signale zur Kommunikationssteuerung. V.1 signalisiert, daß das Folgende als Erzähltext zu rezipieren ist. Außerdem ist zu beobachten, daß der Anteil wörtlich wiedergegebener Figurenrede in diesem Text sehr hoch ist.

Werden die 98 signifikanten Verbformen auf die beiden Ebenen der Figuren- und Erzählrede verteilt, so ergibt sich folgendes Bild:

Figurenrede	10	36
Erzählrede	32	20
	erzählende	besprechende

Sprechhaltung

Es ist also vor allem die Figurenrede - als Text im Text -, in der besprochen wird, während die Erzählrede von narrativer Sprechhaltung geprägt ist.

Freilich ist trotz der Dominanz der narrativen Tempora die Zahl der Formen mit besprechender Sprechhaltung erstaunlich hoch. Das erklärt sich aber zum Teil aus dem Anteil von Redeeinleitungen, die oft (8 von 13) im Präsens stehen. Nehmen wir diese 8 Formen zu den 36 hinzu, die sich in der wörtlichen Rede von Figuren finden, so zeigt sich auch ganz deutlich, daß die überwiegende Mehrzahl der besprechenden Tempusformen mit dem Phänomen der direkten Rede zusammenhängen und so den narrativen Charakter des Textes nicht stören brauchen. Da dieses Erzählphänomen als starkes mimetisches Mittel anzusehen ist, steht zu vermuten, daß die von den besprechenden Tempora strukturell evozierte Betroffenheit hier im Dienst mimetisch-dramatischer Erzähltechnik steht. Dem ist bei der Analyse von Erzählprofil und Erzähltempo weiter nachzugehen. Die Tempo-Analyse wird auch zeigen, ob die Einschätzung als Erzähltext zutreffend war. Einstweilen mögen die Hinweise auf Ort und Funktion der besprechenden Tempora als Argumente genügen.

Was die Sprechperspektive angeht, so ist festzustellen, daß die Nullstufe eindeutig vorherrschend ist. Es handelt sich also bei 13,1-30 um einen nur schwach perspektivierten Text. Nur bei 16 Formen ist eine explizite Perspektivierung feststellbar, wobei die Vorschau mit 13 Fällen überwiegt. Was die Themen angeht, mit

denen die Perspektivierung jeweils gekoppelt ist, so handelt es
sich bei zwei Fällen von Rückschau, nämlich 12f.15a, um eine Rück-
beziehung auf das vorhergehende Tun Jesu. 2b hängt mit dem Verrat
des Judas zusammen, der durch die Rückschau als längst beschlossen
gekennzeichnet wird. Der Verrat als Tat ist Bezugspunkt der Vorschau in 2c.21f. In 1c wird auf den Weggang Jesu ausgegriffen.
Aufgrund des expositorischen Charakters von V. 1 wird damit das
Folgende unter eine ganz bestimmte inhaltliche Perspektive gestellt. Die Vorschau in 18d.19b.19c.20d ist auf ein noch unbestimm-
tes späteres Geschehen bezogen.
Im Unterschied zu diesen makrotextuellen Bezügen sind 7e.26c.26d
eher auf den engeren Kontext bezogen. 7e schaut vor auf eine
später, nämlich in 12 ff, gegebene Verstehensmöglichkeit. 26c.26d
formulieren eine Zeichenvereinbarung, die die Handlung, die dann
in 26e.26f ausgeführt wird, deutbar macht. 8b.8d thematisieren
die (nicht realisierte) Möglichkeit des Nichtwaschens. Auch in 29f
geht es um Nichtrealisiertes. In Bezug auf die Reliefgebung des
Textes ist zu sagen, daß es sich um einen hintergrundarmen Text
handelt. Dies gilt nicht nur, weil nur 7 Tempusformen Hintergrundstellung signalisieren, sondern auch weil die vielen besprechenden
Tempusformen strukturell zum Vordergrund tendieren.
Im einzelnen ergibt sich folgendes Bild:
5c ist streng kontextbezogen und liefert eine Hintergrundinformation zu 5b nach. Bei 11a ist es ähnlich: Für 10e wird der Hintergrund thematisiert: Jesu Wissen um seinen Verräter ist der erklärende Hintergrund seiner Aussage über die begrenzte Reinheit der
Jünger. In den beiden Äußerungseinheiten von V. 23 wird der Hintergrund für das Folgende gegeben: Die Stellung des unbekannten
Jüngers und seine besondere Beziehung zu Jesu sind der Horizont,
vor dem sich die Verräterszene abspielt.
29b gibt den Hintergrund ab für die Überlegungen der Jünger. Diese Überlegungen (29a) selbst sind der erklärende Hintergrund für
die allgemeine Feststellung in V. 28.
Die Zeitangabe in 30c informiert über den Hintergrund von 30b:
Der Verräter geht hinaus in die Nacht.

2.2.3.3 Erzähltempo und Erzählprofil

Wenn das Erzähltempo bestimmt werden soll, so läßt sich für die
direkt wiedergegebene Figurenrede und die dazugehörigen Inquit-
Formeln problemlos eine annähernde Gleichheit von erzählter Zeit
und Erzählzeit ansetzen. Zeitdeckung gilt also für 6b-10d. 12d-21f.
25b-26d. 27b-d.
Da das in V. 1.3 thematisierte Wissen keine erzählte Zeit benötigt
und auch die Angabe über die Mahlsituation in 2a von dem konkreten
Ablauf völlig losgelöst ist, ist V. 1-3 als Pause anzusehen. Hier
wird - im Sinne eines ablaufenden Geschehens - nichts erzählt,
und trotzdem läuft die Erzählzeit weiter. Eine weitere Pause ist
in V. 11 zu finden. Hier erläutert der Erzähler die Äußerung Jesu in 10e und wiederholt sie. Nicht nur durch die Wiederholung,
sondern auch durch die Pause, die V. 11 erzeugt, wird das in 10e
Thematisierte besonders hervorgehoben. Freilich ist V. 11 nicht
isoliert zu betrachten, sondern in seiner Funktion für V. 10:
Nach dem ohnehin langsamen Erzähltempo in 6b-10d bremst der implizite Autor hier nochmals ab, um sich die Zeit zu nehmen, 10e erklärend zu wiederholen. 10e ist damit als besonders wichtig markiert. Dies wird durch den Kontrast zum folgenden deutlich. In
12a-c liegt nämlich geraffte Erzählweise vor. Für 22a-25a liegt
wohl eine leichte Zeitdehnung vor. Die erzählten Vorgänge sind
nämlich recht kurz: Die Jünger schauen, Petrus nickt, der geliebte
Jünger lehnt sich zurück. Innerhalb dieses gedehnt erzählten Abschnitts liegt eine nochmalige, pausenähnliche Verlangsamung in
V. 23 vor. Diese Schwerpunktsetzung zeigt, daß die hier gegebenen
Informationen trotz ihrer Hintergrundstellung besonders wichtig
sind. Für den kurzen Abschnitt 26d-27a ist ungefähre Zeitdeckung
anzusetzen. Da die beiden Vorgänge von 26g und 27a wohl als zeit-
gleich zu verstehen sind, liegt in 27a eine nochmalige Verlangsamung vor. Damit ist diese Äußerungseinheit besonders gewichtet.
Da Judas erst in 30a den Bissen nimmt, ist die Thematisierung des
Unverständnisses der Jünger (28a-29f) als gedehnte Erzählweise
einzuordnen. Der Zeitraum zwischen dem durch 27c.27d kommentierten
Reichen des Bissens und dem Nehmen kann nur als kurz angesehen
werden.

V. 30 schließt ab und ist <u>gerafft</u> erzählt.

Geraffte Erzählweise treffen wir schließlich auch noch in 4a-6a, wobei in 6a, der Überleitung zu dem in 6b begründeten Gespräch, eine gewisse Verlangsamung stattfindet.

Insgesamt läßt sich also sagen, daß der Text durch ein <u>besonders langsames Erzähltempo</u> gekennzeichnet ist. Der hohe Anteil direkter Rede, die Pausen und Dehnungen tragen dazu bei. Ein besonderer Schwerpunkt ist in der Pause V.1-3 zu sehen, wo am Textanfang Informationen gegeben werden, die offensichtlich für die Rezeption des Folgenden besonders wichtig sind. Weitere Schwerpunkte sind in V. 11, 22a-25a (besonders V. 23), 27a und 28a-29f gesetzt.

Vom Erzähltempo her nehmen die Textanteile mit direkter Rede den nächsten Rang ein.

Demgegenüber sind die äußeren Vorgänge um die Fußwaschung weniger relevant. Es geht offensichtlich nicht um den Vorgang an sich, sondern - darauf deutet zumindest der hohe Anteil <u>besprechender</u> Tempora in den Figurenreden hin - um die Bedeutung des erzählten Vorgangs.

Der hohe Anteil direkter Rede prägt das <u>Erzählprofil</u> von 13,1-30. Werden die entsprechenden Einleitungswendungen und die Gedanken einiger Jünger in V. 29 hinzugenommen, so nimmt dieses mimetisch ausgerichtete Erzählmittel 75 von 121 Äußerungseinheiten ein. Der Anteil der Mimesis ist also recht hoch. Es kommt noch hinzu, daß der Einsatz von besprechenden Tempora nicht nur auf den Bereich der direkten Rede eingeschränkt ist. Besprechende Tempora finden sich vielmehr auch in der Erzählerrede und zwar nicht etwa besonders in den Pausen, (dort finden sich besprechende Tempora kaum, weswegen auch nicht von Erzählerkommentaren gesprochen werden kann) sondern vor allem in erzählenden Textteilen.

So gehören 4a.4b.5a.6a zu dem gerafft erzählten Stück 4a-6a; 24a. 24c finden sich in dem gedehnt erzählten Abschnitt 22a-25a; 26f. 26g schließlich stehen in dem kurzen Abschnitt 26d-27a, in dem ungefähre Zeitdeckung herrscht. Da es sich also jedenfalls nicht um Pausen handelt, ist festzustellen, daß diese Tempusformen mit besprechender Sprechhaltung nichts damit zu tun haben, daß der Erzähler in einem Kommentar etwas bespricht. Es handelt sich hier

vielmehr um das praesens historicum; der Erzähler erzählt so, als
ob er bespräche. Diese Erzähltechnik ist als mimetisches Mittel
einzustufen, weil sie über eine Verlebendigung des Erzählten eine
Einbeziehung der Lesenden in die erzählte Welt intendiert. Obwohl
also der Anteil der Mimesis über das Phänomen der direkten Rede
hinausgeht, kann doch nicht davon gesprochen werden, daß der Text
wirklich eine illusionsbildende Wirkung hätte. Der Erzähler tritt
jedenfalls nie so lange zurück, daß er vergessen werden könnte.
Vielmehr wird er in den Pausen durch seine Einreden immer wieder
präsent. Auch die lange Rede Jesu 12e-20f genügt wohl nicht, um
den Erzählvorgang wirklich auszublenden, so daß Jesus quasi direkt
zu den Lesenden spräche. Auch wenn für die Textlänge, die für die
Verschmelzung von Leserwelt und erzählter Welt erforderlich ist,
kein fixes Maß angegeben werden kann[1], darf doch gesagt werden,
daß die mimetischen Teile, um die es hier geht, jeweils zu kurz
sind, um die Lesenden wirklich in die erzählte Welt einzubeziehen.
Auch das praesens historicum ist ja nicht konsequent gesetzt.
Trotzdem ist als Tendenz festzuhalten, daß über den Einsatz mime-
tischer Mittel eine besondere Nähe zwischen Leserwelt und Textwelt
angezielt ist. Dies gibt den mimetischen Textteilen auch dann
eine besondere kommunikative Qualität, wenn im Leseakt die intendierte Verschmelzung nicht stattfindet.
Besonderes Gewicht haben daneben natürlich die Einreden des Erzählers, die - in umgekehrter Richtung wie die Mimesis - eine Annäherung von Text- und Lesewelt anzielen.

2.2.4 Weitere textsemantische Analysen

Daß in der Überschrift zu diesem Abschnitt von weiteren textsemantischen Analysen die Rede ist, liegt daran, daß die Grenze zur Semantik in 2.2.3 natürlich schon immer wieder überschritten wurde.
Es ist also nicht so, daß erst jetzt die Textsemantik ins Blickfeld käme. Deshalb ist dieser Titel vielleicht überraschend, aber
zutreffend. Es geht hier um eine Vertiefung des semantischen

---

1) Vgl. STANZEL 1979, 96.

Aspekts, und zwar im Hinblick auf weitere Erzählkonstituenten:
Figuren und ihre Charakterisierung, Handlungszusammenhänge und
Themenkomplexe.
Ausgangspunkt hierfür soll eine linguistische Analyse zur Texkohä-
sion und der daraus resultierenden Kohärenzstruktur sein, womit
wir zunächst sogar wieder auf dem Gebiet der Textsyntax wären.

2.2.4.1   Kohäsion und Kohärenz

2.2.4.1.1 Theoretische Vorbemerkungen

Das Folgende stützt sich im wesentlichen auf die Beschreibung,
die DRESSLER von den kohäsiven Textelementen gegeben hat.[1] Ich
habe allerdings eine gewisse logische Umordnung vorgenommen, insofern ich die Unterscheidung von Kataphora und Anaphora zur
Basiskategorie gemacht habe. Dieser Unterscheidung habe ich die
Differenzierung der Mittel zur Erzeugung anaphorischer bzw. kata-
phorischer Beziehungen nachgeordnet. Ich konzentriere mich bei
den Kohäsionsmitteln vor allem auf

- Rekurrenz (identischer und verwandter Lexeme),[2]
- Einsatz von Pro-Formen (unter Berücksichtigung der anaphorischen Ellipse),[3]
- semantische Kontiguität als Rekurrenz semantischer Merkmale[4].

Neu eingeführt wird der Begriff der grammatikalischen Repräsentation. Damit ist das Phänomen gemeint, daß das Griechische (im Unterschied etwa zum Deutschen) eine Anaphora auf ein eingeführtes
Subjekt herstellen kann, ohne ein Pronomen zu setzen. Das entsprechende Subjekt ist dann etwa in der Verbform grammatikalisch repräsentiert.

---

1) Vgl. DRESSLER 1972, besonders 20-40.
2) Vgl. DRESSLER 1972, 20-22.
3) Vgl. DRESSLER 1972, 25-35.
   Reduktionen im Satzzusammenhang bezeichne ich der Einfachheit
   halber auch als Ellipse.
4) Vgl. auch DRESSLER 1972, 36-40. Die Unterscheidung zwischen logischer Inklusion bzw. Implikation und semantischer Kontiguität
   habe ich aufgegeben, um die Überschneidungen, die daraus resultieren (vgl. DRESSLER 1972, 36 mit 38 f!), zu vermeiden.

2.2.4.1.2 Analyse

1a: Die Äußerungseinheit ist durch πάσχα auf einen noch ausstehen-
den (πρό) Festtermin bezogen.

1b ist durch pronominale Anaphora an 1a gebunden: αὐτοῦ-Ἰησοῦς.

1c: In μεταβῇ ist Jesus grammatikalisch repräsentiert, wodurch
eine anaphorische Beziehung zu 1a (.1b) entsteht. Außerdem
ist πατέρα anaphorisch auf 1a bezogen. Hier liegt eine logische Kontiguität (Vater-Sohn) vor. Allerdings ist diese Kontiguität nochmals innertextlich situiert, insofern die Lesenden im vorhergehenden Text darüber informiert wurden, daß
Jesus der Sohn Gottes ist.

1d: Durch ἀγαπήσας ist 1d auf 1a rückbezogen. Es liegt wieder
eine grammatikalische Repräsentation von Ἰησοῦς vor.
κόσμῳ stellt einen Rückbezug auf 1c dar (Lexemrekurenz). Der
Bezug läßt sich unter Einbeziehung der betreffenden Präpositionen (ἐκ -ἐν) näherhin als oppositorische Relation bezeichnen.

1e: τέλος ist aufgrund seiner Semantik kataphorisch auf Jesu Ende
bezogen.
ἠγάπησεν ist auf 1d rückbezogen (Lexemrekurrenz). Auch ist
hier wieder Jesus (1a) grammatikalisch repräsentiert. Durch
αὐτούς wird eine Anaphora auf 1d (ἰδίους) erzeugt (Pronominalisierung).

2a ist allein durch καί an die vorhergehenden Äußerungseinheiten
gebunden.

2c: Durch das Pronomen αὐτόν wird ein Rückbezug auf Ἰησοῦς (1a)
erzeugt. 2c ist durch ἵνα mit 2b verknüpft. Judas als Subjekt
ist elliptisch auf 2b (τὴν καρδίαν) rückbezogen, wo ein
αὐτοῦ zu ergänzen ist. Die Interpretation, daß sich
τὴν καρδίαν (2b) auf den Teufel bezieht, halte ich für sinn-

los. Daß Subjekte, auf die Bezug genommen wird, nachstehen, kommt im Joh sehr oft vor.

3a: In εἰδώς ist wieder Jesus grammatikalisch repräsentiert. Daraus resultiert eine Anaphora auf 1a (1b.1c.1d.1e.2c). Außerdem liegt zu 1a auch noch ein Bezug aufgrund von Lexemrekurrenz vor.

3b: In αὐτῷ ist Jesus (1a) grammatikalisch repräsentiert. Zu 1a liegt durch πατήρ ein Rückbezug vor aufgrund logischer Kontiguität (Vater-Sohn/Jesus) und zu 1c aufgrund von Lexemrekurrenz.

3c: θεοῦ konstituiert eine Anaphora zu 3b.1c (πατήρ). Durch innertextliche Information ist bekannt, daß Gott der Vater Jesu ist. Außerdem liegt dann natürlich auch wieder die Vater-Sohn-Relation vor (Anaphora zu 1a). In ἐξῆλθεν ist Jesus (1a) grammatikalisch repräsentiert. Dies gilt auch

3d: für ὑπάγει. Durch τὸν θεόν wird ein Rückbezug auf 3c erzeugt, und zwar mittels Lexemrekurrenz. Wenn wir die Präpositionen (ἀπό - πρός) hinzunehmen, so sehen wir, daß es sich um eine oppositorische Relation handelt.

4a: In ἐγείρεται ist wieder Jesus (1a) grammatikalisch repräsentiert. δείπνου stellt durch Lexemrekurrenz eine Anaphora zu 2a her. ἐγείρεται und die beiden Erwähnungen des Mahls (2a.4a) sind auch durch innertextlich hergestellte bzw. kulturell begründete Kontiguität miteinander verknüpft: Daß die Teilnehmer an einem δείπνον liegen, wissen die Lesenden spätestens seit 12,2.

4b: In τίθησιν ist wieder Jesus (1a) grammatikalisch repräsentiert. Auch τὰ ἱμάτια ist auf Jesus bezogen, und zwar durch anaphorische Ellipse. Zu ergänzen wäre etwa αὐτοῦ.

4c: In λαβών ist Jesus als Subjekt grammatikalisch repräsentiert.

Dies gilt auch

4d: für διέζωσεν . Durch Pronominalisierung ist ἑαυτόν auf Jesus
bezogen.

5a: Auch in βάλλει ist Jesus wieder grammatikalisch repräsentiert.

5b: Eine solche Repräsentation liegt auch bei ἤρξατο vor. νίπτειν
bezieht sich auf νιπτῆρα (5a) zurück; hier liegt Rekurrenz
verwandter Lexeme vor. Außerdem besteht eine Anaphora zu
ὕδωρ (5a), die durch kulturell begründete Kontiguität entsteht.
Wasser gehört eben zum Waschen. τῶν μαθητῶν bezieht sich auf
ἰδίους (1d) zurück. Dieser Bezug ist innertextlich konstituiert: Die Jünger gehören zu den 'Seinen'.

5c: Das Relativpronomen ᾧ stellt eine anaphorische Beziehung zu
λεντίῳ (5b) her. In ἦν ist wieder Jesus als Subjekt repräsentiert; ebenso in διεζωσμένος. Das gleiche gilt

6a: für ἔρχεται. Σίμωνα Πέτρον erzeugt eine anaphorische Beziehung
zu 5b. Diese beruht auf semantischer Kontiguität, denn Petrus
ist Jünger Jesu.

6b: In λέγει ist Simon Petrus (6a) dann grammatikalisch repräsentiert. Durch αὐτῷ wird ein Rückbezug auf die in 1a eingeführ-
te (und wiederholt repräsentierte) Person, nämlich Jesus,
hergestellt.

6c: Auf Jesus beziehen sich auch die Anrede κύριε und

6d: das Personalpronomen σύ.
Jesus ist schließlich auch noch in νίπτεις grammatikalisch
repräsentiert. Durch dieses Lexem wird auch ein Rückbezug
auf 5b erzeugt. Hier liegt ebenso Lexemrekurrenz vor wie bei
τοὺς πόδας (6d.5b).

7a: Hier wird Jesus wieder grammatikalisch repräsentiert (ἀπε -

κρίθη) und darüber hinaus auch explizit benannt. Damit liegt mittels Lexemrekurrenz eine Anaphora auf 1a vor.

7b: In εἶπεν ist Jesus dann wieder grammatikalisch repräsentiert. αὐτῷ erzeugt eine pronominale Anaphora auf 6a (Σίμωνα Πέτρον).

7c: Das Personalpronomen ἐγώ konstituiert einen Rückbezug auf 7a (ʼΙησοῦς). Jesus ist zudem in ποιῶ grammatikalisch repräsentiert. Dieses Verb stellt als Pro-Verb zugleich eine anaphori- Beziehung zu νίπτειν τοὺς πόδας (6d.5b) her.

7d: Durch οὐ und οἶδας werden Rückbezüge auf 6a (Simon Petrus) hergestellt, die auf Pronominalisierung bzw. Repräsentation beruhen.

7e: Auch γνώσῃ stellt eine grammatikalische Repräsentation des an- geredeten Petrus dar, und ist zugleich anaphorisch auf οἶδας (7d) bezogen (Rekurrenz verwandter Lexeme). μετὰ ταῦτα ist aufgrund seiner Semantik ein kataphorisches Element, wobei das Ziel des Vorverweises unbestimmt ist. ταῦτα stellt zugleich eine auf Pronominalisierung beruhende Anaphora her. Was hier genau pronominalisiert wird, bleibt allerdings unklar. Das liegt an der geringen Intension und großen Extension des Pronomens.

8a: In αὐτῷ ist Jesus pronominalisiert, woraus ein Rückbezug auf 7a resultiert. Πέτρος stellt mittels Lexemrekurrenz eine Ana- phora auf 6a her. Petrus ist in λέγει natürlich auch gramma- tikalisch repräsentiert.

8b: νίψῃς stellt zwei Rückbezüge her. Einmal ist Jesus (7a) re- präsentiert, zweitens ist das Lexem rekurrent (6d.5b). Bei μου liegt eine Pronominalisierung von Πέτρος (8a) vor. τοὺς πόδας stellt ebenfalls mittels Lexemrekurrenz eine Anaphora her, und zwar auf 6d.5b.

8c: Lexemrekurrenz liegt auch bei ʼΙησοῦς vor, woraus entsprechen- de Rückbezüge (7a.1) entstehen. αὐτῷ stellt mittels

Pronominalisierung einen Bezug auf Πέτρος (8a) her.

8d: Bei νίψω finden wir wieder zwei Bezüge: Jesus (8a) ist grammatikalisch repräsentiert; Lexemrekurrenz (8b.6d.5b) liegt
vor. σε stellt mittels Pronominalisierung eine Anaphora auf
8a (Πέτρος) her.

8e: Petrus ist in ἔχεις als Angesprochener grammatikalisch
repräsentiert. Jesus (8e) ist in ἐμοῦ als Sprecher pronominalisiert.

9a: Auch αὐτῷ erzeugt eine entspechende Anaphora auf 8c. Σίμων
Πέτρος weist durch Lexemrekurrenz auf 6a (und 8a) zurück.

9b: κύριε erzeugt einerseits mittels Lexemrekurrenz eine anaphorische Beziehung auf 6c und außerdem aufgrund innertextlich aufgebauter Kontiguität auf Jesus (8c).

9c: τοὺς πόδας stellt einen Rückbezug auf 8b(.6d.5b) her, der
auf Lexemrekurrenz beruht. In μου ist Petrus (9a) pronominalisiert. Als Verb ist hier wohl eine entsprechende Form
von νίπτω zu ergänzen. 9c ist also durch **gapping** als besondere Form der anaphorischen Ellipse[1] auf 8d.8b etc. bezogen.

10a: Die gleiche Pronominalisierung liegt bei αὐτῷ vor. Ἰησοῦς
ist rekurrent und bezieht sich so auf 8c(.7a.1a) zurück.

10b: νίψασθαι stellt durch Lexemrekurrenz eine anaphorische Beziehung zu 8d(.8b.6d.5b) her. Allerdings ist hier insofern
eine semantische Verschiebung festzustellen, als das Lexem
hier in einem negativen Kontext ('nicht nötig haben')
steht, während es in 8d.8e umgekehrt im Kontext der Notwendigkeit steht. An die positive Stelle tritt λελουμένος,

---

1) Vgl. DRESSLER 1972, 35.

weil dieser Begriff mit Reinheit (10c) in Verbindung gebracht wird. Da es sich bei λούω um ein mit νίπτω semantisch benachbartes Lexem handelt, liegt hier ein Rückbezug auf 8d(.8b.6d.5b) vor, der auf der Rekurrenz verwandter Lexeme beruht.

Die semantische Verschiebung, die bei νίπτω in 10b stattfindet, ist bei weiteren interpretatorischen Schlüssen zu beachten.

10c ist nicht nur syntaktisch an 10b angeschlossen (οὐκ/ἀλλα), sondern auch durch kulturell begründete Kontiguität zwischen λούω und καθαρὸς ὅλος. Semantisch umfaßt λούω auch Vollbäder, mit denen völlige Reinheit assoziiert wird.

10d: In ὑμεῖς sind die Jünger (5b) pronominalisiert. Zwar gehört Petrus zu dieser Gruppe, der Wechsel in den Plural ist aber trotzdem auffällig, weil er innerhalb einer Rede an Petrus geschieht. καθαροί stellt eine Beziehung zu 10c (Lexemrekurrenz) her. Hier ist allerdings eine semantische Verschiebung festzustellen. In 10c bezeichnet καθαρός innerhalb eines Bildwortes ganz einfach das Ergebnis von Waschen bzw. Baden. In 10d dagegen wird das Wort metaphorisch gebraucht. Das wird von 10e her deutlich, weil dort nämlich eine Einschränkung der Reinheit gemacht wird, die nur bei übertragenem Gebrauch möglich ist. Daß jemand bei der Fußwaschung ausgelassen wurde, ist schließlich nicht gesagt.

10e ist durch anaphorische Ellipse auf 10d bezogen. Zu ergänzen wäre καθαροί ἐστε.

11a: In ἤδει ist Jesus (10a) wieder grammatikalisch repräsentiert, in αὐτόν pronominalisiert. παραδιδόντα ist durch Lexemrekurrenz auf 2c rückbezogen. Außerdem liegt auch eine anaphorische Beziehung zur Erwähnung des Judas (ebenfalls 2c) vor. Sie beruht auf einer textintern aufgebauten semantischen Kontiguität: Judas ist der Verräter Jesu (6,71; 12,4; 13,2).

11b: In τοῦτο ist 11a insgesamt pronominalisiert.

11c: Vom ὅτι citativum abgesehen greift diese Äußerungseinheit auf 10e zurück, wobei die anaphorische Ellipse, die 10e mit 10d verbindet, von 10d her ergänzt wird.

12a: In ἔνιψεν ist wieder Jesus grammatikalisch repräsentiert. Zugleich stellt dieses Verb eine auf Lexemrekurrenz beruhende Anaphora auf 10b.8d.8b. etc. her. Auf dieselbe Weise ist τοὺς πόδας mit 9c(.8b.6d.5b) verbunden. αὐτῶν stellt eine Pronominalisierung der in 5b erwähnten und in 10d ebenfalls pronominalisierten Jünger dar, woraus entsprechende Rückbezüge resultieren.

12b: In ἔλαβεν ist wieder Jesus (10a) repräsentiert. Zugleich stellt das Verb in Verbindung mit τὰ ἱμάτια einen Rückbezug auf τίθησιν τὰ ἱμάτια in 4b dar. Von der Lexemrekurrenz abgesehen liegt eine Anaphora aufgrund semantischer Kontiguität vor. Die semantische Beziehung zwischen den beiden Verben ist dabei eine oppositorische: 12b macht den Vorgang von 4b rückgängig. Schließlich ist in αὐτοῦ noch Jesus pronominalisiert.

12c: Jesus ist in ἀνέπεσεν grammatikalisch repräsentiert. Zu 4a liegt eine oppositorische semantische Beziehung vor. Das ἐγείρεται in 4a wird hier rückgängig gemacht. Das signalisiert auch das πάλιν.
Wir haben hier also so etwas wie eine Ringkomposition. Drei Äußerungseinheiten greifen auf drei vorhergehende zurück:

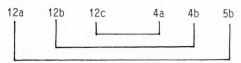

Diese dreifache Relation läuft inhaltlich darauf hinaus, Jesus wieder in die Situation vor der Fußwaschung zu bringen.

So wird die Waschung deutlich als etwas Abgeschlossenes charakterisiert, womit zugleich der Kataphora von 7e ein Verweisziel gegeben wird. Jetzt ist μετὰ ταῦτα. Entsprechend
sind Rückbezüge auf 7e zu erwarten.

12d: In εἶπεν ist wieder Jesus (10a) grammatikalisch repräsentiert. αὐτοῖς erzeugt eine auf Pronominalisierung beruhende Anaphora auf 5b.

12e: Hier findet sich der erwartete Rückverweis auf 7e. Er beruht auf Lexemrekurrenz. Es ist allerdings festzuhalten,
daß in γινώσκετε die Jünger als Angeredete grammatikalisch
repräsentiert sind, während in 7e vom Wissen des Petrus die
Rede ist. Zwar ist Petrus ein Teil der Jüngerschar, aber
die Ausweitung auf alle Jünger, die seit 10d stattfindet,
ist doch auffällig.

12f: In πεποίηκα ist wieder Jesus grammatikalisch repräsentiert.
Das Verb ist zugleich als Pro-Verb für νίπτω τοὺς πόδας zu
sehen. Es liegen entsprechende Rückbezüge auf 9c.8b.6d.5b
vor. In ὑμῖν sind die Jünger (5b) pronominalisiert.

Das gilt auch

13a: für ὑμεῖς. In der Verbform φωνεῖτε sind die Jünger auch
grammatikalisch präsent. In μέ ist Jesus (10a) pronominalisiert. κύριος stellt einen auf Lexemrekurrenz beruhenden
Rückbezug auf 9b.6c her.

13b: λέγετε stellt einen Rückbezug auf φωνεῖτε (13a) dar, der
auf der Rekurrenz semantisch verwandter Lexeme beruht. Ausserdem sind hier wieder die Jünger grammatikalisch repräsentiert.

13c: In εἰμί ist Jesus als Sprecher grammatikalisch repräsentiert.

14a: ἐγώ stellt durch Pronominalisierung eine anaphorische Bezie hung auf Ἰησοῦς (10a) her. Dieselbe Beziehung besteht zwischen ὑμῶν und μαθητῶν (5b). ἔνιψα erzeugt mittels Lexemrekurrenz eine Anaphora auf 12a.10b.8d.8b.6d.5b. τοὺς πόδας greift in derselben Weise auf 12a.8b.5b zurück, κύριος auf 13a.9b.6c und διδάσκαλος auf 13a.

14b: In ὑμεῖς sind wieder die Jünger pronominalisiert. In ὀφείλετε sind sie grammatikalisch repräsentiert. Die Lexemkombination νίπτειν τοὺς πόδας greift mittels Rekurrenz auf 14a.12a.8b.6d. 5b zurück. Beziehungen gleicher Art bestehen bei νίπτειν noch zu 10b.8d.

15a: Zwischen ὑπόδειγμα und διδάσκαλος (14a.13a) besteht eine Anaphora aufgrund kulturell begründeter semantischer Kontiguität: Es gehört zum Lehrer, daß er Beispiele gibt. In ἔδωκα ist Jesus (10a) grammatikalisch repräsentiert. Die Jünger (6b) sind in ὑμῖν pronominalisiert. Das gilt auch

15b: für ὑμεῖς . In ποιῆτε sind die Jünger grammatikalisch repräsentiert. Das Verb stellt zugleich einen Rückbezug auf ἐποίησα (15c)[1] her. Als Pro-Verb bezieht es sich auch auf die Wendung νίπτειν τοὺς πόδας (14b.14a.12a etc.) zurück. Dasselbe gilt auch

15c: für ἐποίησα . Hier ist auch wieder Jesus repräsentiert, der zudem in ἐγώ pronominalisiert ist. In ὑμῖν findet sich eine Pronominalisierung der Jünger.

16b: In λέγω ist wieder Jesus repräsentiert. ὑμῖν bezieht sich pronominal auf die Jünger (5b).

16c: κυρίου greift mittels Lexemrekurrenz auf 14a.13a.9b.6c zurück. Da an jenen Stellen stets Jesus als Kyrios bezeichnet ist, ist hier auch eine Anaphora auf Jesus zu sehen.

---

1) Beachte die ursprüngliche Stellung zu 15c!

16d: Diese Äußerungseinheit ist durch gapping auf 16c bezogen. Das
dort benutzte Verb ist hier zu ergänzen. μείζων ist durch Lexemrekurrenz auf 16c rückbezogen. Beide Äußerungseinheiten als
ganze gehören aufgrund semantischer Kontiguität zusammen: Hier
wie dort geht es um ein Verhältnis der Unter- bzw. Überordnung
von Personen.

17a: ταῦτα als genereller Rückverweis pronominalisiert 16c.16d.
In οἴδατε sind wieder die Jünger als Angeredete präsent. Zudem liegt aufgrund von Lexemrekurrenz ein Rückbezug auf
οἶδας (7d) vor.[1] Semantische Kontiguität liegt ebenfalls vor,
und zwar mit γνώσῃ (7e) und γινώσκετε (12e).

17b: In ἐστε sind wieder die Jünger grammatikalisch repräsentiert.
Das gilt auch
17c: für ποιῆτε. Das Pro-Verb weist auf seine früheren Verwendungen
(15c.15b) zurück; und auch auf νίπτειν τοὺς πόδας, das es
dort jeweils ersetzt.

18a: πάντων bezieht sich mittels Lexemrekurrenz auf 10e zurück.
In ὑμῶν sind die Jünger pronominalisiert; Jesus ist in λέγω
grammatikalisch repräsentiert und
18b: auch in οἶδα. Eine Pronominalisierung Jesu liegt in ἐγώ vor.
οἶδα stellt durch Lexemrekurrenz eine anaphorische Beziehung
zu 11a her.[2]

18c: In ἐξελεξάμην ist Jesus grammatikalisch repräsentiert.

18d ist durch ἀλλά adversativ an 18c angeschlossen. Semantisch ist
dieser Anschluß aber sehr problematisch. Streng genommen wird
hier die Schrifterfüllung in Opposition zum Wissen Jesu gebracht. Das kann aber nicht gut gemeint sein.

---

1) Der Bezug auf ᾔδει (11a) ist vernachlässigbar, da hier Jesus
   (als Nichtjünger) Subjekt ist.
2) Die Beziehung zu 17a.7d ist vernachlässigbar wegen der verschiedenen Subjekte. Dort geht es jeweils um Jünger.

18e: In μου ist Jesus als Sprecher pronominalisiert. Dies gilt
auch

18f: für ἐμέ. In αὐτοῦ ist τρώγων (18e) pronominalisiert. Zwischen
18f und 11a besteht eine gewisse semantische Kontiguität.
Sie ist allerdings recht allgemein: in beiden Fällen geht
es um einen feindlichen Akt gegen Jesus. Dieser zugegebenermaßen vage Bezug zwischen 18f und 11a paßt aber zu der
schon festgestellten Relation zwischen 18b und 11a. Und in
dieser Beziehung liegt auch der Schlüssel für das Verständnis von 18c.18d, wenn angenommen wird, daß in diesen beiden
Äußerungseinheiten eine Art von **scluicing**[1] vorliegt, und
zwar so, daß ein größeres Element getilgt ist, das aus
einem anderen Satz abgeleitet ist.
Diese extreme Form einer anaphorischen Ellipse wirft die
Frage auf, welches Element hier zu ergänzen ist. Es bietet
sich 11a an. Wird nämlich eine Formulierung über den Verrat in 18d eingesetzt (etwa: εἷς ἐξ ὑμῶν παραδώσει με), so
ist der Zusammenhang klar: Das Wissen Jesu um die Erwählten
und der Verrat werden kontrastiert. Dieser Kontrast wird
durch den Hinweis auf die Schrifterfüllung aufgelöst. Die
Ergänzung ist natürlich nicht zwingend so zu gestalten, aber
der elliptische Charakter von 18c.18d macht eine Rekonstruktion unumgänglich und die Relation zwischen 18b.18f und 11a
legt es nahe, die vorausgesetzte Information in 11a zu entdecken. Damit gehören dann 18b.18f zu den Verratsaussagen
und beziehen sich als solche auf 11a.2c zurück.

19a: Hier finden wir wieder einen elliptischen Rückbezug. Sowohl
bei λέγω als auch bei γενέσθαι ist eine Information über
das in 18f Gemeinte zu ergänzen. Es geht auch hier um den
Verrat. In λέγω ist Jesus grammatikalisch repräsentiert, die
Jünger sind in ὑμῖν pronominalisiert.

19b: In πιστεύσητε sind die Jünger grammatikalisch repräsentiert.

---

1) Vgl. DRESSLER 1972, 35.

19c: Durch γένηται wird ein auf Lexemkurrenz basierender Rückbezug auf 19a erzeugt. Das Subjekt von 19a ist hier repräsentiert. Es geht wieder um den Verrat.

19d: Jesus ist in ἐγώ pronominalisiert und in εἰμί grammatikalisch repräsentiert.

20b: In ὑμῖν sind die Jünger pronominalisiert, Jesus ist in λέγω
repräsentiert. Letzteres gilt auch

20d: für πέμψω . 20d ist eng mit 20c verbunden: τινα ist Objekt
in beiden Äußerungseinheiten.

20e: In ἐμέ ist Jesus pronominalisiert. λαμβάνει stellt durch
Lexemkurrenz einen Bezug auf 20e her.

20f: In ἐμέ ist wieder Jesus pronominalisiert. λαμβάνων und
λαμβάνει beziehen sich auf 20c.20e zurück. πέμψαντα auf 20d.
Es liegt jeweils Lexemkurrenz vor.

21a: ταῦτα pronominalisiert das vorher Gesagte und stellt so
einen generellen Rückverweis her. Mit Ἰησοῦς wird die ständig
präsente Person erneut explizit genannt (Lexemkurrenz zu
10a.8c.7a.1a).

21b: Jesus ist dann in ἐμαρτύρησεν wieder grammatikalisch repräsentiert. Das gilt auch

21c: für εἶπεν

21e: und für λέγω . Durch ὑμῖν wird eine auf Pronominalisierung
basierende Anaphora auf die Jünger (5b) erzeugt. Ein gleichartiger Rückbezug liegt

21f: bei ὑμῶν vor. Durch παραδώσει wird (mittels Lexemrekurrenz)
auf 11a.2c rückverwiesen. Aufgrund semantischer Kontiguität
liegt auch eine anaphorische Beziehung zu 19c.19a.18f.18d

vor, wo es ebenfalls um den Verrat geht. In μέ ist Jesus
pronominalisiert.

22a: In ἔβλεπον sind die Jünger wieder grammatikalisch repräsentiert. Sie werden aber in οἱ μαθηταί   (erstmals seit 5b!)
auch explizit genannt.

22b: In ἀπορούμενοι sind sie wieder grammatikalisch repräsentiert.

22c: τίνος bezieht sich auf εἷς ἐξ ὑμῶν   zurück (Pronominalisierung). In λέγει ist nicht nur Jesus grammatikalisch repräsentiert, sondern auch die gesamte Äußerungseinheit 21f zu-
sammengefaßt. λέγω fungiert hier als Pro-Verb.

23a: Durch μαθητῶν wird mittels Lexemrekurrenz auf 22a zurückgegriffen. Gleichzeitig erfolgt eine Einengung auf einen Jünger. Dieser ist in ἀνακείμενος grammatikalisch repräsentiert. Das Partizip weist aufgrund von kulturell bzw. textlich bedingter Kontiguität auf 12c.4a.2a zurück. Mahlsituation und Liegen gehören zusammen. In αὐτοῦ ist Jesus pronominalisiert. Außerdem wird er explizit genannt. Mit
ἐν τῷ κόλπῳ wird eine anaphorische Beziehung zu 1,18 erzeugt
(Lexemrekurrenz).

23b: Mit ὅν wird ein Rückbezug auf εἷς ἐκ τῶν μαθητῶν gesetzt
(Pronominalisierung). Jesus wird wie in der vorhergehenden
Äußerungseinheit namentlich genannt.

24a: Mit τούτῳ wird auf den einen Jünger von 23a Bezug genommen.
Es liegt wieder Pronominalisierung vor. Σίμων Πέτρος verweist
auf 9a.6a zurück.

24b: Die beiden Äußerungseinheiten greifen gemeinsam auf 22c (Le-
24c: xemrekurrenz) und auf 21f zurück. Wir haben hier das Phänomen, daß wie in 5b.6a eine Einengung der Jüngerschar auf Petrus stattfindet.

25a: In ἐκεῖνος ist der Jünger von 23a pronominalisiert. Durch στῆθος geschieht ein Rückbezug auf κόλπῳ (23a), der auf semantischer Kontiguität beruht. Ἰησοῦ ist rekurrentes Lexem (23b.23a.21a etc.).

25b: In λέγει ist der geliebte Jünger grammatikalisch repräsentiert. αὐτῷ stellt eine Pronominalisierung von Jesus dar.

25c: κύριε ist rekurrentes Lexem (16c.14a.13a.9b.6c).

25d: τίς ἐστιν greift mittels Lexemrekurrenz auf 24b.22c zurück und ist damit auch auf 21f bezogen.

26a: Ἰησοῦς ist rekurrent (23b.23a etc.).

26b: ἐκεῖνός greift auf τίς (25d) zurück. Beide sind Pronominalisierungen von εἷς ἐξ ὑμῶν (21f), wobei das Interrogativpronomen von 25d in 26b durch ein Demonstrativpronomen ersetzt wird.

26c: Durch ᾧ findet ein Rückbezug auf ἐκεῖνός (26b) statt. In ἐγώ ist Jesus pronominalisiert, in βάψω repräsentiert, was

26d: auch für δώσω gilt. In αὐτῷ ist die durch ἐκεῖνός (26b) bezeichnete Person pronominalisiert.

26e greift 26c auf (Lexemrekurrenzen). In βάψας ist wieder Jesus repräsentiert. Das gilt auch

26f: für λαμβάνει und

26g: für δίδωσιν. Dieses Verb ist außerdem rekurrentes Lexem (26d). Ἰούδᾳ Σίμωνος Ἰσκαριώτου tritt als Objekt an die Stelle von αὐτῷ in 26d. Damit ist er als der identifiziert, von dem in 21f die Rede war. Diese Identifizierung hatte schon 2c vorgenommen.

27a: ψωμίον stellt ein rekurrentes Lexem dar (26e.26c). In ἐκεῖνον
ist Judas (26g) pronominalisiert. σατανᾶς baut eine auf Ko-
referenz beruhende Anaphora zu 2b auf. Bei διάβολος und
σατανᾶς handelt es sich um ein und dieselbe Person.

27b: Ἰησοῦς ist rekurrent. In αὐτῷ ist Judas (26g) pronominalisiert.

27c: In ποιεῖς ist er als Angesprochener grammatikalisch repräsentiert. Das gilt auch

27d: für den Imperativ ποίησον, der zugleich eine Anaphora auf
27c setzt (Lexemrekurrenz). Ποιῶ kann in beiden Äußerungseinheiten als Pro-Verb für παραδίδωμι gesehen werden, woraus
entsprechende Rückbezüge (21f.11a.2c) resultieren.

28a: τοῦτο stellt eine auf Pronominalisierung basierende Kataphora auf 28b dar.
Zwischen ἔγνω und 22b läßt sich eine Beziehung feststellen.
Hier liegt semantische Kontiguität vor. Das generelle Nichtwissen (οὐδείς) von 28a greift die Unwissenheit der Jünger
in V. 22 auf.
Allerdings liegen Unterschiede vor. Hier geht es nicht mehr
um die Person des Verräters, sondern um den Inhalt der
Worte Jesu. Der Gegenstand des Nichtwissens, ist also jeweils ein anderer. ἀνακειμένων greift nochmals das Liegen
als Teil der Mahlsituation auf (23a.12c.4a.2a).

28b: In εἶπεν ist Jesus grammatikalisch repräsentiert, in αὐτῷ
ist Judas (26g) pronominalisiert.

29a: In τινές sind die Liegenden (28a) pronominalisiert, in
ἐδόκουν repräsentiert.

29b: Ἰούδας bezieht sich auf 26g zurück (Lexemrekurrenz).
γλωσσόκομον stellt einen makrokontextuellen Rückbezug auf
12,6 her, wo Judas ebenfalls als Kassenführer gekennzeichnet
ist.

29c: In αὐτῷ ist Judas (29b) pronominalisiert. Ἰησοῦς ist rekurrent (27b.26a etc.).

29d: Hier ist Judas als Angesprochener grammatikalisch repräsentiert. Die Semantik des Verbs weist auf γλωσσόκομον (29b) zurück. Kasse und Kaufen gehören zusammen.

29e: In ἔχομεν sind Jesus und die Jünger repräsentiert. ἑορτήν stellt aufgrund von Lexemrekurrenz einen Rückbezug auf 1a her.

29f: In ᾧ ist nicht nur Judas grammatikalisch repräsentiert, sondern es liegt auch ein Rückbezug auf 29b vor. Er ist wie der bei 29b in kultureller Kontiguität begründet. Die Kasse ermöglicht es, Geld zu geben.

30a: ψωμίον ist rekurrent und so anaphorisch auf 27a.26e.26c bezogen.

30b: In ἐκεῖνος ist Judas pronominalisiert, in ἐξῆλθεν repräsentiert.

30c ist adversativ (δέ) an 30b angeschlossen.

Versuchen wir schließlich, die Ergebnisse dieses doch recht langwierigen Arbeitsganges zusammenzufassen:

Ein grundlegendes Element der Textkohärenz ist die Präsenz von Personen. Dies gilt vor allem für Jesus. Er ist im Text ständig gegenwärtig; selbst wenn er spricht, ist er oft auch Gegenstand der Rede. Er ist eindeutig die Hauptfigur, deren Präsenz grundlegend für die Kohärenz des Textes ist. Jesus zugeordnet sind die Jünger, die vor allem ab 10b ständig vorkommen. Aus dieser Gruppe werden drei Einzelpersonen herausgehoben, nämlich Judas, Petrus und der Lieblingsjünger. Diese Personen sind jeweils mit bestimmten thematischen Strukturen als weiteren Isotopie-Ebenen verbunden. Judas gehört zum Verrat, Petrus vor allem zur Fußwaschung, der geliebte Jünger zum Verrat.

Die genaue Zuordnung der Personen zu den Themenkomplexen, die Beziehungen zwischen den Personen und die Querverbindungen zwischen
den thematischen Strängen sollen in den weiteren Arbeitsschritten
genauer betrachtet werden.

2.2.4.2   Thematische Schwerpunkte

2.2.4.2.1 Die Fußwaschung[1]

Bei der Analyse von Erzähltempo und Erzählprofil war schon darauf hingewiesen worden, daß der Text einen hohen Anteil an wörtlicher Rede aufweist. Da das Thema der Fußwaschung vorwiegend in
den Reden von Figuren auftaucht, ist zu schließen, daß weniger
der Vorgang der Waschung an sich interessiert, als vielmehr
seine Deutung. Die Fußwaschung ist Zeichenhandlung. Entsprechend
ist auch die Einleitung, deren besonderer Rang ebenfalls schon
betont wurde, als Lektüreanweisung ernstzunehmen.
Auffällig ist in 13,1-3, daß das Wissen Jesu zweimal thematisiert
wird. Das hat damit zu tun, daß das Wissen Jesu im Joh immer
richtig ist. Wenn es thematisiert wird, so geht es nicht nur um
das partielle Wissen einer Figur, sondern um eine absolut zuverlässige Beschreibung des betreffenden Sachverhalts, die der Erzähler teilt und den Lesenden mitteilt. Was weiß nun Jesus in
13,1.3?
In 1a-c geht es um die Tatsache, daß die Stunde des Todes kommt.
Der Tod wird freilich nicht als solcher benannt. Es ist davon
die Rede, daß Jesus aus dieser Welt zum Vater geht. Mit 1a-c eng
verbunden sind 1d.1e. Geht auch Jesus aus dieser Welt, so sind
doch die Seinen, die er liebt, in der Welt. Bevor er sie verläßt,
erweist er Ihnen seine Liebe bis zum Ende. Die Formulierung εἰς
τέλος kann sowohl qualitativ-graduell als auch quantitativ-tempo-

---

1) Ich bin in diesem Abschnitt mit dem Dokumentieren exegetischer
   Forschung etwas sparsamer als in anderen Teilen der Arbeit.
   Das liegt daran, daß für die Fußwaschung die umfassende for-
   schungsgeschichtliche Studie von RICHTER (1967) vorliegt.

ral verstanden werden.[1] Jesu Liebe dauert so bis zum Ende, womit der Tod ins Spiel kommt,[2] und sie findet in diesem Ende ihre Vollendung[3], was freilich nicht heißt, daß die Liebe allein im Tod bestünde.

V. 3 fügt eine weitere Dimension hinzu. Jesus weiß, daß ihm göttliche Vollmacht zukommt: Der Vater hat ihm alles in die Hände gelegt.[4] Diese Betonung der Hoheit Jesu setzt sich fort in 3c.3d, wo die göttliche Herkunft Jesu und sein göttliches Endziel angesprochen werden. Der Aussageschwerpunkt liegt daher auf der Göttlichkeit dieses Kreislaufs. V. 3 macht damit deutlich, daß Jesu Liebe bis zum Ende bzw. zur Vollendung umfangen und gehalten ist durch göttliche Macht und Hoheit. Von dieser Einleitung her ist das Folgende zu verstehen.

Die Fußwaschung ist von vorneherein als Akt der Liebe bis in den Tod und als hoheitlicher Akt gekennzeichnet.

Petrus aber weigert sich, die Fußwaschung über sich ergehen zu lassen. Ein Grund dafür wird nicht angegeben. Ein mögliches Indiz ist aber die Tatsache, daß in 6c der Kyrios-Titel verwendet und damit auf die Hoheit Jesu (V. 3) Bezug genommen wird.

Es ist also anzunehmen, daß in den Äußerungen des Petrus ein Konflikt zwischen der göttlichen Würde Jesu und der Fußwaschung thematisiert wird. In diese Richtung deutet auch das betont gesetzte σύ in 6d. Trotzdem bleibt dieser Schluß nur ein möglicher. Größere Sicherheit erhalten wir erst, wenn außertextliche Informationen hinzugenommen werden. Der Text präsupponiert hier offensichtlich das in der Antike weit verbreitete kulturelle Wissen um die soziale Bewertung der Fußwaschung als eines niederen Dienstes.[5] Wird dieses kulturelle Wissen zugrunde gelegt, dann ist zu schließen, daß der Konflikt, um den es in 6c.6d geht, wirklich der zwischen der Hoheit Jesu und der Niedrigkeit des Dienstes ist.

1) Vgl. BAUER 1933, 197.
2) Entsprechend wird die Formulierung von 1e in 19,28.30 wieder aufgegriffen.
3) Vgl. IBUKI 1972, 250 f.
4) 3b stellt eine Vollmachtsaussage dar, wie sie Mt 28,18 über den Auferstandenen macht!
5) Vgl. KÖTTING 1972, 749 f.753.756.

Die von Petrus vorausgesetzte Deutung der Fußwaschung wird von
Jesus als eine Deutung des Nichtwissens, des Unverstandes bezeichnet. Petrus weiß nicht, was Jesus tut (7c-7e). Petrus beweist,
daß Jesus recht hat, indem er sich nochmals der Waschung verweigert (8b). Er wird nun darüber belehrt, daß die Fußwaschung Gemeinschaft mit Jesus[1] gewährt (8d.8e). Damit ist sie zu einem
heilspendenden Vorgang erklärt. Das bedeutet, daß der Konflikt
zwischen dem niedrigen Dienst und der Hoheit Jesu so aufgelöst
wird, daß dem 'Dienst' ein besonderer Wert zugewiesen wird. Der
Konflikt wie Petrus ihn sieht, ist also nur einem falschen Verständnis gegeben. Auf die Neubewertung der Fußwaschung hin gibt
Petrus seinen Widerstand (und damit auch sein früheres Verständnis der Waschung) auf und fordert eine Steigerung der Waschung
(9b.9c). Er hat jetzt verstanden, daß es nicht um die Erniedrigung seines Herrn geht, daß das, was dieser tut, als Zeichen des
Heils verstanden werden will. Nun möchte er die Quantität des
Heils gesteigert wissen. Dieser Wunsch aber zeigt, daß Petrus erneut in einem Mißverständnis befangen ist. Jesu Antwort in 10b.10c
macht nämlich deutlich, daß die Heilsvermittlung, die die Fußwaschung abbildet, einmalig und ganz geschieht. In dieser Antwort
haben manche Interpreten eine Polemik gegen religiöse Reinigungs-
riten des Judentums gesehen.[2] Diese Deutung ist wohl zu speziell;
V. 10 ist eine Polemik gegen **jeden** Versuch, Heilsvermittlung zu
quantifizieren. Zwar könnte die Erwähnung von Kopf und Händen in
V. 9 einen Bezug darstellen auf die kultischen Waschungen jüdischer Priester, die Gesicht, Hände und Füße umfaßt,[3] aber der
Gedankengang von V. 9.10 ist doch ein anderer. Es geht nicht darum, gegen Waschungen zu polemisieren, was dann ja auch die Fußwaschung beträfe, sondern darum, daß Jesus einmalig und umfassend
Reinheit vermittelt. Außerdem fehlt jeder kultische Rahmen, so
daß die Waschungen der Tempelpriester zumindest nicht direkt als
Bezugspunkt gesehen werden dürfen.

---

1) Ich übersetze damit ἔχεῖν μέρος μετά ... in Joh 13,8e im Anschluß an Mt 24,51; Lk 11,46.
2) Vgl. HEITMÜLLER 1918, 145; BAUER 1933, 172;
   LOHMEYER 1939, 82-86; FRIDRICHSEN 1939, 96;
   DODD 1953, 402; RICHTER 1967, 293 ff; ders. 1977 45 f.
3) Zu kultischen Waschungen vgl. KÖTTING 1972, 760.

Völlig abwegig ist die Behauptung, hier werde Kritik geübt am jüdischen Brauch, Teffilin zu tragen.[1] MANNS schließt für V. 9 eine Anspielung auf diesen Brauch nicht aus und folgert daraus für V. 10: "La résponse de Jésus contiendrait alors une critique très forte de cet usage."[2] Die Gebetsriemen werden jedoch "am linken Arm (der Seite des Herzens) und an der Stirn festgebunden."[3] Mit **den** Händen oder gar mit den **Füßen**, um deren Waschung es in Joh 13 doch geht, haben die Teffilin nichts zu tun. V. 10 will im Kontrast zu V. 9 vielmehr deutlich machen, daß der λελουμένος[4] in einem Heilszustand ist, der schlechthin nicht mehr gesteigert werden kann. Petrus hat nicht verstanden, "daß es sich bei dem, was Jesus schenkt, um ein Einziges und Ganzes handelt, was nicht eine Zuteilung nach mehr oder weniger, oder eine geringere oder größere Sicherung zuläßt."[5] Die Steigerung, die Petrus sich wünscht, ist also absurd. Er verkennt, daß das Heil nicht teilbar, sondern entweder ganz oder gar nicht da ist; "es besitzt den Charakter unteilbarer Qualität."[6]

Wird in V.10 das Heil unter der Metaphorik von Waschen und Reinheit gefaßt, so findet es in V. 8 seinen metaphorischen Ausdruck in μέρος. Dieser Begriff fordert eine nähere Bestimmung dessen, worin dieses Heil besteht. Allerdings stehen Spezifizierungsversuche - Heil als Schicksalsgemeinschaft des Gläubigen mit Jesus[7], oder als Teilhabe an der Sohnschaft[8] oder auch als Genuß der eschatologischen Gastfreundschaft des Sohnes[9] - auf schwachen Füßen. Es muß akzeptiert werden, daß der Text hier allgemein

---

1) Vgl. WEISS 1979, 317; MANNS 1981, 169.
2) MANNS 1981, 169
3) MAIER/SCHÄFER 1981, 111 f.
4) λελουμένος meint faktisch den, der die Fußwaschung (genauer: was sie abbildet) über sich ergehen hat lassen und so Anteil an Jesus gewonnen hat (BULTMANN 1941, 357, Anm. 5; SCHNACKENBURG 1975, 24; HULTGREN 1982, 543).
   10b.10c sind eine bildhafte Sentenz (BULTMANN 1941, 357, Anm. 5; WEISS 1893, 456; HOLTZMANN 1893, 174; LINDARS 1972, 451; SCHNACKENBURG 1975, 23 f) oder sogar ein Sprichwort, wobei im Kontext λούω und νίπτω quasi Synonyme sind (BULTMANN 1941, 357 Anm. 5; LINDARS 1972, 451, BARRETT 1978, 441 f, HULTGREN,1982, 543).
5) BULTMANN 1941, 357.
6) BECKER 1979/81, 425; vgl. LANDBRANDTNER 1977, 52.
7) Vgl. BULTMANN 1941, 358.
8) Vgl. RICHTER 1967, 291.
9) Vgl. HULTGREN 1982, 542 f.

bleibt. Dagegen kann die Frage beantwortet werden, welchen Akt Jesu die Fußwaschung denn repräsentiert. Hier ist zu beachten, daß V. 1 entsprechende inhaltliche Vorgaben gemacht hat. Es ist also zu schließen, daß die Fußwaschung Jesu heilspendende Liebe bis in den Tod versinnbildlicht.

In 13,12-17 wird die Fußwaschung weiter gedeutet. Dabei tritt zur Bezeichnung κύριος noch διδάσκαλος (13a.14a) hinzu. Damit wird auf die vorher thematisierte Würde Jesu zurückgegriffen. Die Hoheit Jesu wird jetzt paradigmatisch ausgewertet. Jesu heilschaffende Liebe bis in den Tod ist für die Jünger Vorbild. Was der Herr und Lehrer getan hat, müssen auch sie tun (V. 14). Was der Herr getan, hat erst recht der Sklave zu tun (16c); was der Sendende getan hat, hat der Gesandte zu tun (16d), will er nicht in den Verdacht geraten, mehr sein zu wollen, als er ist.

Es geht hier also um das Ethos. Dabei steht das Sollen aber nicht unvermittelt neben der Soteriologie, so als ob Jesu Tun einerseits Abbild seines Heilhandelns, andererseits aber Vorbild sei. Fußwaschung ist vielmehr beides in einem. Weil es um Jesu Tod als erlösende Liebestat geht, fallen paradigmatische und soteriologische Diemension zusammen. Das Heil bedeutet zugleich Verpflichtung, aber eben nicht nur Verpflichtung, sondern auch Ermöglichung. Das καθώς in 15c hat durchaus kausalen Sinn. Den Jünger wird gesagt: "Ils devront se comporter mutuellement comme Jésus a agi â leur êgard, et le faire non seulement 'comme' lui, mais 'en raison de' ce que Jésus a fait lui-même."[1]

Die Paränese ist also soteriologisch verankert; es geht um die ethische Implikation des Heils. Die "Heilszusage, die aufgrund des Todes Jesu am Kreuz erfolgt ist, hat auf seiten der angesprochenen Menschen ihre konkrete Wirklichkeit in einem ihr entsprechenden Handeln."[2] Entsprechendes Handeln meint dabei aber nicht, die Fußwaschung als solche zu wiederholen.[3] V. 14 ist kein Wiederholungsbefehl im Sinne der Kultätiologie. Ihn als sol-

---

1) LEON-DUFOUR 1983, 133. Vgl. BULTMANN 1941, 362;
   DINECHIN 1970, 208-213.
2) WENGST 1981, 122.
3) Vgl. HOLTZMANN 1893, 174, BAUER 1933, 172 f; BULTMANN 1941,
   357 Anm. 5; 362.

chen zu verstehen, hieße die als Lektüreanweisung vorangestellte Einleitung außer acht zu lassen und so auf den Einstieg in die eigentliche Bedeutungsebene des Fußwaschungsaktes zu verzichten. Wer meint, mit dem Nachvollzug der Fußwaschung den Willen Jesu zu tun, hat das Zwei-Ebenen-Denken nicht begriffen und bewegt sich mit seiner Deutung auf der Ebene des Petrus; auf dem Niveau der bloß äußerlichen Reproduktion ohne Verständnis für die Bedeutsamkeit. Damit ist zugleich deutlich, daß die Annahme, die Fußwaschungserzählung spiegle einen religiösen Brauch der johanneischen Gemeinde(n) wider oder wolle einen solchen begründen,[1] wenig Wahrscheinlichkeit für sich beanspruchen kann. Das gilt umso mehr, als vor Augustinus ein entsprechender kirchlicher Usus nicht belegt ist.[2] Das entsprechende Handeln, das in V. 14.15 gefordert wird, besteht in der gegenseitigen Liebe. Diese Liebe muß wie Jesu Liebe bis zum Tod reichen, wobei sie sich - ebenfalls wie diese - auf das Sterben füreinander natürlich nicht beschränkt.Es bleibt allerdings zu fragen, was es bedeutet, wenn in V. 14 nicht explizit von gegenseitiger Liebe gesprochen wird. Einmal wird durch die gewählte Formulierung eine besondere sprachliche Nähe zwischen Fußwaschungserzählung und Deutung hergestellt. Dadurch ist die enge Verbindung von Paränese und dem durch die Fußwaschung dargestellten Heilshandeln deutlich gemacht. Außerdem signalisiert die Formulierung, wie die Liebe, von der V. 1 spricht und die die Jünger nachahmen sollen, zu verstehen ist: es geht nicht um eine bloße Haltungsliebe, sondern um eine Praxisliebe, die sich in konkretem Tun inkorporiert. Die Betonung des praktischen Füreinanders als Konkretion des zugewendeten Heils mündet folgerichtig in einem doppelt bedingten Makarismus, der in der spannungsvollen Einheit von Verheißung und Forderung noch einmal einschärft, daß das zugesagte Heil praktisch werden muß.

---

1) Vgl. BÖHMER 1850, 833-838; BERTRAM 1922, 41;
   KUNDSIN 1925, 56; WEISS 1979, besonders 298.300.
2) Vgl. BULTMANN 1941, 357 Anm. 5; KÖTTING 1972, 761 f.

2.2.4.2.2 Der Verrat

Eine zweite thematische Linie ist in den mehrmaligen Erwähnungen
des Verrats auszumachen. Der Text zeigt ein ausgeprägtes Interesse am Verrat. Dabei muß die enge Verbindung von Fußwaschung und
Verrat auffallen.
Schon in der Exposition wird das Verratsthema mit 2b.2c ins
Spiel gebracht. Das bedeutet, daß der Judasverrat mit zur inneren
Situation der Fußwaschung gehört. Wie die beiden Themenkreise zusammengehören, wird in 10d.11 und 18.19 deutlich. An beiden Stellen wird der Verräter von einer Heilszusage ausgenommen. Bei der
ersten Stelle ist dies evident. Jesus greift die allgemeine soteriologische Aussage von 10b.c auf und wendet sie in 10d zu
einer explizit an die Jünger gerichteten, um in 10e Judas auszunehmen. Die Einschränkung von 10e ist freilich an sich mehrdeu-
tig und wird erst durch die Erklärung des Erzählers in V. 11 zu
einem eindeutigen Bezug auf den Verräter. Diese Eindeutigkeit
besteht aber vorerst nur für die Lesenden.
In V.18 läuft der Gedankengang ziemlich ähnlich. Auch der Makarismus in V.17 ist ja eine Heilszusage - entsprechend der paräne-
tischen Ausrichtung von 13,12-17 allerdings eine bedingte.
Das hat inhaltliche Konsequenzen, auf die noch einzugehen ist.
18a schränkt jedenfalls die Heilsaussage von V. 17 ebenso ein,
wie dies 10e bei 10c.d getan hat.
Wie dort wird in 18b wieder das Wissen Jesu betont und in
18e.18f stellt ein entsprechendes Schriftzitat einen Bezug zum
Verratsthema her. Wie wir in der Kohärenzanalyse gesehen haben,
ist der Bezug von 18b-18f zum Verrat nicht explizit gegeben, sondern nur aufgrund der Information von V. 11 zu erschließen.
Solche Kohärenzlücken bewirken beim Lesenden immer eine besondere
Beteiligung am Kommunikationsgeschehen. Es ist also zu vermuten,
daß das Verratsthema in der Welt der intendierten Leser eine besondere Relevanz hat - zumindest nach der Meinung des impliziten
Autors. Diese pragmatische Dimension hebt V. 18 besonders heraus.
Außerdem liegt hier gegenüber V. 11 auch dadurch eine gewisse
Steigerung vor, daß erstmals auf der Figurenebene der Verrat -
wenn auch in verklausulierter Form - thematisiert wird. Der Ein-

satz eines Schriftzitats zur Verratsankündigung hat aber nicht nur die Funktion, die offene Ankündigung für V. 21 aufzusparen. Sie hat vielmehr auch inhaltliche Konsequenzen für das Verständnis des Verrats. Durch den Rückgriff auf die Schrift wird der Judasverrat als vorhergesagt charakterisiert. Damit ist der Verrat als notwendiger Vorgang im göttlichen Willen verankert. Weil dieser in der Schrift festgelegte Wille erfüllt werden muß, hat Jesus den Verräter erwählt, obwohl er wußte, daß er der Verräter ist. Damit braucht der Verrat eigentlich nichts mehr Anstößiges zu sein. Damit das auch deutlich wird, kündigt ihn Jesus vorher an (19a.19c). Wenn der Verrat dann geschieht, soll er Anlaß sein, zu glauben, daß es Jesus ist, der hier wirkt (19b.18d).

Was 13,20 aussagen soll, ist zunächst ziemlich mysteriös. So fragt sich z. B. RICHTER, ob der Vers losgelöst von V. 19 als konkrete Anwendung der vorhergehenden Paränese verstanden werden soll. Es ginge dann - RICHTER verweist auf 3 Joh - um die gastfreundliche Aufnahme der Glaubensboten. Man könnte allerdings V. 20 auch von V. 19 her zu verstehen suchen. Der Vers hätte dann den Sinn, Mißtrauen gegen die Verkünder des Glaubens, das durch das Versagen des Apostels Judas entstanden ist, auszuräumen. Dann wäre λαμβάνω übertragen als Annahme der Botschaft zu verstehen.[1]

THYEN will 13,20 ganz von 3 Joh her auslegen. Der Vers bezieht sich seiner Meinung nach auf den Streit mit Diotrephes um die Aufnahme von Gesandten.[2]

Diese Lösungsvorschläge haben den entscheidenden Nachteil, daß sie vielleicht 13,20 in sich erklären, aber kaum die Plazierung des Verses in seinem Kontext motivieren können; ganz abgesehen davon, daß die Übertragung der polemischen Situation von 3 Joh auf Joh 13 höchst bedenklich ist.

Die Frage bleibt, was es bedeutet, daß zwischen zwei Versen, die sich mit dem Verrat beschäftigen, der Gesandtenspruch eingebaut ist.

---

1) Vgl. RICHTER 1977, 57.
2) Vgl. THYEN 1971, 354 f.

Eine Beobachtung SCHACKENBURGs weist den möglichen Weg zur Antwort. Er stellt fest, daß hinter V. 20 das jüdische Gesandteninstitut steht, dessen Grundsatz die Gleichwertigkeit von Boten und Sendendem ist.[1] Macht also V. 20 eine Aussage nicht über den Aufnehmenden, sondern über den Gesandten? Eine solche Auffassung erscheint möglich, wenn die generelle Ambivalenz solcher Gesandtensprüche in Blick genommen wird. Die Sprüche von der Aufnahme eines Gesandten bei den Synoptikern (Mt 10,40; 18,5; Lk 9,48; 10,16) haben jedenfalls jeweils zwei inhaltliche Dimensionen: einmal formulieren sie eine 'Identität' zwischen den Gesandten und Jesus und Gott, andererseits geht es um die Konsequenz dieser 'Identität' für den Aufnehmenden.[2] Je nach Kontext dominiert eine der beiden Valenzen. So liegt z.B. in dem Drohwort Lk 10,16 der Aussageschwerpunkt auf der Seite der Aufnahme. Für die Verheißung in Mt 10,40 (im Kontext 10,41.42) gilt dasselbe. In Mt 18,5 und Lk 9,48 dagegen wird der Botenspruch nicht benutzt, um eine Aussage über den Adressaten zu machen. Er beschreibt dort vielmehr den Aufgenommenen. Das trifft auch für Joh 13,20 zu.

Der Vers steht, wie wir in der Kohärenzanalyse gesehen haben, zu V. 16 in Beziehung. In 16c heißt es, der Gesandte sei nicht mehr als der Sendende. Dies wird gesagt, um die ethische Verpflichtung durch das Vorbild Jesu einzuschärfen. Hier wird also der Grundsatz des Boteninstituts von der Gleichwertigkeit von Sendendem und Gesandtem von der negativen Seite her formuliert. In V. 20 dagegen wird der gleiche Sachverhalt von der positiven Seite her formuliert. Dem, der von Jesus gesandt ist, wird eine Art Identität mit Jesus und dem Vater zugesagt. Im Gesandten ist Gott durch Jesus präsent.

Die Präsenz Jesu in seinem Gesandten bindet aber nun V. 20 an V. 19 zurück, wo es ja auch um die aktive Präsenz Jesu, und zwar im Verratsgeschehen, ging. Werden die beiden Verse aufeinander bezogen, so läßt sich sagen: Jesus ist handelnd anwesend, wenn Verrat geschieht, und er ist es auch dann, wenn er im Verratsgesche-

---

1) Vgl. SCHNACKENBURG 1975, 32.
2) Vgl. BECKER 1979/81, 428.

hen durch einen Gesandten vertreten ist. Diese Interpretation
läßt sich weiter dadurch abstützen, daß auf die formale Parallele
zwischen 20a.20b und 21d.21e hingewiesen wird. Die beiden so
eingeleiteten Aussagen gehören zusammen. Außerdem stellt ja
ταῦτα εἰπὼν (21a) einen Rückverweis auf das Vorhergehende dar.
V. 20 ist also an das Folgende gebunden. In V. 21 geht es aber
wieder um den Verrat, woraus geschlossen werden kann, daß die Beziehung von V. 20 auf den Verrat berechtigt ist. Damit sind die
Probleme von V. 20 aber nicht gelöst. Es bleibt die Frage, welches
Signifikat der Tatsache zuzuordnen ist, daß der Zusammenhang zwischen diesem Vers und seinem Kontext so mühsam rekonstruiert
werden muß. Hier ist darauf hinzuweisen, daß die Notwendigkeit,
Zusammenhänge erst zu rekonstruieren, immer eine besonders intensive Beteiligung der Lesenden am Kommunikationsprozeß hervorruft.
Deshalb haben RICHTER und THYEN wohl prinzipiell recht, wenn sie
hier von der Textwelt in die Lebenswelt übersteigen. Das gilt
auch dann, wenn ihre inhaltliche Bestimmung des zugrundeliegenden
Problems abzulehnen ist. Die These, daß der Text eine Überschreitung der erzählten Welt anzielt, wird jedenfalls auch dadurch abgesichert, daß im Text ja kein Fall von Verrat vorkommt,
wo Jesus nicht anwesend ist. Außerdem war schon in V. 18 eine
solche Überschreitung angelegt.
Offensichtlich zielt also V. 20 auf die Zeit, wenn Jesus nicht
mehr da ist. Wie das Problem des Verrats in dieser späteren Zeit
dann genauer aussieht, ist im Zusammenhang der Frage nach der
pragmatischen Intention der analysierten Texte zu beschreiben.
Wie gesagt ist V. 20 zwischen zwei Verratsaussagen eingebettet.
Im folgenden V. 21 liegt sogar der Höhepunkt der Verratsaussagen.
Das zeigt sich schon an der besonders gewichtig gestalteten Einleitung: Sie umfaßt fünf Äußerungseinheiten, die eigentliche Ver-
ratsansage eine. Dieses gestalterische Mittel wird ergänzt durch
entsprechende inhaltliche Komponenten. Durch 21a.21b wird Jesu
Äußerung als in pneumatischer Erregung [1] abgelegtes Zeugnis qualifiziert. Hinzu kommt das phatische Element des doppelten Amen,

---

1) Vgl. BULTMANN 1941, 367 Anm. 2.

das die Äußerung ebenfalls als besonders wichtig einstuft. In
21f fällt dann, und hierin ist der Fortschritt gegenüber 10e.11
und V. 18 zu sehen, erstmals auf der Figurenebene das Schlüssel-
wort παραδίδωμι. Damit ist eine Deutlichkeit erreicht, die die
vorhergehenden Verratsaussagen nicht kannten - zumindest nicht
auf der Textebene der Figuren. Entsprechend kann V. 21 zur folgenden Szene überleiten, die sich nun ganz dem Verrat widmet.
Erstmals wird von einer Reaktion der Jünger gesprochen. Vorher
wäre das auch unpassend gewesen, weil erst jetzt klar ist, daß
sie die Betroffenen sind. Zwar war schon zweimal eine Heilszusage
eingeschränkt worden, aber hier wird aus dem οὐχὶ πάντες ein εἷς
ἐξ ὑμῶν (21f). Ungewißheit, Zweifel ist ihre Reaktion (22b).
Diese Ungewißheit wird sofort näher bestimmt und - entsprechend
dem Anstoß Jesu in 21e - auf die **Identität** des Verräters bezogen
(22c). Es geht also nicht um irgendeine Art von Ratlosigkeit[1],
sondern ganz präzise um die Frage, **wer** von Ihnen der Verräter
ist. Diese Identitätsfrage greift Petrus auf und vermittelt sie
nickend an den Jünger weiter, den Jesus liebte. Dieser seinerseits fragt nun Jesus, wer es denn sei. Jesus beantwortet ihm
diese Frage, indem er die kennzeichnende Handlung mitteilt und
vollzieht. Der Abschnitt 22-25 ist also ganz von der Frage nach
dem Verräter geprägt, die durch Jesus ausgelöst wurde. Dabei ist
die Frage des geliebten Jüngers von besonderer Relevanz. Sie ist
im Unterschied zu den stummen Fragen des Petrus und der Jünger
eine echte Frage, und sie richtet sich, was entscheidend ist, an
den richtigen Adressaten, an Jesus, den Wissenden (11a.18b). Es
ist also klar, daß allein diese Frage eine Antwort erhalten
kann. Die Szene erhält durch die Reihung Jünger-Petrus-Lieb-
lingsjünger-Jesus zumindest für den heutigen Geschmack etwas
Künstliches. Aber die ideale Szene ist eben nicht darauf angelegt,
eine historische Situation psychologisch plausibel zu berichten,
sie ist vielmehr, wie schon die Kohärenzanalyse verdeutlicht
hat, ganz auf die Frage ausgerichtet: **"Wer ist es?"**

---

1) Gegen KRAGERUD 1959, 23, der von einer Ratlosigkeit "in grund-
   sätzlichem Sinne" spricht.

Diese Frage wird vom geliebten Jünger gestellt und Jesus verein-
bart ein Zeichen. Ob diese Zeichendefinition nur dem Lieblingsjünger oder allen Anwesenden gilt, bleibt hier noch offen. In V.
28 wird freilich erschließbar, daß nur der Lieblingsjünger angesprochen war. Die verabredete Zeichenhandlung wird ausgeführt
und Judas damit zugleich völlig der Macht des Teufels preisgege-
ben (27a). Schließlich fordert Jesus den Verräter auch noch zum
Handeln auf, was die Anwesenden als Aufträge an den Kassenführer
mißverstehen. Der Textteil endet schließlich damit, daß der Verräter in die Nacht hinausgeht. Diese kurze Skizze zum Ende der
Szene mag einstweilen genügen. Dieser Textabschnitt wird in der
Figurenanalyse noch ausführlich besprochen werden.

2.2.4.3 Analyse der Figuren in Joh 13,1-30

Ich untersuche in diesem und den anderen Arbeitsschritten zur Figurenanalyse[1] zwei Aspekte.
Der eine erfaßt die einzelnen Figuren als Handlungsträger und
versucht zu beschreiben, wie sie aufgrund ihres Handelns miteinander in Wechselbeziehung treten. Ein zweiter Aspekt ist die Charakterisierung von Figuren durch zugewiesene Merkmale. Diese Zu-
weisungen können durch die betreffende Figur selbst, durch andere
Figuren und durch den Erzähler erfolgen. Sie können auch indirekt
erfolgen, etwa wenn bestimmtes Tun und Reden von Figuren zusätzlich semantisiert ist. Hier verwischt sich dann allerdings die
Grenze zum ersten Aspekt der Figurenanalyse.

2.2.4.3.1 Die Handlungsträger und ihre Wechselbeziehun-
           gen

Der primäre Handlungsträger in diesem Textteil, das legt sich
von der Kohärenzanalyse her nahe, ist **Jesus.**

---

1) Vgl. zum Folgenden LUDWIG 1985 b, 106-144; besonders 141-144.

Ihm werden folgende Handlungen zugewiesen:

- 1a: er weiß
- 1d: er liebt
- 1e: er liebt
- 3a: er weiß
- 4a: er steht auf
- 4b: er legt ab
- 4c: er nimmt
- 4d: er gürtet sich
- 5a: er schüttet
- 5b: er wäscht
- 5b: er trocknet ab
- 6a: er kommt
- 7a: er antwortet
- 8c: er antwortet
- 10a: er sagt
- 11a: er weiß
- 12b: er nimmt
- 12c: er legt sich hin
- 12d: er sagt
- 21b: er bezeugt
- 21c: er sagt
- 23b: er liebt
- 26a: er antwortet
- 26e: er taucht ein
- 26f: er nimmt
- 26g: er gibt
- 27b: er sagt.

Als Objekt der Handlung anderer Personen erscheint Jesus wesentlich seltener:

- 6b: er wird angesprochen
- 8a: er wird angesprochen
- 9a: er wird angesprochen
- 21a: er wird erschüttert

- 23a: der geliebte Jünger liegt an seiner Brust
- 25a: der geliebte Jünger lehnt sich an ihn zurück
- 25b: er wird angesprochen

Dabei ist in 21a nicht einmal ein handelndes Subjekt thematisiert.
Damit ergibt sich das eindeutige Bild, daß Jesu Rolle durch sein
Handeln geprägt ist. Aus der quantitativ wie qualitativ geringen
Bedeutung der Objektrolle ist zu schließen, daß Jesus in seinem
Handeln nicht von anderen Menschen bestimmt wird. Er ist der
souverän agierende Herr.
Der Gruppe der **Jünger** wird eine wesentlich bescheidenere Rolle
zugewiesen. Sie erscheinen als Handelnde nur zweimal, bzw. -
wenn die ἀνακείμενοι von 28a mit den Jüngern identifiziert werden
- viermal:

- 22a: sie schauen sich an
- 22b: sie sind ratlos
- 28a: sie wissen nicht[1]
- 29a: sie (einige) meinen.

Als Handlungsobjekt erscheinen sie in

- 5a: ihnen werden die Füße gewaschen
- 12d: sie werden angesprochen.

Dieser geringe Anteil am Geschehen ist für eine Figurengruppe
nicht verwunderlich, zumindest was die aktive Seite angeht. Gruppen sind ja als solche wesentlich weniger handlungsfähig als Ein-
zelfiguren. Dementsprechend wird auch von 6a-10b eine Verengung
auf einen Jünger, nämlich Petrus, vorgenommen. Eine Einengung,
die sich in 24a wiederholt. **Petrus** kommt eine entsprechende Rolle
zu. Folgende Handlungen werden ihm zugeschrieben:

---

1) Wie aus V. 29 deutlich wird, handelt es sich um ein Nichtwissen im Sinne eines Mißverständnisses, das sich auf ein konkretes Objekt bezieht. Es ist deshalb berechtigt, in 28a eine
   Handlung der Jünger zu sehen.

- 6b: er sagt
- 8a: er sagt
- 9a: er sagt
- 24a: er nickt.

Als Objekt von Handlungen erscheint er in

- 6a: Jesus kommt zu ihm
- 7b: er wird angesprochen
- 8c: ihm wird geantwortet
- 10a: er wird angesprochen.

Ein weiterer Jünger, der auftritt, ist **Judas**. Er handelt allerdings kaum:

- 29b: er hat (die Kasse)
- 30a: er nimmt
- 30b: er geht hinaus.

Auch als Handlungsobjekt erscheint er:

- 2b: ihm wird ins Herz gegeben
- 26g: ihm wird gegeben
- 27a: der Teufel fährt in ihn ein
- 27b: er wird angesprochen.

Über die Verbindung mit Judas kommt der **Satan** bzw. Teufel als weitere Person ins Spiel. Seine Rolle ist quantitativ sehr gering, ist allerdings dadurch gekennzeichnet, daß er nur als Handelnder auftritt:

- 2b: er gibt ins Herz
- 27a: er fährt ein.

Als letzte Figur ist noch der **Jünger** zu beschreiben, **den Jesus liebte.** Ihm werden folgende Handlungen zugeordnet:

- 23a: er liegt
- 25a: er lehnt sich zurück
- 25b: er sagt.

Als Handlungsobjekt tritt er auf in

- 23b: er wird geliebt
- 24a: ihm wird zugenickt
- 26a: ihm wird geantwortet.

Als Handlungsträger spielt der geliebte Jünger zumindest quantitativ keine sonderlich bedeutsame Rolle. Das ist zunächst einfach
festzuhalten.

Fragen wir nun, wie die Figuren aufgrund ihrer Handlungen miteinander in Beziehung treten, so ergibt sich folgendes Bild:

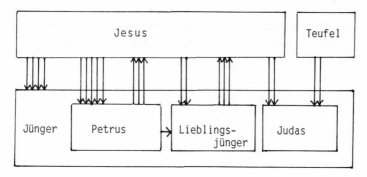

Aus dieser Graphik, die nur jene Handlungen enthält, die sich
auf andere Figuren richten, ist noch einmal deutlich zu erkennen,
daß Jesus wirklich die absolut dominierende Gestalt im Text ist.
Festzuhalten ist auch, daß es zwischen Jesus und dem Teufel keinerlei Handlungszusammenhänge gibt. Ebenso existieren keine Relationen zwischen Judas und den übrigen Jüngern.
Diese Relationen werden freilich erst dann interessant, wenn die
Semantik der betreffenden Handlungen einbezogen wird. Dann ergibt
sich, daß die Rolle der Jünger, vom Fußwaschungsakt abgesehen,
darin besteht, von Jesus angesprochen zu werden. Sie sind seine
Adressaten. Da Petrus die Jünger repräsentieren kann, ist auch

seine Rolle wesentlich von der Kommunikation mit Jesus geprägt. Die Relation zwischen beiden Figuren besteht hauptsächlich darin, daß Jesus Petrus anspricht (7b.8c.10a) und umgekehrt (6b.8a.9a). Auch die Beziehung des Petrus zum geliebten Jünger ist inhaltlich als - allerdings nonverbale - Kommunikation zu bestimmen.

Der Lieblingsjünger seinerseits ist, von der Liebesbeziehung (23b) abgesehen, ebenfalls vorwiegend kommunikativ mit Jesus verbunden. Jesus spricht mit ihm (26a) und er spricht mit Jesus (25b); und die beiden anderen Handlungen des Jüngers (23a.25a) hängen mit diesem Sprechen zu Jesus eng zusammen.

Judas steht sowohl mit Jesus als auch mit dem Teufel in Beziehung. Für beide ist er nur Objekt.[1] Jesus kennzeichnet ihn (26g) und fordert ihn zum Verrat auf (V. 27), und der Teufel gibt ihm den Verrat ins Herz (2b) und fährt in ihn ein (27a). Das bedeutet, daß alle Handlungsrelationen des Judas thematisch mit dem Verrat gekoppelt sind. Da der Verrat selbst in 13,1-30 als Handlung nicht vorkommt, können hier die Aktivitäten Jesu und des Satans im Vordergrund stehen. Damit ist einerseits Judas als Werkzeug des Satans[2], Jesus andererseits als der auch in Bezug auf den Verrat souverän Agierende dargestellt. Damit sind wir schon an der Grenze zur Merkmalsanalyse angelangt. Sie soll im folgenden Abschnitt durchgeführt werden.

2.2.4.3.2 Merkmale der Figuren

Beginnen wir mit der Hauptfigur des Textes, mit **Jesus**. Kennzeichnend für ihn ist sein Wissen. Dieses Merkmal ist offensichtlich sehr wichtig, denn es wird mehrmals erwähnt. Dabei ist auffällig, daß sich von den vier Erwähnungen allein zwei auf den Verrat beziehen (11a.18b.18c). Die beiden anderen Stellen thematisieren Jesu Wissen um das Ende seines irdischen Wegs (1a-1c), um seinen

---

1) Dieses Bild ändert sich, wenn in dem Nehmen des Bissens (30a) eine Handlung in Bezug auf Jesus gesehen würde. Der Zusammenhang zwischen Jesus und dem Bissen wird allerdings in 30a nicht mehr thematisiert.
2) Vgl. SPROSTON 1980, 308.

Ab- und Aufstieg zu Gott und um seine göttliche Vollmacht.
Insgesamt kann gesagt werden, daß Jesus über sein Wissen in seiner göttlichen Würde und Vollmacht dargestellt wird. Zu dieser
Charakteristik paßt die Bezeichnung als Kyrios, die ja öfters
auftritt. Die Kennzeichnung als Lehrer steht zwar nicht ohne Zusammenhang mit dem Komplex der göttlichen Würde, ist aber doch
mehr in Zusammenhang zu sehen mit der Tatsache, daß Jesus in diesem Text vor allem in seinem Reden handelt.
Sein Reden als Lehrer ist aufgrund seiner himmlischen Würde für
die Jünger als Adressaten mit höchster Autorität versehen. In
den Zusammenhang der autoritativen Lehre gehört auch das Beispiel,
das Jesus gibt. Inhaltlich ist dieses Beispiel durch 1d.1e bestimmt: Jesus Liebe ist für die Jünger verpflichtendes Vorbild.
Wenden wir uns der nächsten Figur zu, **Petrus**.
Ich habe schon erwähnt, daß Petrus durch die Einschränkung von
5b auf 6a als Repräsentant bzw. Sprecher der Jünger gekennzeichnet
wird. Diese Stellung des Petrus wird auch in V. 24 deutlich, wo
er die Unwissenheit der Jünger (V. 22), an der er offensichtlich
teilhat, weitergibt an den geliebten Jünger.
Der **Lieblingsjünger** ist im Unterschied zu den übrigen Einzelfigu-
ren im Text nicht durch einen Eigennamen gekennzeichnet. Der Verzicht auf einen Namen hat für die Figurencharakterisierung weitreichende Folgen. Der Name einer Figur ist nämlich nicht irgendein
Merkmal unter anderen, sondern es ist dasjenige, das eine erzählte Person im Text als Person erst konstituiert. Wo nun der Name
wegfällt, und eine Figur anonym bleibt, treten bei wiederholtem
Auftreten andere Merkmale an die Stelle des Namens und übernehmen
seine personkonstituierende Funktion.
Hier tritt an die Stelle des Namens der Relativsatz 23b. Er
macht aus einem Jünger Jesu den Jünger, den Jesus liebte. Die
Bezeichnung ὃν ἠγάπα ὁ Ἰησοῦς ist also die primäre Aussage über
diesen Jünger. Sie ist es, die ihn als unterscheidbare Person
konstituiert. Bei dieser besonderen Bezeichnung geht es um mehr
als nur den "Ausdruck seliger Erinnerung"[1]. Sie verschafft

---

1) WEISS 1893, 461.

nämlich dem Jünger die Position bei Jesus, die dieser beim Vater einnimmt. Jesus als Sohn wird - das ist des öfteren gesagt[1] - vom Vater geliebt. Wenn also das wesentliche Merkmal des geliebten Jüngers die Liebe Jesu zu ihm ist, so ist er damit zu Jesus in die gleiche Relation gesetzt, wie Jesus zum Vater.[2]

Zwar heißt es in 13,1 allgemein, daß Jesus die Seinen liebt, aber diese pluralische Formulierung widerspricht der vorgenommenen Deutung nicht, da dieser Jünger eben der einzige ist, der explizit als geliebt bezeichnet, ja durch die Liebe Jesu als Person definiert wird. Er nimmt damit unter den Jüngern eine besondere Stellung ein.

Ein weiteres Merkmal des geliebten Jüngers ist in seiner Stellung zu Jesus zu finden: Der Jünger liegt ἐν τῷ κόλπῳ τοῦ Ἰησοῦ . Das ist, wie 25a deutlich macht, zunächst einmal räumlich gemeint. Damit ist freilich eine sekundäre Semantisierung keinesfalls ausgeschlossen.[3]

Eine zweite Bedeutungsebene könnte aufgrund kulturellen Wissens gegeben sein. Etwa dadurch, daß der Liegeposition, die der Jünger einnimmt, eine besondere Wertung zugeordnet ist. Nun stellt freilich HAENCHEN fest, daß die Position des Jüngers kulturell an sich keine ehrende Bedeutung hatte.[4] Es kann aber eine zweite semantische Ebene auch textintern aufgebaut werden, und das ist hier offensichtlich der Fall. Schon BAUR hat auf die Beziehung zwischen 13,23a und dem Prolog des Evangeliums verwiesen und festgestellt:

"Was der Evangelist 1,18. von dem Verhältnis des Sohnes zum Vater sagt, daß er als der Eingeborene, als der ὤν ἐν τῷ κόλπῳ τοῦ πατρὸς, das Göttliche, das noch kein menschliches Auge gesehen, geoffenbart hat, gilt auch von dem analogen Verhältniß des Busenjüngers zu dem Herrn."[5]

---

1) Vgl. Joh 3,35; 10,17; 15,9; 17,23-24.26.
2) Vgl. KRAGERUD 1959, 72 f; LORENZEN 1971, 86;
   IBUKI 1972, 271; DAUER 1972, 319.
3) Gegen HOLTZMANN 1893, 177; MAHONEY 1974, 90 Anm. 102.
4) Vgl. HAENCHEN 1980, 461; auch BARRETT 1978, 446.
5) BAUR 1847, 378.

Die Korrelation zwischen der Position des Jüngers bei Jesus und der Jesu beim Vater ist seitdem immer wieder festgestellt worden[1] und läßt sich kaum bestreiten. Zwar liegen die beiden Bezugsstellen weit auseinander, aber erstens ist der Prolog ja nicht irgendein Textteil, sondern ist als Lektüreanweisung für den Gesamttext von besonderem Gewicht, und zweitens kommt das Lexem κόλπος eben nur in Joh 1,18 und 13,23 vor. Schließlich ist auch noch darauf hinzuweisen, daß die hier aufgebaute Analogie exakt der Relation entspricht, die in Bezug auf die Liebesaussage in 13,23b festgestellt wurde.

Zweimal also wird der namenlose Jünger mit Jesus parallelisiert: Er ist von Jesus geliebt wie dieser vom Vater und er ruht an der Brust Jesu wie dieser an der des Vaters. Allerdings wird nun diese Parallele oft auch dahingehend verstanden, daß der geliebte Jünger wie Jesus als Exeget fungiere. Diese These, die ja schon in dem angeführten BAUR-Zitat zu finden war und häufig übernommen wurde[2], halte ich für eine illegitime Ausweitung. Es gibt in Joh 13,23-30 nämlich keine textliche Information, aus der geschlossen werden könnte, daß der geliebte Jünger sein Wissen an irgendjemanden weitergibt, und das in 13,28f geäußerte Mißverständnis ist überhaupt nur möglich, wenn eine Weitergabe der Verräteridentität ausgeschlossen wird. Es ist also festzuhalten, daß der geliebte Jünger in Joh 13 nichts deutet oder vermittelt.[3] Das ist ein auffälliges Textdatum, das die Frage nach

---

1) Vgl. z.B. SPAETH 1868, 182.195; OVERBECK 1911, 423;
LOISY 1921, 395, LIGHTFOOT 1956, 274;
KRAGERUD 1959, 72 ff; DAUER 1967, 237; ders. 1972, 318 f;
BROWN 1966/70, 577; SCHNACKENBURG 1970a, 100; ders. 1975, 34;
SCHÜRMANN 1970, 18; LORENZEN 1971, 83 f;
THYEN 1971, 354; ders. 1974, 242;
IBUKI 1972, 206; BROWNLEE 1972, 194;
MINEAR 1977, 117; HAWKIN 1977, 142;
BARRETT 1978, 446; BECKER 1979/81, 434;
GUNTHER 1981, 129; CULPEPPER 1983, 121;
POTTERIE 1986, 359 (unter Hinweis auf Origenes!).
2) Vgl. z.B. SCHWARTZ 1907, 343; ders. 1914, 218;
KRAGERUD 1959, 22.73; OTTO 1969, 5 f;
SCHÜRMANN 1970, 18; DAUER 1972, 319;
IBUKI 1972, 271.
3) Vgl. ROLOFF 1968/69, 134 f; SCHNACKENBURG 1970a, 101; ders.
1975, 34; HAWKIN 1977, 143; JONGE 1979, 107.

der Funktion des Lieblingsjüngers in aller Schärfe stellt. Bevor
ich dieser Frage nachgehe, will ich die Charakterisierung des
Jüngers durch die Einbeziehung des thematischen Kontexts und der
Figurenrelationen weitertreiben.

Die beschriebene Struktur der Verratsszene in 13,21 ff leistet
nämlich einen wichtigen Beitrag zum Bild des geliebten Jüngers.
Die Szene ist ja ganz auf die Frage nach der Identität des Verräters ausgerichtet. Offensichtlich kann der Lieblingsjünger allein die entscheidene Frage stellen. Jedenfalls ist seine Frage
die einzige verbal geäußerte. Der Grund für die Besonderheit
wird in der Beziehung zwischen Jesus und dem Jünger zu sehen
sein, wie sie in der Liebesaussage und der Liegeposition zum Ausdruck kommt. Festzustellen ist weiter, daß Petrus in der Verratsszene nicht mit Jesus in Kontakt tritt. Das ist umso auffälliger,
als Petrus doch bei der Fußwaschung als Repräsentant der Jünger
direkt mit Jesus kommuniziert. Petrus spricht zwar auch in der
Verratsszene für die Jünger, aber eben nicht zu Jesus, sondern
zum Lieblingsjünger! Letzterer und nicht Petrus stellt die entscheidende Frage an Jesus. Das ist nicht als Ausdruck einer "re-
verential separation"[1] zwischen Petrus und seinem Meister zu
verstehen. Eine solche war doch bei der Fußwaschung auch nicht
da. Es geht statt dessen um die Beziehung zwischen Petrus, Jesus
und dem geliebten Jünger. Dadurch, daß der namenlose Jünger in
dieser Szene der einzige ist, der Kontakt zu Jesus aufnehmen
kann, wird er als für die Jünger notwendige Zwischeninstanz gekennzeichnet. Da Petrus ihm als Repräsentant der Jünger gegenübersteht, und der Lieblingsjünger seinerseits ganz von Jesus her definiert ist, kann gesagt werden:

Petrus gehört auf die Seite der Jünger, während der geliebte Jünger eher auf der Seite Jesu steht.[2]

Diese auffällige Konstellation wird nun freilich nicht im luftlee-
ren Raum entwickelt. Sie steht vielmehr im thematischen Kontext
des Verrats; schließlich wird sie in einer Szene aufgebaut, die
ganz auf die Identität des Verräters ausgerichtet ist. Das bedeu-

---

1) MORETON 1980, 217.
2) Vgl. KRAGERUD 1959, 23.

tet, daß die herausgehobene Stellung des Lieblingsjüngers und die daraus resultierende Verwiesenheit der übrigen Jünger auf ihn durch diese Thematik näher bestimmt sind. Die Feststellung, daß ein einzelnes Textelement durch seinen Kontext näher bestimmt wird, ist an sich selbstverständlich. Trotzdem wurde die Kontext-bezogenheit der Lieblingsjüngergestalt gelegentlich bestritten. So versucht etwa KRAGERUD, die Personenkonstellation losgelöst vom Kontext, sozusagen pur, zu verstehen und verzichtet bei seiner Beschreibung des geliebten Jüngers auf die Verratsthematik.[1]

Ebenso trennt BECKER den Jünger von dem Umfeld, in dem er auf-tritt. Ausrichtung der Szene und Jüngergestalt haben bei ihm nichts miteinander zu tun. Das führt bei ihm sogar zu - noch zu kritisierenden - literarkritischen Konsequenzen.[2] Eine solche Vorgehensweise erscheint mir als methodologisch nicht hinreichend reflektiert. Selbst dann nämlich, wenn BECKER literarkritisch im Recht wäre, könnte er doch die Frage nicht beantworten, wie es denn zu deuten ist, daß diese Figur ausgerechnet in eine **Verräter**-szene eingefügt wird. In solche Zwickmühlen gerät nicht, wer den Beitrag des thematischen Kontexts zur Figurencharakterisierung anerkennt. Eine solche - theoretisch unumgängliche - Anerkennung zwingt dazu, das in 13,21 ff festzustellende Lieblingsjüngerkon-zept genauer zu fassen:

Dann, wenn es um die Identität des Verräters geht, kommt niemand zu Jesus außer durch den Jünger, den Jesus liebte und der bei ihm die gleiche Stellung hat, wie er beim Vater.

Die Verbindung der Lieblingsjüngergestalt mit dem Verrat läßt eine besondere Ausrichtung dieser Figur auf die Welt der Lesenden vermuten. Schließlich hatten wir bei der Verratsankündigung in 13,18-20 eine entsprechende Aufsprengung der Textwelt festge-stellt. In diesem Zusammenhang wird nun auch das Textdatum, daß der geliebte Jünger in Joh 13 sein Wissen nicht weitergibt,

---

1) Vgl. KRAGERUD 1959, 22 f. Selbstverständlich setzt auch BULT-MANNs Deutung (Lieblingsjünger = Heiden-, Petrus = Judenchri-stentum) die Loslösung der Personenkonstellation vom Verrats-kontext voraus. Diese Deutung (vgl. BULTMANN 1941, 369 f) wird bei 19,25 ff besprochen, weil sie von dort her entwickelt ist.

2) Vgl. BECKER 1979/81, 433.

deutbar. Der scharfe Kontrast zwischen der eindeutigen Verräter-
kennzeichnung und dem Jüngermißverständnis in 28 f (das ja auch
noch durch das langsame Erzähltempo besonders gewichtet ist!)
ist dann vermutlich ebenfalls so zu verstehen, daß die Funktion
des geliebten Jüngers nicht in der erzählten Welt liegt, sondern
in einer späteren Zeit, eventuell der der Lesenden. Mag die Konkretisierung der späteren Zeit auf die Leserwelt auf der Basis
von Joh 13 auch noch überzogen erscheinen, festzuhalten ist jedenfalls, daß die Konsequenzlosigkeit des besonderen Wissens des
Lieblingsjüngers, bei den Lesenden die Frage auslöst, wann denn
dieses Wissen im Handeln des Jüngers zum Tragen kommt. Solche
Fragen erzeugen Spannung und fordern eine besondere Beteiligung
der Lesenden heraus. Von daher ist ein besonderer Bezug der Lieblingsjüngergestalt zur Lesewelt zumindest wahrscheinlich.[1] Ob
er tatsächlich gegeben ist, mag sich an den noch folgenden Lieb-
lingsjünger-Texten entscheiden.

Wenden wir uns jetzt noch den beiden letzten Personen dieses
Textes zu, nämlich **Judas** und dem **Teufel**. Letzterem werden in 13,1-
30 keine besonderen Merkmale zugeschrieben. Das ist aufgrund des
Vorwissens der Lesenden auch unnötig. Die negative Bewertung des
Satans als des absolut Bösen kann präsupponiert werden. Diese
Wertung schlägt dann auf die Handlungen des Teufels (2b.2c.27a)
durch. Als Handlungen des Teufels sind sie schlecht.

Diese Bewertung greift natürlich auch auf Judas über, wenn er
mit dem Teufel in Verbindung gebracht wird.

Alle Handlungen des Teufels sind ja auf ihn gerichtet, und alle
diese Handlungen sind inhaltlich vom Verrat bestimmt. Der Verrat
ist überhaupt das wichtigste Merkmal, das Judas zugeordnet wird.
Er tritt entsprechend oft auf. Der Verrat als feindlicher Akt gegen Jesus ist selbstverständlich negativ besetzt. Auch sonst werden Judas nur negative Merkmale zugeordnet: Er ist der untreue
Kassenverwalter (13,29b mit Rückverweis auf 12,6), er ist trotz
der Fußwaschung nicht rein (10e.11)[2] und er wird auch von dem be-

---

1) Vgl. JONGE 1979, 107.
2) Vgl. VOGLER 1983, 103.

dingten Makarismus in V. 17 ausgenommen. Die Jünger werden selig-
gepriesen, wenn sie Jesu Beispiel annehmen und in gegenseitige
Liebe umsetzen. Sie werden also aufgefordert, das Heil, das Jesu
Liebe bis in den Tod vermittelt, praktisch werden zu lassen.
Wenn Judas hier ebenfalls ausgenommen wird, so wird er zunächst -
wie in 10e.11 - vom Geschenk des Heils ausgenommen. Gleichzeitig
aber - und das liegt in der Doppelstruktur des bedingten Makarismus begründet - wird ihm damit die Möglichkeit abgesprochen, zu
'tun'. Wenn SCHNACKENBURG die Frage stellt, "warum ein Jünger
von der Verpflichtung zur Liebe ausgenommen sein"[1] sollte, so
trifft er einfach nicht den Punkt. Es geht hier nicht um die Bestreitung der Verpflichtung, sondern um die Bestreitung der **Möglichkeit**. Judas als Nichterlöster hat überhaupt nicht die Voraussetzung, um Erlösung praktisch umzusetzen. Als Ungeliebter kann
er nicht lieben. Dieser interpretatorische Schluß mag überzogen
erscheinen, er wird aber in der weiteren Lektüre bestätigt. So
wird etwa in 13,35 die gegenseitige Liebe zum Kennzeichen der
Jüngerschaft erhoben. Das heißt aber doch umgekehrt, daß die,
die nicht lieben, auch nicht Jesu Jünger sein können. Sie gehören
nicht zu den Seinen und sind so auch nicht von ihm geliebt. Hierzu paßt auch, daß in 13,1-30 der Jüngerstatus des Judas zwar erschließbar ist (21f: "einer von euch"), aber nicht explizit ausgesprochen wird. Die Bezeichnung als Jünger würde Judas zu eng
mit Jesus in Beziehung setzen. Solche Beziehungen werden in diesem Text vermieden. Auch die beiden Handlungen Jesu, die sich
auf Judas richten, widersprechen dem nicht. Sie bringen keinerlei
positive Bewertung des Verräters ein, sondern entsprechen vielmehr in auffälliger Weise dem satanischen Einfluß auf Judas.
Jesus gibt dem Verräter den Bissen, nach dem der Teufel in ihn
einfährt, und er fordert ihn auch auf, sein teuflisches Vorhaben
auszuführen. Dieses Verhalten Jesu deutet zwar sein souveränes
Agieren an, aber damit ist die Bedeutung dieses Erzählzugs noch
nicht erschöpft. Die Lesenden können aufgrund ihres Vorwissens
über Judas weitere Schlußfolgerungen ziehen. Bevor ich dieses

---

1) SCHNACKENBURG 1975, 30.

Vorwissen darstelle, das vor allem aus Joh 6 stammt, wo Judas eingeführt wurde, ist noch auf 13,18 einzugehen.

In V. 18 ist von einem die Rede, der Brot ißt. Da das Schriftzitat auf Jesus und den Verräter bezogen ist, ist damit Judas als einer beschrieben, der das Brot Jesu ißt. Dementsprechend ist der Bissen, den Judas von Jesus entgegennimmt (13,26.30) auch als Brot aufzufassen.

In V. 18 ist die Wortwahl auffällig. Im Schriftzitat findet sich das seltene τρώγω (18e). Von der LXX weicht diese Wortwahl ab. Diese verwendet in Ps 40,10 das gebräuchliche ἐσθίω, die hier naheliegende Übersetzung für 'kl. SCHNACKENBURG warnt davor, der Verwendung von τρώγω größere Bedeutung beizumessen, und plädiert im übrigen für den masoretischen Text als Vorlage für das Zitat.[1] Dem ist entgegenzuhalten, daß erstens für einen griechisch schreibenden Autor die Benutzung eines griechischen AT-Textes von vornehrein wahrscheinlicher ist, und daß zweitens die Benutzung eines hebräischen Textes keinerlei Argument gegen die semantische Relevanz der Wortwahl im griechischen Text liefern würde. Es wäre in diesem Fall ja immer noch zu klären, warum in Joh 13,18 (im Unterschied zur LXX) 'kl mit τρώγω übersetzt wird und nicht anders. Die semantische Frage stellt sich also auch im Falle der Übersetzung aus dem Hebräischen, und zwar umso dringender als 'kl eine besonders große Bedeutungsspannbreite besitzt.[2] Die Forschung ist dieser Frage auch nicht ausgewichen, allerdings gehen die Urteile stark auseinander. So steht SCHWEIZERs "ohne besondere Betonung"[3] gegen CULLMANNs Interpretation als Bezug zum Herrenmahl, der im Kontext eines johanneischen Antidoketismus' steht.[4] Antidoketisch interpretiert auch WILKENS.[5] Zumindest

---

1) Vgl. SCHNACKENBURG 1975, 13.30. WILCOX 1969, 145 f postuliert "a divergent Old Testament textual tradition".
2) Vgl. OTTOSSON 1973, GERLEMAN 1971. Letzterer weist darauf hin, daß sich in der LXX "als Übersetzungen von 'kl mehr als 20 Vokabeln, in denen die Sinnerweiterung des hebr. Wortes jeweils ausgedrückt wird", finden (142).
3) SCHWEIZER 1963, 395 Anm. 80. Vgl. SABBE 1982, 291.
4) Vgl. CULLMANN 1962, 94 f mit Anm. 102.
5) Vgl. WILKENS 1958a, 370 mit Anm. 55.

eine "eucharistic remembrance" sieht BROWN.[1] RICHTER dagegen
hält einen eucharistischen Bezug für nicht beweisbar.[2] Eine Entscheidung ist von Joh 13 her wohl nicht zu treffen. Soll hier
Klarheit gewonnen werden, so ist auf die sonstige Verwendung des
Verbs einzugehen. Im Joh findet sich τρώγω außer in 13,18 nur noch
in Joh 6, und zwar in 6.54.56.57.58, also in jenem zweiten Teil
der Brotrede, der vielen als sekundär gilt. Es legt sich deshalb
nahe, die Argumentationsbasis zu erweitern, und Joh 6 in die Untersuchung einzubeziehen. Dies gilt umso mehr, als dort die Judasfigur im Joh eingeführt wird. Solche Einführungstexte haben
für die Personencharakterisierung immer eine besondere Bedeutung,
weil hier meist das Bild der betreffenden Figur in einer Weise
geprägt wird, die die folgende Wahrnehmung dieser Figur durch
die Lesenden vorstrukturiert. Diese rezeptionssteuernde Funktion
liegt selbst dann vor, wenn - wie im Falle des Verräters - eine Figur den Lesenden schon außertextlich bekannt ist. Es ist darum zu erwarten, daß eine Analyse der Brotrede nicht nur für die
Klärung des Begriffs τρώγω, sondern auch für die Konturierung
der Judasgestalt besondere Relevanz hat. Da es dabei auch um den
thematischen Kontext gehen muß, in dem diese Gestalt steht, ist
es nicht möglich, einfach nur die 'Judas-Stellen' herauszugreifen.
Der Rückbezug auf Joh 6 muß also recht breit angelegt sein. Das
legt sich auch deshalb nahe, weil THYEN Joh 6 ja auch für die
Frage nach der Pragmatik der Lieblingsjüngertexte ins Spiel gebracht hat.[3]
Um nun aber den Lesefluß nicht über Gebühr zu hemmen, werde ich
so vorgehen, daß ich die Ergebnisse meiner Analysen, soweit sie
für die Charakterisierung der Judasfigur relevant sind, hier zunächst thetisch präsentiere und die exegetische Argumentation
dann in einem Exkurs nach 2.2 vorlege. Dort soll dann auch ein
erster Blick auf die pragmatischen Intentionen des redaktionellen
Textes stattfinden. Die diesbezüglichen Ergebnisse des Exkurses
werden dann in 3.3.1 aufgegriffen werden.

---

1) BROWN 1966/70, 283.
2) Vgl. RICHTER 1977, 57.
3) Vgl. THYEN 1977a, 277 f.

In Joh 6 wird bei der Einführung der Judasfigur (im Anschluß an
die herrenmahlbezogen reinterpretierte Brotlehre) der Kontrast
zwischen Jüngerschaft und Verrat thematisiert.

Obwohl Judas ein Jünger, ja sogar einer von den Zwölfen ist, gehört er doch nicht eigentlich dazu. Dieser Konflikt wird 'deterministisch' gelöst. Die Aussage, daß Judas ein Teufel ist (6,70),
übernimmt nämlich die Funktion, die das Wissen Jesu 'von Anfang
an' (6,64) bei den Jüngern hat, die von Jesus weggehen (6,66).
Vertritt nun der implizite Autor für die abtrünnigen Jünger ein
Konzept der Unterscheidung zwischen wahrer Jüngerschaft und bloß
äußerlicher Zugehörigkeit zum Kreis der Jünger, so gilt dies
auch für Judas. Auch er war nie ein echter Jünger. Es war ihm
wie den weggehenden Jüngern und den ungläubigen Juden nie bestimmt, zu Jesus zu kommen. Judas ist also nicht ein Jünger, der
im Verrat vom Glauben abfällt, sondern als Verräter zugleich ein
Ungläubiger von Anfang an, der nie wirklich zu Jesus gehörte.

Aus diesem Judaskonzept erhält die frühe Erwähnung des Judas in
13,2 zusätzliches Gewicht. Der Verräter steht schon vor der Fußwaschung unter dem Einfluß des Teufels und wird so - bevor noch
die Heilszusage erfolgt - als der gekennzeichnet, der nicht da-
zugehört.[1] Sobald es dann um die Vermittlung des Heils geht,
muß Judas ausgenommen werden (13,10e.11). Jesu Liebe, die sich
im Kreuzestod vollendet und in der Fußwaschung abgebildet wird,
richtet sich ja auf die Seinen (13,1d.1e). Daß aber der teuflische
Verräter zu diesen nie gehört hat, wissen die Lesenden aus Joh 6.
Ihm **kann** also die Liebe Jesu gar nicht gelten. Wenn er von
der Heilszusage ausgenommen wird, so ist das nicht überraschend,
sondern nur folgerichtig.

Ebenso folgerichtig ist 13,18, wo Judas von der Heilszusage in
13,17 ausgenommen wird. Wie gesagt bedeutet dies, daß ihm damit
die Möglichkeit zur praktischen Umsetzung des Heils bestritten
ist. Dies ist aus Joh 6 gut verständlich. Wenn Judas in Wahrheit
nie zu Jesus gekommen ist, kann er natürlich nicht lieben, weil
ihm die Liebe Jesu gar nicht gilt.

---

1) Vgl. LANGBRANDTNER 1977, 55.

Das Schriftzitat in 13,18 ist besonders interessant, weil es ein göttliches Muß ins Spiel bringt und damit die Zwangsläufigkeit des Geschehens betont.[1] Das ist eine konsequente Fortsetzung des Judaskonzepts von Joh 6. Dieses Konzept bestätigt auch die Deutung, wonach es bei dem Kontrast in 13,18 nicht um die Opposition 'Wissen Jesu - Schrifterfüllung' geht, sondern um die Opposition 'Erwählung - Verrat'.

Was die semantischen Implikationen von τρώγω im Schriftzitat angeht, so ist in Joh 6 festzustellen, daß das Verb in der Brotrede nur mit Bezug zum Herrenmahl eingesetzt wird, ja ein Zentralbegriff der herrenmahlbezogenen Brotrede ist. Deshalb ist es nicht möglich, eine entsprechende Implikation in 13,18 abzustreiten. τρώγω ist auch in 13,18e vom Herrenmahl her zu verstehen. Zwar zeichnet der implizite Autor - das muß betont werden - das δεῖπνον nicht als Einsetzungsmahl (alle ätiologischen Elemente fehlen), aber trotzdem liegt **Judas als Herrenmahlteilnehmer** am Tisch. Dieser Schluß wird durch weitere Beobachtungen bestätigt. Dadurch nämlich, daß bei der Personencharakterisierung in Joh 6 die Grenzen zwischen Judas, den ausscheidenden Jüngern und den Juden zum Verschwimmen gebracht werden, übernimmt Judas Züge der beiden anderen Gruppen und umgekehrt. Judas ist ja nicht nur teuflischer Verräter, sondern zugleich ungläubig wie die, die Jesus verlassen. Da der Unglaube der weggehenden Jünger inhaltlich durch die Ablehnung der herrenmahlbezogenen Brotlehre bestimmt ist, ist auch Judas als Ungläubiger in die Auseinandersetzung um das Herrenmahl einbezogen. Seit Joh 6 wissen also die Lesenden, daß Judas mit denen zusammengehört, die wegen der herrenmahlbezogenen Brotrede Jesus verlassen. Dieses Bild wird in Joh 13 nicht nur durch das Lexem τρώγω reaktiviert, sondern auch durch andere Züge, die wieder aufgegriffen werden:

Judas geht, wie die ungläubigen Jünger gegangen sind (6.66-13,30). Obwohl er das Brot Jesu ißt, bleibt er nicht in Gemeinschaft mit ihm. Die Verheißung von 6,56 trifft für ihn also nicht zu. Wenn es in 13,30c heißt, daß es Nacht ist, so wird die Bedeutung dieser Zeitangabe über die bloße Chronologie weit hinausgehen. Es

---

1) Vgl. MAHONEY 1974, 55.

dürfte sich zugleich um eine theologische Wertung handeln. Das anzunehmen, legt sich zumindest von der semantischen Implikation nahe, die νύξ etwa in 9,4; 11,10 hat. Judas geht ins Dunkel der Verlorenheit.[1] Wenn in 6,54 dem τρώγων ewiges Leben verheißen wird, so bringt 13,27a den Kontrast dazu. Judas - der abtrünnig Ungläubige, der nie dazugehörte, - erhält nicht ewiges Leben, obwohl er ißt. Der Verräter wird vielmehr vollends dem Teufel anheimgegeben.[2]

Wenn der Herrenmahlbezug in Joh 13 hier richtig eingeschätzt ist, so liegt in Joh 13,27 eine gewisse Parallele zu 1 Kor 11, 27 ff vor, wo Paulus von Essen und Trinken des Gerichts spricht. Der gemeinsame Grundgedanke ist die Ambivalenz der heiligen Speise, die je nach Qualität des Empfangenden zum Heil oder zum Unheil gereicht.[3] Bei Paulus steht freilich der ethische Aspekt im Vordergrund, während der Gedanke in Joh 13 im Rahmen deterministischen Denkens steht.

Das Judaskonzept, wie es in Joh 6 aufgebaut und in Joh 13 fortgeführt wird, erlaubt es, auch dem Handeln Jesu in Bezug auf den Verräter weitere Bedeutung zuzuordnen. Wenn Jesus ihn mit dem Bissen kennzeichnet und ihn zum Handeln auffordert, so geht es nicht nur darum, Jesus als souverän Agierenden zu zeichnen. Jesus macht sich auch nicht etwa zum Komplizen des Verräters. Weil dieser immer schon verloren war, kann es ja gar nicht darum gehen, ihn zu halten. Richtig ist es vielmehr, ihn zu kennzeichnen und zu seinem Werk wegzuschicken.

Zusammenfassend läßt sich sagen: Judas ist in Joh 13 wie in Joh 6 von der Problematik des Herrenmahls her zu verstehen.

---

1) Vgl. LOISY 1921, 399; BAUER 1933, 176;
   BULTMANN 1941, 368; SCHNACKENBURG 1970a, 101;
   BECKER 1979/81, 432; SPROSTON 1980, 308;
2) Zwischen 6,70 und 13,27 braucht kein Konflikt gesehen werden.
   6,70 ist eine generelle Bewertung des Verräters, 13,27 dagegen will speziell sagen, was bei einem solchen das Brot Jesu nur bewirken kann.
3) Vgl. BACON 1918, 316; auch PFLEIDERER 1902, 375;
   HEITMÜLLER 1918, 146; LOISY 1921, 397;
   BAUER 1933, 175.

Judas ist hier wie dort der, der eigentlich nie zu Jesus gekommen und so nur scheinbar Jünger ist. In Joh 13 kommt durch den thematischen Kontext als neuer Zug des Judasbildes die Information hinzu, daß der Verräter nicht lieben kann. Als einer, dem es nie gegeben war, zu Jesus zu kommen, wird ihm die Liebe Jesu nicht zuteil. Da er von der Heilszuwendung ausgeschlossen bleibt, kann er die Liebe auch nicht praktisch werden lassen.

2.2.5   Joh 13,1-30 in diachroner Betrachtung

2.2.5.1 Literarkritik

Auffällig ist zunächst die Einleitung des Abschnitts in 13.1-3. WELLHAUSEN kritisiert "die langatmige Periode, mit gehäuften Participien und absoluten Genitiven".[1] In der Tat ist die grammatikalische Struktur recht auffällig. Sie allein wäre allerdings kein literarkritisches Indiz. Es kommt hinzu, daß V. 1 und V. 3 inhaltlich und formal so deutlich miteinander konkurrieren, daß es sich nahelegt, die beiden Verse zu trennen.[2] Dabei ist V. 1 nicht aufzutrennen. BULTMANN, der die Zeitangabe 'vor dem Paschafest' ausscheiden will,[3] kann nämlich nicht gefolgt werden. Ein solcher Schnitt verstieße gegen die Beziehungen zu 1b.1c und ist grundlos. Es besteht auch kein Grund, 13,1a-c von 1d.1e zu trennen.[4] Zugegebenermaßen taucht die Liebesthematik in 1d.1e unvermittelt auf, aber die beiden Hälften sind durch die Bezüge zwischen 1c und 1d 'aus dem Kosmos' - 'im Kosmos' gut verbunden.

---

1) WELLHAUSEN 1908, 59.
2) Vgl. schon WEISSE 1838 II, 275; in diesem Jh.: SCHWARTZ 1907, 344 Anm. 2; SPITTA 1910, 286 f; VÖLTER 1911, 85;
   HIRSCH 1936, 99 f; BULTMANN 1941, 352;
   BOISMARD 1964, 22; RICHTER 1967, 307;
   THYEN 1971, 346; SCHNACKENBURG 1975, 11 f:
   LANGBRANDTNER 1977, 50; GNILKA 1983, 105;
   SEGOVIA 1982a, 36.
3) Vgl. BULTMANN 1941, 352; THYEN 1971, 346 f;
   BEUTLER 1976, 197; LANGBRANDTNER 1977, 51.
4) Gegen VÖLTER 1911, 86; THYEN 1977a, 276 Anm. 44;
   BECKER 1979/81, 420 f; SEGOVIA 1982a, 41.

V. 1 ist folglich als ganzer zu behandeln. Werden 13,1 und 13,3 nun verschiedenen Schichten zugeordnet, so ist V. 2 aufgrund der grammatikalischen Struktur zu V. 3 zu schlagen. Allerdings ist V.2 in sich nicht problemfrei. 2a macht eine Angabe zur äußeren Situation, die in 4a aufgegriffen wird und in V. 3 durch eine Angabe zur inneren Situation ergänzt ist.

Dieser Information über das Wissen Jesu in V. 3 ist 2b.2c als eine weitere Angabe zur inneren Situation vorangestellt. Die Konstruktion von 2b.2c ist zwar eine versuchte Angleichung an den genitivus absolutus von 2a, allerdings bleibt die Beziehung zwischen den beiden Äußerungseinheiten schwach. 2a ist von 2b.2c zu trennen.[1] Ob damit freilich 2b.2c sofort derselben Schicht wie V.1 zugerechnet werden darf, muß zunächst offen bleiben. Mit V.3 jedenfalls hat 2b.2c nichts zu tun. Wenn sich SCHNACKENBURG die Vermutung aufdrängt, daß 2b.2c mit V.3 zusammengehöre, und durch letzteren "ein Macht-Gewinnen des Teufels über Jesus abgewiesen werden soll"[2], so ist mir das nicht nachvollziehbar. Schließlich spricht 2b.2c doch einzig von der Macht des Teufels über Judas! Zudem liegt zwischen V. 3 und V. 4 keinerlei Spannung vor, eine Tatsache, die den Versuch 2b.2c.3 auszuscheiden und 2a direkt an 4a anzuschließen[3] ebenso unmöglich macht wie den Vorschlag, 4a unter Ausscheidung von 1d-3d an 1c anzuschließen.[4]

Wer die Tatsache, daß 4a und 2a miteinander korrelieren und 4a problemlos an V. 3 anschließt, ernst nimmt, muß wohl V. 2a.3.4 zu einer gemeinsamen Schicht rechnen, in der allerdings 2b.2c keinen Ort hat.[5]

Der folgende Text läuft ohne literarkritisch relevante Verwerfungen glatt durch.

---

1) So auch HIRSCH 1936, 28.100; BULTMANN 1941, 353; THYEN 1971, 351; SCHNACKENBURG 1975, 11.17; BEUTLER 1976, 197; LANGBRANDTNER 1977, 51; BECKER 1979/81, 420; HEANCHEN 1980, 455 Anm. 1.
2) SCHNACKENBURG 1975, 11; vgl. auch BECKER 1979/81, 420 f; HAENCHEN 1980, 455 Anm. 1.
3) So z.B. SPITTA 1910, 286-288; SCHNACKENBURG 1975, 11; vgl. HIRSCH 1936, 99 f; TEMPLE 1960/61, 79 Anm. 1.
4) So VÖLTER 1911, 86; jetzt wieder SEGOVIA 1982a, 41.
5) Vgl. BULTMANN 1941, 351.353.

WELLHAUSEN will allerdings V. 6-11 herauslösen.[1] Dem ist aber entgegenzuhalten, daß sich V. 6 von V. 5 nicht trennen läßt. Zwar taucht in 6a mit Petrus eine Figur auf, die nicht explizit eingeführt ist, aber er gehört zweifellos zu den Jüngern, die 5b erwähnt, und kann so als implizit eingeführt gelten. Zudem markiert 6a (ἔρχεται) einen Ausschnitt des Handlungsverlaufs, über dessen Beginn schon 5b (ἤρξατο) informiert hatte. Da also V.6 in V. 5 vorbereitet wird und es dort keinerlei Anlaß zu literarkritischen Operationen gibt, ist das Petrusgespräch fest in der Erzählung verankert. Zudem ist der Einsatz in 12a "als Anschluß an 5 unmittelbar nicht denkbar; er verrät durch den sprachlichen Ausdruck, daß zwischen 5 und 12 etwas erzählt gewesen ist."[2] Diese Tatsachen machen WELLHAUSENs These ebenso unhaltbar, wie SCHWARTZens Versuch, V. 6.7 (als Anspielung auf Joh 21) herauszuschneiden.[3] DOBSCHÜTZ möchte mit 13,9.10 einen sakramentalen Zusatz, der zu 13,12 ff in Spannung steht, entfernen.[4] Nun wird die Reibung zwischen V. 10 und V. 12 nicht zu leugnen sein (s.u.), trotzdem stellt DOBSCHÜTZens Vorschlag keine Lösung dar. V. 9 ist die Antwort auf V. 8 und kann von diesem unmöglich getrennt werden - ganz abgesehen davon, daß es dafür gar keinen hinreichenden Grund gäbe. V. 9 und damit auch V. 10 sind integrierender Bestandteil des Petrusgespräches.

Auch HAENCHENs Versuch, die Probleme durch Ausscheiden von V. 8-11 zu lösen,[5] scheitert an der kohäsiven Struktur des Textes. Er zertrümmert das Gespräch zu einem Torso und beachtet auch nicht, daß V. 12 an V. 7 schlecht anschließt. Die durchgängige pluralische Formulierung von V. 12 ist als Anschluß an die allgemeine Sentenz 10b.10c vielleicht noch denkbar, als Fortsetzung von V. 7 aber, wo Petrus als einzelner angeredet ist, ist sie unmöglich.

---

1) Vgl. WELLHAUSEN 1908, 59 f; ähnlich: WEISER 1968, 256; LINDARS 1972, 441.451; WEISS 1979, 314 f.
2) HIRSCH 1936, 100.
3) Vgl. SCHWARTZ 1907, 345 Anm. 1.
4) Vgl. DOBSCHÜTZ 1905, 3.6.17.
5) Vgl. HAENCHEN 1980, 457 f.

Der nächste Anhaltspunkt für literarkritische Überlegungen ist in V. 10 zu sehen. Das Resultat der Waschung (völlige Reinheit) ist in 10b.10c so allgemein formuliert, daß die nachklappende Einschränkung in 10d.10e mehr als problematisch ist. Außerdem ist in 10d der unvermittelte Übergang in die pluralische Anrede auffällig. Nach der Information von 10a stellt 10b.10c doch eine Antwort an Petrus dar; hier aber geht es plötzlich um eine Gruppe. SCHNACKENBURG stellt zu Recht fest, ein solcher Übergang sei "für den Dialog nicht stilgerecht"[1]. Er äußert den nahelie- genden Verdacht, 10d könne "eine redaktionelle Zufügung ad vocem καθαρός sein."[2] Leider kann er sich zu literarkritischer Konse- quenz nicht durchringen. SCHNACKENBURGs Saat geht erst bei BECKER auf, der aufgrund dieser Beobachtungen 10d.10e.11 für redaktionell erklärt.[3] Dieses Urteil wird dadurch noch einleuch- tender, daß in 10d bei καθαρός eine semantische Verschiebung ge- genüber 10c stattgefunden hat.[4] In 10c steht καθαρός in einem Bildwort, das die Wirkung der Fußwaschung verdeutlicht. Innerhalb dieses Bildwortes bezeichnet das Wort ganz 'realistisch' das Er- gebnis von Waschen. In 10d dagegen wird das Wort übertragen ge- braucht. Dieser übertragene Gebrauch macht den einschränkenden Zusatz 10e erst möglich. Daß nämlich jemand bei der Fußwaschung ausgelassen worden sei, wird nirgends behauptet.

Es legt sich also nahe, 10d.10e von 10a-c zu trennen. Zu 10d.10e gehört V. 11.[5] Diese Aussage über die Reinheit der Jünger und ihre Einschränkung sind Voraussetzung für V. 11, der aus der ver- schlüsselten Verratsankündigung eine explizite für die Lesenden macht. Diese Erzählereinrede kann nicht allein abgetrennt wer-

---

1) SCHNACKENBURG 1975, 12.
2) SCHNACKENBURG 1975, 25.   3) Vgl. BECKER 1979/81, 425.
4) Vgl. SCHNACKENBURG 1975, 12: "Die *gegenwärtige* Reinerklärung verschiebt die Rede auf eine neue Ebene."
5) Vgl. schon SCHWARTZ 1907, 345. Er findet 10d "höchst verdäch- tig" und wirft V. 11 vor, daß er "in geschmackloser Weise die Entlarvung des Verräters antizipiert." Ähnlich auch VÖLTER 1911, 86. Die Zusammengehörigkeit von 10d und V.11 sehen auch BULTMANN 1941, 361 Anm. 1; BROWN 1966/70, 562; THYEN 1971, 351; LANGBRANDTNER 1977, 52; Richter 1967, 308 f; BECKER 1979/81, 425.

den.[1] Zum einen beginnen die Probleme schon mit V. 10, zum anderen ist die Korrelation zwischen 10d und V. 11 zu eng, als daß allein V. 11 (etwa aufgrund erkennbarer "Stimmungslosigkeit")[2] abgetrennt werden könnte. Völlig unmöglich ist es, 10e von 10d scheiden zu wollen.[3]

Was die Zuordnung von 10d.10e.11 angeht, so muß zunächst die Gemeinsamkeit mit 2b.2c auffallen; hier wie dort zeigt sich ein auffälliges Interesse am Verräter. Daß die beiden Stellen derselben Schicht angehören, läßt sich deshalb kaum bezweifeln.[4]

"Der Anfang von V 12 nimmt die Darstellung von V 4-5 auf"[5], bemerkt SCHNACKENBURG treffend. Diese deutliche kompositorische Beziehung legt zwar die Vermutung nahe, daß V. 12a-c mit V. 4.5 zu einer Schicht gehört.[6] Ob freilich diese Vermutung den Sachverhalt träfe, kann zumindest bezweifelt werden. Ich sehe jedenfalls keinen Grund, 12a-c von 12d abzutrennen, was bedeutet, daß die Entscheidung über die Zuordnung des Versanfangs zusammen mit der über die Zugehörigkeit von 12d fallen muß.

Mit 12d beginnt eine längere Rede Jesu, die, wie die einleitende Frage 12e.12f zeigt, eine Erläuterung der Fußwaschung bringt. WELLHAUSEN konstatiert: "Daß 6 ss. und 12 ss. sich nicht vertragen, ist unzweifelhaft."[7] Dem ist zuzustimmen. Nicht nur, daß die erklärende Rede an sich unnötig ist, weil die Äußerungen Jesu in V. 8c-e.10b.10c eine hinreichende Deutung enthalten; es kommt hinzu, daß die beiden Deutungen miteinander konkurrieren. Nach V. 8 geht es bei der Fußwaschung darum, Gemeinschaft mit Jesus zu erlangen. Diese Gemeinschaft wird in V. 10 als vollkomme-

---

1) Gegen SPITTA 1910, 289.
2) SPITTA 1910, 289.
3) Gegen HIRSCH 1936, 101, der mit 10e eine Erweiterung beginnen sieht. Dabei ist zwar die Zusammengehörigkeit von 10e.11 anerkannt, aber der Wechsel in die 2. Person Plural in der ersten Hälfte von 10d ist doch nur von der zweiten Hälfte her erklärbar.
4) Vgl. THYEN 1971, 351; LANGBRANDTNER 1977, 52, BECKER 1979/81, 420.
5) SCHNACKENBURG 1975, 12. Vgl. auch BEUTLER 1976, 200.
6) Vgl. SCHNACKENBURG 1975, 12. Anders urteilt z.B. SPITTA 1910, 289 f.
7) WELLHAUSEN 1908, 60.

ne Reinheit verstanden. In dem - in sich einheitlichen - Abschnitt 12d-15 dagegen ist "die Handlung Jesu ein moralisches Beispiel zur Nachachtung für die Jünger."[1]

Die Deutung, die dem Akt der Fußwaschung in 13,8.10 gegeben wird, sperrt sich an sich gegen eine paränetische Auswertung als Beispiel für die Jünger.[2] Die Synthese, die der Endtext bietet, ist nur durch die Einführung der Liebesthematik in V. 1 möglich. Nun gehört aber V. 1 nicht der gleichen Schicht an wie das Petrusgespräch. Es legt sich also der Schluß nahe, daß die ethische Deutung in 12d-15 (und damit auch 12a-c) zusammen mit V. 1 zu einer anderen Schicht gehören als 3-10c. Auch ist deutlich, daß die betreffende Textschicht redaktionell ist. Die Deutung, die Jesus in 13,12 ff bringt, setzt ja die Fußwaschungserzählung in 13,4-10c voraus. Ähnliches läßt sich bei der Einleitung des Textes beobachten. Da es keinen Grund gibt, V. 3 von 4a abzutrennen, ist klar, daß es sich bei V. 1 um eine redaktionell vorgeschaltete Dublette handelt. Dann läßt sich jetzt aber auch die Judaserwähnung (2b.2c) einordnen. Auch sie ist ja 2a gegenüber sekundär und gehört damit zur redaktionellen Textschicht, 10d.10e.11 ebenfalls.

V. 16 führt die paränetische Ausrichtung von 13,12-15 weiter und ist deshalb auch redaktionell. Das gilt ebenso für den Makarismus in V. 17, der in seiner Bedingtheit zum Handeln auffordert und so die Paränese von 13,12 fortsetzt.[3] Der Übergang von V. 17 zu V. 18 mag als problematisch erscheinen. Immerhin versucht V. 18 einen doppelt bedingten Makarismus nochmals einzuschränken. Dementsprechend gibt es Versuche, 13,18.19 von V. 17 abzutrennen und an 10c anzuschließen.[4] Dem steht allerdings der Umstand ent-

---

1) WELLHAUSEN 1908, 59.
2) Vgl. WEISSE 1838, 273; SPITTA 1910, 290;
   VÖLTER 1911, 86-89; BOISMARD 1964, 21 f;
   BROWN 1966/70, 561 f; THYEN 1971, 350 f;
   SCHNACKENBURG 1975, 12; BEUTLER 1976, 195 f;
   RICHTER 1977, 51, LANGBRANDTNER 1977, 52 f;
   BECKER 1979/81, 425; HULTGREN 1982, 540;
   SEGOVIA 1982a, 36.42.
3) Vgl. BECKER 1979/81, 428.
4) Vgl. VÖLTER 1911, 89; RICHTER 1967; 309; OTTO 1969, 49 f;
   THYEN 1971, 351 f; LANGBRANDTNER 1977, 54 f; BECKER 1979/81, 428.

gegen, daß V. 18 keineswegs besser an 10c anschließt als 10d.
Ganz im Gegenteil: Die Probleme, die zur literarkritischen Abtrennung von 10d.10e.11 führten, würden sich eher verschärfen.
Dies gilt ebenso für SCHNACKENBURGs Vorschlag, V. 18 an 12d anzuschließen.[1] Um dabei die gröbsten Schwierigkeiten, die der
Text einem solchen Vorgehen entgegensetzt, aus dem Weg zu räumen,
trennt er 18a ab. Dazu besteht nicht die geringste Berechtigung,
weil zwischen 18a und 18b keine Spannung zu finden ist. Außerdem
schließt auch 18b schlecht an 12d an. Vielleicht sollte also V.
18 doch zur redaktionellen Schicht gerechnet werden? Festzustel-
en ist jedenfalls eine große Ähnlichkeit zwischen 10d.10e.11 und
V. 18. Die Tendenz ist jeweils die gleiche: Judas, der sowohl in
10d.10e.11 als auch 18.19 gemeint ist, wird von einer Heilszusage
ausgenommen. Also kann 18.19 mit 10d.10e.11, und damit auch mit
2b.2c zusammengebracht werden.[2]
Das gilt auch deshalb, weil ja zwischen V. 17 und V. 18 keine Beobachtungen zu machen sind, die denen bei 10a-c/10d.10e.11 vergleichbar wären. Weder semantische Verschiebungen, noch Adressatenwechsel sind feststellbar. Es spricht also nichts dagegen, V.
18 ebenfalls für redaktionell zu halten. Daß V. 20 redaktionell
ist, kann wohl nicht bezweifelt werden. Die festgestellten Bezüge gehen ja nur auf redaktionelle Textteile.
Mit V. 21 beginnt eine neue Szene, die freilich durch die Mahlsituation und die Verratsthematik mit dem Vorhergehenden verbunden
ist. V. 21 ist der Höhepunkt einer Reihe von Erwähnungen des Verrats, woraus LOISY folgert: "tout ce développement sur la trahison
doit être de la même main."[3] Damit wird er recht haben. Es
stellt sich nun die Frage, ob nicht die ganze von V. 21 eingeleitete Szene redaktionell ist. Immerhin hielt schon WENDT 13,21-30
wegen der engen Beziehung zu 13,11.18.19 für sekundär.[4] BULTMANN
dagegen erklärt die Verräterszene für weitgehend primär. Seiner
Meinung nach liegt lediglich in 23b eine sekundäre Zutat (des

---

1) Vgl. SCHNACKENBURG 1975, 12.30.
2) Vgl. HIRSCH 1936, 101.
3) LOISY 1921, 395.
4) Vgl. WENDT 1900, 150 f; SCHWARTZ 1907, 343-346.

'Evangelisten') vor. Er sieht hier eine Quelle dahingehend überarbeitet werden, daß durch die Hinzufügung des Relativsatzes aus
irgendeinem Jünger der geliebte Jünger wird.[1] Allerdings recht-
fertigt die betonte Stellung von 23b keine literarkritische
Aktion. Zudem würde der enge Zusammenhang zwischen der Liegeposition mit ihrer besonderen Semantik einerseits und der Liebesbeziehung andererseits zerbrochen, wenn 23b gestrichen würde.
Irgendein Jünger kann gar nicht 'an der Brust' Jesu liegen.

Im übrigen sehe ich für 13,21-26 überhaupt keine Störungen, die
von literarkritischer Relevanz wären. Probleme tauchen erst wieder in 13,27-30 auf. Zum einen differiert 27a von 27b-d, was das
Verratskonzept angeht, zum anderen widersprechen sich 25-27a und
V. 28.29.

In 27a liegt offensichtlich ein anderes Denkmuster vor als in
27b-d. Während Judas in der ersten Äußerungseinheit wie in 2b.2c
(redaktionell) als Objekt des Teufels begriffen ist, wird er im
zweiten Teil des Verses als Subjekt gedacht, das von Jesus zum
Handeln aufgefordert wird. An eine Einwirkung des Teufels ist
hier ganz offensichtlich nicht gedacht.[2]

Die Schwierigkeit in 13,28.29 liegt darin, daß ohne Rücksicht
auf 13,21-26 behauptet wird, niemand habe Jesu Worte in 27b-d
verstanden.[3] Mindestens dem Lieblingsjünger müßte doch klar
sein, was hier gemeint ist. Diese Spannung läßt sich bei einer
synchronen Lektüre natürlich auflösen. 13,28 wird dann so verstanden, daß niemand außer dem geliebten Jünger Jesus verstanden
hat. Das ist auf synchroner Ebene eine völlig zutreffende Sinnbildung, die aber gegen den Wortlaut des Textes in 13,28 stattfindet. Solche Diskrepanzen sind ein starkes Indiz für Uneinheitlichkeit.

Bei der Schichtenaufteilung ist zu berücksichtigen, daß 27a über
die Erwähnung des Bissens mit V. 26 verbunden ist. Es legt sich

---

1) Vgl. BULTMANN 1941, 366; z.B. auch HIRSCH 1936, 102;
   TEMPLE 1975, 220.
2) Vgl. HAENCHEN 1980, 463 f.
3) Vgl. z.B. SCHWARTZ 1907, 343; WELLHAUSEN 1908, 61;
   ROLOFF 1968/69, 133 Anm. 1; HAENCHEN 1980, 462.

deshalb nahe, 27a als redaktionell einzustufen. Dagegen könnte
nun eingewandt werden, daß 2b.2c und 27a einander doch widersprechen und deshalb nicht beide redaktionell sein können. Ich halte
allerdings die konzeptionelle Übereinstimmung, daß nämlich der
Judasverrat mit teuflischer Aktivität zusammenhängt, für schwer-
wiegender als eine angebliche Reibung zwischen 2b.2c und 27a.
Das Einfahren des Teufels ist doch keine Dublette zu 'ins Herz
geben'.[1] "Hatte der Teufel dem Verräter damals bereits das Herz
vergiftet, so gibt sich 27 als eine Steigerung, die den Judas de-
finitiv der Macht des Satans überweist."[2] Es spricht also
nichts dagegen, beide Erwähnungen des Teufels für redaktionell
zu halten. Zu dieser Schicht gehört auch V. 30 aufgrund der Beziehungen zu V. 26.27. Daß 27b-29 zusammengehören, ist einsichtig,
weil es in diesem Abschnitt ja immer um das Wort Jesu an Judas
geht. Dieser Textteil ist älter als 27a.30. Es kann sich hier
nicht um eine sekundäre Einfügung zwischen 27a und 30a handeln,[3]
weil dann nämlich unerklärlich wäre, warum in V. 30 der Bissen
nochmals erwähnt wird. Werden dagegen die Verhältnisse umgekehrt
und 27a.30 als redaktionelle Rahmung für etwas Älteres gesehen,[4]
so kann darauf hingewiesen werden, daß der Redaktion der Bissen
besonders wichtig ist. Dieses spezielle Interesse erklärt, warum
der Bissen in 30a in Rückbezug auf 27a wieder angesprochen wird.
Diese Lösung hat auch den Vorteil, daß, was 13,1-30 insgesamt angeht, auf ein dreistufiges entstehungsgeschichtliches Modell verzichtet werden kann. Daß nämlich 21-27a.30 zu 13,1.2b.2c.10d.10e.
11-20 gehören, ist nicht zu bezweifeln. Die Verräterszene ist ja
durch die wiederholten Erwähnungen des Verrats in 13,1-20, die
alle redaktionell sind, vorbereitet. Besonders V. 18, der vom
Brotessen spricht, ist interessant. Auf diesen Vers sind alle Er-

---

1) Gegen LOISY 1921, 397 f; RICHTER 1967, 307;
   LANGBRANDTNER 1977, 51, BECKER 1979/81, 420;
   SEGOVIA 1982a, 36.39 mit Anm. 22.
2) BAUER 1933, 168, vgl. GROSSOUW 1966, 126; BROWN 1966/70, 563.
3) Gegen WELLHAUSEN 1908, 61; BAUER 1933, 175 f;
   HIRSCH 1936, 102; BULTMANN 1941, 366;
   LORENZEN 1971, 13-18; SCHNACKENBURG 1975, 14 f.37;
   BECKER 1979/81, 432.
4) Vgl. ROLOFF 1968/69, 133 Anm. 1; THYEN 1971, 353;
   RICHTER 1977, 330 Anm. 19; HAENCHEN 1980, 463 f.

wähnungen des Bissens in 26.27.30 rückbezogen. Die Verräterszene kann geradezu als szenische Umsetzung von V. 18 bezeichnet werden.

Freilich wird die Einheitlichkeit von 13,12-27a immer wieder bestritten.

Von BULTMANNs Vorschlag, 23b auszuscheiden, war schon die Rede. THYEN will die Verse 20-26 als sekundär ausscheiden und V. 27 an V. 18.19 anschließen.[1] Dieser Vorschlag hat zwar für sich, daß V. 27a und V. 18.19 wie gesagt in engem Zusammenhang stehen. Kritisch ist freilich anzumerken, daß V. 18.19 meiner Meinung nach genauso redaktionell sind wie der Abschnitt 20-26. Außerdem ist für V. 26 als Abschluß der Entlarvungsszene das Motiv des Bissens konstitutiv. Da dieses Motiv in 27a ebenfalls auftritt, können V. 26 und 27a nicht voneinander getrennt werden. SCHNACKENBURG bemerkt in seiner Kritik an THYEN zu Recht, daß dessen Lösung nur akzeptiert werden kann, wenn aus 27a und 30a die Erwähnung des Bissens gestrichen wird.[2]

Diesen Weg hat LANGBRANDTNER auch tatsächlich beschritten, um THYENs These zu retten.[3] Dies ist aber ein Irrweg, weil nunmal für literarkritische Operationen in 27a und V. 30 jede Handhabe fehlt. Solch gewagte Manöver sind auch gar nicht nötig, wenn akzeptiert wird, daß 2b.2c und 27a zusammengehören.

BECKER schlägt vor, den Abschnitt 13,23-25 herauszunehmen.[4] Es ist jedoch schwierig, seine These vom 'interpretatorischen' Charakter dieser Verse, der sie 'ohne Zweifel' von ihrem Kontext abhebe, intersubjektiv nachzuvollziehen. BECKERs Probleme rühren daher, daß er 13,23-25 inhaltlich nicht mit der Tendenz der Verräterszene zur Deckung bringen kann: Während die Mahlszene die schrittweise Entlarvung des Verräters beinhalte, werde in 23-25 der geliebte Jünger "als Autorität des joh Gemeindeverbandes für wahre Jesustradition aufgebaut."[5] Diese merkwürdige

---

1) Vgl. THYEN 1971, 352.
2) Vgl. SCHNACKENBURG 1975, 14.
3) Vgl. LANGBRANDTNER 1977, 54 Anm. 4.
4) Vgl. BECKER 1979/81, 431-433. Ähnlich ROLOFF 1968/69, 133; LORENZEN 1971, 13-18, HAENCHEN 1980, 463-466.
5) BECKER 1979/81, 433.

Alternative resultiert wie gesagt aus einer bedenklichen Vorentscheidung. Hier wird der Kontext nicht als Quelle zur Bestimmung
der Funktion des Lieblingsjüngers anerkannt. Literarkritisch ist
sein Vorschlag eine Roßkur, die mehr schadet als nützt. Die Spannung zwischen der aus seiner Rekonstruktion resultierenden
völlig öffentlichen Verräterbezeichnung und V. 28.29 wäre nämlich gänzlich unerträglich - ganz abgesehen davon, daß V. 26
(Jesus antwortet) an V. 22 nicht anschließt, weil die Jünger nämlich nicht fragen. Das aber tut der geliebte Jünger in V. 25! Un-
beachtet bleibt bei BECKER auch die Korrelation zwischen 22c und
24c, die sich gegen eine Verteilung der entsprechenden Verse auf
verschiedene literarische Schichten ganz entschieden sperrt.
Die einzige Lösung, die dem literarkritischen Sachverhalt gerecht
wird, scheint also die zu sein, 21-30 (ausgenommen 27b-29) zur
redaktionellen Schicht zu schlagen.
Als Ergebnis der literarkritischen Textanalyse ist also festzuhalten:
Die redaktionelle Textschicht umfaßt 13,1.2b.2c.10e-27a.30, während zur verarbeiteten Textschicht 2a.3-10c.27b-29 gehören. Ob
freilich 27b-29 ursprünglich in einem literarischen Zusammenhang
mit 2a.3-10c standen (Grundschrift!), muß hier offenbleiben.

2.2.5.2 Der Beitrag der Literarkritik zur Interpreta-
        tion des Endtextes:
        Übernommene Textintentionen als Repertoire-
        elemente

Selbstverständlich ist ein nur fragmentarisch zugänglicher Text
nur bedingt interpretierbar, weil eben die Großstrukturen als wesentliche Determinanten für die Semantik der Einzelteile nicht
in die Analysearbeit einbezogen werden können.
Dieses Defizit ist freilich im Rahmen meiner Arbeit weniger
erheblich, als es zunächst scheinen mag. Es geht hier ja nicht
um die Interpretation einer angenommenen Grundschrift, sondern
um den redaktionellen Text. Im Rahmen der Repertoire-Forschung
genügt es aber völlig, die Fragmente zu untersuchen, die tatsächlich in den redaktionellen Endtext aufgenommen wurden. Sie bilden

den primären Bezugspunkt für den Endtext. Wenn ein Makrotext im
Sinne einer Grundschrift existierte, könnte natürlich auch die
Kenntnis des Gesamttextes pragmatisch präsupponiert sein. Eine
solche Präsupposition ist allerdings kaum nachweisbar und muß
deshalb außer acht bleiben. Es ist aber anzunehmen, daß wir mit
den jeweils übernommenen Texten das greifen können, was für die
Redaktion besonders wichtig war. Unter diesem Vorbehalt kann
jetzt eine Darstellung einiger thematischer Linien der Vorlage
folgen.

Das, worum es in Joh 13,2a.3-10c geht, braucht hier nicht ausführlich dargestellt zu werden, weil die entsprechenden Textintentionen bei der synchronen Textanalyse weitgehend erfaßt wurden. Es
genügt hier festzuhalten, daß es bei der Fußwaschung um eine Zeichenhandlung geht, die etwas abbildet, was 'völlige Reinheit',
Gemeinschaft mit Jesus gewährt. Die Fußwaschung ist hier also
Heilsbild; deswegen wird die Bewertung als Niedrigkeitsdienst abgewehrt. Es geht eben nicht um die Erniedrigung, sondern um die
Vermittlung von **umfassendem, endgültigem Heil**. Zu dieser Bedeutung
des Fußwaschungsaktes paßt die ausführliche Betonung der Hoheit
Jesu in V. 3: **Jesus, dem alle Macht gegeben ist und der sich
durch seinen Abstieg von und Aufstieg zu Gott als himmlisches We-
sen (Logos/Sophia) ausweist, kann Menschen in einen vollkommenen
Heilszustand versetzen.**

Wieso ausgerechnet die Fußwaschung als Bild der Heilsvermittlung
verwendet wird, ist freilich eine Frage, die sich aufdrängt,
schließlich wird damit die kulturell geläufige Sicht der Fußwaschung radikal negiert. Es gibt nun aber auch Fußwaschungsakte,
die als Heilsvermittlung interpretiert werden konnten. Zu denken
ist hier etwa an die priesterlichen Waschungen, die in einen Zustand kultischer Reinheit versetzen. Die verarbeitete Fußwaschungserzählung kann freilich nicht mit diesen Waschungen direkt
in Verbindung gebracht werden. Kultische Reinheit ist nicht mit
vollkommenem Heil gleichzusetzen. Allerdings sieht die Sache
dann anders aus, wenn es um allegorische Deutungen der entsprechenden alttestamentlichen Vorschriften geht. Solche Deutungen

lassen sich bei Philo dokumentieren.[1] Er kann die priesterlichen Waschungen von Händen und Füßen als Sinnbild des tugendhaften, makellosen Lebenswandels auslegen (VitMos II,138), womit er "sich ganz im Rahmen der Entwicklung der Spiritualisierung der jüd. Frömmigkeit u. der Ethisierung der kultischen Riten" hält.[2] In SpecLeg I, 207 wird das Waschen der Füße darüber hinaus symbolisch auf geistig-seelische Vorgänge übertragen. Hier steht weniger das Ethos im Vordergrund, es geht vor allem um die Soteriologie.[3] Die Fußwaschung wird zum Sinnbild für den Aufstieg der Psyche zu Gott. Es gilt, sich von der Erde zu lösen und hinaufzusteigen in himmlische Höhen, um bei Gott mit den Gestirnen zu wandeln.

Diese soteriologische Interpretation der Fußwaschung enthält einige Züge, die die johanneische Vorlage zu präsupponieren scheint.

Zunächst ist da die Tatsache, daß die Fußwaschung überhaupt als Bild soteriologischer Vorgänge verstanden werden kann. Sodann spielt der Aspekt der Niedrigkeit ebenfalls keine Rolle. Das liegt zum Teil daran, daß es bei Philo ja um Selbstwaschungen geht, die von dieser sozialen Bewertung ohnehin frei sind. Andererseits kann aber der Aspekt der Niedrigkeit auch keine Rolle spielen, wo es um Erlösung als Aufstieg geht. Die Tatsache, daß sich die philonische Allegorese auf Selbstwaschungen bezieht, muß kein Argument dagegen sein, Philo und Joh hier in Beziehung zu setzen. Es ist zu betonen, daß die Frage, wer wen wäscht, in SpecLeg I 207 keine große Rolle spielt. Der Unterschied ist aber ernst zu nehmen, wenn es um den bezeichneten Sachverhalt geht. Bei Philo steigt die 'Seele' (von selbst) in den Himmel auf, bei der johanneischen Erzählung dagegen wird das Heil von Jesus vermittelt.

---

1) Zur philonischen Fußwaschungsallegorese vgl. auch WEISS 1979, 304. Er mißversteht Philo freilich, wenn er den Aufstieg der 'Seele' mit dem Tod gleichsetzt. Die philonische Exegese ist sicher kein Argument dafür, daß die Fußwaschung das 'Sterbesakrament' der johanneischen Gemeinde war.
2) KÖTTING 1972, 758.
3) Daß sich Ethos und Soteriologie nicht ausschließen, sondern eng zusammenhängen, zeigt die Deutung der Bauchwaschung in SpecLeg I, 206.

Ein wichtiger Zug ist, daß das Heil bei Philo als etwas geistig-
seelisches verstanden wird. Die Psyche steigt nach oben. Auch
die johanneische Vorlage sieht das Heil im geistig-seelischen Bereich liegen. Anders ist die Gemeinschaft mit Jesus als vollkom-
mener Heilszustand nicht zu denken. Wenn wir von Philo her präsupponieren, daß es auch johanneisch bei der Erlösung um eine
Art geistig-seelischen Aufstieg in den Himmel geht, erhält die
Präsentation Jesu als ein Wesen, das von oben kommt und nach
oben geht eine zusätzliche Dimension: es geht in Joh 13,3 dann
nicht nur um die Hoheit Jesu. Seine himmlische Heimat ist vielmehr auch das, woran die Erlösten in Gemeinschaft mit ihm Anteil
erhalten. Wie die Erlösung konkret geschieht, sagt der Text
nicht. Es ist jedoch naheliegend, zu schließen, daß das Heil im
Glauben zuteil wird. Dieser Schluß wird sich später (E.4.4.) bestätigen.

Die Aussage der übernommenen Fußwaschungserzählung dürfte demnach
etwa folgende sein: **Die Fußwaschung Jesu an seinen Jüngern ist
kein Zeichen der Erniedrigung, sondern ist Bild für das göttlich-
himmlische Leben, an dem der Anteil gewinnt, der an Jesus glaubt.**
Wie geht nun die Redaktion mit dieser soteriologischen Aussage
um?

Auch für die Redaktion ist die Fußwaschung kein niedriger Dienst,
sondern ein soteriologisches Bild. Auch ihr geht es um die Vermittlung von Heil. Allerdings betont sie im Unterschied zur Vorlage energisch die Notwendigkeit der praktischen Umsetzung der
Erlösung. **Soteriologie wird pragmatisiert.** Damit freilich gelten
kann, daß die selig sind, die tun, was Jesus getan hat, muß eine
Änderung der christologisch-soteriologischen Basis stattfinden.
Solange Erlösung darin besteht, daß Jesus als göttliches Wesen
den Glaubenden Anteil am himmlischen Leben gewährt, ist eine Aufforderung zur Nachahmung ja unmöglich. Schließlich kann von den
Jüngern nicht verlangt werden, daß sie einander erlösen. Die Redaktion greift hier nun so ein, daß sie auf den Tod Jesu hinweist,
und diesen zugleich als Vollendung der Liebe deutet. Wird aber
Erlösung so verstanden, daß sie durch die Liebe bis in den Tod
sich vollzieht, so ist mit der Liebe eine Dimension eingeführt,
die eine paradigmatische Entfaltung auf Praxis hin ermöglicht.

Es geht bei der redaktionellen Betonung des Kreuzestodes also nicht um den Akzent der Niedrigkeit. Dagegen spricht ja schon die in 13,1c gewählte Formulierung 'hinübergehen'. Die Dimension des Todes hat in der christologischen-soteriologischen Aussage eine andere Funktion. Sie bindet einerseits den Erlösungsvorgang an ein konkretes geschichtliches Datum und öffnet ihn andererseits für eine Auslegung als Vorbild. Es kann also von einer Historisierung und Paradigmatisierung der christologisch-soteriologischen Tradition gesprochen werden.

Eine weitere Umakzentuierung durch die Redaktion darf nicht übersehen werden. Der neue Akzent ist durch die Umorientierung auf die Gesamtgruppe der Jünger (ab 10d) und besonders durch die Rede vom gegenseitigen Waschen (14b) ausgedrückt. Durch die rein geistige Dimension der Erlösung, wie sie die Vorlage versteht, hat der soteriologische Vorgang keine festzustellende Sozialdimension. Erlösung als Aufstieg der Seele in die himmlische Welt ist notwendig etwas Individuelles. Gegen diese Individualisierung wird von der Redaktion die soziale Dimension des Heils eingeklagt. Erlösung muß praktisch werden im Umgang der Erlösten miteinander. Soteriologie wird also sozialisiert.

Festzuhalten ist, daß die Redaktion in Joh 13 darauf verzichtet, eine futurische Komponente einzubringen. Das mag daran liegen, daß die Gegenwart des Heils in der in Joh 13 verarbeiteten Vorlage nicht explizit ausgeführt ist, aber auch daran, daß es ihr hier um die Regelung des gegenwärtigen Lebens der Erlösten geht.

2.2.5.3 Weitere Überlegungen zu Tradition und Redaktion in Joh 13,1-30

Die Tatsache, daß sich nicht mehr entscheiden läßt, ob 27b-29 mit 2a.3-10c zu einem Textganzen gehört, oder ob erst redaktionell ein Zusammenhang zwischen Fußwaschung und Verrat hergestellt wurde, wie auch die bloße Quantität des redaktionellen Textes machen eindringlich deutich, daß die Redaktion für die Gestaltung des Jetzttextes der Perikope verantwortlich zeichnet.

Es zeigt sich außerdem, daß die zweite, pragmatische Deutung der Fußwaschung als literarisch sekundär einzustufen ist. Dieses

Ergebnis widerspricht WELLHAUSENs Sicht, der die paränetische
Deutung 13,12 ff für die ältere hielt.[1] Ihm ist BULTMANN inso-
fern gefolgt, als er im Petrusgespräch eine Erweiterung seines
Evangelisten sieht, in 12 ff aber ein älteres Quellenstück.[2]
Dieser Chronologie ist entschieden zu widersprechen. Die zweite
Deutung der Fußwaschung setzt als Teil einer jüngeren Schicht
den Text der anderen Schicht voraus: V. 1 ist vorangestellte Dublette zu V. 3, V. 2b.2c ist in Angleichung an 2a angefügt,
10d.10e.11 setzt 10a-c voraus. Bei BOISMARD findet sich nun eine
Modifizierung der These WELLHAUSENs. Er erkennt in den beiden
Deutungen der Fußwaschung "deux traditions différentes et succes-
sives, qui ont été combinées ensuite pour former le texte actuel
de l'évangile."[3] Diese beiden Traditionen, von denen die 'mora-
lisierende' in 12 ff die ältere ist, "s'ignorent l'une l'autre:
elles ont été composées indépendamment l'une de l'autre."[4]
Diese Unabhängigkeit sieht BOISMARD so weit gehen, daß jede dieser beiden Deutungen ihre eigene Einleitungs- und Schlußwendung
besitzt: 13,1 und V. 17.18 rahmen die zweite Deutung, V.3 und
V.10.11 gehören zur ersteren.[5]
Diese Theorie widerspricht einfach den Ergebnissen der literarkritischen Analyse: 13,10d.11.18.19 gehören zur gleichen Schicht;
V. 4.5 sind von V. 6 ff nicht zu lösen. Außerdem wäre die Vorstellung von einer Redaktion, die sich in der Akkumulation hetero-
gener Traditionen erschöpft, nicht gerade überzeugend. Sicher
kann die erste Deutung der Fußwaschung für sich stehen, die zweite aber ist ebenso sicher in ihrer heutigen Formulierung von ihr
abhängig. Dies zeigt sich nicht nur an den Nahtstellen der beiden Schichten, sondern ebenso im 'Korpus' des redaktionellen Textes. So bezieht sich etwa der Herrentitel in 13a.14a auf die Anrede Petri in 6c.9b zurück. Anders gesagt: Die paradigmatische
Auswertung der Herrenstellung Jesu, die V. 13 ff vollziehen,

---

1) Vgl. WELLHAUSEN 1908, 59 f.
2) Vgl. BULTMANN 1941, 351 f.
3) BOISMARD 1964, 20.
4) BOISMARD 1964, 22.
5) Vgl. BOISMARD 1964, 22 f.

setzt die Betonung dieser Stellung in den Äußerungen des Petrus voraus. Darüber hinaus wird V. 7 redaktionell aufgegriffen. Mit 7c korreliert 12f und 15c, auf 7d.7e ist 12e rückbezogen. Schließlich ist auch 12a-c auf 4a.4b.5b bezogen.[1] Werden diese literarischen Bezüge zwischen den beiden Deutungen der Fußwaschung ernst genommen, so nötigen sie zu dem Schluß, daß die zweite nicht aus einem Quellenstück bestehen kann, das nur mit einer anderen Vorlage verbunden wurde. Es handelt sich vielmehr um einen jungen Text, der in seiner heutigen Formulierung eindeutig von der ersten Deutung abhängig ist. Diese Feststellung zwingt nicht dazu BOISMARDs These restlos aufzugeben; Differenzierung tut allerdings not.

Es besteht guter Grund, die zweite Deutung der Fußwaschung als die ursprüngliche anzusehen, und zwar deshalb, weil eben die Fußwaschung, sofern sie von einer Person an einer anderen vorgenommen wurde, im hellenistischen wie auch im jüdischen Kontext als erniedrigender Dienst verstanden wurde. Von daher drängt es sich geradezu auf, mit einer Erzählung, die den Herren der Christengemeinde in der Rolle des Dienenden zeigt, sofort eine paränetisch-paradigmatische Auswertung zu verbinden. Vom soziokulturellen Kontext des Fußwaschungsaktes her ist das die Sinngebung, die am ehesten zur Entstehung einer solchen Geschichte führen konnte. Dies gilt umso mehr als die Vorstellung, wie sie die erste Deutung zeigt, daß nämlich die Fußwaschung etwas mit völliger Reinheit und Anteilhabe zu tun habe, in den Bereich allegorisch gedeuteter kultischer Fußwaschungen weist. Dabei geht es aber immer um Selbstwaschungen. So ist DOBSCHÜTZ zuzustimmen, der feststellte, die Idee völliger Reinheit (V. 10) sei "ein Gedanke, der gewiß nicht zur ursprünglichen Symbolik der Fußwaschung gehört."[2]

Es gibt also durchaus Indizien, die die Behauptung zu stützen vermögen, die paradigmatische Deutung der Fußwaschung sei die ursprüngliche.

---

1) Vgl. die Beobachtungen zur literarischen Abhängigkeit der zweiten Deutung von der ersten bei BEUTLER 1976, 200 f.
2) DOBSCHÜTZ 1905, 6.

Diese Feststellung aber ist jedenfalls nur dann richtig, wenn
sie ganz strikt als eine traditionsgeschichtliche verstanden
wird. Literarkritisch nämlich sind die Verhältnisse gerade umgekehrt. Die zweite Deutung ist nicht nur ein sekundär in den
heutigen Kontext geratener alter Text, sondern **ist** in seiner
heutigen Gestalt ein sekundärer Text. SEGOVIA stellt treffend
fest: "The second explanation may indeed be an older tradition,
but not on the literary level."[1]

In der sekundären Schicht kommt also Tradition zum Zug, die
älter ist als die bearbeitete Vorlage. Allerdings läßt sich
diese ältere Tradition literarkritisch nicht mehr erfassen. Deswegen ist es auch wenig wahrscheinlich, daß die Tradition, die
hinter der Redaktion steht, schriftlich fixiert war. Dem gegenüber handelt es sich bei der Vorlage jedenfalls um einen schriftlich fixierten Text. Zu diesem Schluß nötigen, wie schon festgestellt, die komplexen literarkritischen Sachverhalte in 13,1-3.
Das gleiche gilt aber auch für 13,10.11.

Was den Bezug zum Makrotext angeht, so ist der Befund bei der
Vorlage negativ. Diese Schicht enthält keinerlei expositionelle
Angaben, die die Erzählung im Makrotext situieren, auch 2a hat
diese Funktion nicht. Das muß freilich nicht der ursprüngliche
Zustand gewesen sein, denn es ist immerhin denkbar, daß die Redaktion nicht nur additiv mit der Vorlage gearbeitet, sondern
auch Kürzungen vorgenommen hat. Für 3a läßt sich eine Streichung
guten Gewissens postulieren. Hier fehlt die explizite Erwähnung
des handelnden Subjekts. Diese findet sich in 1a (redaktionell)
und ist vermutlich vorgezogen worden. Wenn sich aber **eine** solche
Kürzung wahrscheinlich machen läßt, und sei sie auch so geringfügig wie in 3a, so ist die generelle Möglichkeit solcher Eingriffe
nicht von der Hand zu weisen.

Im Unterschied zur Vorlage enthält die redaktionelle Schicht
durchaus Angaben, die auf den Makrotext verweisen. Sowohl zu Beginn als auch am Ende des untersuchten Textabschnitts finden
sich entsprechende Rahmenbemerkungen.

---

1) SEGOVIA 1982a, 48 Anm. 474; vgl. auch SCHNACKENBURG 1975, 46;
   BEUTLER 1976, 200 und THYEN 1979a, 474.

So ordnet V. 1a durch den Hinweis auf das Paschafest das folgende
Geschehen zeitlich ein. Die gleiche Funktion hat die Zeitangabe
in 30c. Der Abgang des Judas, den 30b berichtet, schafft die
Personenkonstellation für Joh 14-17 und ist Voraussetzung für
die Aktivität des Verräters, die in 18,2.3 erzählt wird.
Einen Hinweis auf einen größeren Erzählrahmen enthält auch das
fragmentarische Stück 27b-29, und zwar in der Erwähnung eines
Festes in 29e. Diese Angabe läuft der in 1a in gewisser Weise
parallel und erklärt sich daraus, daß 27b-29 offensichtlich Rest
einer Verräterszene und damit eventuell Teil eines umfassenden
Passionsberichtes ist. Jedenfalls bezieht sich 29e auf einen
chronologischen Rahmen, in dem das (Pascha-)Fest eine Rolle
spielt. Zu schließen, dieser Rahmen sei mit der Passionschronologie des heutigen Joh identisch, wäre freilich voreilig. Die
möglichen Übereinstimmungen von 29e mit 1a allein erlauben diesen Schluß nicht.[1]
Jedenfalls kann in 29e mit seinem Verweis auf einen Makrotext
ein Indiz gesehen werden, daß die Annahme einer Grundschrift
nicht ganz aus der Luft gegriffen ist. 27b-29 könnte dann in dem
Sinne zu 2a.3-10c gehören, daß die Fußwaschungserzählung und das
Verratsfragment Teil desselben Makrotextes waren. Damit ist freilich nicht gesagt, daß in diesem Text die beiden Teile in einer
engeren Verbindung gestanden hätten.
Jedenfalls aber muß die Hypothese 'Grundschrift' weiter beachtet
werden.[2]
Für die Redaktion ist festzuhalten, daß sie es ist, die den Text
der Perikope 13,1-20 im Erzählrahmen des Makrotextes 'Johannesevangelium' verankert.
Nun zur Frage nach dem 'synoptischen Charakter' mancher Textstellen des untersuchten Abschnitts.
Da es im Text zwei (oder mehr) literarische Schichten gibt, kann
die Antwort auf die 'synoptische Frage' des Joh für jede Schicht

---

1) Entsprechende Indizien ergeben sich jedoch in Joh 19!
2) Dabei sollte allerdings schon von Joh 13 her klar sein, daß
   eine evtl. 'Grundschrift' als ganze nicht mehr rekonstruierbar
   ist. Vgl. THYEN 1977a, 267 Anm. 25.

anders ausfallen.

Entgegen der waghalsigen Behauptung SABBEs, die Fußwaschungsge-
schichte sei aus der lukanischen Fassung der Salbungserzählung
herausgesponnen,[1] wird in 13,2a.3-10c keine besondere Berührung
mit den Synoptikern zu sehen sein. Das gleiche gilt für den Abschnitt 27b-29.

Anders sieht es bei der redaktionellen Schicht aus. Hier gibt es
zweifellos Ähnlichkeiten mit synoptischen Texten. Ich meine hier
zunächst 13,16 und 13,20.

In V. 16 ist ein Einzelspruch aufgenommen, der auffallende Ähn-
lichkeit mit Mt 10,24 || Lk 6,40 hat. Dabei besteht mit Lk 6,40 kei-
ne wörtliche Übereinstimmung. Dort geht es um das Verhältnis von
Schüler und Lehrer. Größere Nähe besteht dagegen mit Mt 10,24.
Zum einen ist der Spruch dort ebenso wie in Joh 13,16 zweiglied-
rig gebaut. Außerdem stimmt 16c nahezu wörtlich mit Mt 10,24b
überein. Joh 13,16d hat in seiner Ausformulierung (ἀπόστολος /
πέμψαντος) keine wörtliche Parallele.

Auch Joh 13,20 enthält einen Spruch mit synoptischem Einschlag.
Da sind einmal Mk 9,37 || Mt 18,5 || Lk 9,48 und dann auch noch
Mt 10,40 || Lk 10,16 als Vergleichspunkte. Lk 10,16 spielt dabei
insofern eine Sonderrolle, als es bei diesem Spruch nicht um
Aufnahme geht, sondern um das Hören und - der Spruch ist zwei-
gliedrig - um die Ablehnung. Die anderen synoptischen Varianten
weisen relative Nähe zu Joh 13,20 auf. Sie verwenden jedoch alle
δέχομαι statt des johanneischen λαμβάνω; und wo vom Senden die
Rede ist, verwenden sie ἀποστέλλω und nicht πέμπω. Die größte
Ähnlichkeit zu Joh 13,20 zeigt aber - vorbehaltlich dieser Unterschiede in der Wortwahl - Mt 10,40. Allerdings sind dort direkt
die Jünger angeredet, während der johanneische Spruch unbestimmt
von einem Gesandten Jesu spricht.

Außer diesen recht deutlichen Synoptizismen sind weitere Ähnlichkeiten zu notieren. So etwa die zwischen Joh 13,17 und Lk 11,28
(LkS!). Zwar sind hier kaum wörtliche Übereinstimmungen zu finden,

---

1) Vgl. SABBE 1982, 302-307. In einer traditionsgeschichtlichen
   Variante findet sich diese These z.B. auch bei KLEIN 1976,
   170 f.

aber die auffällige Parallele liegt darin, daß hier wie dort ein Makarismus kohortativ eingesetzt wird. An beiden Stellen zielt die Seligpreisung auf die Tat. Was die zweite Deutung der Fußwaschung insgesamt angeht, so ist auf das Wort Lk 6,46 (|| Mt 7,21) hinzuweisen, wo ebenfalls christologisches Bekenntnis und ethische Verpflichtung gekoppelt werden. Die Behauptung, die Fußwaschungsgeschichte sei aus Lk 22,27 entwickelt,[1] leuchtet mir dagegen nicht ein. Mehr als eine gewisse Nähe vermag ich nicht festzustellen,[2] wobei noch zu beachten ist, daß für die zweite Deutung der Dienstcharakter gar nicht wichtig ist, es geht doch um Liebe.

Berührungen mit synoptischen Texten sind nun aber nicht nur in der Fußwaschungserzählung zu finden, sondern auch im Bereich der Verratsthematik.

So ist Joh 13,2b.2c mit Lk 22,3 insofern vergleichbar, als an beiden Stellen der Verräter schon vor Beginn des letzten Mahles als unter dem Einfluß des Teufels stehend gekennzeichnet wird. Lk 22,3 ist aber auch mit Joh 13,27a verwandt: beide Verse stimmen darin überein, daß sie den Satan in den Verräter einfahren lassen. Die Beobachtung, daß einerseits Lk mit dieser Bemerkung von Mk und Mt abweicht, und andererseits σατανᾶς im Joh Hapaxheuriskomenon ist, verleiht der Übereinstimmung der beiden Verse zusätzliches Gewicht.

Für Joh 13,21d-f ist noch anzumerken, daß sich diese Bemerkung nahezu wörtlich in Mk 14,18 wiederfindet.

Für die Verratsszene 13,21 ff als ganze hat THYEN die Ansicht vertreten, sie stehe insofern unter dem Einfluß der synoptischen Abendmahlsberichte, als sie Züge eines Paschamahls enthielte. Er nimmt damit eine These WELLHAUSENs auf, der feststellte: "Jesus und die Jünger sind hier noch beim Mahl und zwar beim Paschamahl, d. h. beim synoptischen Abendmahl."[3] Während jedoch WELLHAUSEN

---

1) Vgl. WENDLAND 1912, 303; BULTMANN 1967, 49; BARRETT 1978, 436; SABBE 1982, 295-297; eine entsprechende Andeutung findet sich auch bei HEITMÜLLER 1918, 144. KLEINKNECHT 1985, 375 bezeichnet Joh 13,4 ff als eine "narrative Entfaltung" des Lk-Textes.
2) Ich teile hier die Skepsis von SCHNACKENBURG, 1975, 46 f.
3) WELLHAUSEN 1908, 60.

seine Behauptung nicht durch Einzelbeobachtungen belegt, führt
THYEN das Liegen der Mahlteilnehmer und das Darreichen des Bissens an.[1] Gegen das zweite Argument ist sofort einzuwenden, daß
die Erwähnung des Bissens keineswegs vom Fruchtmus und den Bitter-
kräutern des Paschamahls her verstanden werden muß.[2] Und auch
wenn das Liegen beim Paschamahl vorgeschrieben war, so war es
doch nicht auf dieses beschränkt. Das verdeutlicht übrigens auch
die johanneische Verwendung sowohl von ἀναπίπτω (13,12.25) wie
auch von ἀνάκειμαι (13,23.28). Das zweite Verb wird auch in Joh
6,11 und 12,2 verwendet und zwar ohne daß die Mahlzeiten, auf
die Bezug genommen wird, als Paschamähler erkennbar wären. Das
gleiche gilt für ἀναπίπτω in 6,10.[3] Was den Gebrauch bei den Synoptikern angeht, so werden die beiden Verben auch dort keineswegs nur für das Liegen beim Paschamahl gebraucht.[4] Außerdem
zeigte die literarkritische Analyse, daß Joh 13,1 und 13,21 ff
derselben Schicht angehören. Die Zeitangabe in 13,1a schließt
aber eindeutig aus, daß das nachfolgende Mahl als Paschamahl zu
verstehen sei. Zwingende Hinweise, die etwa eine Korrektur der
Zuordnung von V. 1 erforderten, vermag ich in der Verräterszene
nicht zu erkennen. Jesus ist hier zwar wie bei den Synoptikern
bei seinem letzten Mahl, hier wie dort geht es um den Verräter -
diese Gemeinsamkeiten sollen nicht bestritten werden; ebenso unbestreitbar ist allerdings, daß Jesus in Joh 13 mit seinen Jüngern
das Pascha nicht feiert.

Was schließlich das **Verhältnis zu 1 Joh** angeht, so ist eine
besondere Nähe zum Brief ein Merkmal der Redaktion. Da die Mahnung
zur gegenseitigen Liebe, die sich die Redaktion in Joh 13 zum

---

1) Vgl. THYEN 1977a, 279; ders. 1971, 353.
2) Vgl. SCHNACKENBURG 1975, 42.
3) Joh 21,20 wurde nicht übersehen, muß aber hier außer acht
   bleiben, da es dort um dasselbe Mahl wie in Joh 13 geht.
4) Vgl.
   ἀνάκειμαι: Mt 9,10; 22,10.11; 26,7 - Pascha: 26,20
              Mk 6,26   - Pascha: 14,18
              Lk 22,27
   ἀναπίπτω;   Mt 15,35
              Mk 6,40; 8,6
              Lk 11,37; 14,10; 17,1   - Pascha: 22,14.

Thema macht, auch eines der Hauptanliegen von 1 Joh ist, erübrigen sich hier Einzelbelege. Besonders 1 Joh 3.4 sind voll von entsprechenden Aufforderungen. Hervorgehoben sollte allerdings 1 Joh 3,18 werden, weil dort besonders deutlich wird, daß 1 Joh genau wie die Redaktion einen besonderen Akzent auf die Liebespraxis im Unterschied etwa zu einer bloßen **Haltungs**liebe legt.

Zusammenfassend läßt sich sagen:

Ein Charakteristikum der Redaktion ist die besondere **Nähe zu synoptischen Texten.** Ob diese Ähnlichkeiten mit der Annahme einer Kenntnis synoptischer Evangelien zu erklären sind, mag hier noch offenbleiben. Wichtig ist, daß die in Joh 13 verarbeitete johanneische Tradition solche Synoptizismen nicht aufweist. In der Redaktion kommt eine **Traditionsstufe** neu zum Zug, die älter ist, als die bearbeitete Textschicht. Traditionsgeschichtlich stehen Tradition und Redaktion im umgekehrten Verhältnis wie literarisch. Zu beachten ist aber, daß die Redaktion nicht einfach zu älteren Konzepten zurückkehrt, sondern synthetisch arbeitet. Sie macht die Fußwaschung nicht wieder zu einem Zeichen der freiwilligen Erniedrigung, sondern setzt den Interpretationsstand der Vorlage voraus. Die redaktionelle Schicht ist es, die durch entsprechende Informationen Bezüge zum Makrotext herstellt. Allerdings gibt es auch in dem Fragment 13,27b-29 Hinweise auf einen narrativen Rahmen. Die Hypothese 'Grundschrift' ist deshalb im Auge zu behalten. Abschließend sei noch einmal betont, daß die sekundäre Textschicht wirklich eine redaktionelle ist. Sie ist nicht bloße Kompilation, sondern trägt die Verantwortung für die heutige Gestalt der Perikope. SCHNACKENBURGs Urteil, die Redaktion mache in 13,1-30 wie "im allgemeinen nur kleinere Zusätze"[1], trifft also den Sachverhalt nicht, und ist - selbst als bloß quantitative Feststellung - umso erstaunlicher, als auch nach seiner Analyse nahezu die Hälfte des Textes der redaktionellen Schicht angehört. Es **handelt sich zwar theologisch um eine konservative Redaktion,** literarisch ist sie dagegen innovativ und **produktiv.**

---

1) SCHNACKENBURG 1975, 15.

Exkurs: Die Brotrede und der Verräter (Joh 6,26-71)

Vorbemerkung

Da der zu analysierende Text nicht nur sehr lang ist, sondern auch nicht zu den Basistexten der Lieblingsjünger-Frage gehört, werde ich es mir leisten, die Textbeschreibung nicht so extensiv durchzuführen wie bei den anderen Analysen. So entfällt ein großer Teil der synchronen Textbetrachtung. Ich werde freilich den literarkritischen Arbeitsgang so durchführen, daß möglichst deutlich wird, wie er auf der Kohärenzanalyse beruht. Auch bei der Interpretation werde ich mich bemühen, der synchronen Grundorientierung treu zu bleiben. Tradition und Redaktion werden nicht einfach voneinander getrennt oder zueinander in Opposition gestellt. Vielmehr wird Redaktion als Arbeit mit Tradition begriffen.

E 1. Begründung der Textabgrenzung

V.22 setzt mit einer Zeitangabe ein, die von ihrer Semantik her zugleich einen Rückverweis auf Vorhergehendes enthält. Mit der Menge wird eine neue Personengruppe eingeführt und es wechselt mit V.22 der Schauplatz. V.22-25 legen Ort, Zeit und Personen fest und haben so expositionelle Funktion. Andererseits sind sie thematisch eher auf das Vorhergehende, denn auf das Folgende bezogen. So bezieht sich V.23 auf 6,11, sind V.24.25 von 6,16-21 her zu verstehen. Wir können also zwischen V.25 und V.26 den Einschnitt vornehmen, der die Brotrede vom Vorhergehenden abtrennt.[1] Dieser Trennung entspricht auch die Tatsache, daß Jesu Antwort in 26a nicht auf die Frage von V.25 eingeht.

Was das Ende des Teiltextes angeht, so ist der Neueinsatz so deutlich, daß sich eine genaue Begründung erübrigt. Es genügt, auf die expositionellen Angaben in 7,1-3 hinzuweisen:
Ort (7,1), Zeit (7,2) und handelnde Personen (7,1.3).

---

1) Vgl. SCHENKE 1980, 25.

E 2. Textauflistung

Joh 6,

26a Ἀπεκρίθη αὐτοῖς ὁ Ἰησοῦς

  b καὶ εἶπεν·

  c ἀμὴν ἀμὴν

  d λέγω ὑμῖν,

  e ζητεῖτέ με

  f οὐχ ὅτι εἴδετε σημεῖα,

  g ἀλλ' ὅτι ἐφάγετε ἐκ τῶν ἄρτων

  h καὶ ἐχορτάσθητε.

27a ἐργάζεσθε μὴ τὴν βρῶσιν τὴν ἀπολλυμένην

  b ἀλλὰ τὴν βρῶσιν τὴν μένουσαν εἰς ζωὴν αἰώνιον,

  c ἣν ὁ υἱὸς τοῦ ἀνθρώπου ὑμῖν δώσει·

  d τοῦτον γὰρ ὁ πατὴρ ἐσφράγισεν ὁ θεός.

28a εἶπον οὖν πρὸς αὐτόν·

  b τί ποιῶμεν

  c ἵνα ἐργαζώμεθα τὰ ἔργα τοῦ θεοῦ;

29a ἀπεκρίθη |ὁ|Ἰησοῦς

  b καὶ εἶπεν αὐτοῖς·

  c τοῦτό ἐστιν τὸ ἔργον τοῦ θεοῦ,

  d ἵνα πιστεύητε εἰς ὃν

  e (ὃν) ἀπέστειλεν ἐκεῖνος.

30a εἶπον οὖν αὐτῷ·

  b τί οὖν ποιεῖς σὺ σημεῖον,

  c ἵνα ἴδωμεν

  d καὶ πιστεύσωμέν σοι;

  e τί ἐργάζῃ;

31a οἱ πατέρες ἡμῶν τὸ μάννα ἔφαγον ἐν τῇ ἐρήμῳ,

  b καθώς ἐστιν γεγραμμένον·

  c ἄρτον ἐκ τοῦ οὐρανοῦ ἔδωκεν αὐτοῖς φαγεῖν.

32a εἶπεν οὖν αὐτοῖς ὁ Ἰησοῦς·

  b ἀμὴν ἀμὴν

  c λέγω ὑμῖν,

  d οὐ Μωϋσῆς δέδωκεν ὑμῖν τὸν ἄρτον ἐκ τοῦ οὐρανοῦ,

  e ἀλλ' ὁ πατήρ μου δίδωσιν ὑμῖν τὸν ἄρτον ἐκ τοῦ
    οὐρανοῦ τὸν ἀληθινόν·

33a ὁ γὰρ ἄρτος τοῦ θεοῦ ἐστιν

 b ὁ καταβαίνων ἐκ τοῦ οὐρανοῦ

 c καὶ ζωὴν διδοὺς τῷ κόσμῳ.

34a εἶπον οὖν πρὸς αὐτόν·

 b κύριε,

 c πάντοτε δὸς ὑμῖν τὸν ἄρτον τοῦτον.

35a εἶπεν αὐτοῖς ὁ Ἰησοῦς·

 b ἐγώ εἰμι ὁ ἄρτος τῆς ζωῆς·

 c ὁ ἐρχόμενος πρὸς ἐμὲ οὐ μὴ πεινάσῃ,

 d καὶ ὁ πιστεύων εἰς ἐμὲ οὐ μὴ διψήσει πώποτε.

36a ᾿αλλ᾿ εἶπον ὑμῖν

 b ὅτι καὶ ἑωράκατέ|με|

 c καὶ οὐ πιστεύετε.

37a πᾶν |b| πρὸς ἐμὲ ἥξει,

 b ὁ δίδωσίν μοι ὁ πατὴρ

 c καὶ τὸν ἐρχόμενον πρὸς ἐμὲ οὐ μὴ ἐκβάλω ἔξω,

38a ὅτι καταβέβηκα ἀπὸ τοῦ οὐρανοῦ

 b οὐχ ἵνα ποιῶ τὸ θέλημα τὸ ἐμὸν

 c ἀλλὰ τὸ θέλημα τοῦ πέμψαντός με.

39a τοῦτο δέ ἐστιν τὸ θέλημα τοῦ πέμψαντός με,

 b ἵνα πᾶν |c| μὴ ἀπολέσω ἐξ αὐτοῦ,

 c ὁ δέδωκέν μοι

 d ἀλλὰ ἀναστήσω αὐτὸ |ἐν| τῇ ἐσχάτῃ ἡμέρᾳ.

40a τοῦτο γάρ ἐστιν τὸ θέλημα τοῦ πατρός μου,

 b ἵνα πᾶς |c+d| ἔχῃ ζωὴν αἰώνιον,

 c ὁ θεωρῶν τὸν υἱὸν

 d καὶ πιστεύων εἰς αὐτὸν

 e καὶ ἀναστήσω αὐτὸν ἐγὼ|ἐν| τῇ ἐσχάτῃ ἡμέρᾳ.

41a ἐγόγγυζον οὖν οἱ Ἰουδαῖοι περὶ αὐτοῦ

 b ὅτι εἶπεν·

 c ἐγώ εἰμι ὁ ἄρτος ὁ καταβὰς ἐκ τοῦ οὐρανοῦ,

42a καὶ ἔλεγον·

 b οὐχ οὗτός ἐστιν Ἰησοῦς ὁ υἱὸς Ἰωσήφ,

 c οὗ ἡμεῖς οἴδαμεν τὸν πατέρα καὶ τὴν μητέρα;

 d πῶς νῦν λέγει

42e ὅτι ἐκ τοῦ οὐρανοῦ καταβέβηκα;

43a ἀπεκρίθη Ἰησοῦς

  b καὶ εἶπεν αὐτοῖς·

  c μὴ γογγύζετε μετ'ἀλλήλων.

44a οὐδεὶς δύναται ἐλθεῖν πρός με

  b ἐάν μὴ ὁ πατὴρ |c| ἑλκύσῃ αὐτόν,

  c ὁ πέμψας με

  d κἀγὼ ἀναστήσω αὐτὸν ἐν τῇ ἐσχάτῃ ἡμέρᾳ.

45a ἔστιν γεγραμμένον ἐν τοῖς προφήταις·

  b καὶ ἔσονται πάντες διδακτοὶ θεοῦ·

  c πᾶς |d+e| ἔρχεται πρὸς ἐμέ.

  d ὁ ἀκούσας παρὰ τοῦ πατρὸς

  e καὶ μαθὼν

46a οὐχ ὅτι τὸν πατέρα ἑώρακέν τις εἰ μὴ ὁ ὢν
παρὰ τοῦ θεοῦ,

  b οὗτος ἑώρακεν τὸν πατέρα.

47a ἀμὴν ἀμὴν

  b λέγω ὑμῖν,

  c ὁ πιστεύων ἔχει ζωὴν αἰώνιον.

48 ἐγώ εἰμι ὁ ἄρτος τῆς ζωῆς.

49a οἱ πατέρες ὑμῶν ἔφαγον ἐν τῇ ἐρήμῳ τὸ μάννα

  b καὶ ἀπέθανον

50a οὗτός ἐστιν ὁ ἄρτος ὁ ἐκ τοῦ οὐρανοῦ καταβαίνων,

  b ἵνα τις ἐξ αὐτοῦ φάγῃ

  c καὶ μὴ ἀποθάνῃ.

51a ἐγώ εἰμι ὁ ἄρτος ὁ ζῶν

  b ὁ ἐκ τοῦ οὐρανοῦ καταβάς·

  c ἐάν τις φάγῃ ἐκ τούτου τοῦ ἄρτου

  d ζήσει εἰς τὸν αἰῶνα,

  e καὶ ὁ ἄρτος δὲ |f| ἡ σάρξ μού ἐστιν ὑπὲρ
τῆς τοῦ κόσμου ζωῆς.

  f ὃν ἐγὼ δώσω

52a ἐμάχοντο οὖν πρὸς ἀλλήλους οἱ Ἰουδαῖοι λέγοντες·

  b πῶς δύναται οὗτος ἡμῖν δοῦναι τὴν σάρκα |αὐτοῦ|
φαγεῖν;

53a εἶπεν οὖν αὐτοῖς ὁ Ἰησοῦς·

  b ἀμὴν ἀμὴν

  c λέγω ὑμῖν,

  d ἐὰν μὴ φάγητε τὴν σάρκα τοῦ υἱοῦ τοῦ ἀνθρώπου

  e καὶ πίητε αὐτοῦ τὸ αἷμα,

  f οὐκ ἔχετε ζωὴν ἐν ἑαυτοῖς.

54a ὁ τρώγων μου τὴν σάρκα

  b καὶ πίνων μου τὸ αἷμα

  c ἔχει ζωὴν αἰώνιον,

  d κἀγὼ ἀναστήσω αὐτόν τῇ ἐσχάτῃ ἡμέρᾳ.

55a ἡ γὰρ σάρξ μου ἀληθής ἐστιν βρῶσις,

  b καὶ τὸ αἷμά μου ἀληθής ἐστιν πόσις.

56a ὁ τρώγων μου τὴν σάρκα

  b καὶ πίνων μου τὸ αἷμα

  c ἐν ἐμοι μένει

  d κἀγὼ ἐν αὐτῷ.

57a καθὼς ἀπέστειλέν με ὁ ζῶν πατὴρ

  b κἀγὼ ζῶ διὰ τὸν πατέρα,

  c καὶ ὁ τρώγων με

  d κἀκεῖνος ζήσει δι' ἐμέ.

58a οὗτός ἐστιν ὁ ἄρτος

  b ὁ ἐξ οὐρανοῦ καταβάς,

  c οὐ καθὼς ἔφαγον οἱ πατέρες

  d καὶ ἀπέθανον·

  e ὁ τρώγων τοῦτον τὸν ἄρτον

  f ζήσει εἰς τὸν αἰῶνα.

59 ταῦτα εἶπεν ἐν συναγωγῇ διδάσκων ἐν Καφαρναούμ.

60a πολλοὶ οὖν ἀκούσαντες ἐκ τῶν μαθητῶν αὐτοῦ εἶπαν·

  b σκληρός ἐστιν ὁ λόγος οὗτος·

  c τίς δύναται αὐτοῦ ἀκούειν;

61a εἰδὼς δὲ ὁ Ἰησοῦς ἐν ἑαυτῷ

  b ὅτι γογγύζουσιν περὶ τούτου οἱ μαθηταὶ αὐτοῦ

  c εἶπεν αὐτοῖς·

  d τοῦτο ὑμᾶς σκανδαλίζει;

62a ἐὰν οὖν θεωρῆτε τὸν υἱὸν τοῦ ἀνθρώπου ἀναβαίνοντα

62b ὅπου ἦν τὸ πρότερον;

63a τὸ πνεῦμά ἐστιν τὸ ζωοποιοῦν,

  b ἡ σὰρξ οὐκ ὠφελεῖ οὐδέν·

  c τὰ ῥήματα |d| πνεῦμά ἐστιν

  d ἃ ἐγὼ λελάληκα ὑμῖν ,

  e καὶ ζωή ἐστιν.

64a ἀλλ' εἰσὶν ἐξ ὑμῶν τινες

  b οἳ οὐ πιστεύουσιν.

  c ᾔδει γὰρ ἐξ ἀρχῆς ὁ Ἰησοῦς

  d τίνες εἰσὶν οἱ μὴ πιστεύοντες

  e καὶ τίς ἐστιν ὁ παραδώσων αὐτόν.

65a καὶ ἔλεγεν·

  b διὰ τοῦτο εἴρηκα ὑμῖν

  c ὅτι οὐδεὶς δύναται ἐλθεῖν πρός με

  d ἐάν μὴ δεδομένον αὐτῷ ἐκ τοῦ πατρός.

66a ἐκ τούτου πολλοὶ |ἐκ| τῶν μαθητῶν αὐτοῦ
   ἀπῆλθον εἰς τὰ ὀπίσω

  b καὶ οὐκέτι μετ' αὐτοῦ περιεπάτουν.

67a εἶπεν οὖν ὁ Ἰησοῦς τοῖς δώδεκα·

  b μὴ καὶ ὑμεῖς θέλετε ὑπάγειν;

68a ἀπεκρίθη αὐτῷ Σίμων Πέτρος·

  b κύριε,

  c πρὸς τίνα ἀπελευσόμεθα;

  d ῥήματα ζωῆς αἰωνίου ἔχεις,

69a καὶ ἡμεῖς πεπιστεύκαμεν

  b καὶ ἐγνώκαμεν

  c ὅτι σὺ εἶ ὁ ἅγιος τοῦ θεοῦ.

70a ἀπεκρίθη αὐτοῖς ὁ Ἰησοῦς·

  b οὐκ ἐγὼ ὑμᾶς τοὺς δώδεκα ἐξελεξάμην;

  c καὶ ἐξ ὑμῶν εἷς διάβολός ἐστιν.

71a ἔλεγεν δὲ τὸν Ἰούδαν Σίμωνος Ἰσκαριώτου·

  b οὗτος γὰρ ἔμελλεν παραδιδόναι αὐτόν,

  c εἷς ἐκ τῶν δώδεκα.

E 3. Literarkritik

Nach dem Urteil Georg RICHTERs "kann man die sekundäre Herkunft
der eucharistischen Rede nicht mehr als bloße Hypothese oder als
These bezeichnen, sondern muß sie als ein Faktum anerkennen."[1]
Zwar ist RICHTER mit dieser Einschätzung des 'eucharistischen'
Teils der Brotrede Sproß einer langen Ahnenreihe von Forschern[2],
doch kann nach einem Blick auf den Forschungsstand nur schwer be-
hauptet werden, seine Meinung spiegele etwa einen Konsens der
Forschung wider. ROBERGE macht in seinem Literaturüberblick zu
Joh 6 vielmehr deutlich, daß die literarkritische Frage der
Brotrede eine Streitfrage geblieben ist.[3] Der Überfülle der Li-
teratur zum Trotz ist es also nicht Luxus, sondern Notwendigkeit,
das Problem erneut anzugehen.
Die erste Spannung ist zwischen V. 27 und V. 28 feststellbar.[4]
28c verwendet zwar wie 27a ἐργάζομαι (Lexemrekurrenz), allerdings

---

1) RICHTER 1977, 115. RICHTER interpretiert übrigens ab 6,51e
   'eucharistisch' (vgl. a.a.O. 91).
2) Schon SPITTA 1893, 216-221 sah in 6,51 eine sekundäre Erweite-
   rung beginnen. Vgl. ders. 1910, 156;
   DOBSCHÜTZ 1905, 16-19; ders. 1929, 163.
   SCHWARTZ 1907, 363 Anm. 2 erklärt "die ganze Identification
   des Lebensbrodes mit der Eucharistie für secundär".
   Vgl. weiter ANDERSEN 1908, 163 f;
   LEPSIUS 1908, 555; WELLHAUSEN 1908, 32 f;
   BOUSSET 1909, 60 f; ders. 1912, 616;
   VÖLTER 1910, 475 f; MERX 1911, 136.138;
   THOMPSON 1916; FAURE 1922, 114 Anm. 3. 120;
   CARPENTER 1927, 428; SCHWEIZER 1939, 155-157;
   BULTMANN 1941, 161 f.174-176;
   JEREMIAS 1941, 44.46;
   LOHSE 1955; 127.191 Anm. 3; ders. 1961, 118-120;
   BORNKAMM 1968; ders. 1971; KÖSTER 1957, 62;
   WILKENS 1958a (Redaktion durch den 'Evangelisten' selbst!);
   TEMPLE 1961, 223.229 f; BROWN 1965, 87 ("Johannine interpola-
   tion"); ders. 1966/70; 285 f; HAHN 1967, 343 f;
   HEISE 1967, 92 f;
   KIEFFER 1968, 143.154.162.164 ("une couche littéraire diffé-
   rente").
3) Vgl. ROBERGE 1982.
4) BULTMANN 1941, 163 Anm. 3. 166 Anm. 10 erwägt, 27b.27c abzu-
   trennen. Hierfür liegt kein Grund vor. Auch gegen RICHTER 1977,
   105 Anm. 5. 112; LANGBRANDTNER 1977, 10; THYEN 1978, 349.
   Richtig gesehen ist aber, daß 27b.27c nicht zu V. 28 paßt. Das

mit einer deutlichen semantischen Verschiebung, die auch literarkritisch ernstgenommen werden muß.[1] V. 28 und V. 27 sind zu
trennen. V. 29 ist ohne problematische Auffälligkeiten. Anders
verhält es sich mit V.30. In 30e erscheint die zweite mit τί
eingeleitete Frage, die eine Dublette zu 30b-d ist.[2] Werden die
beiden Fragen voneinander getrennt, so ist zu berücksichtigen,
daß 30b-d sich deutlich auf 26e-h zurückbezieht. Dort sagt Jesus
den Leuten, daß sie kein Zeichen gesehen haben, obwohl sie die
Brote des Wunders gegessen haben. Dazu paßt, daß sie jetzt ein
Zeichen fordern. 30b-d kann so aus V. 30 gelöst und als mit
26.27 zusammengehörig betrachtet werden, während 30a.30e wohl der
Schicht von V. 28.29 angehört. Hier wird auch schon deutlich,
daß die Schicht, der 30b-d angehört, literarisch sekundär ist,
denn 30b-d ist deutlich erkennbar eine Hinzufügung zu 30a.30e.
V. 31 knüpft an 30e an und zeigt keine Spannung zum unmittelbaren
Kontext. An der Zusammengehörigkeit von V. 31 und V. 32 zu zwei-
feln, besteht ebenfalls kein Anlaß. Allerdings steht V. 32 im Widerspruch zu V. 27.[3] Während nämlich V. 27 den **Menschensohn** als
Subjekt des Gebens beschreibt, hat in V. 32 diese Funktion der
Vater inne.[4] Auch wäre von V. 27 her zu erwarten, daß V. 32 den
Kontrast zwischen dem **vergänglichen** Brot (des Wunders) und dem
unvergänglichen Brot des Lebens aufgreift. Statt dessen findet
sich ein Kontrast zwischen dem Himmelsbrot des Vaters und dem
Manna des Moses.[5]
V. 33 formuliert ἄρτος τοῦ θεοῦ und vermeidet damit, einen Geber
des Brotes präzis zu nennen. Auffällig ist die Rede vom Leben
für den Kosmos, die in enger Verbindung mit V. 51 steht.[6] Nun
steht aber 51e mit seiner Identifizierung des Himmelsbrotes als

---

tut 27a aber auch nicht, weswegen der **ganze** Vers zu V. 28 in
Spannung steht.
1) Vgl. WELLHAUSEN 1908, 30 f; SPITTA 1910, 146; BULTMANN 1941,
162 Anm. 8; WILKENS 1958b, 95.
2) Vgl. BUSSE 1981, 141.
3) Vgl. SCHWARTZ 1907, 363 Anm. 2.
4) Vgl. BECKER 1979/81, 204.
5) Vgl. THOMPSON 1916, 338.
6) Vgl. SCHÜRMANN 1970, 160.

Fleisch Jesu in gewisser Spannung zu der Identifizierung, die 35b
vornimmt: 'ἐγώ εἰμι ὁ ἄρτος τῆς ζωῆς'. Diese Beobachtung allein
wäre noch kein literarkritisches Indiz, weil die σάρξ Jesu
immerhin noch als ein Aspekt seines ἐγώ aufgefaßt werden kann.
Hinzu kommt allerdings, daß 51f (wie 27b) V. 32 darin widerspricht, daß er Jesus und nicht den Vater mit der Funktion des
Gebens betraut.[1] Es legt sich deshalb nahe, V. 51 zu der sekundären Schicht von 26.27.30b-d zu rechnen und V. 33 aufgrund seiner engen Beziehung zu V. 51 ebenfalls.[2] Diese Zuordnung bestätigt sich, wenn man sieht, daß V. 33 auch eine andere Fragestellung hat als V. 32. Während es dort um den **Geber** des Himmelsbrotes ging (Moses oder der Vater?), geht es hier um eine nähere
Qualifizierung des Gottesbrotes. Zu dieser Ausrichtung auf Qualifizierung paßt V. 34 mit seiner Bitte um **dieses** Brot. Entsprechend
wird auch wie in V. 27 Jesus als Spender des Brotes vorausgesetzt.[3] V. 34 gehört also mit V. 33 zur redaktionellen Schicht.
V. 35 führt V. 32 weiter: nicht Moses sondern der Vater ist der
Geber des Himmelsbrotes, und dieses Brot ist Jesus. V. 35a ist
allerdings redaktionell. Er ist nämlich sinnlos, wenn V. 33.34
abgetrennt werden und V. 35 mit V. 32 zusammengehört. Diese Äußerungseinheit wurde erst bei der Einführung von V. 33.34 nötig,
weil nach der Äußerung der Menge nun wieder Jesus reden mußte.
Hier zeigt sich erneut, wie in einen vorgegebenen Textzusammenhang
eingegriffen wird, und sich die betreffende Textschicht so als
sekundär erweist.
Die Verbkombination ἑωράκατε - πιστεύετε in V. 36 verweist auf
30c.30d zurück. Außerdem leuchtet der adversative Anschluß an
35d nicht recht ein.[4] V. 36 könnte also mit 30b-d in Verbindung
gebracht und der redaktionellen Schicht zugewiesen werden. Dagegen spräche allerdings die Tatsache, daß sich das Sehen in 30c
(wie in 26f) auf ein Zeichen richtet, in 36b offensichtlich auf
Jesus.[5]

---

1) Zur Beziehung zwischen V. 27 und V. 51 vgl. BECKER 1979/81,
   204; GOURGUES 1981, 518.
2) Vgl. BUSSE 1981, 141.
3) Vgl. WELLHAUSEN 1908, 30; GOURGUES 1981, 518.
4) Vgl. WILKENS 1958b, 97.
5) Zur unsicheren Textüberlieferung vgl. SCHNACKENBURG, 1971b, 71.

Außerdem bleibt festzuhalten, daß V. 37 das Thema 'Kommen zu Jesu', das 35c ins Spiel bringt, weiterführt (37b.37c)[1]. Da 35d parallel zu 35c gebaut ist, und πιστεύω dabei die Stelle von ἔρχομαι einnimmt, liegt es nahe, die beiden Begriffe zu identifizieren. Dann aber hat auch die Glaubensthematik von V. 36 - unbeschadet ihrer negativen Wendung - ihren Bezug zu V. 35 und zu V. 37 und damit ihre Verankerung im Kontext. Von daher ließe sich eine Zuordnung zu 35b-d und damit zur primären Schicht (=6,28.29.30a.30e.31.32.35b-d) durchaus vertreten, wenn dem nicht doch 36a entgegenstünde. Diese Äußerungseinheit macht V. 36 zu einem Rückverweis, der nicht verifiziert werden kann, sondern ins Ungewisse zielt.[2] Ich möchte deshalb die Zuordnung von V. 36 zur redaktionellen Schicht vertreten.[3]

Die Beziehung von V. 37 zu V. 35 wurde schon beschrieben; der Vers gehört also zur primären Textschicht. Dies gilt auch von V. 38, der sich von V. 37 nicht abtrennen läßt.

V. 39 und V. 40 stehen in Spannung (Doppelung) zueinander. Beide definieren den Willen des Vaters, von dem V. 38 gesprochen hat. Auffällig ist, daß sich in beiden Versen die Wendung von der Auferweckung am letzten Tag findet (39d.40e). Das spricht freilich nicht gegen die Trennung von V. 39 und V. 40. WELLHAUSEN hat nämlich sicher recht, wenn er zu 40e feststellt, daß diese Wendung schon syntaktisch nicht zum ersten Teil des Verses passe.[4] Während ja dort vom Sohn in der 3. Person geredet wird, wechselt 40e in die Rede in der 1. Person. Wenn aber WELLHAUSEN die Wendung "aus sachlichen Gründen" auch aus V. 39 entfernen will[5], so ist ihm zu widersprechen. In V. 39 ist die Wendung nämlich durch die gut komponierte Opposition μὴ ἀπολέσω (39c) - ἀλλὰ ἀναστήσω (39e) so fest verankert, daß ein Abtrennen unmöglich ist.[6] Außerdem paßt die futurische Wendung gut zu V. 27, denn wenn dort von einer Speise die Rede ist, die **bleibt** bis zum

---

1) Vgl. WILKENS 1958b, 96 f.
2) Vgl. WELLHAUSEN 1908, 31; LOISY 1921, 238.
3) Vgl. BUSSE 1981, 141.
4) Vgl. WELLHAUSEN 1908, 31; LOISY 1921, 238.
5) WELLHAUSEN 1908, 31; vgl. HIRSCH 1936, 62 f.
6) Der gleichen Meinung sind SCHWEIZER 1963, 386; HAENCHEN 1980, 322; BECKER 1979/81, 211.

ewigen Leben, so ist dieses Leben ja auch als etwas Zukünftiges vorausgesetzt.[1] Dieser Umstand ist ein Indiz dafür, daß V. 39 als ganzer redaktionell ist und 40e ebenfalls.

V. 41 greift 6.35.38 auf und erweist sich so als primär. V. 42 führt diesen Rückbezug weiter aus und gehört deswegen zu derselben Schicht. Da V. 43 ohne Auffälligkeiten ist, die eine Abtrennung von V. 42 nahelegen würde, gehört auch er dieser Textschicht an.

In V. 44 findet sich wie in V. 39.40 die Auferweckungsverheißung.[2] Da die Wendung aufgrund syntaktischer Probleme (Subjektwechsel) als Anfügung erkennbar ist, muß 44d abgetrennt und mit 39.40e als redaktionell eingestuft werden. 44a-c mit seiner Wiederaufnahme des Themas von 35b-d.37 ('Kommen zu Jesus') gehört dagegen zur primären Schicht.

Die nächste Beobachtung von literarkritischer Relevanz ist in V. 46 zu machen. Hier findet sich eine energische Korrektur des Schriftzitats von V. 45. Es wird betont, daß niemand außer Jesus den Vater je gesehen hat. Es ist merkwürdig, daß ein Belegzitat korrigiert wird. Mehr als merkwürdig ist aber, daß etwas korrigiert wird, was im Zitat gar nicht gesagt ist. V. 45 spricht ja überhaupt nicht von einem Sehen des Vaters, sondern vom Hören auf den Vater; dementsprechend kommt ὁράω dort nicht vor. Es ist also naheliegend, V. 46 abzutrennen, und im Unterschied zu V. 45 der sekundären Schicht zuzuweisen. V. 47 schließt gut an V. 45 an (ἔρχομαι und πιστεύω entsprechen einander) und ist folglich primär.

---

1) Vgl. HOFFMANN 1979a, 460.
2) Zum sekundären Charakter der Wendung vgl. WENDT 1900, 127 f; ders. 1911, 32; DOBSCHÜTZ 1905, 17 Anm. 4; ders. 1929, 166; SCHWARTZ 1908, 170 Anm. 1; WELLHAUSEN 1908, 31; SPITTA 1910, 151.153 f.158; VÖLTER 1910, 478; BOUSSET 1912, 617; LOISY 1921, 237-240; FAURE 1922, 119 f; CARPENTER 1927, 441 f; DIBELIUS 1929, 356; HIRSCH 1936, 62 f; BULTMANN 1941, 162; WILKENS 1958a, 358 f; KIEFFER 1968, 151; RICHTER 1977, besonders 376.410; BORNKAMM 1971, 62 Anm. 25; SCHULZ 1972, 101; LANGBRANDTNER 1977, 10; HOFFMANN 1979a, 460; THYEN 1978, 349; ders. 1979b, 98; WENGST 1981, 28; GNILKA 1983, 49.

V. 48 stellt eine Wiederaufnahme von V. 35 dar. In V. 41 war etwas Ähnliches zu beobachten. Während die Wiederaufnahme dort aber im Gesprächsverlauf verankert war, gibt es hier eine solche Motivierung nicht. In V. 41 greifen die Gesprächspartner Jesu eine seiner Äußerungen auf, in V. 48 dagegen wiederholt sich Jesus einfach selbst. Deswegen ist V. 48 als Dublette zu V. 35 anzusehen und im Unterschied zu diesem der redaktionellen Schicht zuzuweisen.[1]

V. 49 greift V. 31 (primär) auf, gehört aber trotzdem zur Redaktion, weil er sich mit V. 32 (primär) nicht verträgt. Während es in V. 32 um die Frage ging, **wer** denn das wahre Brot **gibt**, hat V. 49 zusammen mit V. 50 ein anderes Thema, nämlich den Kontrast zwischen der **Wirkung** des alten Manna und der des neuen Himmelsbrotes.[2] V. 51 führt V. 50 weiter. Auf seine Beziehung zu V. 27 wurde schon hingewiesen. Hier wie in den folgenden Versen 52-58 sind keinerlei literarkritische Probleme feststellbar. Der Abschnitt 6,48-58 ist einheitlich sekundär, da sich in diesem Abschnitt alle Charakteristika der Redaktion finden:

V. 52 setzt wie V. 27.34 Jesus als Geber des Brotes voraus. In V. 54 findet sich wie in V. 39.40.44 die Auferstehungswendung. V. 55 greift auf V. 27 zurück. V. 57d formuliert die Lebensverheißung futurisch wie die Wendung in 39.40.44.54; ebenso V. 58. Dieser Vers teilt zudem mit V. 34 (und V. 49.50.51) die Ausrichtung auf Qualifizierung: im Unterschied zum Manna bewirkt das Lebensbrot ewiges Leben. Diese Verse müssen also redaktionell sein. Problematisch wird es wieder mit V. 59. Seine Ortsangabe konkurriert mit der von V. 25.[3] Da V. 59 - von der generellen Anaphora ταῦτα abgesehen - keinerlei Verbindung mit 6.48-58 aufweist, wird er wohl kaum zur Redaktion gehören. Eine Zuweisung

---

1) Zu der Beobachtung, daß die sekundäre Schicht, schon in V. 48 wieder anzutreffen ist, vgl. TEMPLE 1961, 229, BORNKAMM 1971, 59; MÜLLER 1975a, 55 Anm. 19; LANGBRANDTNER 1977,6; THYEN 1978, 340; ders. 1979b, 97; GOURGUES 1981, 518.
2) Vgl. BORNKAMM 1971, 59 f.
3) Vgl. SPITTA 1893, 218; SCHWARTZ 1908, 122 Anm. 1; BOUSSET 1909, 61; DOBSCHÜTZ 1929, 167; THOMPSON 1916, 339.

zur primären Schicht ließe sich damit begründen, daß V. 25 in
enger Beziehung zur Redaktion steht. V. 26 (sekundär) bezieht
sich ja auch auf V. 24.25 zurück und nimmt von dort das Thema
'Suchen und Finden' auf. Dieser Zusammenhang macht es wahrscheinlich, daß V. 24.25 ebenfalls redaktionell sind. Dann gehört der
mit V. 25 konkurrierende V. 59 zur primären Schicht.[1]
V. 60 schließt unabhängig von V. 59 an die vorhergehenden Äußerungen Jesu an. Auffällig ist die unvermittelte Erwähnung der
Jünger. Sie verweist auf V. 22 zurück, wo die μαθηταί zuletzt erwähnt wurden. Der Adressatenwechsel stellt den Vers in Kontrast
zu beiden bisher festgestellten Schichten und macht eine Zuordnung zu einer von ihnen zunächst nicht möglich. Dies gilt auch
für 6,61.62, die ohne Auffälligkeiten sind und mit V. 60 zusammengehören. Die nächsten auswertbaren Beobachtungen sind in V. 63
zu machen. Die krasse Abwertung der σάρξ, die sich dort findet,
steht in deutlichem Widerspruch zu 6.51.53.54.56, wo das Wort positiv besetzt ist. Die wiederholte Koppelung mit ζωή deutet dort
auf einen ausgesprochen positiven semantischen Gehalt des
Lexems. Demgegenüber lassen 63a.63b genauso deutlich erkennen,
daß hier das Lexem negativ besetzt ist. Der Spruch kann also unmöglich zur redaktionellen Schicht gehören. Diese Spannung
bemerkte - soweit ich sehe - zuerst SPITTA.[2] Er schloß daraus
aber auf eine Spannung zwischen den **Abschnitten** 6,51-59 und 6,60
ff. Er schlug deshalb vor, 6,51 ff auszuscheiden und 6,60 ff an
V. 50 anzuschließen. Er begründet diese doch etwas grobe Lösung
mit der aus ihr resultierenden Gegenüberstellung von κατάβασις
und ἀνάβασις.[3] Abgesehen davon, daß ich eine Spannung zwischen
V. 50 und V. 51 nicht zu erkennen vermag, stellt sich die zunächst
so einleuchtende Gegenüberstellung von Aufstieg und Abstieg bei
näherem Hinsehen doch als problematisch heraus. Die Koppelung
von V. 50 mit V. 60 ergibt nämlich einen Text, der eine Jünger-

---

1) Gegen VÖLTER 1910, 476; LOISY 1921, 244 f;
   BULTMANN 1941, 174; WILKENS 1958b, 97;
   HAENCHEN 1980, 329.
2) Vgl. SPITTA 1893, 218 f.
3) Vgl. auch BOUSSET 1909, 61; ähnlich THOMPSON 1916, 341.

kritik formuliert, die in ihrer Radikalität schlicht unwahrschein-
scheinlich ist: Die Jünger leugnen die himmlische Herkunft
Jesu.[1] THYEN hat dieses Problem wohl gesehen, wenn er bei
seinem Lösungsvorschlag, nämlich 6,60 ff an 6,47 bzw. 46 anzuschließen, die Jünger durch die Juden ersetzt.[2] Eine hinreichende Legitimierung für ein solches Vorgehen vermag ich allerdings
nicht zu erkennen. Solch blockhafte Lösungen sind aber auch gar
nicht nötig, denn der Spruch 6,63a.63b, der für die Spannung zum
Vorhergehenden verantwortlich ist, läßt sich aus seinem Kontext
lösen. Der Spruch ist in sich geschlossen und hebt sich in seiner formalen Prägnanz deutlich von seiner Umgebung ab. Daß in
63c-e noch ein interpretierender Anhang folgt, ist auffällig und
löst den Verdacht aus, daß es sich hier um eine sekundäre Erweiterung handelt.[3] Das bedeutet, daß sich der Spruch von seiner
Umgebung trennen läßt und seine Opposition zur redaktionellen
Schicht nicht zwangsläufig den ganzen Abschnitt 6,60 ff in diese
Opposition einbezieht.

6,63c-e sind, so wie sie stehen, auf die Worte Jesu in 6,26-58
bezogen, was für den Spruch selbst nicht gilt. Zur Redaktion
steht er wie gesagt in Spannung, aber auch zur primären Schicht
liegt kein Bezug vor. Dort nämlich wird das für den Spruch kennzeichnende Lexem πμεῦμα (oder Derivate) nicht verwendet. Während
63a den Geist als Leben schaffend bezeichnet, parallelisieren
63c.63e die Begriffe πνεῦμα und ζωή und identifizieren beide mit
den Worten Jesu. Beide Aspekte, sowohl die Parallelität der Begriffe, wie auch ihre Gleichsetzung mit Jesu Worten, sind dem
Spruch fremd. Bei ihm besteht ein kausaler Zusammenhang zwischen
Pneuma und Leben. Auch diese Neuakzentuierung macht es wahrscheinlich, daß mit 63a.63b ein älterer Spruch aufgenommen wurde, den
63c-e kommentierend erweitern.[4]

---

1) Diese Bedenken sprechen auch gegen die Lösung von BORNKAMM
   1968, 64 f; ders. 1971, 75 f; vgl. auch RICHTER 1977, 115 f;
   BROWN 1966/70, 299-303; SCHULZ 1972, 101-103; BECKER 1979/81,
   214 f.220; GNILKA 1983, 54.
2) Vgl. THYEN 1978, 340; auch LANGBRANDTNER 1977, 10.
3) Vgl. die hellsichtige Vermutung von GNILKA 1983, 55 über 63a.
   63b: "vielleicht ein Zitat".
4) SPITTA hat übrigens später (1910, 160) betont, daß V. 60-65

64a.64b nimmt 63c-e kontrastierend auf und bezieht sich auch auf
6,60.61 zurück. In V. 64 wird das Wissen Jesu betont und in zwei
Richtungen expliziert: einmal in Bezug auf Ungläubige (64d) und
zweitens in Bezug auf den Verräter (64e). Diese doppelte Anwendung ist als störend empfunden worden[1], aber allein schon die
symmetrische Form mit ihrem Parallelismus zwischen 64d und 64e
verbietet es, hier literarkritische Aktionen zu starten. Es gibt
auch keinen Grund, den ganzen Erzählerkommentar 64c-e in Spannung
zu 64a.64b zu sehen.[2]

V. 65 konkurriert mit 44a-c. 65c wiederholt zwar 44a wörtlich,
aber 65d variiert die Aussage von 44b. Auffällig ist, daß die
beiden Verse verschiedene Adressatenkreise haben. Während sich
V. 44 an die Juden richtet, zielt V. 65 auf die Jünger. Dadurch
erhält die Aussage einen völlig neuen Kontext. Da 44a-c zur
primären Schicht gehört, legt es sich nahe, V. 65 der Redaktion
zuzuordnen. Damit ist zugleich ein Anhaltspunkt gewonnen für die
zunächst offen gelassene Einordnung von V. 60.61.62.63c-e.64. Da
diese Verse keine Spannung zu V. 65 aufweisen, sondern mit ihm
zusammengehören, sind sie ebenfalls der Redaktion zuzuschlagen.
V. 66 ist auf V. 65 und auf V. 60 bezogen, ist also auch redaktionell.[3] V. 67 wechselt erneut den Adressatenkreis: statt von
μαθηταί ist nun von den δώδεκα die Rede. Da aber der Zwölferkreis

---

zu 51-59 gehören, und nur 63a.63b diesen Zusammenhang stören.
Er hat gesehen, daß einzig 63c-e dem Spruch in seinem heutigen
Kontext sein Daseinsrecht verschafft. Schon WENDT 1900, 129
hatte festgestellt, daß die Spannung zu 6,51 ff verschwindet,
"wenn die Schlußaussage gilt, dass die **Worte** Jesu es sind,
die Geist und Leben in sich tragen". Entsprechende, leise Andeutungen finden sich auch bei BORGEN 1965, 187. SCHNACKENBURG
1971b, 107 bemerkt ebenfalls die Reibung zwischen dem Spruch
und seinem Kommentar.

1) Vgl. LANGBRANDTNER 1977, 10; BECKER 1979/81, 216; HAENCHEN
   1980, 338.
2) Gegen HIRSCH 1936, 66.
3) SPITTA 1910, 160 hat zwischen den Abschnitten 60-65 und 66-71
   eine Spannung gesehen. Der erste sei eine Dublette zum zweiten.
   Gegen diese These, die jetzt bei GOURGUES 1981, 526 f ihren
   Nachhall findet, muß eingewendet werden, daß es sich bei den
   beiden Abschnitten um aufeinander bezogene Textstücke handelt.
   So setzt doch 68c eindeutig 63c-e voraus und konkurriert
   nicht etwa mit ihm. Das gleiche gilt für V. 66 in Bezug auf
   V. 60.

als Teil des Jüngerkreises verstanden werden muß, handelt es
sich hier nicht um eine literarkritisch auswertbare Beobachtung.
Dies gilt umso mehr, als die Einschränkung, die durch diesen
Wechsel geschieht, durch V. 66 motiviert ist.

V.68.69 weisen keine literarkritisch relevanten Spannungen auf.
Die Tatsache, daß Petrus für die Zwölf spricht, ist nicht überraschend, und zudem ist seine Antwort durch 68d mit 63e gekoppelt. Das Petrusbekenntnis gehört also zur Redaktion.[1]

V. 70.71 scheinen zunächst problematisch zu sein. Sie können für
eine Doppelung von 64e gehalten werden. Die Wiederaufnahme des
Verräterthemas ist jedoch Teil einer klimaktischen Entfaltung
dieses Themas und von daher ausreichend motiviert. Die Ankündigung
des Verrats, wie sie in V. 64 ganz allgemein erfolgt, mündet in
eine nähere Eingrenzung der Identität des Verräters (70b.70c:
einer von den Zwölfen) und gipfelt in der exakten Identifizierung
für die Lesenden im Erzählerkommentar (71a). Damit ergibt sich,
daß der Abschnitt 6,60-71 außer V. 63 keine literarkritisch
auswertbaren Auffälligkeiten zeigt, und so mit Ausnahme von 63a.
63b einheitlich zur Redaktion gehört.[2]

Für den gesamten Abschnitt ergibt sich folgendes Bild:
Zur **redaktionellen** Schicht gehören die Verse 6,26.27.30b-d.33.
  34.35a.36.39.40e.46.48-58.60-62.63c-71.
Dagegen gehören 6.28-30a.30e.31.32.35b-d.37.38.40a-d.41-44c.45.
  47.59 zur verarbeiteten **Tradition**.
Die redaktionelle Schicht ist als jüngere von der primären
Textschicht abhängig. So wie sie die Tradition aufgreift und in
sie eingreift, ist klar, daß es sich bei dieser Tradition um
schriftlich fixiertes Material handeln muß. Was die Zuordnung
von 63a.63b angeht, so bleibt festzuhalten, daß der Spruch in Spannung zur Redaktion steht. Da er andererseits keine literarischen
Bezüge zur traditionellen Schicht aufweist, die eine Zuordnung

---

1) Vgl. SCHWARTZ 1908, 514.
2) Vgl. SCHWARTZ 1908, 499 Anm. 1, der allerdings für die Probleme in V. 63 merkwürdig blind ist.

zu ihr begründbar machen würden, bleibt nur die Lösung, daß der
Spruch zwar im Zusammenhang mit der redaktionellen Schicht eingebracht wurde, aber doch anderen Ursprungs ist. Er könnte johanneischer Gemeindetradition entstammen. Mit seiner knappen, geschlossenen Form hätte er die nötige Stabilität, um in mündlicher Tradition zu überleben.[1] Er kann natürlich auch mit der primären
Schicht in einem literarischen Zusammenhang gestanden haben, der
durch die Arbeit der Redaktion aufgelöst wurde und nicht mehr rekonstruierbar ist. Jedenfalls ist der fragmentarische Charakter
der Vorlage zu betonen. Schließlich ist 28a kein guter Textanfang. Klare expositionelle Elemente fehlen.

E 4. Der Kommunikationshintergrund: Textintentionen der Vorlage

Unter dem erneuten Vorbehalt, daß es sich bei der in Joh 6 verarbeiteten Vorlage wie in Joh 13 eventuell um Fragmente eines
größeren Textzusammenhanges handelt, sollen hier übernommene
Textintentionen dargestellt werden, um die spezifischen Intentionen der Redaktion besser beschreiben zu können.

E 4.1 Glaube und Werke

Der übernommene Text ist dialogisch strukturiert. Bei den Dialog-
partnern handelt es sich um Jesus und eine zunächst anonyme Menge, die in 41a dann als Juden identifiziert wird.[2]

Der Dialog beginnt mit einer Frage der Juden an Jesus nach den
Werken Gottes, also nach den Werken, die Gott fordert, oder die
ihm wohlgefällig sind.[3] In der Frage der Juden liegt das Schwer-
gewicht ganz auf dem Tun, was durch den Lexemkomplex ποίω/ἐργάζ-
ομαι/ἔργον deutlich wird. Demgegenüber bringt die Antwort Jesu

---

1) Vgl. BREYTENBACH 1986, 54.
2) Hier wäre zu überlegen, ob nicht die späte Identifizierung
   auf redaktionelle Eingriffe in 6,28a zurückgeht.
3) Aus 6,28b ist zu schließen, daß in 28c kein genitivus subjec-
   tivus zu lesen ist. Vgl. auch BERGMEIER 1967, 257 f.

in V. 29 eine Engführung auf ein **einziges** Gotteswerk. Gott, so soll deutlich gemacht werden, fordert ein einziges, umfassendes Werk, nämlich den Glauben an Jesus als den Gesandten Gottes.[1]
Diese Engführung auf den Glauben im Gegenüber zu den Werken, führt zu einer Antithese, die an paulinische Theologie erinnert.[2]
Daß es hier um die soteriologische Qualität des Glaubens geht, wird aus dem Folgenden klar, erhellt aber auch schon daraus, daß das Werk **Gottes** zur Debatte steht. Die Antwort Jesu sagt, daß allein der Glaube an den Gottgesandten soteriologische Qualität besitzt. Entsprechend wird auch den Glaubenden dann in 40a-d.47 ewiges Leben verheißen.
Daß Jesus der Gottgesandte ist, wird nicht gesagt, sondern als selbstverständlich vorausgesetzt. Es ist so selbstverständlich, daß die Juden dies sofort verstehen.[3] Deswegen können sie Jesu Glaubensforderung sofort in der Forderung nach einem legitimierenden Werk zurückgeben. Dabei eröffnet der Hinweis auf das Manna-Ereignis als eine mögliche Beglaubigung eine neue Themenreihe.

E 4.2 Brot vom Himmel, Brot des Lebens

Der Verweis auf das Mannawunder in diesem Zusammenhang bedeutet nicht zwingend, daß das Mannaereignis "als eine göttliche Beglaubigung des jüdischen Offenbarungs=Trägers"[4] zu verstehen ist.
In dem Verweis auf das Manna spricht sich eher die Erwartung eines eschatologischen Propheten aus. Hier ist daran zu erinnern, "daß das Judentum überhaupt für die Herbeiführung der Heilszeit selbst die Wiederholung alttestamentlicher Wunder, speziell der

---

1) Vgl. BLANK 1966, 258; PANCARO 1975, 392.
2) Vgl. HEITMÜLLER 1918, 98, LOISY 1921, 234; WEDER 1985, 337.
   Diese Antithese will WAHLDE 1980 nicht sehen und 'Werke Gottes' einfach als Erfüllung des Gotteswillens verstehen. Dazu muß er allerdings - wie BERGMEIER 1967, 259 - den Wechsel von Plural auf Singular für bedeutungslos erklären. Das spricht gegegen seine Lösung.
3) Vgl. LOISY 1921, 234.
4) HEITMÜLLER 1918, 99.

Exoduswunder, erwartete."[1]

Daß in diesem Zusammenhang auch an die Wiederholung des Mannawunders gedacht wurde, läßt sich z.B. mit SyrBar 29,4-8 belegen. Die Wunder dienen der Legitimierung des Propheten und der Herbeiführung des Eschaton zugleich.[2] Freilich finden sich die Spuren einer solchen Erwartung hier im Munde der Gesprächspartner Jesu, und nichts deutet darauf hin, daß der implizite Autor seinen Jesus im Rahmen eines solchen apokalyptischen Denkmusters verstanden wissen wollte.[3] Jesus geht auf die Wunderforderung in keiner Weise ein und läßt so jede mögliche Parallelisierung mit Moses hinter sich. Er nimmt jedoch die Erwähnung des Brotes vom Himmel auf und macht sie zum Ausgangspunkt seiner weiteren Äußerung. Mit 32d.32e werden zwei Oppositionen zu V. 31 aufgebaut: Nicht Moses, sondern der Vater gibt das Himmelsbrot. Folglich ist auch das Manna des Moses nicht das Himmelsbrot, sondern etwas anderes bzw. ein anderer. Jesus als der Gottgesandte ist nämlich selbst das Himmelsbrot, das der Vater gibt (35b). HAHN stellt zu Recht fest, "daß die Typologie hier keineswegs die Analogie betont und allenfalls das Motiv der Steigerung impliziert; der Antitypos ist in einem radikal antithetischen Sinne dem alttestamentlichen Typos gegenübergestellt"[4], der selbst jede Heilsfunktion verloren zu haben scheint. Nicht umsonst wird Gott als Geber des Manna nicht mehr erwähnt.

Die Identifizierung Jesu mit dem Lebensbrot macht deutlich, daß die endzeitliche Erwartung in ihm erfüllt und das Heil der Endzeit da ist. Folgerichtig kann diese Identifizierung mit der Verheißung immerwährender Sättigung verbunden werden (35c.35d). Diese Verheißung gilt dem, der zu Jesus kommt, d. h. an ihn glaubt.[5] Daß der Glaube als Zugang zum Brot des Lebens nicht etwa auf

---

1) BECKER 1972, 48. Vgl. BULTMANN 1941, 61 Anm. 8. 169; MEYER 1942, 468; BROWN 1966/70, 265; MAIBERGER 1983, 247.
2) Vgl. BECKER 1972, 48.
3) Gegen HOWARD 1967, 334 f.
4) HAHN 1967, 349. Vgl. auch BECKER 1979/81, 205.
5) Die Parallelität zwischen 35c und 35d macht ἔρχομαι und πιστεύω zu Synonymen. Vgl. SCHNACKENBURG 1971b, 58; TRAGAN 1977b, 96.

menschlicher Initiative beruht, sondern allein Gottes Werk ist, das schärft V. 37 ein. Wenn nämlich in 37a.37b betont wird, daß jeder, den der Vater ihm gibt, zu Jesus kommt, so heißt das umgekehrt, daß jeder, der nicht an Jesus glaubt, vom Vater nicht gegeben ist. Diejenigen, die der Vater gibt, kann Jesus nicht abweisen. Er ist ja vom Himmel gekommen, um den Willen des Vaters zu vollziehen (V. 38).[1]

Wenn es von Jesus heißt, daß er vom Himmel herabgekommen sei, so entspricht das seiner Identität mit dem Lebensbrot, das ebenfalls vom Himmel herabkommt. Damit wird deutlich, wie der Text das verheißene Leben mit dem Himmel in Verbindung bringt. Als Brot vom Himmel ist Jesus Brot des Lebens, und kann so das Mittel sein, mit dem der Vater seinen Willen durchsetzt: Wer Jesus sieht und an ihn glaubt, gelangt in den Besitz des Lebens.

Damit ergibt sich, daß die soteriologische Interpretation der Glaubensforderung von V. 29c-e voll berechtigt war. Der Glaube als das Kommen zu Jesus verschafft Heil von oben, weil Jesus der ist, der von oben kommt. Der Mensch ist zum Glauben aufgefordert und doch wird ihm zugleich gesagt, daß sein Glaube völlig von der Aktivität des Vaters abhängt. Dieser ist es, der das Lebensbrot gibt, indem er Jesus sendet und so das Objekt des Glaubens anbietet, und sein Geben ist andererseits auch die Ursache für das Kommen des Menschen zu Jesus.[2]

Damit ist auch klar, daß in V. 28, wo der Glaube als Werk bezeichnet wird, nur eine sehr uneigentliche Redeweise vorliegt, die sich aus der Aufnahme der Formulierung von 28c erklärt. Die Bezeichnung des Glaubens als Werk ist 'deterministisch' abgefangen.[3] Es verbietet sich deshalb, aus dieser Bezeichnung eine Kontinuität mit jüdischer Gesetzesfrömmigkeit zu erschließen.[4] Nicht um Kontinuität geht es, sondern um Kontrast.

---

1) Vgl. LOISY 1921, 237, SCHENKE 1980, 28.
2) Vgl. GNILKA 1983, 51.
3) Vgl. LANGBRANDTNER 1977, 4 f.
4) Gegen PANCARO 1975, 392 f.

E 4.3   Vater und Sohn

Daß der Vater, von dem die Rede ist, der Vater Jesu ist, versteht
sich von 32e.40a her.
Die Bezeichnung Gottes als Vater thematisiert eine Relationsbe-
schreibung, in die die Bezeichnung Jesu als Sohn hineingehört.
Wenn die Sohnesbezeichnung gerade in V. 40 erstmals auftaucht,
so signalisiert das, daß von 41a an die Sohnschaft zu einem
Gegenstand der Auseinandersetzung wird. In V. 41.42 setzen die
Juden der von Jesus behaupteten Identität mit dem vom Himmel
herabgekommenen Brot die Tatsache seiner irdischen Sohnschaft entgegen. Die Wiederholung in V. 42e macht deutlich, wo das Problem
liegt. Es geht um seinen Anspruch, vom Himmel zu kommen. Als Argument gegen diesen Anspruch wird angeführt, Jesus sei doch der
Sohn Josefs; seine Eltern seien bekannt. Diese Gegenüberstellung
setzt voraus, daß Jesu Kommen vom Himmel mit göttlicher Sohnschaft
gleichgesetzt wird. Wenn diese Gleichsetzung von Jesus nicht kritisiert wird, so kann geschlossen werden, daß sie der Meinung
des impliziten Autors entspricht. Wie überhaupt gesagt werden
muß, daß Jesu Antwort in V. 44 auf den Einwand der Juden inhaltlich nicht eingeht. Deswegen ist es problematisch, zu schließen,
der implizite Autor habe die Vaterschaft Josefs bestreiten
wollen.[1] Wenn der in V. 41.42 formulierte Widerspruch einfach
stehen gelassen wird und Jesus nur auf den göttlichen Ursprung
des Glaubens bzw. Unglaubens eingeht, so ist eher der Widerspruch
als solcher der Seite des Unglaubens zugeordnet. GNILKA schließt:
"Für den Unglauben steht der Anspruch Jesu, der himmlische Bote
zu sein, in einem unaufhebbaren Gegensatz zu seiner allgemein bekannten irdischen Abkunft."[2] Für den Glauben dagegen ist dieser Widerspruch offensichtlich unwichtig. Das deutet wohl darauf
hin, daß die irdische Abkunft Jesu soteriologisch eben irrelevant
ist.[3] Der Glaube konzentriert sich darauf, daß Jesus von oben
kommt.

---

1) Dann wäre die Erwähnung der Mutter problematisch.
   Vgl. BULTMANN 1941, 170 Anm. 6; SPROSTON 1985, 77.86.
2) GNILKA 1983, 52. Vgl. LOISY 1921, 239; THOMPSON 1916, 344.
3) Vgl. LANGBRANDTNER 1977, 5.

Daß der Unglaube durch den Verweis auf den göttlichen Willen, also 'deterministisch', erklärt wird, ist nach V. 37 nur konsequent. Diese Erklärung wird in V. 45 noch mit einem Schriftzitat verstärkt. Die Aussage, daß alle Schüler bzw. Gelehrte Gottes sein werden, wird in 45c-e so interpretiert, daß **jeder**, der auf den Vater hört, zu Jesus kommt. Das heißt wieder umgekehrt: Wer nicht an Jesus glaubt, hat mit Gott nichts zu tun. Jesus ist die einzige Quelle des Heils. Der Glaube erschließt diese Quelle.

E 4.4 Zusammenfassung

Resümierend läßt sich sagen, daß der Text seinen eindeutigen Schwerpunkt in einer christologisch begründeten soteriologischen Aussage hat: Der Glaube an Jesus als den Gottgesandten vermittelt Heil, und zwar vollendetes und unüberbietbares Heil: **Der Glaubende hat ewiges Leben.** Wie die entsprechenden Aussagen in V. 40.47 und die Metapher der endgültigen Sättigung (V. 35) verdeutlichen, vertritt der Text eine realized eschatology. Diese soteriologische Aussage steht in einem 'deterministischen' Denkrahmen, der den allein seligmachenden Glauben ganz auf die Aktivität Gottes zurückführt.

Problematisch ist das genauere Verständnis des christologischen Kerns, an dem sich die Heilsaussage festmacht. Was ist damit gemeint, daß Jesus als Brot des Lebens bezeichnet wird? Zur Klärung dieser Frage ist außertextliches Wissen heranzuziehen. Um zu verstehen, wie eine Person als Brot bezeichnet werden kann, ist von der weisheitlichen Ausrichtung des Textes auszugehen. So verweist SCHNACKENBURG mit Recht darauf, daß Jesus in unmittelbarem Anschluß an seine Selbstidentifikation mit dem Lebensbrot den Einladungsruf der **personifizierten** Weisheit aufnimmt.[1] Wenn auch der fortwährende Hunger nach Weisheit, von dem etwa Sir 24,21 spricht, in Joh 6 durch die Verheißung endgültiger Sättigung ersetzt ist, so ist Joh 6,35c.35d durchaus mit Sir 24,19-22; 51,23 f zu vergleichen.

---

1) Vgl. SCHNACKENBURG 1971a, 334.

Auch die Rede von διδακτοὶ θεοῦ in 6,45b deutet auf weisheitlichen Hintergrund.[1]

Es gibt nun einen Zweig jüdischer Tradition, der die personifizierte göttliche Weisheit mit dem Manna des Exodus in Verbindung bringen konnte.

Philo[2] als ein Repräsentant dieser Strömung deutet in seiner allegorischen Schriftauslegung das Manna als himmlische Seelenspeise (Sacr 86). Diese Speise, die Gott der 'Seele' gibt, ist die göttliche Weisheit; das Brot vom Himmel ist die himmlische Sophia (Mut 259). Da für Philo, wie Fug 137 f und Her 191 zeigen, λόγος und σοφία eng verwandte, wenn nicht austauschbare Begriffe sind, bringt er neben der Weisheit auch ganz selbstverständlich den göttlichen Logos, der in der 'Seele' lebt (Fug 117), mit dem Manna in Verbindung. So kann er im All III 169-173 das Manna als τῆς ψυχῆς τροφή mit dem λόγος θεοῦ identifizieren. Der Logos ist wie die Sophia das Brot, das Gott der 'Seele' gibt. In Her 79 redet Philo im Kontext einer solchen Manna-Deutung von einer unvergänglichen (ἄφθαρτος) Speise. Die Identifikation des Manna mit dem Logos findet sich schließlich auch noch in Det 118.

Diese Manna-Allegorese zeigt, daß die christologische Applikation des Terminus ἄρτος τῆς ζωῆς gut verstehbar ist, wenn sie vor dem Hintergrund einer weisheitlichen Mannatradition gesehen wird. Die christologische Übersetzung der weisheitlichen Manna-Allegorese ist der johanneischen Theologie deshalb möglich, weil sie, wie der Prolog des Evangeliums zeigt, ohnehin eine mit weisheitlichen Schemata arbeitende Christologie entwickelt hat. Die Identifikation Jesu mit dem Logos (= Sophia) ist die Grundlage für die Anwendung von ἄρτος τῆς ζωῆς als eines christologischen Titels. Da es sich im weisheitlichen Denken, wie Philo es vertritt, beim Genuß des Lebensbrotes um einen geistig-seelischen Vorgang handelt, ist auch gut verstehbar, warum die johanneische Vorlage nie von einem Essen des Brotes spricht.[3] Der Genuß des Lebensbrotes geschieht hier ebenfalls in einem geistig-seelischen Vorgang,

---

1) Vgl. BROWN 1966/70, 273.
2) Zur Manna-Exegese Philos vgl. SCHNACKENBURG 1971a, 334; MAI-BERGER 1983, 251.
3) Gegessen wird nur das Moses-Manna (31a)!

nämlich im **Glauben** an Jesus als personifizierte Weisheit Gottes.[1]

E 5.   Zur Semantik des redaktionellen Textes

E 5.1   Leben und Auferstehen

Bei der Betrachtung von 6,26-47 wäre zunächst all das zu wiederholen, was zur entsprechenden thematischen Linie der Vorlage gesagt
wurde, denn dieser Abschnitt besteht ja großteils aus übernomme-
nem Text. Es ist allerdings festzustellen, daß die soteriologischen Aussagen um einen wichtigen Aspekt erweitert sind. Die Redaktion läßt ja bei ihren Lebensaussagen deutlich eine **futurische**
Dimension erkennen, die der Vorlage abgeht. Diese Dimension
zeigt sich schon in V. 27 und wird in den Auferstehungsaussagen
in V. 39.40.44 überdeutlich. In V. 39 findet sich die erste explizite Erwähnung der futurischen Dimension der Soteriologie in
der Brotlehre. Die Redaktion schaltet ihre Definition des väter-
lichen Willens vor die der Vorlage (V. 40). Die Koppelung der
Auferstehungsverheißung mit dieser Willensdefinition zeigt, daß
die Redaktion den 'Determinismus' ihrer Vorlage teilt. Allerdings
erhält bei ihr das von Gott gewirkte ewige Leben eben eine Zukunftsperspektive. Daß es der Redaktion dabei keinesfalls darum
geht, das Leben des Glaubenden einfach auf den letzten Tag zu
verschieben, zeigt V. 40. Dort wird ja die präsentische Lebens-
zusage der Vorlage aufgegriffen, und um die Verheißung endzeitlicher Auferweckung erweitert. Es entsteht so eine **synthetische**
Aussage, in der gegenwärtiges **und** zukünftiges Leben zu einer
spannungsvollen **Einheit** zusammentreten. Die gleiche Synthese beinhaltet auch V. 44. Hier bezieht sich die Vorlage auf V. 35 zurück. V. 35 und V. 44 steht das Kommen zu Jesus als metaphorischer

---

1) Hier bestätigt sich der in 2.2.5.2 gezogene Schluß, daß nach
   dem Konzept der in Joh 13 verarbeiteten Vorlage das Heil, welches die Fußwaschung bezeichnet, im **Glauben** zuteil wird. Die
   konzeptionelle Ähnlichkeit, die im gemeinsamen Bezug auf phi-
   lonisches Denken deutlich wird, dürfte eine hinreichende Legi-
   mitation darstellen.

Ausdruck für den Glauben an Jesus, der unüberbietbares Heil gewinnen läßt. Die Redaktion wiederum dehnt diesen Lebensgewinn
auf Gegenwart **und** Zukunft aus. Diese Linie der spannungsvollen
Einheit von gegenwärtiger Heilswirklichkeit und zukünftiger Le-
benserwartung setzt sich in dem redaktionellen Block V. 48-58
fort. V. 49 nimmt ja 31a wieder auf, allerdings signifikant erweitert durch V. 49b. Diese Erwähnung des Sterbens der Väter ermöglicht es der Redaktion, die lebensschaffende Kraft des Himmelsbrotes, das Jesus gibt (und auch ist), kontrastiv einzubringen.
In Bezug auf das vom Brot gewirkte Leben kann die Redaktion ebenso gut zukunftsbezogen formulieren (V. 51.57.58) wie gegenwarts-
orientiert (V. 53.56). Es erscheint auch die Verbindung von bei-
dem. So findet sich in V. 54 eine Synthese aus präsentischer und
futurischer Heilszusage.[1] Dieser Vers beweist, daß die Redaktion
die soteriologischen Gegenwartsaussagen der Vorlage nicht einfach nur als Tradition mitschleppt, sondern positiv aufgreift.
Allerdings hatte die Vorlage den Lebensgewinn an den Glauben ge-
knüpft, während er in V. 54 Resultat von Fleisch- und Blutgenuß
ist. Was bedeutet diese Veränderung?

E 5.2   Essen, Trinken und Glauben

Nachdem in 51e das Himmelsbrot als Fleisch Jesu definiert worden
ist, steht im Zentrum des redaktionellen Textes V. 48-58 die Thematik vom Essen des Fleisches und Trinken des Blutes Jesu.
Es stellt sich nun die Frage, ob die Rede von Essen und Trinken
(wie etwa das Kommen zu Jesus) als Metapher für den Glauben an
Jesus als Himmelsbrot aufzufassen ist. Ein solches, übertragenes
Verständnis hätte den enormen Vorteil, daß sich keine Spannung
zwischen V. 40 und V 54 ergäbe. Entsprechend sieht WEISS im Essen des Fleisches "eben nicht ein sinnliches Essen, sondern ein
gläubiges Sichaneignen."[2] Dem widerspricht freilich die Verwendung von ἐσθίω in der Vorlage. Dort ist das Lexem keineswegs

---

1) Vgl. BROWN 1966/70, 292.
2) WEISS 1893, 268. Vgl. WENDT 1900, 128 f; KITTEL 1925, 225-227;
   PHILLIPS 1979, 196.

übertragen gebraucht, sondern durchaus realistisch. Das Verb
taucht nur im Mund der jüdischen Gesprächspartner und nur in Bezug auf das Moses-Manna auf. Es kann also nicht metaphorisch gebraucht sein, denn die Väter haben das Manna ja wohl gegessen
und nicht geglaubt! Gegen ein übertragenes Verständnis spricht
auch die Tatsache, daß in 35c, wo das Verb im Rahmen einer Metapher zu erwarten wäre, nicht ἐσθίω, sondern ἔρχομαι verwendet
wird. Es wäre nun natürlich möglich, daß die Redaktion im Unterschied zu ihrer Vorlage im Essen (und Trinken) eine Metapher für
den Glauben sieht. Diese theoretische Möglichkeit wird aber dadurch ausgeschlossen, daß in 49a ἐσθίω auch in Bezug auf das Manna der Väter verwendet wird. Dann muß aber auch in V. 50 an ein
wirkliches Essen gedacht sein, weil sonst der angezielte Kontrast
zwischen den Wirkungen des alten Manna und denen des wahren Himmelsbrotes nicht zustande käme. Da nun aber in 6.51.53.58 eine
semantische Verschiebung gegenüber V. 49.50 durch nichts angezeigt
ist, bleibt nur der Schluß, daß ἐσθίω hier wie dort realistisch
und nicht metaphorisch zu verstehen ist. Diese These wird noch
dadurch abgestützt, daß das Verb als Synonym von τρώγω auftritt.
Das massive τρώγω sperrt sich entschieden gegen ein metaphorisches
Verständnis. SPICQs Untersuchung zur Semantik des Verbs macht
dies besonders deutlich. Er hält den semantischen Aspekt 'Croquer'
(= Knabbern) für primär; betont, daß Joh 6 der erste Beleg für
eine Verwendung in einem religiösen Text ist.[1] Für Joh 6 folgert er, daß das Verb verwendet wird, "pour insister sur le
réalisme de la manducation"[2]. Wenn hier nun an einen Vorgang
wirklichen Essens gedacht werden muß, dann stellt sich die Frage, ob die Rede von Essen/Trinken von Fleisch/Blut nicht mit dem
Gemeindebrauch des Herrenmahls in Verbindung gebracht werden
muß.

Diese Frage ist mit der Mehrzahl der Forschenden[3] zu bejahen,

---

1) Vgl. SPICQ 1980, 418 f.
2) SPICQ 1980, 419. Vgl. z.B. auch BAUER 1933, 98 f;
   BULTMANN 1941, 176; CULLMANN 1962, 94;
   BROWN 1966/70, 283.291; GOPPELT 1969, 236 f;
   TRAGAN 1977b,104; GNILKA 1983, 54; SCHNELLE 1987, 224 f.
3) Eine der wenigen Ausnahmen: BORGEN 1965, besonders 109 ff.
   Zur Auslegungsgeschichte vgl. SCHNACKENBURG 1971b, 96-100.

schon weil kein anderer Hintergrund in Sicht ist. Wird Joh 6,51
ff zudem mit Mk 14,22-24; Lk 22,19.20; Mt 26,26-28 und auch 1 Kor
11,23-26 verglichen, so zeigt sich eine frappierende Ähnlichkeit
der Terminologie, die deutlich macht, daß wir es bei ἐσθίω, πίνω,
ἄρτος, σάρξ, αἷμα und ὑπέρ mit einem durch die Abendmahlstradition
geprägten Wortfeld zu tun haben.

Deswegen müssen wir auch in Joh 6,51 ff mit einer entsprechenden
Konnotation rechnen und mit BAUER folgern: "Die Rede vom Essen
und Trinken des Fleisches und Blutes des Herrn mußte in den
Lesern mit Notwendigkeit das Bild des Herrenmahles wachrufen."[1]
Wenn sich nun Essen und Trinken auf einen wirklichen Eßvorgang
beim Herrenmahl beziehen, dann muß die obige Frage, wie sich V.
40 und V. 54 vertragen, als Frage nach dem Verhältnis von Herrenmahl und Glaube wieder aufgenommen werden. Hier vertritt
Jürgen BECKER wohl die dezidierteste Position. In der Nachfolge
von BULTMANN kann er das Verhältnis zwischen der Vorlage, die
vom Glauben spricht, und der Redaktion, die die Brotlehre auf
das Herrenmahl bezieht, nur als unversöhnliche Antithese begreifen. Hatte BULTMANN festgestellt, daß nach der Theologie der Re-
daktion "der Teilnehmer am sakramentalen Mahl |...| die Potenz,
die ihm die Auferweckung garantiert"[2], in sich trägt, so führt
BECKER diesen Ansatz weiter, indem er die Theologie der Redaktion
als 'Sakramentalismus' brandmarkt, für den der Glaube keine Rolle mehr spielt.[3] Seiner Meinung nach tritt an die Stelle der
"Glaubensbeziehung zum Sohn" auf der redaktionellen Stufe "die
Aufnahme der sakramentalen Gaben durch den Mund."[4] Eine solch
unversöhnliche Spannung zwischen Vorlage und Redaktion ist allerdings kaum nachvollziehbar. Schon aus einfachen historischen
Überlegungen heraus ist Skepsis angebracht. Für das frühe Christentum ist ja eine Beteiligung an 'Kulthandlungen' ohne Zugehörigkeit zur religiösen Gemeinschaft nur schwer vorstellbar. Und
diese Zugehörigkeit zur Gemeinschaft wird im antiken Christentum
eben noch durch das Bekenntnis, also durch den Glauben bestimmt.

---

1) BAUER 1933, 99.
2) BULTMANN 1941, 175. Vgl. auch HAENCHEN 1980, 328.331.
3) Vgl. BECKER 1979/81, 222 f.
4) BECKER 1979/81, 220.

Verbunden mit den Beobachtungen der Literarkritik heißt das:
Weil "die sogenannte 'eucharistische Rede' niemals für sich
allein und die 'Lebensbrotrede' kaum je in einer ohne die gemeinsame Feier des Herrenmahls lebenden Gemeinde existiert hat, läßt
sich das 'Glauben' nicht gegen das 'Essen' ausspielen."[1]
Textintern muß gegen die Interpretation von BULTMANN und BECKER
eingewandt werden, daß die Redaktion doch die Heilswirkung des
Essens gar nicht ausschließlich an die Endzeit bindet. Vielmehr
findet sich, das haben wir schon gesehen, auch im herrenmahlbezogenen Textteil die Synthese von gegenwärtigem und zukünftigem Leben.
Außerdem zeigt sich daran, wie die personale Identifikation Jesu
mit dem Lebensbrot aufgenommen wird, daß für die Redaktion der
Glaube an Jesus als Lebensbrot Grundlage ihrer Ausführungen ist,
auch wenn sich in ihren eigenen Textteilen πιστεύω nicht findet.
Die Aufnahme der christologischen Lebensbrotaussage läßt sich
folgendermaßen verdeutlichen:

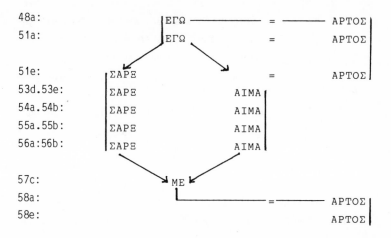

48a:	ΕΓΩ	=	ΑΡΤΟΣ
51a:	ΕΓΩ	=	ΑΡΤΟΣ
51e:	ΣΑΡΞ	=	ΑΡΤΟΣ
53d.53e:	ΣΑΡΞ	ΑΙΜΑ	
54a.54b:	ΣΑΡΞ	ΑΙΜΑ	
55a.55b:	ΣΑΡΞ	ΑΙΜΑ	
56a:56b:	ΣΑΡΞ	ΑΙΜΑ	
57c:	ΜΕ		
58a:		=	ΑΡΤΟΣ
58e:			ΑΡΤΟΣ

Hier zeigt sich sehr schön, wie die Redaktion die Gleichsetzung
Jesu mit dem Himmelsbrot aufnimmt, dann das Ich Jesu in Fleisch
und Blut ausdifferenziert, um dann ab V. 57 wieder zu der einfachen personalen Identifikation zurückzukehren.

---

1) THYEN 1979b, 99.

Von diesen Überlegungen her erscheint die Frage nach dem Verhältnis von Glaube und Herrenmahl nicht mehr ganz glücklich. Sie muß neu gestellt werden, und zwar so, daß nach den Motiven und Ansatzpunkten für die redaktionelle Überarbeitung gefragt wird. Was bedeutet es, wenn ein soteriologisch ausgerichteter Text um herrenmahlbezogene Aussagen ergänzt wird?

Wird die Frage so gestellt, dann werden wir von der Ausrichtung der Vorlage auf die Frage des Heilsverständnisses hingewiesen. Daß auf diesem Feld der Anknüpfungspunkt der Redaktion tatsächlich liegt, darauf deuten die schon untersuchten Erweiterungen in V. 27.39.40.44 hin. In Aufnahme und Korrektur eines Heilsverständnisses, das in der Glaubensgemeinschaft mit Jesus das ewige Leben ganz zu haben meint, entwickelt die Redaktion ihr Verständnis des ewigen Lebens als Synthese von gegenwärtiger Heilserfahrung und Heilserwartung auf Zukunft hin. In diesem Konzept wird der Glaube in seiner Heilswirkung eschatologisch gedehnt und erhält durch das Einbringen des Herrenmahlbezuges zusätzliche Konturen. Wie diese Konturen aussehen, zeigt sich in 6,51e.51f. Wenn nämlich dort "das Fleisch als das für das Leben der Welt gegebene bezeichnet wird, so ist zweifellos an Jesu Hingabe in den Tod gedacht, der ja nach urchristlicher Anschauung ein Tod ὑπέρ ... ist. Und wenn nicht etwa von Jesu ψυχή (= Leben) die Rede ist, was spezifisch joh. wäre, sondern von seiner σάρξ , so deshalb, weil es sich um den Genuß von Fleisch (und Blut) Jesu handelt in dem Herrenmahl, das er durch seine Hingabe in den Tod gestiftet hat."[1]

Für einen solchen Bezug der Brotrede auf das Kreuzesereignis hat sich auch SCHÜRMANN energisch eingesetzt. Besonders wichtig ist wohl sein Hinweis, daß das Fleisch nur im Tod für das Leben der Welt hingegeben werden kann. V. 51e.f (und V.33)[2] sind also mit

---

1) BULTMANN 1941, 175. Vgl. LOISY 1921, 242; WILKENS 1958a, 365 f; CULLMANN 1962, 94; SCHWEIZER 1963, 392 ff; BROWN 1966/70, 291; NEUGEBAUER 1968, 19; SCHNACKENBURG 1971b, 83; BEUTLER 1976, 191 f; THYEN 1979b, 98; WHITACRE 1982, 129 f; GNILKA 1983, 53.

2) Zu V. 33 vgl. die luzide Interpretation von der Inkarnationsaussage 1,14 (die RICHTER 1977, 149-198 für redaktionell hält) her bei SCHÜRMANN 1970, 160.

dem Kreuzestod in Verbindung zu setzen, denn das Herrenmahl als solches dürfte ja wohl eine Gemeindeangelegenheit sein.[1] Die Koppelung von Kreuz und Herrenmahl wird auch nahegelegt durch eine weitere Beobachtung.

Die Redaktion bringt den Menschensohn-Titel ein. Da dieser Titel im Joh in enger Verbindung mit dem Kreuzestod steht,[2] ist es angebracht, für die redaktionelle Verwendung im Kontext der Brotrede ebenfalls eine Konnotation anzunehmen, die die Erhöhung am Kreuz ins Spiel bringt.[3]

Das rein präsentische Heilsverständnis der Vorlage wird also von der Redaktion so korrigiert, daß gegenwärtiges und zukünftiges Heil (in spannungsvoller Einheit) abhängig gemacht wird vom Glauben an Jesus, der vom Himmel herabgekommen ist und am Kreuz erhöht worden ist. Zu diesem Glauben gehört die Teilnahme am Herrenmahl. Heil ist der Redaktion nicht allein präsentisches, unüberbietbares Resultat des Glaubens an Jesus; es genügt ihr nicht, Jesus als Himmelsbrot geistlich zu genießen, vielmehr kommt es ihr auf das reale Trinken und Zerbeißen an. So wird die Teilnahme am Herrenmahl zu einer Voraussetzung für das dialektisch von Erfüllung und Verheißung bestimmte Heil, denn bei diesem Mahl wird die heilspendende Kraft des Todes Jesu aktuell erfahren.[4]

Es ist nun noch kurz die Frage anzugehen, wie es möglich ist, daß die Redaktion Jesus nicht mehr nur als Lebensbrot sieht, das im Glauben geistig genossen wird, sondern auch als Geber von Lebensbrot, das körperlich gegessen wird. Auf den Hintergrund der personalen Identifikation Jesu mit dem Himmelsbrot bin ich schon eingegangen; aber wie ist die Ausweitung auf etwas Konkretes zum Essen zu verstehen?

---

1) Vgl. SCHÜRMANN 1970, 156.

2) Joh 3,14 ist durch die Parallelisierung mit der ehernen Schlange eindeutig. 12,32 f führt die Deutung auf den Tod explizit durch.

3) Interessant ist auch der Hinweis auf Joh 1,29 bei BROWN 1966/ 70, 291: Dort werde Jesus als sündentilgendes Paschalamm vorgestellt,wozu die Datierung von 6,4 passe. Vgl. auch THYEN 1979b, 98.

4) Vgl. SCHÜRMANN 1970, 176.

Zur Klärung dieser Frage ist auf JosAs einzugehen[1], wo ja auch die einzige Parallele zum johanneischen ἄρτος τῆς ζωῆς zu finden ist. Mehrmals ist von ἄρτος ζωῆς die Rede (JosAs 8,5.9; 15,5; 16,16; 19,5; 21,21).

Allerdings steht das Lebensbrot in JosAs meist innerhalb einer Trias von Brot, Becher und Salbung. Hinter dieser Dreierreihe steht der antike Topos 'Brot, Wein und Öl', der "the basic means of human subsistence"[2] bezeichnet. Die Lebensverheißung, die diesen alltäglichen Dingen zugeordnet ist, bezieht sich auf den rechten, jüdischen Gebrauch dieser Dinge für Ernährung und Hygiene.[3] Im Unterschied zu SCHNACKENBURG, der die triadische Wendung stärker ausgeweitet auf die jüdische Lebensweise insgesamt beziehen möchte,[4] ist mit BURCHARD daran festzuhalten, daß "JosAs specifically attaches eternal life to bread, cup and anointment and not to Jewish piety in general."[5]

Diese Bindung einer Heilsaussage an Dinge des alltäglichen Lebens mag überraschen, erklärt sich aber aus der Verbindung mit dem himmlischen Manna, das als Lebensgeist an sich gesehen wird. Zwar werden Brot, Becher und Salbung nicht mit dem Manna gleichgesetzt[6], aber sie sind doch irdischer Ersatz für das Manna, das Aseneth aß. Zum Ersatz werden Speise, Trank und Salbung durch die jüdischen Segnungen, die sie mit dem Geist des Lebens erfüllen. Wenn die gesegneten Gaben benutzt werden, teilt sich der Geist als Garantie ewigen Lebens den Konsumierenden mit.

Dieses Verständnis elementarer Alltagsvorgänge stellt nicht irgendeine jüdische Absonderlichkeit dar, sondern ist Ausfluß des jüdischen Glaubens, der sich durch den Lobpreis Gottes auszeichnet. Deswegen kann der rechte Umgang mit Brot, Wein und Öl als Manifestation des jüdischen Propriums angesehen werden.[7]

---

1) Die folgenden Ausführungen stützen sich hauptsächlich auf BURCHARD 1987.
2) BURCHARD 1987, 113. Vgl. ders. 1965, 128 f.
3) Vgl. BURCHARD 1987, 113.
4) Vgl. SCHNACKENBURG 1971a, 339.
5) BURCHARD 1987, 113.
6) Vgl. BURCHARD 1987, 116; anders ders. 1965, 129-131.
7) Vgl. BURCHARD 1987, 117.

Die Vorstellung, das konkrete Dinge, darunter Essen und Trinken, durch Segnungen zu einem geisterfüllten Abbild des himmlischen Geist-Manna werden und so lebenspendend wirken können, erklärt wohl ganz gut, wie in Joh 6 die Verheißung ewigen Lebens auch an konkretes Essen und Trinken gebunden werden kann. Auch für den johanneischen Text wäre dann die Vorstellung von einer Geisterfülltheit der eucharistierten irdischen Gaben vorauszusetzen.

Daß die personale Lebensbrotaussage überhaupt ausgeweitet werden konnte, erklärt sich übrigens aus der ambivalenten Grundstruktur der Sophia-Vorstellungen.

Das Spekulieren über die göttliche Weisheit ist ja oft gekennzeichnet durch ein Oszillieren zwischen Person und Pneuma. So wird z.B. in SapSal einerseits die Weisheit **personal** begriffen, andererseits findet sich auch eine eher stoisch-philosophisch geprägte Rede vom Weisheits**pneuma** (vgl. SapSal 7,28; 8,2.3.9 mit 7,22-24). Der Unterschied gründet, wie OFFERHAUS feststellt, darin, "daß die Aussagen über die Pneumasubstanz die Bedingung der Möglichkeit für das Wirken der Weisheit in der Welt und für ihr Eindringen in die Menschen klären und die über die Frau Weisheit stärker die personale Komponente in der Beziehung zwischen Gott und Mensch betonen."[1] Beide Elemente finden sich auch bei Philo, der die Sophia sowohl als Nahrung der Seele verstehen kann, sie andererseits aber auch als geistliche Nährmutter sieht (Det 115 f; für den Logos: Her 191). Auch Philo pendelt also zwischen personhafter und geistig-fluidaler Vorstellung. Diese Ambivalenz der Sophia-Spekulation macht die johanneische Synthese möglich. Jesus wird - im Rahmen einer Weisheitschristologie - personal als Lebensbrot verstanden und kann zugleich in konkreten Dingen präsent sein, weil diese Gaben von ihm als Weisheit pneumatisch durchdrungen werden. Die Gaben können dann selbst als Brot des Lebens bezeichnet werden, weil sie geistgewirkt Fleisch (und Blut) Jesu werden, das ewiges Leben schenkt.

So ungefähr könnten die grundsätzlichen Gedankengänge aussehen, die der Redaktion erst die Möglichkeit zu ihrer Synthese geben.

---

1) OFFERHAUS 1981, 254.

E 5.3 Die Juden, die Ungläubigen und der Verräter

Daß mit V. 60 etwas Neues beginnt, ist unbestreitbar. Die Ortsangabe in V. 59 setzt eine deutliche Zäsur. Andererseits sind die
anaphorischen Elemente zahlreich. In 6,59.60b.61b und 61d wird
die vorhergehende Rede Jesu als ganze pronominalisiert. Auch V.
63c-e ist nur sinnvoll bei einem Bezug auf die Worte, die Jesus
gerade gesprochen hat.[1] Die Rückbezüge sind aber sehr generell
und die Thematik von 6,26-59 wird nicht fortgesetzt. Das bedeutet, daß 6,60-71 sich auf einer reflexiven Metaebene bewegt. Die
Brotlehre Jesu wird nun selbst zum Gegenstand des Gesprächs. Der
Inhalt der Lehre ist dargelegt, die Auseinandersetzung über diese Lehre geht weiter.
Wenn nun in V. 60 die Adressaten Jesu als Jünger bezeichnet werden, so bekommen diese Jünger, die Anstoß an Jesu Lehre nehmen,
die narrative Rolle der gegnerischen Juden übertragen.[2]
Die folgende Erzählereinrede (61a.61b) entwickelt die Parallelisierung Jünger-Juden weiter. In 61b findet nämlich eine Merkmals-
übertragung statt. Zum einen nimmt das Murren der Jünger das
Streiten der Juden (V. 52) auf, die Jünger verhalten sich also
in Bezug auf das Abendmahl ähnlich wie die feindlichen Juden, zum
anderen nimmt das Murren der Jünger auch das Murren der Juden
von V. 41 und V. 43 auf. Dort gebrauchte die Vorlage das Wort
γογγύζω, um das feindselige Verhalten der Juden zu kennzeichnen,
wobei der Kontext, der die Semantik des Wortes mitbestimmte, die
Bestreitung der himmlischen Herkunft Jesu war. Die Redaktion vermeidet dieses Wort auffälligerweise in V. 52, wo es direkt um
das Herrenmahl geht. So bleibt die christologische Konnotation
des Wortes erhalten bis V. 61. Wenn dann dort γογγύζω in Bezug
auf die Jünger, die die herrenmahlbezogene Brotlehre ablehnen,
fällt, dann ist klar, daß diese Jünger parallelisiert werden mit
den Juden, die Jesu göttlichen Ursprung leugnen.[3]

---

1) Vgl. SCHNACKENBURG 1971b, 107. Die Lehre Jesu insgesamt kann
   in Joh 6 noch nicht gemeint sein: gegen BULTMANN 1968, 66;
   TRAGAN 1977b,116.
2) Vgl. RICHTER 1977, 114 Anm. 83.
3) Vgl. BORGEN 1965, 184.

Die Redaktion entwickelt also zunächst ein bestimmtes Bild der jüdischen Gegner. Sie werden als solche dargestellt, die nicht nur Jesu himmlische Würde bestreiten, sondern auch das Herrenmahl ablehnen. Diese Eigenschaften werden auf die **Jünger** übertragen. **Wenn sie die herrenmahlbezogene Brotlehre ablehnen, so geben sie sich als solche zu erkennen, die Jesu himmlische Herkunft leugnen.**

In der Antwort Jesu (61d-64b) wird dem Murren der Jünger zunächst der Hinweis auf den Aufstieg Jesu entgegengestellt. Dieser Hinweis ist offensichtlich so zu verstehen, daß die Anabasis Jesu ein noch größeres Skandalon darstellt. "Wollte man einwenden, daß Jesu ἀναβαίνειν doch kein σκάνδαλον sein könne, sondern vielmehr das Ärgernis des σκληρὸς λόγος aufheben würde, so würde man verkennen, daß sich dieses ἀναβαίνειν gar nicht als glorreiche Demonstration der δόξα Jesu vor der Welt vollzieht; es ist ja nichts anderes als das am Kreuz geschehende ὑψωθῆναι und δοξασθῆναι."[1]

Nach dem Hinweis auf das größere Ärgernis des Kreuzes, konfrontiert die Redaktion die Jünger mit der Leben spendenden Autorität der Brotlehre Jesu. Mit V. 63a.63b ist wie gesagt ein traditioneller Spruch aufgenommen worden. Dieser Spruch wertet die Sarx radikal ab; nur das Pneuma hat soteriologische Qualität. Mit σάρξ wird dabei "die Sphäre des Weltlich-Menschlichen im Gegensatz zum Göttlichen, als der Sphäre des πνεῦμα, bezeichnet."[2] Der Spruch in sich ist so allgemein zu verstehen, wie er formuliert ist. Weder ein Bezug zum Herrenmahl noch ein solcher zur Christologie sind ihm zunächst eigen.[3] Der Bezug aber, den die Redaktion ihm gibt, ist klar durch 63c-e: Jesus Worte sind gemeint.[4]

1) BULTMANN 1941, 341. Vgl. auch WILKENS 1958a, 364-366;
ders. 1958b, 140 f; SCHWEIZER 1963, 389;
BORGEN 1965, 187, BROWN 1966/70, 296; BORNKAMM 1968, 61;
BECKER 1979/81, 215.
2) BULTMANN 1941, 39. Vgl. auch BROWN 1966/70, 300.
3) Ein ähnlicher Satz findet sich auch in Joh 3,6. Aber auch Gal
6,8; Röm 8,5.6 sind vergleichbar.
4) Vgl. GNILKA 1983, 55.

In ihrem Kommentar zu diesem Spruch vernachlässigt die Redaktion den negativen Aspekt der Sarx - was von 6,51 ff her nur zu verständlich ist - und greift nur die Pneuma-Seite auf. Sie definiert den alles entscheidenden Geist so,daß er an Jesu Worte - konkret die vorausgehende Brotrede - gebunden ist.[1] Damit erfährt der Spruch eine Umdeutung, die - wenn die Wertung erlaubt ist - nur als pikant bezeichnet werden kann, denn ausgerechnet die dualistische Abwertung des Fleischlichen und die Betonung des Geistigen werden jetzt als Legimitationsgröße für Worte eingesetzt, die immerhin auch die Heilsbedeutsamkeit des **Fleisches** Jesu herausgestellt haben. Genau diese Worte werden hier mit höchster Dignität versehen. Trotzdem gibt es Jünger, die diesen Geist-Worten nicht glauben. Wenn hier in 64b die Jünger, die Anstoß nehmen, pauschal als Ungläubige bezeichnet werden, so bestätigt das die oben gezogenen interpretatorischen Schlüsse über die Parallelisierung der Jünger mit den ungläubigen Juden.[2]

In der sich anschließenden Erzählereinrede (64c-e) ereignet sich eine neuerliche Erweiterung des negativen Jüngerbildes. Durch die doppelte Entfaltung des Wissens Jesu werden die murrenden Jünger nun auch noch mit dem Verräter Jesu in Verbindung gebracht. **Wer die herrenmahlbezogen interpretierte Brotlehre ablehnt, ist nicht nur ungläubig wie die Juden, sondern auch ein Verräter wie Judas.**[3] In V. 65 wird den ungläubigen Jüngern die Bestimmung abgesprochen, zu Jesus zu kommen. Dabei verweist Jesus auf eine frühere Äußerung zurück. Es kann sich nur um V. 44 handeln. Dort waren allerdings die Juden angesprochen! Das ist ein Zeichen, daß die murrenden Jünger wirklich an die Stelle der Juden getreten sind. Beider Unglauben wird auf den bestimmenden Willen des Vaters zurückgeführt. Damit greift die Redaktion das 'deterministische'Konzept der Vorlage auf, wendet es aber auf die ungläubigen Jünger an, denen es ebenfalls nie bestimmt war, zu Jesus zu kommen.[4] Diese Wendung ist freilich nicht unproblematisch. Die

---

1) Vgl. SCHNACKENBURG 1971b, 107.
2) Die **negative** Koppelung von Unglaube und Anstoß am Herrenmahl bestätigt die These, daß für die Redaktion auch **positiv** Glaube und Herrenmahl gekoppelt sind.
3) Vgl. LANGBRANDTNER 1977, 117; THYEN 1977a, 278.
4) Vgl. TRAGAN 1977b,117.

Jünger, die in V. 66b dann gehen, müssen ja vorher in gewisser
Weise zu Jesus gekommen sein, sonst wären sie ja Juden und keine
Jünger, und sonst könnten sie auch nicht weggehen von Jesus.
Diese Reibung ist wohl so zu deuten, daß zwischen echter und
scheinbarer Jüngerschaft unterschieden wird. Wer vom Vater nicht
für Jesus bestimmt ist, kann zwar äußerlich Jünger sein, aber er
geht dann wieder.

Die Parallelisierung der Scheinjünger mit den Juden macht auch
die redaktionelle Einfügung von V. 36 verständlich. Unter Vorgriff auf V. 40 wird dort das Thema 'Unglauben' frühzeitig vorbereitet. V. 36 ist als Anrede an die Juden nur schwer verständlich.
In V. 40 sind Sehen und Glauben ja geradezu gleichbedeutend[1],
weswegen den ungläubigen Juden eigentlich weder Sehen noch Glauben zugesprochen werden kann. Dieser Widerspruch ist so zu verstehen, daß das Bild der Juden dem der weggehenden Jünger angeglichen werden soll. Deshalb wird ihnen ein Sehen Jesu zugesprochen. Denen, die in V. 66 weggehen, kann ein solches Sehen ohnehin nicht gänzlich abgesprochen werden, schließlich waren sie
Jünger. Aber die Bestimmung zum Glauben soll ihnen trotzdem bestritten werden. Eine nachträgliche Erhellung erfährt auch V.
39. Dieser Vers, der sich formal an die Juden richtet, wird erst
vom Bezug auf die ungläubigen Jünger voll verständlich. Wenn keiner verlorengeht, den der Vater Jesus gegeben hat, so hat der Vater diejenigen, die in V. 66 gehen, niemals für den Sohn bestimmt.
Nach dem Auszug derer, die nie dazugehörten, wird dem Fehlverhalten dieser Jünger in 6,67-69 ein positives Modell entgegengehal-
ten. Jesus fragt die Zwölf, ob auch sie gehen wollen. Petrus als
Sprecher dieser Gruppe[2] lehnt den Weggang ab und bestätigt, daß
Jesus Worte ewigen Lebens hat. Die darin liegende Aufnahme und
Anerkennung des Anspruches Jesu von V. 63c-e wird als Glauben und Erkennen expliziert (V. 69). Πιστεύω wird in 69a so all-

---

1) BULTMANN 1941, 174 spricht unter Hinweis auf Joh 12,44 f von
   einem Hendiadyoin. Vgl. auch SCHNACKENBURG 1971b, 74; TRAGAN
   1977b,96; HAENCHEN 1980, 332.
2) Daß Petrus hier wirklich als Sprecher fungiert, wird daraus
   deutlich, daß Jesus in 67b.70b pluralische Personalpronomina
   verwendet, und Petrus auch sich selbst einer Gruppe zuordnet
   (68c.69a.69b). Vgl. WENGST 1981, 73 Anm. 215.

gemein gebraucht wie in V. 64. Das Lexem ist damit auch hier offen für die Bezüge, die dort festzustellen waren. Das bedeutet,
daß auch hier die beiden Dimensionen, Christologie und Herren-
mahlsbezug, zu finden sind. Die Zwölf glauben den Lebensworten
Jesu und erkennen so seine göttliche Würde. **Wer die Brotlehre
mit ihrem Bezug zum Herrenmahl annimmt, erkennt auch an, daß
Jesus vom Himmel kommt.** Hier ist also positiv geschildert, was
in V. 63.64 negativ gewendet war. Sofort wird wieder das Verratsthema angeschlossen. Jesus kontrastiert in seiner Entgegnung an
Petrus (V. 70) die Erwählung der Zwölf mit dem Teufelsein eines
von ihnen. Die Erzählereinrede in V. 71 macht klar, daß dieser
Teufel der Verräter Judas ist. Judas gehört wohl zu den Jüngern,
sogar zu den Zwölfen, und doch ist er der Verräter. Dieser ein-
drucksvolle Kontrast läßt natürlich die Frage aufkommen, warum
Jesus einen Teufel überhaupt erwählt hat. "Der joh. Jesus nimmt
diesem Anstoß die Spitze, indem er sein Wissen um den Verräter
bekundet."[1] Das souveräne Wissen Jesu über den Verrat war schon
in V. 64 betont worden, dort zugleich im Zusammenhang mit dem Unglauben. Diese Beziehung wird hier reaktiviert dadurch, daß der
Hinweis auf den Verräter als Antwort Jesu auf das Glaubensbekennt-
nis des Petrus eingebracht wird. **Dadurch, daß der Verrat in Opposition zum Glauben gestellt wird, ist er wieder mit dem Unglauben
gekoppelt.** Der Schwerpunkt liegt hier aber auf dem Kontrast zwischen Erwählung und Verrat.
Obwohl Judas ein Jünger ist, sogar einer von den Zwölfen, gehört
er doch nicht dazu. Wie bei den abtrünnigen Jüngern vertritt der
Text damit auch für Judas das Konzept einer Unterscheidung
zwischen wahrer Jüngerschaft und bloß äußerlicher Zugehörigkeit.[2]
Wenn in der Bezeichnung des Judas als Teufel eine Wesensbeschrei-
bung gesehen wird, so ist das eine gute Analogie zu der 'deterministischen' Erklärung des Unglaubens der Juden wie der abtrünnigen
Jünger. Judas wird also auch in diesem Punkt mit diesen beiden
Gruppen in Verbindung gebracht, wobei er als Jünger den ungläubigen Jüngern natürlich nähersteht als den Juden.

---

1) SCHNACKENBURG 1971b, 112.
2) Vgl. LANGBRANDTNER 1977, 375; KING 1983, 30.

Zusammenfassend läßt sich also sagen, daß die inhaltliche Grenze zwischen Juden, Jüngern und Judas zum Verschwimmen gebracht und ein Austausch von Merkmalen zwischen den beteiligten Größen in Gang gesetzt wird:
Die Juden lehnen nicht nur die Christologie, sondern auch das Herrenmahl ab.
Jünger, die die Brotlehre als hart empfinden, sind zugleich ungläubig in bezug auf die Christologie und sind Verräter. Bei dieser erzählerischen Idiomenkommunikation übernimmt auch Judas notwendigerweise Züge der beiden anderen Gruppen. Er ist nicht mehr nur Verräter, sondern wird zum Ungläubigen, zum "prototype de ceux qui renient leur foi."[1] Wobei der Glaube, um den es hier geht, konkret die Annahme der herrenmahlsbezogen erweiterten Brotlehre ist. **Die Judasfigur ist also ganz deutlich in die Auseinandersetzung um das Herrenmahl einbezogen.**

E 6. Überlegungen zur Pragmatik und zum geschichtlichen Hintergrund der redaktionellen Arbeit

Obwohl die pragmatische Intention der Lieblingsjünger-Texte erst nach den semantischen Analysen untersucht werden wird, soll für Joh 6 der entsprechende Arbeitsschritt hier schon durchgeführt werden. Damit kann eine Vororientierung erreicht werden, die die Einordnung späterer Beobachtungen erleichtert;
auch soll ein Blick auf die Ausrichtung der Endresultate der Arbeit gewährt werden.

Setzen wir ein bei der Frage nach dem **impliziten Lesenden.** Welche Rolle ist für die adäquate Rezeption vorgezeichnet? Diese Frage ist nicht schwer zu beantworten. Da der implizite Autor den Standpunkt Jesu teilt, ist die vorgezeichnete Rezeptionsrolle die Übernahme der von Jesus vorgetragenen Lehre. Die Übernahme läßt sich inhaltlich näher bestimmen als Glaube an Jesus als Brot des Lebens und Essen bzw. Trinken seines Fleisches und Blutes. Diese beiden Dimensionen der angezielten Leserreaktion sind eng verbunden zu sehen. Es geht nicht darum, einerseits zu glau-

---

1) TRAGAN 1977b,112 f; Vgl. LOISY 1921, 251; LÜTHI 1956, 108 f; KLAUCK 1987, 72.74.

ben und andererseits zu essen, vielmehr wird die Mahlteilnahme
in den Glaubensbegriff integriert. Das Mahl wird so in die Heilswirksamkeit des Glaubens einbezogen. Entsprechend richtet der
Text keine direkte Handlungsanweisung an die Lesenden. Er arbeitet vielmehr konzeptionell. Das Mahl wird durch die Lebensverheißung so aufgewertet, daß - in einem zweiten Schritt der praktischen Umsetzung - von den Lesenden eine Teilnahme am Herrenmahl
erwartet werden kann. Wird nach einer narrativen Konkretisierung
der Rolle der impliziten Leserinnen und Leser gefragt, so ist
auf die Gruppe hinzuweisen, für die Petrus spricht. Sie vollzieht
den geforderten Akt der Annahme der Lehre Jesu. Demgegenüber gehören die anderen Adressaten Jesu, die Juden, die ungläubigen
Jünger und Judas, nur insofern zur impliziten Leserrolle als sie
diese durch negative Gegenbilder abgrenzen.[1]
Wenn davon die Rede ist, daß im Petrusbekenntnis die Leserrolle
narrativ konkretisiert ist, so bedeutet das natürlich nicht, daß
die Petrusfigur oder die Gruppe, für die er spricht, mit dieser
Rolle zu identifizieren seien. Das Bekenntnis des Petrus ist
vielmehr nur ein Aspekt des intendierten Rezeptionsverhaltens.
Ein weiterer ist zu sehen in der intensiven Arbeit des impliziten
Autors an der 'deterministischen' Erklärung des Unglaubens, wobei
der Unglaube ausgedehnt wird auf die Ablehnung des Herrenmahls
und mit dem Verrat gleichgesetzt wird. Welche pragmatische Intention ist hieraus zu schließen? Sicher sollen die Leser und Leserinnen das Wertkonzept übernehmen, das hier entwickelt wird.
Infragestellung des Essens und Trinkens von Jesu Fleisch und
Blut ist Unglaube und Unglaube ist Verrat. Wenn solcher Verrat
auftritt, so ist das auf den bestimmenden Willen des Vaters zurückzuführen. In welcher Situation sind nun pragmatische Intentionen wie diese sinnvoll?
Offensichtlich ist die **Kommunikationssituation** des Textes geprägt
von Auseinandersetzungen um das Herrenmahl, die es nötig machen,
den Wert dieses gemeindlichen Brauchs neu zu verdeutlichen. Daß

---

1) Die Bestimmung der Leserrolle bei PHILLIPS 1979, 186 ist also
zu generell. Der/die implizite Leser/Leserin ist nicht einfach
mit jedem Adressaten Jesu zu identifizieren.

es bei diesen Auseinandersetzungen um Konflikte mit dem zeitgenössischen Judentum geht,[1] ist absolut unwahrscheinlich, weil die
Redaktion das negative Judenbild nicht entwickelt, sondern als
traditionell gegeben in ihr Text-Repertoire aufnimmt. Dieses
Bild wird so umgeformt, daß es der Disqualifizierung der Jüngergruppe dient, die von Jesus weggeht. Die Redaktion benutzt hier
offensichtlich ein gemeindliches Klischee, dessen Existenz den
Schluß auf frühere Auseinandersetzungen mit der jüdischen Umgebung unausweichlich macht. Für die Redaktion ist das aber offensichtlich kein aktuelles Problem mehr. Die feindlichen Juden
sind schon ein fixiertes Bild, mit dem sie polemisch arbeiten
kann. Auch Judas steht, obwohl die betreffenden Texte redaktionell
sind, nicht im Zentrum der redaktionellen Arbeit. Vielmehr wird
auch hier eine - gemeinchristlich bekannte - negative Wertung
vorausgesetzt und auf die ungläubigen Jünger übertragen. Es geht
deshalb auch nicht an, eine Problemlage zu entwerfen, in der es
um eine Apologie des historischen Judasverrats geht.[2]
Im Zentrum des redaktionellen Interesses stehen die murrenden
Jünger. Es ist deshalb anzunehmen, daß die Jüngergruppe ikonisches
Zeichen für eine entsprechende Gruppe in der Lebenswelt der Kommunikationsbeteiligten ist. Hinter dem innertextlichen Negativ-
bild kann dann außertextlich eine Gruppe von Gemeindegliedern
entdeckt werden, die aus bestimmten Gründen **Probleme mit dem Herrenmahl** hat. Zwischen dieser Gruppe und einer vom Autor positiv
bewerteten Gruppe hat es einen Bruch gegeben.[3] Die bekämpfte
Gruppe hat offensichtlich die 'Gemeinde'[4] schon verlassen. Für

---

1) So jetzt wieder STUHLMACHER 1987, 29, der aber auch die innergemeindlichen Probleme sieht.
2) Gegen WREDE 1907, 128 f; jetzt wieder KLAUCK 1987, 72 f.
3) Innergemeindliche Auseinandersetzungen als historischen Hintergrund sehen auch:
   SCHNACKENBURG 1971b, 108; RICHTER 1977, 108 f;
   LANGBRANDTNER 1977, 116 f; THYEN 1977a, 277 f;
   ders. 1978, 358; ders. 1979b, 98.102;
   TRAGAN 1977b, 112 f; HAENCHEN 1980, 338;
   VOGLER 1983, 95.97; GNILKA 1983, 55 f;
   STUHLMACHER 1987, 29 f; SCHNELLE 1987, 227.
4) Daß sich die Gruppe um die Redaktion als **die** Gemeinde ansah,
   ist selbstverständlich. Die Gegner werden sich aber auch

den Schluß, daß die **Spaltung schon vollzogen** ist, braucht nicht nur mit dem Weggehen der erzählten Jünger (6,66) argumentiert werden; für ihn spricht auch die Tatsache, daß die Redaktion für den 'Unglauben' das 'deterministische' Erklärungsmuster der Vorlage benutzt. Solche Erklärungen setzen die Ablehnung, das Ende des Gesprächs immer schon voraus. Solange es noch um eine Ermahnung der Gegner zum Bleiben und zur Teilnahme am Mahl geht, sind 'deterministische' Konzepte ungeeignet. Das Mühen um Verständigung und die Diffamierung der Gesprächspartner als ungläubige Verräter, die nie dazugehörten, gehen einfach nicht zusammen. Die innertextliche Bewertung der murrenden Jünger ist aber dann einsichtig, wenn es außertextlich nicht mehr um Versöhnung geht, sondern um Apologie der vollzogenen Spaltung.[1] Die Intention ist dann, **daß die Bleibenden sich durch die Trennung nicht beunruhigen brauchen lassen, weil die, die gingen, ohnehin nie echte Gemeindeglieder waren.** In einer solchen Stabilisierungsstrategie <u>nach</u> dem Bruch hat das festgestellte Konzept der Unterscheidung zwischen echter und bloß scheinbarer Jüngerschaft seinen sinnvollen Platz.

Gegen diese Situationsbeschreibung sprechen auch die kohortativen Züge, wie sie sich in 6,51-58 zeigen, nicht. Die Mahnung zur Wertschätzung des Herrenmahls ist ja auch sinnvoll, wenn sie sich an die verbliebenen Gemeindeglieder richtet. Es muß ja keinesfalls so sein, daß unter diesen die redaktionelle Reinterpretation der Brotlehre ganz problemlos akzeptiert ist. Außerdem könnte diese Reinterpretation ja auch der Auslöser für den Konflikt gewesen sein.[2] Textintern wird zumindest

---

nicht einfach als Ungläubige betrachtet haben. Es darf ja nicht übersehen werden, daß es die Redaktion ist, die eine Differenz im Glauben zur Opposition Glaube/Unglaube hochstilisiert. Deshalb kann - historisch gesehen - die Gruppe um die Redaktion nur als 'Gemeinde' bezeichnet werden. Entsprechend ist auch im Kontext der historischen Fragestellung immer von 'Ungläubigen' die Rede. Die Anführungszeichen sind also Zeichen für die notwendige Relativierung der besonderen Perspektive des Textes.

1) Vgl. TRAGAN 1977b, 109.
2) Vgl. LANGBRANDTNER 1977, 9 f.

die reinterpretierte Brotlehre Jesu als Anlaß des Murrens vieler Jünger dargestellt. Natürlich kann der Ereignisverlauf der erzählten Welt nicht einfach historisiert werden, aber es gibt noch andere Indizien, die eine solche Übertragung abstützen können. So ist etwa folgendes bemerkenswert: In 6,64c-e, wo das Wissen Jesu thematisiert wird, wird so formuliert, daß es bei den Ungläubigen wie beim Verräter um die **Identität** der Betreffenden geht (64d: τίνες/64e: τίς). Jesus weiß nicht nur um die Tatsache von Unglaube und Verrat, sondern weiß **wer** nicht glaubt und **wer** ihn verrät. Dieses Interesse an der Identität ist textintern nicht hinreichend zu erklären und weist so über den Text hinaus in die Lebenswelt der Kommunikationsbeteiligten. In dieser Welt ist es dann vermutlich so gewesen, daß die hinter der redaktionellen Überarbeitung stehende(n) Person(en) ihre Position vertrat(en) und dadurch erst ihre Gegner zum Ausscheiden veranlaßte(n), d. h. die Ungläubigen als solche erkennbar machte(n).

Was die Position der bekämpften Gruppe angeht, so gibt der Text keine explizite Information. Die ablehnende Reaktion der Jünger auf die herrenmahlbezogene Brotrede wird ja nicht näher begründet. Wir sind deshalb ganz auf indirekte Schlüsse angewiesen. Ausgangsbasis bei der Rekonstruktion der gegnerischen Position ist dabei die RICHTERsche Erkenntnis, daß die Kommunikationssituation des redaktionellen Textes von der gemeindlichen Tradition mindestens mitverursacht ist.[1] Das bedeutet, daß die zu rekonstruierende Position als eine mögliche Deutung aus der ins Textrepertoire aufgenommenen Tradition ableitbar sein muß. Dabei macht die Neuakzentuierung dieser Tradition durch die redaktionelle Arbeit deutlich, wo nach Meinung der Redaktion die gegnerischen 'Mißverständnisse' lagen.

So bahnbrechend Richtiges RICHTER hier gesehen hat, sowenig überzeugt mich seine inhaltliche Beschreibung der gegnerischen Position. Er faßt die Theologie der von der Redaktion bekämpften Gruppe nämlich als Doketismus auf.[2]

---

1) Vgl. RICHTER 1977, 112.357 mit Anm. 49.
2) RICHTER 1977 passim, besonders 110 f.
   Vgl. auch WILKENS 1958a, 356-366; LOHSE 1961, 118;

Damit gelangt eine These PFLEIDERERs zu neuen Ehren, der schon
1902 feststellte: "Die absichtlich forcierte Betonung der Realität des Genusses von Fleisch und Blut Christi hat übrigens eine
unverkennbare Spitze gegen den gnostischen Doketismus, der die
Realität des Leibes Christi überhaupt und darum auch beim Abendmahl verneinte."[1] Diese These kann sich auf Ignatius von Anti-
ochien berufen, dessen auffällige Abendmahlsterminologie sich
mit der von Joh 6 berührt. SCHNACKENBURG verweist auf IgnSm 7,1,
wo von den Gegnern gesagt wird, sie hielten sich von der Eucharistie fern, weil sie sie nicht als sündentilgendes Fleisch des Er-
lösers akzeptierten.[2] In der Tat lassen sich wohl in den Ignati-
anen Anhaltspunkte für die Bekämpfung doketischer Christologie
finden. Das Problem bleibt allerdings, daß in Joh 6 Sätze wie
IgnSm 7,1 oder gar Sm 5,2 gerade nicht stehen, und die polemische
Situation des Ignatius nicht einfach in Joh 6 eingetragen werden
darf.[3] Ginge es in Joh 6 wirklich um die Bekämpfung der These,
Jesus habe nur einen Scheinleib besessen, so sollten wir vom
Text in dieser Richtung mehr Deutlichkeit, zumindest aber eine
Konzentration auf die Christologie erwarten dürfen.

Daß die Redaktion denen, gegen die sie polemisiert, eine Leugnung der wahren Leiblichkeit Jesu unterstellen würde, vermag ich
nicht zu erkennen. Der verdeckte Vorwurf an die 'Ungläubigen'
lautet ja gerade nicht auf Ablehnung der **Leiblichkeit** Jesu, sondern auf Leugnung seiner **himmlischen Herkunft**. Außerdem zeigt
die Tatsache, daß die Redaktion die Glaubensaussage des göttlichen Ursprungs Jesu polemisch verwenden kann, daß dieses Feld
bei beiden Parteien wohl unumstritten war. Überhaupt macht die

CULLMANN 1962, 94 f; Mac GREGOR 1962/63, 116;
SCHWEIZER 1963, 394; BORGEN 1965, 184 ff;
BROWN 1966/70, 291, BORNKAMM 1968, 67;
SCHNACKENBURG 1971b, 91.101; SCHULZ 1972, 102;
SCHELKLE 1976, 401; TRAGAN 1977b,105 f.118;
THYEN 1977a, 277; ders. 1978, 352 u.ö.;
GNILKA 1983, 53; STUHLMACHER 1987, 30; SCHNELLE 1987, 223-228.
1) PFLEIDERER 1902, 362; vgl. 498.
2) Vgl. SCHNACKENBURG 1971b, 91; SCHNELLE 1987, 223.
3) Vgl. BECKER 1979/81, 223; auch WHITACRE 1982, 129 f, dessen
   Hinweis auf den Kreuzesbezug freilich kaum als Argument gel-
   ten kann.

Christologie keinesfalls den Eindruck eines Schlachtfeldes. Eher gewinne ich den Eindruck, daß hier das sichere Gebiet der Übereinstimmung liegt, der feste Boden, von dem aus die Redaktion polemisch agieren kann. **Tradition und Redaktion teilen die Überzeugung, daß Jesus das Brot vom Himmel ist, der Sohn, den der Vater gesandt hat.** Nicht einmal das Einbringen des Kreuzbezugs macht spezifisch christologische Interessen deutlich. Zwar hängt die Thematik des Kreuzestods mit dem innerjohanneischen Streit zusammen, aber wie, das wird nur deutlich, wenn sie im Zusammenhang der Soteriologie gesehen wird (vgl. 3.3.1!). Auf dem Gebiet der Soteriologie sind ja die entschiedensten Korrekturen durch die Redaktion feststellbar, was von der Ausrichtung der Vorlage her nicht weiter verwunderlich ist.

Die in Joh 6,26-71 aufgearbeitete Vorlage hat zwar einen christologischen **Kern** in der Identifizierung Jesu mit dem Lebensbrot, aber dieser Kern ist nicht das **Aussageziel.** Dieses Ziel liegt eindeutig in der Aussage, **daß der Glaubende Leben hat.** Das Aussageziel ist also ein soteriologisches, wobei natürlich unbestreitbar ist, daß für diese Heilszusage der christologische Satz unabdingbare Voraussetzung ist.

Ist die redaktionell bekämpfte Position nun als Deutung der Soteriologie der Vorlage begreifbar? Ich meine ja. Die Absolutsetzung einer soteriologischen Aussage, wie sie die Tradition in 6,35c. 35d.40b-d.47 macht, konnte zu schweren Problemen führen. Wer diese Aussage radikal ernst nahm, der mußte sich in einem **unüberbietbaren Heilszustand** wähnen. Da der **Glaube** an Jesus vollauf genügte, um diesen Vollendungszustand zu erreichen, lag die Gefahr einer Vernachlässigung der Gemeinschaft stiftenden und Heil vermittelnden Institute der Gemeinde durchaus nahe. **Für den, der ewiges Leben hat, besteht für die Teilnahme am Herrenmahl eigentlich keine Notwendigkeit.**

Zu beachten ist in diesem Zusammenhang, daß eine streng durchgeführte realized eschatology dazu zwingt, die traditionellen Heilsbegriffe radikal zu **entleiblichen,** zu **spiritualisieren.** Die in der Gegenwart vollendete Erlösung ist nämlich dem Augenschein unausweisbar. Um sie trotzdem behaupten zu können, muß Vergeistigung Raum greifen, um so die Differenz zwischen Anspruch und Erfahrung zu bewältigen.[1] Auch wer das ewige Leben hat, stirbt nämlich gewöhnlich trotzdem, und auch der, der auf immer gesättigt ist, muß dennoch essen und trinken. Um diese Widersprüche aufzuheben, muß gesagt werden, daß es der Geist ist, der lebendig macht, und daß das Fleisch nichts nützt;[2] es muß das ewige Leben in einen geistlichen Bereich transferiert werden, der von der leiblichen Erfahrung, dem körperlichen Tod und dem körperlichen Leben, nicht mehr tangiert wird. Wie aber soll sich eine Theologie, die sich in diese Richtung bewegt, mit dem Herrenmahl vertragen, wenn dieses als reales Verspeisen von Jesu Fleisch und Blut interpretiert wird? Welche Heilswirkung sollte dieses Mahl jenen bieten, die in einem nicht mehr zu überbietenden Zustand des Lebens sind?

Diese Fragen zeigen, daß es aufgrund der Soteriologie der johanneischen Tradition zu Problemen im Zusammenhang mit dem Herrenmahl kommen konnte. Lassen sich nun die redaktionellen Korrekturen als Antwort auf diese Frage begreifen, so ist die Annahme einer doketistischen Gegenposition als unnötig erwiesen.

Um die Heftigkeit der redaktionellen Polemik zu verstehen, muß realisiert werden, daß das Herrenmahl als Gemeinschaftsveranstaltung für eine Minderheit im gesellschaftlichen Abseits, wie es die Christen wohl waren, eine Institution von entscheidendem gruppensoziologischem Gewicht war. Daß Essen ein soziales Identitätsmerkmal sein kann, zeigte sich ja auch in JosAs (s. o.). Wenn sich nun die jüdische Identität (wenigstens auch) im Essen konkretisieren konnte, so ist es naheliegend, dem gemeinschaftlichen Herrenmahl erst recht die Funktion zuzumessen, das christliche Proprium zu manifestieren.[3] Wer eine solche Institution

---

1) Vgl. die treffende Bemerkung hierzu bei LONA 1984, 183.
2) Der Spruch in 6,63a.63b belegt, daß es im johanneischen Christentum eine solche Spiritualisierungstendenz wirklich gegeben hat.
3) Diese Einschätzung des Gewichts des Herrenmahls wird von den in Gal 2 beschriebenen Konflikten bestätigt und ist unabhängig davon, ob dieses Mahl tatsächlich als Liebesmahl verstanden wurde, wie NEUGEBAUER 1968, 18 und THYEN 1978, 341 behaupten. Immerhin findet sich der Liebesbegriff in Joh 6 nicht.

vernachlässigte, konnte sehr schnell in den Verdacht geraten, den Bestand der Gruppe als solcher zu gefährden. Zu diesem sozialen Impuls treten natürlich theologische Motive hinzu. Für die Redaktion war das Herrenmahl offensichtlich deshalb so wichtig, weil es den heilswirksamen Kreuzestod aktualisierte. Das bedeutet, daß in ihren Augen diejenigen, die meinten, als Gläubige in einem Zustand des Heils zu sein, der eine heilsvermittelnde Funktion des Herrenmahls überflüssig machte, in Wahrheit den Grund des ewigen Lebens, das Kreuz Jesu, verspielten. Gegen diese Fehlhaltung geht die Redaktion vor, indem sie die Heilsnotwendigkeit des Herrenmahls neu einschärft und die Ursache für seine Geringschätzung, die Heilsgewißheit der Kontrahenten, bekämpft. Dies geschieht durch die dezidierte **Reapokalyptisierung der Soteriologie**. Dabei geht es ihr wie gesagt nicht um eine Ersetzung gegenwärtiger Heilserfahrung durch bloße Hoffnung auf zukünftiges Heil. Angezielt ist die Verdeutlichung der Tatsache, daß der gegenwärtige Lebensbesitz im Glauben nicht alles ist, daß die Vollendung noch aussteht.

Weil die Glaubenden, jetzt eben noch nicht alles haben, ist es wichtig, an dem Mahl teilzunehmen, das den Tod Jesu als Quelle des Heils vergegenwärtigt. Die Heilswirkung des Herrenmahls wird in Opposition zur spiritualisierten Theologie der Gegner betont 'materiell' gefaßt und an das Zerbeißen und Trinken von Jesu Fleisch und Blut gebunden. Offensichtlich konnten die Kontrahenten eine solche Interpretation mit ihrem Verständnis der gemeindlichen Tradition nicht vereinbaren. Sie werden folgerichtig auf das (ihnen ohnehin nicht besonders relevante) Mahl verzichtet haben.

Diese 'Abtrünnigen' werden nun von der Redaktion parallelisiert mit den ungläubigen Juden und mit dem Verräter. Denjenigen, die meinen, alles zu haben, wird gesagt, daß ein Glaube, der sich selbst genügt, gar keiner ist. Wer wirklich glaubt, nimmt am Herrenmahl teil; alles andere ist Verrat. Durch dieses Vorgehen wird Judas zum Urbild des Ketzers und Apostaten gemacht. Die Redaktion schafft damit ihren Lesenden eine Chiffre, mit deren Hilfe sie ihre Wirklichkeit deuten können. Judas ist vor den Hintergrund innergemeindlicher Probleme gestellt als Modellfall,

der es ermöglicht, Personen und Ereignisse einzuordnen und zu be-
werten.[1)]

Mit ihrem Vorgehen gegen die andere Partei vollzieht die Redaktion
so etwas wie eine theologische **Verkörperung.** Sie drückt sich in
der Betonung der Heilsbedeutsamkeit von Fleisch und Blut des Menschensohnes ebenso aus, wie in der Reaktivierung endzeitlicher
Auferstehungshoffnung. Ersteres soll einer spiritualistischen
Verflüchtigung des Heils entgegenwirken, während es das zweite
Element möglich macht, wieder einen verkörperlichten Heilsbegriff
zu benutzen. So kann die Verlegung der Vollendung in die Zukunft
eine überzogene Vergeistigung korrigieren.[2)]

Diese Momente theologischer Verkörperung haben sicher dazu
geführt, daß Joh 6 von Ignatius her und also antidoketisch interpretiert wurde. Mir scheint dies allerdings überzogen zu sein.
Schließlich reicht die hier vorgelegte Skizzierung einer gegnerischen Position vollkommen aus, um die redaktionelle Polemik zu
erklären. Die redaktionelle Arbeit in Joh 6 kann als Antwort auf
die Fragen, die sich von einer realized eschatology her stellen,
hinreichend motiviert werden, so daß die Annahme einer doketischen Gegenposition einfach unnötig ist. Angesichts der Tatsache, daß auch der eindeutige Schwerpunkt für Tradition und
Redaktion bei der **Soteriologie** liegt, ist der Begriff 'Doketismus'
nicht nur unscharf[3)], sondern in seiner christologischen Akzentsetzung mehr verwirrend als erhellend. Die Verwirrung steigert
sich noch, wenn der Begriff soteriologisch, anthropologisch,
eschatologisch usw. aufgefächert wird.[4)] Diese Differenzierung
mag dem Charakter der redaktionellen Arbeit durchaus entsprechen,
löst aber den Begriff auf. Wer für die Position der Gegner ein
Etikett braucht, sollte sie als 'Enthusiasmus' bezeichnen. Dieser

---

1) LANGBRANDTNER 1977, 375; THYEN 1977a, 278.
2) Dies gilt freilich nur zum Teil, weil die Redaktion ja an der
   Gegenwart des Heils festhält. Deswegen muß zur Reapokalyptisierung der Soteriologie die Betonung der Sozialbezüge als weiteres Element hinzutreten (vgl. Joh 13!).
3) Vgl. die (selbst-)kritische Bemerkung bei THYEN 1979b, 111
   Anm. 25.
4) Vgl. BORGEN 1965, 188; WILKENS 1958a, 356 ff.

Begriff würde der soteriologischen Schwerpunktsetzung entsprechen, und überdies eine Einordnung der Auseinandersetzungen, die Joh 6 erschließen läßt, in die frühchristliche Theologiegeschichte anregen und vielleicht sogar ermöglichen.[1] Freilich kann auf solche Etiketten auch verzichtet werden, wenn die betreffenden Phänomene nur möglichst exakt beschrieben werden.

Abschließend ist festzustellen: Der Rückschluß auf eine 'enthusiastische' Gegenposition bietet für die beobachteten Aspekte der redaktionellen Arbeit eine hinreichende Motivierung. Die Annahme eines echten Doketismus oder auch nur einer christologisch zentrierten Auseinandersetzung hat weder genügend Anhalt im Text, noch ist sie nötig.

Diese Feststellung gilt zunächst nur für Joh 6. Die gesamte Rekonstruktion des geschichtlichen Hintergrunds bedarf der Überprüfung an weiteren Texten.

E 7. Literarische und traditionsgeschichtliche Charakterisierung der Textschichten

Wenn die **literarische Beziehung zwischen Vorlage und Redaktion** beschrieben werden soll, so ist zu sagen, daß es sich bei der Redaktion nicht um ein mechanisches Einsprengsel handelt, sondern um eine umfassende Reinterpretation der Tradition. Dabei wird immer auf Material des vorgegebenen Textes Bezug genommen, ja es werden sogar Formulierungen der Vorlage aufgegriffen. Durch diese tiefgreifende Arbeit und nicht nur durch die bloße Masse an Text ist die Redaktion zur gestaltenden Kraft des vorliegenden Endtextes geworden. Dieser Eindruck wird noch dadurch verstärkt, daß der redaktionelle Textanteil immer wieder Bezüge zum Makrotext aufweist. So zeigte es sich, daß Verbindungen zu 6,22 und auch zu 6,24.25 bestehen. Es ist daher nicht abwegig, anzunehmen, daß nicht nur der betrachtete Textabschnitt, sondern die gesamte Komposition *'Brotwunder - Seewandel - Brotlehre - Petrusbekenntnis'*

---

1) Vgl. die entsprechenden Ansätze bei KÄSEMANN 1980, 38-40.

ihre Endgestalt der Redaktion verdankt. Für diese Annahme sprä-
chen auch die Bezüge zum Herrenmahl, die die Brotwundererzählung
aufweist.[1] Diese These vom redaktionellen Ursprung der Komposition machte auch die Reibung zwischen der Zeichenforderung in
6.30e.31 und dem Brotwunder in 6,1-15 verständlich. Dem widerspricht auch nicht, daß in 30b-d das Thema 'Zeichen sehen'
redaktionell eingebracht wird. Das ist nämlich möglich gemacht
durch die harmonisierende Unterscheidung von falschem und richti-
gem Sehen, die die Redaktion in 6,26.27 einführt. Auch V. 32
(Vorlage) mit seiner Opposition zwischen Moses als Spender des
Manna und Gott als Spender des wahren Himmelsbrotes tut so, als
sei das Speisungswunder nicht geschehen.

Es legt sich also die Vermutung nahe, der ganze Zusammenhang in
Joh 6 gehe auf das Konto der Redaktion[2] und die verarbeitete
Vorlage sei ursprünglich von diesem Zusammenhang unabhängig.

Mit dieser Annahme ließe sich auch ein anderes Rätsel lösen.
Schon WELLHAUSEN störte sich daran, daß in V. 41 die Gesprächspartner Jesu plötzlich als Juden bezeichnet werden, während es
sich nach dem Kontext doch um galiläischen ὄχλος handeln müßte.[3]
Dieses Rätsel löst sich, wenn angenommen wird, die Vorlage habe
von der Lokalisierung des Speisewunders nichts gewußt. Zur Ortsangabe 'Synagoge', die V. 59 (Vorlage) bringt, paßt die Bezeichnung 'Juden' ja genau.

Diese Überlegungen, die den alten Bedenken gegen den ursprünglichen Zusammenhang von Brotwunder und Brotrede[4] zu ihrem relati-
ven Recht verhelfen können, bedürfen freilich der Verifizierung
durch eine detaillierte Literarkritik an 6,1-25, und können vorläufig nur hypothetischen Charakter haben.

---

1) Vgl. Joh 6.11.23. Die dort verwendeten Lexeme εὐχαριστέω und
   δίδωμι sind im Einsetzungsbericht beheimatet, wie Mk 14,22 f;
   Mt 26,26 f; Lk 22,17.19; 1 Kor 11,24 zeigen. Zum Herrenmahlbezug vgl. etwa BAUER 1933, 99.102; SCHNELLE 1987, 116.228.
2) Vgl. THOMPSON 1916, 338.
3) Vgl. WELLHAUSEN 1908, 31; auch WAHLDE 1981, 54 Anm. 39;
   ASHTON 1985, 54.
4) Vgl. WEISSE 1838 II, 226-228; SCHWEIZER 1841, 80-96.114-117;
   SOLTAU 1901, 141; SCHWARTZ 1908, 498-501.

Im Unterschied zur Vorlage ist für die redaktionelle Textschicht eine besondere **Nähe zu den synoptischen Evangelien** kennzeichnend.

So kann etwa Joh 6,68.69 als eine Variante des synoptischen Petrusbekenntnisses (Mk 8,27-29 par) angesehen werden.[1] Sollte das Brotwunder wirklich erst redaktionell eingebracht sein, so läge auch hier ein deutlicher Berührungspunkt vor.[2] Schließlich ist auf die Reinterpretation der Brotrede in 6,48-58 hinzuweisen, die in ihrem Herrenmahlbezug eine Analogie zu den synoptischen Einsetzungsberichten (Mk 14,22-25 par) darstellt. Die Frage, ob es auf der Ebene der Redaktion eine Kenntnis synoptischer Evangelien gibt, kann in Joh 6 freilich nicht entschieden werden. Festzuhalten ist aber, daß zum Profil der Redaktion eine besondere Nähe zu synoptischen Texten gehört.

Was schließlich die **traditionsgeschichtliche Zuordnung** angeht, so ist festzustellen, daß die redaktionelle Lebensbrot-Deutung - obschon literarisch jünger - die ältere ist. Für diese traditionsgeschichtliche Rangfolge ist die paulinische Rezeption der Manna-Tradition ein Beleg. In 1 Kor 10,3 setzt Paulus das Manna als πνευματικὸν βρῶμα der Väter mit dem Herrenmahl typologisch in Verbindung. Er rezipiert also ganz offensichtlich jenen Strang der jüdischen Manna-Tradition, wie ihn auch JosAs widerspiegelt.[3] In 10,4 spricht er dann - als Typos für das Trinken beim Herrenmahl - von einem pneumatischen Trank aus einem pneumatischen Felsen. Auch dies läßt sich noch von JosAs her verstehen, immerhin ist auch dort vom Trinken die Rede. Wenn Paulus dann aber fortfährt und den pneumatischen Felsen mit Christus identifiziert, so ist das mit diesem Traditionsstrang kaum vereinbar. Eine solche christologische Weiterführung ist aber von personalweisheitlicher Tradition, wie sie Philo repräsentiert, gut nachzuvollziehen. Der Alexandriner identifiziert, und zwar im Kontext der Man-

---

1) BROWN 1966/70, 301 bringt eine Auflistung der Übereinstimmungen. Vgl. auch BULTMANN 1941, 343 Anm. 6; THYEN 1977a, 278 mit Anm.49.
2) Vgl. Mk 6,31-44 par.
3) Vgl. BURCHARD 1965, 132; ders. 1987, 121 f; MAIBERGER 1983, 255.

na-Allegorie (Det 118), den Felsen von Ex 17 mit der σοφία θεοῦ, der μητήρ τῶν ἐν τῷ κοσμῷ, die diejenigen nährt, die aus ihr geboren sind (Det 115 f). Wenn wir diesen Bezug berücksichtigen, ergibt sich, daß bei Paulus schon zwei Stränge jüdischer Manna-Tradition verschmolzen sind. Die typologische Verbindung des Manna mit etwas Konkretem zum Essen ist kombiniert mit der Deutung des Manna auf die personifizierte Weisheit.

Wenn nun schon Paulus diese Synthese kennt, so bedeutet das für Joh 6, daß die redaktionelle Reinterpretation, die eine Vorlage mit christologischer Manna-Deutung durch das dezidierte Einbringen des Herrenmahlbezugs erweitert, eine Verbindung herstellt, die vorjohanneisch schon belegbar ist. Die redaktionelle, auf der Vereinigung zweier Stränge jüdischer Manna-Interpretation basierende Koppelung von Christologie mit dem Herrenmahl ist also traditionsgeschichtlich älter als die rein christologische Manna-Typologie der Vorlage.

Auch HAHN hält den Herrenmahlbezug für alt. Im Rahmen seiner traditionsgeschichtlichen Analyse der Worte vom lebendigen Wasser stellt er fest, daß 6,35d mit 35b nicht gut zusammenhängt.[1] Er erkennt in 35c.35d ein Doppellogion, das ursprünglich einen unmittelbaren Bezug zum Herrenmahl hatte und dann mit dem ἐγώ-εἰμι-Wort von 35b verbunden und so christologisch ausgerichtet worden ist.[2] Wenn allerdings erkannt ist, daß sowohl 35b als auch 35c.35d weisheitlich geprägt sind, wird eine solche Explikation auf Essen und Trinken nicht überraschen. Daß es sich hier um einen weisheitlichen Topos handelt, zeigt sich nicht nur an den erwähnten Stellen in Sir, sondern auch bei Philo. In Fug 137-139 deutet er das Manna wieder als οὐράνιος τροφή, und dechiffriert dieses als σύνταξις (= λογός, σοφία, ῥῆμα), die die Seelen erquickt, die nach Vollkommenheit dürsten und hungern. Das bedeutet, daß 35c.35d nicht einfach von 35b getrennt werden kann. Es bedeutet weiter, daß eine hinter der Vorlage stehende, ältere Traditionsstufe zwar von Paulus her zu belegen ist, aber johanneisch nicht mehr rekonstruiert werden kann. Der Hinweis

---

1) Vgl. HAHN 1977, 53.61.
2) Vgl. HAHN 1977, 61 f.

auf Paulus reicht allerdings zur Begründung der traditionsgeschichtlichen Einordnung auch aus.

Traditionsgeschichtlich älteres Material ist auch in der redaktionell eingebrachten Vorstellung von der endzeitlichen Totenauf-
erweckung zu sehen. Diese Erwartung gehört zum jüdischen Erbe
des Christentums und ist mit Sicherheit älter als die präsentische Umdeutung der Eschatologie, wie sie die Vorlage bietet.[1]

Es kann also gesagt werden, daß es in Joh 6 ein Kennzeichen der
Redaktion ist, daß sie ältere Tradition neu zum Zuge kommen
läßt.

Was die **Beziehung zu 1 Joh** angeht, so ergibt sich dasselbe Bild
wie in Joh 13. Die Redaktion unterscheidet sich darin von der
verarbeiteten Tradition, daß sie deutliche Bezüge zum Brief aufweist. RICHTER weist darauf hin, daß die Immanenzformel (Joh
6,56c.56d) in 1 Joh häufig wiederkehrt.[2] Er stellt auch fest,
daß die Aussage vom In-Sich-Haben des Lebens (Joh 6,53 f) an 1
Joh 3,15 erinnere.[3] Anzumerken ist ferner, daß die Synthese von
präsentischer und futurischer Soteriologie, die die Redaktion in
Joh 6 herstellt, genau dem Konzept von 1 Joh entspricht (vgl.
Joh 6,54c.54d etwa mit 1 Joh 2,8; 3,2; 4,17).[4] Noch schwerwiegen-
der sind freilich Beobachtungen zur jeweiligen Textpragmatik. Sowohl für die Redaktion in Joh 6 als auch für 1 Joh ist eine innergemeindliche Auseinandersetzung prägend. 1 Joh 2,19 zeigt
gegenüber der Spaltung die gleiche Immunisierungsstrategie, wie
wir sie bei der redaktionellen Schicht von Joh 6 antreffen:
Beide vertreten die Auffassung, daß Abweichler unbeschadet ihrer
äußerlichen Zugehörigkeit zur Gemeinde nie dazugehörten.[5] Wenn
freilich WENGST recht hat mit seiner These, daß 1 Joh eine historische Situation voraussetzt, in der die Spaltung noch **nicht** endgültig vollzogen ist,[6] dann ist der Schluß unausweichlich, daß
1 Joh älter ist als die redaktionelle Arbeit am Joh.[7]

---

1) Vgl. HOFFMANN 1979a, 459.
2) Vgl. RICHTER 1977, 105 Anm. 57.
3) Vgl. RICHTER 1977, 106.
4) Vgl. LANGBRANDTNER 1977, 377.
5) Vgl. LANGBRANDTNER 1977, 375, der diese Übereinstimmung an
   Joh 13 festmacht.

---

6) Vgl. WENGST 1976, 12 f; ders. 1978, 25.

7) Wenn meine Einschätzung des theologischen Problems richtig ist und es der Redaktion **nicht** vorrangig um Christologie geht, so liegt hier der große Unterschied zu 1 Joh, für den in der Forschung ganz überwiegend eine christologisch zentrierte Konfliktlage angenommen wird. Diese Einschätzung muß freilich nicht unbedingt zutreffen. Immerhin wäre es angesichts der redaktionellen Verwendung des Judenklischees in Joh 6 auch denkbar, daß die Behauptung des 1 Joh, die 'Antichristen' leugneten, daß Jesus der Christus ist, auch eine polemisch überzogene Unterstellung ist, die den Gegnern den Glauben überhaupt absprechen und sie so zu 'Juden' machen will. Es wäre jedenfalls für den 1 Joh als pseudepigraphischen Text naheliegend, das Neue im Alten zu entdecken (vgl. KÜGLER 1988), aktuelle Probleme mit traditionellen Frontstellungen zu bewältigen.

2.3 Der geliebte Jünger in Joh 19

2.3.1 Analyse von Joh 19,25-30

2.3.1.1 Begründung der Textabgrenzung

Joh 19,25-30 ist in eine Folge von Einzelszenen eingebettet, die unterm bzw. beim Kreuz Jesu spielen. Von 19,23 f (Kleiderverteilung) läßt sich der Text leicht abgrenzen durch den Hinweis auf den Wechsel der beteiligten Personen: Spielten in 19,23 f Soldaten die Hauptrolle, so wird in 19,25 eine Gruppe von Frauen eingeführt, in 19,26 kommt noch der geliebte Jünger hinzu. Die Verse 28-30 könnten legitim als eigener Textteil behandelt werden, da hier eine neue, wenn auch nicht benannte Gruppe vorausgesetzt wird. Es empfiehlt sich aber, diesen Text mit zu berücksichtigen, weil seine Beziehung zu 19,25-27 unterschiedlich beurteilt wird, und daraus große interpretatorische Unterschiede folgen. Neben diesem forschungspraktischen Grund spricht für eine gemeinsame Analyse die Tatsache, daß μετὰ τοῦτο in 19,28 nicht nur gliedernd absetzt, sondern zugleich einen generellen Rückverweis auf das Vorhergehende darstellt. Auch liegt ein gewichtiger Einschnitt zwischen 19,30 und 19,31 vor, weil hier nicht nur die Gruppe der beteiligten Personen wechselt, sondern - da Pilatus unter dem Kreuz nicht eingeführt ist - auch ein Ortswechsel vorausgesetzt ist.

2.3.1.2 Textauflistung

Die vorgenommene Textauflistung läßt sich wie folgt begründen:

Problematisch dürfte eigentlich nur die Abtrennung von 26d sein. Wie gesagt halte ich den Vokativ für eine pragmatisch definierte aphrastische Äußerungseinheit.

Was 26e und 27b angeht, so wäre jeweils die Selbständigkeit des Imperativs als deiktisches Element durchaus vertretbar, zumal ja jeweils eine Nominativkonstruktion folgt. Ich halte allerdings die Zusammengehörigkeit von deiktischem Element und Verweisziel

für dominierend. Die Partizipialkonstruktionen 26a.28a.29a.30d
sind dagegen als eigene Einheiten aufzufassen, da 28b als eigen-
ständige Äußerungseinheit von 28a abhängig ist und die übrigen
insofern Verbqualität aufweisen, als sie durch direkte Objekte
erweitert sind. παρεστῶτα in 26a habe ich als Adjektiv behandelt.
Es taucht deshalb in den Untersuchungen zur Tempusstruktur der
Verbformen nicht auf.

Joh 19,

25 Εἰστήκεισαν δὲ παρὰ τῷ σταυρῷ τοῦ Ἰησοῦ ἡ μήτηρ
αὐτοῦ καὶ ἡ ἀδελφὴ τῆς μητρὸς αὐτοῦ, Μαρία ἡ τοῦ
Κλωπᾶ καὶ Μαρία ἡ Μαγδαληνή.

26a Ἰησοῦς οὖν ἰδὼν τὴν μητέρα καὶ τὸν μαθητὴν
παρεστῶτα

b ὃν ἠγάπα,

c λέγει τῇ μητρί·

d γύναι,

e ἴδε ὁ υἱός σου.

27a εἶτα λέγει τῷ μαθητῇ·

b ἴδε ἡ μήτηρ σου.

c καὶ ἀπ' ἐκείνης τῆς ὥρας ἔλαβεν ὁ μαθητὴς αὐτὴν
εἰς τὰ ἴδια.

28a Μετὰ τοῦτο εἰδὼς ὁ Ἰησοῦς

b ὅτι ἤδη πάντα τετέλεσται,

c ἵνα τελειωθῇ ἡ γραφή,

d λέγει·

e διψῶ.

29a σκεῦος ἔκειτο ὄξους μεστόν·

b σπόγγον οὖν μεστὸν τοῦ ὄξους ὑσσώπῳ περιθέντες

c προσήνεγκαν αὐτοῦ τῷ στόματι.

30a ὅτε οὖν ἔλαβεν τὸ ὄξος

b |ὁ| Ἰησοῦς εἶπεν·

c τετέλεσται,

d καὶ κλίνας τὴν κεφαλὴν

e παρέδωκεν τὸ πνεῦμα.

2.3.1.3 Die Erzählkonstituente 'Zeit'

2.3.1.3.1 Tempusformen

Verschaffen wir uns zunächst wieder mittels einer Tabelle eine Übersicht über den Tempusgebrauch.

	Tempus	Sprechhaltung		Perspektive			Reliefgebung	
		E	B	R	N	Vs	Vg	H
19,25	Plusquamperfekt	x			x			x
26a	Partizip Aorist				x			
b	Imperfekt	x			x			x
c	Präsens		x		x			
d	-							
e	Imperativ Aorist						x	
27a	Präsens		x		x			
b	Imperativ Aorist						x	
c	Aorist	x			x		x	
28a	Partizip Perfekt				x			
b	Perfekt		x	x				
c	Konjunktiv Aorist	x				x		
d	Präsens		x		x			
e	Präsens		x		x			
29a	Imperfekt	x			x			x
b	Partizip Aorist				x			
c	Aorist	x			x		x	
30a	Aorist	x			x		x	
b	Aorist	x			x		x	
c	Perfekt		x	x				
d	Partizip Aorist				x			
e	Aorist	x			x		x	

Zur Erläuterung der Tabelle:
Die Eintragungen in 19,25 und 28a mögen zunächst verwirrend sein. Die bei diesen Eintragungen festzustellende Spannung zwischen Tempusform und Zuordnung hinsichtlich Sprechhaltung,

Perspektive und Relief beruht wieder darauf, daß das Tempus entsprechend der grammatikalischen Form angegeben wurde, die Einordnung in die drei anderen Raster aber nach dem verwendeten Tempus erfolgte. So steht dann in V. 25 Plusquamperfekt, während die weitere Einordnung wie beim Imperfekt folgt. Analog verhält es sich in V. 28a mit dem Perfekt als grammatikalischem Tempus und dem Präsens als verwendetem.

Die in der Tabelle festgehaltenen Beobachtungen lassen sich weiter auswerten, wie folgt:

Die **Sprechhaltung** des Textes ist eindeutig zu erkennen. Von den 15 in dieser Kategorie signifikanten Verbformen gehören die meisten, nämlich 9, der narrativen Tempusgruppe an, während nur eine Minderheit (6) besprechende Sprechhaltung signalisieren. Der Text kann also insgesamt als Erzähltext bezeichnet werden. Es ist allerdings die Frage zu stellen, welche Funktion die besprechenden Tempora in diesem erzählenden Text erfüllen.

Bei drei dieser Tempusformen (19,26c.27a.28d) handelt es sich um Redeeinleitungen. Es folgt jeweils direkte Rede. Zwei weitere besprechende Tempusformen finden sich innerhalb wörtlicher Rede (19,28e.30c). Der besprechenden Form in 28b kann (vorläufig) kein Signifikat zugeordnet werden. Auffällig ist vor allem, daß in 28c wieder eine erzählende Sprechhaltung signalisiert wird. Die überwiegende Mehrheit der besprechenden Tempusformen steht, das läßt sich aber sagen, mit dem Phänomen der direkten Rede in Zusammenhang. Nun läßt sich wie gesagt die direkte Rede als starkes mimetisches Mittel klassifizieren. Das bedeutet, daß die von den besprechenden Tempusformen strukturell evozierte Betroffenheit hier im Dienst mimetisch-dramatischer Technik steht. Diesem Aspekt wird bei der Analyse von Erzählprofil und Erzähltempo noch nachzugehen sein.

Was die **Sprechperspektive** angeht, so ist festzustellen, daß es sich bei 19,25-30 um einen nur schwach perspektivierten Text handelt. Die Nullstufe ist eindeutig vorherrschend. Nur bei drei Formen ist eine explizite Perspektivierung greifbar. Zweimal geht es um Rückschau (19,28b.30c), einmal um Vorschau (28c). Interessant ist die Koppelung von Vorverweis und Rückverweis in den beiden syntaktisch verknüpften Äußerungseinheiten 28b und

28c. Beide Male geht es - wie übrigens auch in 30c - um das Thema der Erfüllung. Dieses Thema wird hier in unmittelbarer Folge
in zwei entgegengesetzten Perspektiven zur Sprache gebracht! Die
rückschauenden Formen stehen beide zugleich in besprechender
Sprechhaltung. Hier liegt eine gewisse Parallelität vor, die allerdings durch die Träger der jeweiligen Äußerung durchbrochen
wird: einmal spricht Jesus (30c), in 28b dagegen der Erzähler.
Beide besprechen in rückschauender Perspektive etwas Vorausgehen-
des, indem sie ihm Erfüllung zuschreiben.

In der **Reliefgebung** des Textes lassen sich - entsprechend der
eingangs schon festgestellten Zweiteilung des Textes - zwei
Schwerpunkte erkennen: Den ersten bilden 19,26e.27b.27c, den
zweiten 29.30a.30b.30e. Diese Äußerungseinheiten sind in den
Vordergrund gestellt. Im ersten Block geht es um die Mutter und
den Jünger, im zweiten um den Trank Jesu und seinen Tod. Diese
Schwerpunktsetzung wird noch deutlicher, wenn wir die Äußerungseinheiten hinzunehmen, für die aus ihrem Kontext Vordergrundstellung erschlossen werden kann. Es handelt sich um 19,26c.27a.28d.
28e.30c. Die Äußerungseinheit 26c kann ja nicht im Hintergrund
stehen, da sich in ihr das Hauptverb von 26a-c befindet. Dies
gilt umso mehr, als sich in 26b Hintergrundstellung findet und
auch 26a als Partizipalaussage zum Hintergrund tendiert. 26a.26b
sind also wohl als Hintergrund zu 26c zu verstehen, das dementsprechend als Vordergrund aufzufassen ist. Aufgrund der Parallelität zu 26c ist auch 27a als Vordergrund zu verstehen. Damit
ergibt sich dann folgendes Bild:

In 26c-27c findet sich in Vordergrundstellung ein Schwerpunkt
des Erzählabschnitts. Es geht in diesem Abschnitt - soviel sei
jetzt schon zur Semantik gesagt - um die beiden Äußerungen an
die Mutter und den Jünger, und um die resultierende Handlung des
Jüngers. Für diesen Schwerpunkt (und nicht nur für 26c) liefern
25-26b die Hintergrundinformationen.

Was den zweiten Schwerpunkt angeht, so ist für 28d in Analogie
zu 26c.27a Vordergrund zu erschließen. Die beiden Äußerungen
28e.30c sind aufgrund ihrer hervorgehobenen Stellung (direkte Rede, besprechende Sprechhaltung) dem Vordergrund zuzuweisen. Im
zweiten Block haben wir damit in 28d.28e.29c.30a.30b.30c.30e den

Vordergrund der Erzählung. Der Hintergrund ist hier in drei
Teile zerlegt. Zunächst geben 28a-c die Informationen für 28d.28e
und dann liefern 29a.29b den Hintergrund für 29c-30c, schließlich 30d den für 30e. Im Vordergrund der Erzählung stehen hier:
die Äußerung Jesu über seinen Durst, die Reaktion (wessen?) auf
diese Äußerung, Jesu besprechende Deutung und sein Tod.

2.3.1.3.2 Erzähltempo und Erzählprofil

Was das Erzähltempo angeht, so läßt sich für 26d.26e.27b.28e.30c
problemlos Zeitdeckung erkennen, da es sich hier um direkte Rede handelt. Zu diesen Äußerungen können die jeweiligen Redeeinleitungen hinzugenommen werden, so daß sich für 26c-27d.28d.28e.
30b.30c eine annähernde Gleichheit von erzählter Zeit und Diskurszeit ergibt.
Eine relative Zeitdeckung ist auch für 29c.30a anzunehmen. Zu
25.26a.26b.28a-c.29a.29b ist zu sagen: Bei all diesen Äußerungen
ergibt sich eine eher geraffte Erzählweise, denn das Stehen (V.
25), das Sehen (26a), das Lieben (26b), das Wissen (28a-c) sind
als Zustände in der erzählten Welt zeitlich zwar nicht exakt
faßbar. Eine längere Dauer ist aber anzunehmen. Ähnliches gilt
für 29a.29b.
Für 30d.30e kann nur zusammen ein Erzähltempo angegeben werden,
da für das Senken des Kopfes und das Aufgeben des Geistes in der
erzählten Zeit Zeitgleichheit anzusetzen ist. Daraus resultiert
für die beiden Äußerungseinheiten Zeitdehnung. Es ergibt sich
folgendes Bild:
Die letzten Äußerungen über den Tod Jesu sind durch dehnendes Erzählen besonders hervorgehoben.
Daneben haben wir als Partien mit langsamem Erzähltempo, nämlich Zeitdeckung, die Äußerungen 26c-27b.28d.28e.29c.30a-c. Diese Äußerungen stimmen weitgehend mit denen überein, die durch
die Analyse der Reliefgebung als im Vordergrund stehend erkannt
wurden. Umgekehrt stimmen die Textteile in gerafftem Erzähltempo
weitgehend mit denen überein, die dem Hintergrund zugeordnet wurden. Auf diese Übereinstimmungen wird noch zurückzukommen sein.

Das Erzählprofil des Textes ist geprägt durch den Wechsel von diegetischen und kurzen mimetischen Teilen.

Bei den mimetischen Teilen handelt es sich um die drei Komplexe von wörtlicher Rede mit den dazugehörigen Redeformeln. Der Anteil der Mimesis ist allerdings zu gering (9 von 22 Äußerungseinheiten) und die jeweiligen Abschnitte zur kurz, als daß wirklich eine illusionsbildende Wirkung in höherem Maße sich entfalten könnte. Eine die erzählerische Vermittlung ausschaltende Verschmelzung von erzählter Welt und Welt der Lesenden wie sie bei längeren mimetischen Texten stattfindet, kann hier ausgeschlossen werden. In Joh 19,25-30 ist eine Abwesenheit des Vermittlers niemals gegeben, weil schon durch den relativ raschen Wechsel zwischen den diegetischen und mimetischen Teilen die erzählerische Vermittlungstätigkeit immer präsent bleibt. Die Mimesis in so kurzen Textteilen und in so raschem Wechsel mit diegetischen Abschnitten soll also kaum einer Versetzung der Rezipierenden in die erzählte Welt dienen, auch wenn ihr die tendenzielle Ausrichtung auf dieses Ziel strukturell eignet. In dieser abgeschwächten Form ist am ehesten von einer Verlebendigung des Erzählten zu sprechen, wobei natürlich die mimetischen Teile eine direktere Rezipierbarkeit, eine größere Nähe zu den Lesenden erreichen sollen. Eben das ist ihr Beitrag zu dem, was Verlebendigung genannt werden kann.

2.3.1.4   Weitere textsemantische Analysen

2.3.1.4.1 Kohäsion und Kohärenz

Die folgende Beschreibung kohäsiver Elemente soll wieder die textlinguistische Basis für weitere interpretatorische Schlüsse legen.

19,25: σταυρός ist als anaphorisches Element anzusehen, da es auf 19,17.19 rückverweist und die dort gemachte Orts- und Situationsangabe reaktiviert.

’Ιησοῦς knüpft an 19,23 an, wo Jesus zuletzt erwähnt wurde.

μήτηρ αὐτοῦ ist durch pronominale Anaphora auf Jesus

bezogen. Das gleiche gilt für μητρὸς αὐτοῦ, welches aber gleichzeitig durch Lexemrekurrenz an die erste Erwähnung der Mutter in dieser Äußerungseinheit rückgebunden ist. Außerdem liegt ein Rückbezug auf Joh 2,1.3.5.12; 6,42 vor, wo die Mutter erwähnt ist.

26a: Ἰησοῦς ist durch Lexemrekurrenz anaphorisch zu 19,25. μητέρα ist durch Lexemrekurrenz an die zweimalige Erwähnung der Mutter in 19,25 rückgebunden. Logische Verknüpfungsrelationen bestehen zwischen Jesus und der Mutter (Verwandtschaft) und zwischen Jesus und dem Jünger (Jüngerschaft). Zudem korreliert ἰδών die beiden als Objekte mit Jesus als Subjekt. παρεστῶτα verbindet Mutter und Jünger (lokale Nähe).

26b: Das Relativpronomen ὅν ist pronominale Anaphora zu μαθητής (26a).
In ἠγάπα ist Jesus grammatikalisch repräsentiert und mit dem Jünger als Objekt korreliert. Zugleich liegt ein Rückverweis auf Joh 13,23 vor.

26c: λέγει verweist auf Jesus zurück, der hier grammatikalisch repräsentiert und mit der Mutter als Adressatin verknüpft ist. Gleichzeitig hat λέγει als Redeeinleitung eine kataphorische Funktion: es verweist auf 26d.26e.
μητρί verweist auf 26a.25 zurück und ist wieder mit Jesus logisch verknüpft.[1]

26d: γύναι ist durch semantische Kontiguität mit μήτηρ verknüpft. Rekurrente semantische Merkmale sind: menschlich, weiblich. Auch liegt ein Rückverweis auf 2,4 vor, wo Jesus ebenfalls diese Anrede für seine Mutter wählt.

26e: υἱός ist mit μαθητής durch semantische Kontiguitätsbeziehung verknüpft. Die rekurrenten semantischen Merkmale sind: menschlich, männlich.
σου verknüpft υἱός durch pronominale Anaphora mit γύναι.

27a: εἶτα ist Pro-Adjektiv zu 26c-e.
In λέγει ist wieder Jesus als Subjekt grammatikalisch

---

1) Außerdem liegt anaphorische Ellipse vor: αὐτοῦ ist zu ergänzen.

repräsentiert und mit dem Jünger als Objekt verbunden. Zugleich liegt wieder eine Kataphora auf die folgende Rede vor (27b).

μαθητῇ ist Rückbezug auf 26a (Lexemrekurrenz) und auf 26e (logische Verknüpfung).

19,27b: μήτηρ ist auf 26c (26a.25) durch Lexemrekurrenz rückbezogen und zudem logisch mit 26e verknüpft (Mutter-Sohn).

σου ist pronominale Anaphora auf μαθητῇ in 27a.

27c: In ἔλαβεν ist der Jünger grammatikalisch repräsentiert und mit der Mutter als Objekt verknüpft.

μαθητής ist Rückbezug auf 27a (Lexemrekurrenz).

αὐτήν ist pronominale Anaphora zu μήτηρ in 27b (.26c.26a.25).

28a: μετὰ τοῦτο ist Proform für den gesamten vorausgehenden Abschnitt 19,25-27. Es handelt sich um einen generellen Rückverweis mit großem Bedeutungsumfang (Extension) und geringem Bedeutungsinhalt (Intension).

'Ιησοῦς knüpft an 26a durch Lexemrekurrenz an. Das entsprechende Subjekt war aber auch in 27a.26c.26b repräsentiert.

28b: πάντα ist ein umfassender Rückverweis aufgrund seiner Semantik.

τετέλεσται verweist makrokontextuell auf 13,1 zurück: τέλος ist verwandtes Lexem.

28c: τελειωθῇ verweist auf τετέλεσται in 28b zurück (Rekurrenz verwandter Lexeme), wobei allerdings πάντα und γραφή als differierende Subjekte miteinander konkurrieren. Darüber hinaus wird auf die bedeutungsverwandte Lexemkombination πληρόω/γραφή in 19,24 und makrokontextuell 13,18; 17,12 verwiesen.[1]

28d: In λέγει ist Jesus wieder grammatikalisch repräsentiert, woraus ein Rückbezug auf 28a resultiert. Gleichzeitig liegt wie bei den anderen Inquit-Formeln auch eine kataphorische Verbindung zur eingeleiteten Rede vor (28e).

---

1) Zu diesem Bedeutungsfeld der Schrifterfüllung sind aber auch 12,38; 15,25 zu rechnen.

19,28e: In διψῶ ist Jesus (28a) grammatikalisch repräsentiert.

29a: ὄξος ist als Getränk durch kulturell begründete Kontiguität mit διψῶ verbunden (Dürsten-Trinken).

29b: ὄξος ist Anaphora zu 29a (Lexemrekurrenz).

29c: αὐτοῦ ist pronominale Anaphora auf 28a (Jesus).
στόματι ist durch kulturelle Kontiguität mit 28e und 29a.29b verbunden. Zugrunde liegt die kulturelle Selbstverständlichkeit, daß die Aufnahme eines Getränks eben durch den Mund geschieht.

30a: In ἔλαβεν ist Jesus grammatikalisch repräsentiert (28a).
ὄξος ist auf 29c.28e durch kulturell begründete Kontiguität und auf 29a.29b durch Lexemrekurrenz rückbezogen.

30b: Ἰησοῦς ist durch Lexemrekurrenz auf 28a (.26b) bezogen.
εἶπεν ist als Inquit-Formel auf 30c kataphorisch bezogen.

30c: τετέλεσται greift auf 28b zurück (Lexemrekurrenz), sowie auf 28c (τελειόω als verwandtes Lexem). Zu 28c besteht ein weiterer Bezug durch die grammatikalische Repräsentation von γραφή.

30d: κεφαλὴν ist durch anaphorische Ellipse (zu ergänzen wäre ein Possessivpronomen) auf Jesus (30b) bezogen.

30e: In παρέδωκεν ist Jesus grammatikalisch repräsentiert.
πνεῦμα ist durch anaphorische Ellipse (zu ergänzen wäre wieder ein entsprechendes Pronomen) auf Jesus bezogen.

Es läßt sich zusammenfassend sagen, daß sich die Zweiteilung des Textes auch bei der Betrachtung unter diesem Aspekt bestätigt.

Die beiden Teile sind verbunden durch die Präsenz Jesu, die eine durchgehende Isotopie-Ebene konstituiert, sowie durch den allgemeinen Rückverweis μετὰ τοῦτο (28a). Ansonsten sind die beiden Szenen selbständig. In der ersten ist die Präsenz von drei Personen strukturbildend. Die entsprechenden kohäsiven Elemente sind absolut dominierend und legen die Basis für die Kohärenz dieses Textteils. Die in V. 25 angegebene Präsenz weiterer Personen wird in 19,25 -30 dagegen nicht funktionalisiert und ist daher auch nicht interpretationsrelevant.

Umso wichtiger sind die Präsenz und Relation der anderen Figuren. Sie konstituieren die semantische Grundstruktur der ersten Szene.

In der zweiten Szene tritt zur Ebene der Präsenz Jesu die der Erfüllung (der Schrift bzw. von allem) hinzu. In die zweite Ebene
ist die Opposition 'Durst/Durststillung' eingebettet. Auffällig
ist, daß in 19,28-30 keine weitere Person neben Jesus genannt
wird. Und das obwohl in 29b.29c eine handelnde Gruppe grammatikalisch repräsentiert ist. Es kann nicht einfach geschlossen werden,
daß es sich bei dieser Gruppe um die in 19,24 zuletzt genannten
Soldaten handelt, denn theoretisch kann auch an den Jünger und
die Mutter gedacht werden. Eine Möglichkeit, die SPITTA für eine
zu Herzen gehende Auslegung genutzt hat.[1] Bei der einen wie der
anderen Deutung handelt es sich um eine illegitime Konkretisierung
dieser textlichen Polyvalenz. Eindeutig interpretierbar ist nur
diese selbst; signifikant ist die Tatsache, daß das handelnde
Subjekt an dieser Stelle nicht genannt wird. Durch dieses Abblenden eines zweiten Subjekts wird die dominierende Rolle Jesu als
des einzigen Handlungsträgers in das Zentrum gerückt.
Doch kehren wir zur ersten Szene zurück. Wenn die Personen und
ihre Relation die entscheidene Rolle bei der Bildung der kohäsiven und thematischen Struktur des Textes spielen, dann ist diesen
besondere Beachtung zu schenken.

2.3.1.4.2   Analyse der Figuren in 19,25-27

Die vorhergehenden Beobachtungen lassen sich vertiefen, wenn wir
weitere Textdaten hinzu nehmen.

2.3.1.4.2.1 Die Handlungsträger bzw. die Handlungsträ-
gerin und ihre Wechselbeziehungen

Fragen wir, was die drei wichtigsten Figuren tun, so ergibt sich
für **Jesus** eine ganze Reihe von Handlungen:
- 26a: er sieht
- 26b: er liebt
- 26c: er sagt

---

1) Vgl. SPITTA 1910, 383.

- 27a: er sagt
- 28a: er weiß
- 28d: er sagt
- 30a: er nimmt
- 30b: er sagt
- 30d: er senkt (den Kopf)
- 30e: er gibt hin.

Als Objekt der Handlung anderer Personen erscheint Jesus dagegen
nur einmal, nämlich in 29c. Hier wird aber, das habe ich schon
gesagt, das handelnde Subjekt ausgeblendet, so daß die dominierende Rolle Jesu unangetastet bleibt. Für ihn ist damit die
Rolle als Handelnder charakterisierend. Unter Berücksichtigung
der in 19,25 reaktivierten Situationsangabe, daß Jesus am Kreuz
hängt, ist die betont aktive Rolle, die Jesus spielt, geradezu
überraschend. Freilich ist in der Art des Handelns auf seine beschränkte Bewegungsfreiheit Rücksicht genommen: es werden - von
30d abgesehen - keine Bewegungen ausgedrückt. Im ganzen ergibt
sich das eher statische Bild des auch am Kreuz souverän agierenden Herrn.
Für 'Maria'[1] dagegen ergibt sich ein ganz anderes Bild. Zum einen ist sie wesentlich weniger präsent als Jesus, zum anderen
ist ihre Rolle als Handelnde nur minimal ausgeprägt. Ihr wird
kein anderes Handeln zugeschrieben, als das Stehen neben dem
Kreuz (V. 25). Und dabei ist sie nur Teil eines Kollektivsubjekts.
Ihre Objektrolle ist im Verhältnis dazu recht ausgeprägt:
- 26a: sie wird gesehen
- 26c: sie wird angeredet
- 27c: sie wird (vom Jünger zu sich) genommen.
Beim **Jünger, den Jesus liebte**, sieht der Befund ganz ähnlich
aus. Auch er handelt nur einmal, allerdings als Einzelsubjekt: Er
nimmt 'Maria' zu sich (27c). Eine Objektrolle wird ihm dagegen
dreimal zugeschrieben:

---

1) Ich gebrauche den von den synoptischen Evangelien überlieferten
   Namen der Mutter Jesu nur, um meinen Analysetext nicht zu
   schwerfällig werden zu lassen. Die Anführungszeichen signalisieren, daß das Joh diesen Namen nicht benutzt.

- 26a: er wird gesehen
- 26b: er wird geliebt
- 27a: er wird angeredet.

Es läßt sich also erkennen, daß auch unter diesem Aspekt gesehen, die dominierende Rolle Jesu ausgedrückt wird. Ihm als 'Superaktanten' sind zwei vorrangig objekthafte Figuren zugeordnet. Beträgt bei Jesus das quantitative Verhältnis zwischen Subjekt- und Objektrolle 10:1, so ist es bei 'Maria' und dem Jünger umgekehrt, nämlich 1:3. Ist auch bei den letzteren das Verhältnis zwischen den beiden Rollen quantitativ gleich, so sind die beiden Figuren doch nicht gleichrangig, wenn wir die durch das Handeln konstituierte Wechselbeziehung zwischen ihnen in die Betrachtung einbeziehen. Während nämlich der Jünger immer nur Jesus gegenüber Objekt ist, ist 'Maria' in 27c auch dem Jünger gegenüber in der Objektrolle und er ihr gegenüber handelndes Subjekt. Damit ist die Zuordnung der beiden Figuren bestimmt. Sie sind nicht gleichrangig, sondern dem Jünger ist vielmehr eine - wenn auch geringe - Prävalenz 'Maria' gegenüber zuzuschreiben. Die Figurenrelationen lassen sich schematisch folgendermaßen darstellen:

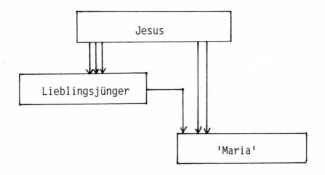

Von den zehn Handlungen Jesu setzen ihn vier in Relation zu den beiden anderen Figuren. Davon richtet sich das Sehen (26a) auf beide, weswegen sich im Schema fünf Pfeile ergeben. Zwei weitere Handlungsrelationen bestehen zwischen Jesus und dem Lieblingsjünger (26b.27a) und eine weitere zwischen Jesus und 'Maria'. Die Relation des Jüngers zu 'Maria' habe ich schon beschrieben.

2.3.1.4.2.2 Merkmale der Figuren

In diesem Abschnitt geht es um die den Figuren (von sich selbst, gegenseitig oder vom Erzähler) zugeschriebenen Merkmale und die daraus resultierende Konstellation unter den Figuren. Hier ist - damit wir den Befund entsprechend würdigen - zunächst einmal festzuhalten, was wir alles über die Figuren **nicht** erfahren. Es werden keinerlei Aussagen über die physische Erscheinung auch nur einer Figur gemacht.[1] Wir erfahren nichts über das genaue Alter und den gesellschaftlichen Rang der Beteiligten. Es gibt keinerlei Informationen über die Emotionen der Figuren, weder in Bezug auf die Situation, noch in Bezug auf die Beziehung untereinander.[2] Die Äußerung 26b über die Liebe Jesu zu den Jüngern ist hier nicht unbedingt eine Ausnahme, weil es hier wie in 13,23 weniger um eine Emotion Jesu, sondern um eine autoritätsstiftende Beziehung geht, die ihre Parallele in der Beziehung Jesu zum Vater hat. Zu dem, was wir nicht erfahren, gehören natürlich auch die Namen von 'Maria' und dem geliebten Jünger. Die beiden anonymen Figuren stehen so in einer Opposition zu Jesus, der - von grammatikalischen Repräsentationen abgesehen - immer durch seinen Eigennamen individualisiert wird. Durch das Nichtbenutzen einer solchen Vielzahl von Beschreibungskategorien werden die wenigen Merkmale, die den Figuren zugeschrieben werden, in ihrem Gewicht ungemein erhöht. So führt etwa die Namenlosigkeit der beiden Nebenfiguren dazu, daß andere Bezeichnungen die individualisierende Funktion des Eigennamens übernehmen.

---

1) Das gilt für das Joh generell. Vgl. RAND 1985, 25.
2) So scheitert denn die mariologische Deutung von CEROKE 1960 schon daran, daß weder Jesus, noch seine Mutter als leidend dargestellt werden. 'Maria' kann deshalb nicht als "the suffering Mother of the Redeemed" (147) bezeichnet werden.

Bei 'Maria' werden verwendet:

V. 25:   seine |=Jesu| Mutter (zweimal!)

26a: die   Mutter

26c: die   Mutter

26d: Frau

27b: deine |= des Jüngers| Mutter.

Beim Jünger kommen als Bezeichnungen vor:

26a.26b: der Jünger, den er |= Jesus| liebte

26c: dein |= der Frau| Sohn

27a: der Jünger

27c: der Jünger.

Von den sechs Bezeichnungen setzen vier 'Maria' in Beziehung zu Jesus. Das geschieht bei den beiden ersten explizit, nämlich durch ein auf ihn verweisendes Personalpronomen, in 26a.26c dagegen nur implizit durch anaphorische Ellipse (s. o. 2.3.3.1). In der Mutterbezeichnung mit Bezug auf Jesus ist die individualisierende Kennzeichnung zu sehen, die die Figur 'Maria' auf der Erzählebene konstituiert. Dieser Schluß beruht nicht nur darauf, daß sie mit der Bezeichnung in dieser Szene eingeführt und überwiegend benannt ist, sondern auch auf der Tatsache, daß ihrePersonalität im Makrotext so konstituiert wird: als Mutter Jesu wird sie in Joh 2 eingeführt und in Joh 6 erwähnt.

Die individualisierende Funktion hat beim Jünger der Jüngertitel mit dem Zusatz über die Liebe Jesu übernommen. Dieser Zusatz ist wichtig, da er den Anonymus erst von der übrigen Jüngerschar individuell unterscheidbar macht. Er ist es seit 13,23, der ihn als Person konstituiert. Die einfache Bezeichnung als 'der Jünger' ist demgegenüber als Kurzform zu sehen, die hier möglich ist, weil nach 26a.26b in der Szene eine Verwechslung ausgeschlossen ist.[1] Bei beiden Figuren kann also gesagt werden, "qu'ils ne possèdent pas d'autre identité que leur relation personelle à Jésus"[2].

---

1) Für die weitergehende Deutung der Kurzform, wie POTTERIE 1974, 212 f sie vornimmt, gibt es im Text keinen Anhalt.
2) CHEVALLIER 1983, 345.

Zu den personkonstituierenden Bezeichnungen treten freilich weitere hinzu, die interpretiert werden müssen. Beim Jünger handelt es sich um 26e, bei 'Maria' um 26d und 27b. Hier werden für sie Bezeichnungen gebraucht, die sie im Gegensatz zu V. 25 und 26a.26c weder explizit noch implizit mit Jesus in Beziehung setzen. Damit wird ein Prozeß fortgeführt, der schon in 26a.26c beginnt. Das Fehlen des Personalpronomens in diesen Äußerungen kann nämlich nicht wie beim geliebten Jünger (gemäß der allgemeinen Ökonomieregel der Sprache) als Kurzform verstanden werden, weil eben in V. 25 die lange Form zweimal gesetzt wird. Dem Phänomen ist also ein anderes Signifikat zuzuordnen. Es legt sich nahe, hier eine Abschwächung der Beziehung zu Jesus signalisiert zu sehen. Diese Deutung bestätigt sich in 26d, wo keinerlei Zuordnung zu Jesus mehr vorliegt, und in der Folge, wo 'Maria' dann mit dem geliebten Jünger als dessen Mutter in Verbindung gebracht wird: 27b explizit und 26e schon implizit. Ein Blick auf die oben skizzierten kohäsiven Elemente in 19,25-27 bestätigt diese Deutung, insofern aus ihr deutlich eine **Dynamik der Zuordnung der Mutter weg von Jesus hin zum Jünger** zu entnehmen ist. In dieser Dynamik nimmt 26d einen zentralen Platz ein. Diese kurze Äußerung ist der Dreh- und Angelpunkt der Veränderung der Mutterbeziehung. Die geheimnisumwitterte Anrede 'Frau' hat ihre Funktion im Prozeß des Übergangs von der Mutterbeziehung zu Jesus zur Mutterbeziehung zum geliebten Jünger. In diesem Prozeß der Übertragung signifiziert sie 'Nichtbeziehung'. Die Angeredete ist in diesem Augenblick nämlich nicht mehr die Mutter Jesu[1] und noch nicht die des Jüngers. Die Einsicht in diese Funktion spricht gegen jede weitergehende Deutung der Anrede, zumindest soweit sie nicht diesem Aspekt der 'Nichtbeziehung' entspricht. Eine Deutung vom 'Protoevangelium' Gen 3,15 her[2] ist also ebenso abwegig, wie eine solche von 16,21 her.[3] Die Tatsache, daß jeweils allgemein von einer Frau geredet wird,

---

1) Vgl. DALMAN 1922, 182.
2) So GÄCHTER 1923, 419-423; ders. 1954, 224-226;
   BRAUN 1953, 80-96; ZERWICK 1962, 1192 f;
   FEUILLET 1964, 474-477.
3) Gegen LIGHTFOOT 1965, 317; KERRIGAN 1960, 381-387;
   FEUILLET 1964; 478-480; ders. 1966, besonders 174.179-184;
   ders. 1981, 135 f; BROWN 1966/70, 925 f.

kann ja wohl noch kein Argument für eine Beziehung sein, denn
dann müßte auch Joh 4,7.9.11.15.17.19.21.25.27.28.39.42 für die
Interpretation von 19,26d 'fruchtbar' gemacht werden. Die Neigung
allerdings, die sündige Samaritanerin mit 'Maria' in Beziehung zu
setzen, ist auffallend gering, obwohl es sich hier doch im Unterschied zu Gen 3,15 um einen Bezug innerhalb des Joh handelte! Für
eine Beziehung zu Gen 3,15 kann natürlich auch nicht mit dem Hinweis auf das Motiv der Schrifterfüllung argumentiert werden.[1]
Selbst dann nämlich, wenn 19,25-27 im Kontext dieses Motivs
stünde, was, wie sich noch zeigen wird, nicht der Fall ist,
selbst dann wäre damit noch nichts gewonnen, denn der allgemeine
Hinweis auf die Erfüllung der Schrift brächte noch lange nicht
diese bestimmte Schriftstelle ins Spiel, es sei denn es erfolgte
wieder ein Rückgriff auf das schwache Argument, daß doch an beiden Stellen von 'Frau' die Rede sei.
Gegen die Kontextualisierung mit 16,21 ist zu sagen, daß hier
ebenfalls die vom Text hergestellten Bezüge nur recht schwach
sind. Auf die bloße Lexemrekurrenz von γυνή und ὥρα kann keine
tragfähige Interpretation aufgebaut werden, weil der Kontext jeweils ganz verschieden ist. Die beiden Lexeme stehen ja in 16,21
im Kontext der Bildhälfte eines Vergleichs. Wie DAUER ganz zu
Recht feststellt, werden "nicht die Stunde der Frau und Jesu miteinander in Beziehung gesetzt, sondern Schmerz und Freude der Jünger werden mit Schmerz und Freude einer gebärenden Frau verglichen.
Das Bild der Geburt muß dabei Bild bleiben, entscheidend ist nur
das tertium comparationis."[2] Keinesfalls ist es erlaubt, Informationen der Bildhälfte einfach auf der Sachebene des Textes zu verwerten. Eine solche Mißachtung textlicher Strukturen kann nur zu
falschen Ergebnissen führen. Das gilt umso mehr, als hier ja
nicht einmal die Chronologie stimmen würde. Schließlich findet
der Übergang von Schmerz zu Freude ja nicht am Kreuz statt,
sondern an Ostern,[3] wie die entsprechende Äußerung in 20,20 beweist.

---

1) Gegen GÄCHTER 1923, 397-401; ders. 1954, 205-212.224-226;
   BRAUN 1953, 78-80; ZERWICK 1962, 1190-1192.
2) DAUER 1968, 84. Vgl. SCHÜRMANN 1970, 25.
3) Vgl. HAENCHEN 1980, 496.

Ein tatsächlicher makrokontextueller Bezug liegt nun aber zu 2,4 vor. Hier geht es nicht nur um bloße Lexemrekurrenz, vielmehr sind hier auch Sprecher und Adressatin identisch, ja an diesen beiden Stellen hat die Anrede 'Frau' in gewissem Umfang dieselbe Semantik, nämlich 'Nichtbeziehung'. Ob nämlich nun in 2,4 "eine deutliche Zurückweisung zum Ausdruck gebracht"[1] wird oder nicht, jedenfalls ist die Gemeinsamkeit der Anrede in der Aussage 'Distanz' bzw. 'Nichtbeziehung' zu sehen. Damit ist die Gemeinsamkeit freilich schon zu Ende, denn der weitere Kontext ist verschieden. In Joh 2,1-11 steht die Anrede im Zusammenhang einer Opposition zwischen irdischer Beziehung (zur Mutter) und himmlischer Beziehung (zum göttlichen Vater). In diesem Kontext nun geht es - um der Verbindung Jesu mit seinem himmlischen Vater willen - um "eine Distanzierung von verwandtschaftlich-irdischen Beziehungen".[2] Hinter den göttlichen Auftrag Jesu muß selbst die Mutter-Sohn-Beziehung zurücktreten.[3] Dieser Kontext ist in 19,26 so nicht gegeben; hier lautet die Opposition 'Mutter Jesu/Mutter des Jüngers'.[4] Die Beziehung zwischen 19,26 und 2,4 beschränkt sich also darauf, daß die Anrede 'Frau' hier wie dort 'Nichtbeziehung' signifiziert. Die weitere Thematik der Wundererzählung 2,1-11 wird in 19,25-27 dagegen nicht funktionalisiert und ist deshalb hier auch nicht interpretationsrelevant. Auch die Stunde, von der Jesus in 2,4 spricht, ist nicht etwa mit seiner Todesstunde zu identifizieren. Es geht in 2,4 vielmehr wie in 4,21.23; 5,25.28 um einen eschatologisch qualifizierten Zeitpunkt. Es geht darum, daß dieser Zeitpunkt als vom Vater gesetzt gesehen wird. "Die ὥρα des Handelns wird vom Vater gegeben, der Vater ist das 'Handlungsprinzip'"[5] Jesu. Dieser inhaltliche Aspekt, daß die Stunde vom

---

1) BUSSE/MAY 1980, 54 f mit Hinweis auf synoptischen Sprachgebrauch. Ähnlich deutet PREISKER 1949, 210-212, der allerdings einen historischen Hintergrund (Marienkult) annimmt, der unbeweisbar ist. Eine Zurückweisung sehen auch ZERWICK 1962, 1193; KILMARTIN 1963, 218; WANKE 1981, 107.
2) BUSSE/MAY 1980, 56. Vgl. PREISKER 1949, 212; DAUER 1968, 82 f; MAHONEY 1983, 111.
3) Daß Jesus unbeeinflußt von Menschen agiert, gehört zum Jesusbild des Joh. Vgl. CULPEPPER 1983, 110; RAND 1985,29.
4) Gegen ZERWICK 1962, 1193 f.
5) BUSSE/MAY 1980, 56. Vgl. WANKE 1981, 107.

Vater bestimmt ist, ist auch grundlegend für jene Stellen (7,30; 8,20; 12,23; 13,1; 16,32; 17,1), wo die Todesstunde Jesu gemeint ist. Eine Verbindung zwischen 19,27 und 2,4 läßt sich also nicht begründen, und damit fällt die Rekurrenz des Lexems ὥρα als Hilfsargument für eine weitergehende Beziehung zwischen 2,4 und 19,26d aus. Kehren wir nun aber zur Charakterisierung der Figuren in 19,25-27 zurück. Wie gesagt besteht die Nullbeziehung der Mutter nur in 26d. In 26e und 27b wird sie dann in eine Beziehung zum geliebten Jünger gebracht. Diese beiden Äußerungseinheiten bilden mit 26d zusammen den Textteil, der durch Tempusgebrauch, Erzählprofil und Erzähltempo besonders herausgehoben ist. Hier im Zentrum der Szene wird zwischen Jünger und 'Maria' ein Mutter-Sohn-Verhältnis konstituiert und dies geschieht in einer Rede Jesu. Ein Wort Jesu also macht die beiden zu Mutter und Sohn. Die Parallelität der Formulierung signifiziert, daß die beiden Angesprochenen in ein reziprokes, paritätisches Verhältnis zueinander gesetzt werden. Diese Parität steht nun aber in einer gewissen Spannung zu der bei der Relationenanalyse festgestellten Prävalenz des Jüngers. Nun sind 26c-27b und speziell 26d.26e.27b durch die besonders markierte Stellung dominierend gegenüber 27c. Aber trotz der hierdurch gegebenen abgestuften Relevanz ist festzuhalten, daß es sich bei 27c immerhin um eine Äußerung in Vordergrundstellung handelt. Es ist daher die Frage zu beantworten, wie sich 27c (Prävalenz des Jüngers) und 26d.26e.27b (Parität) zueinander verhalten. Die festgestellte Spannung läßt sich durch das Heranziehen kulturellen Wissens lösen.

Mit DAUER ist auf die in den antiken Gesellschaften gängige, patriarchalische Grundstruktur der Mann-Frau-Beziehung hinzuweisen. Innerhalb dieses Rasters beinhaltet das 'paritätische' Verhältnis Mutter-Sohn, insofern es ein Verhältnis zwischen einer Frau und einem Mann ist, notwendig eine dominierende Rolle des Sohnes.[1] 27c ist also nicht in Konkurrenz zu 26e.27b zu sehen, sondern vielmehr als adäquate Reaktion des Jüngers auf die Worte Jesu. Von einer Adoptionsformel sollte übrigens in Bezug auf 26d.26e.27b

---

1) Vgl. DAUER 1968, 81 f.

nicht gesprochen werden.[1] Im Anschluß an SCHÜRMANN ist vielmehr festzuhalten, daß weder Jesus, der hier schließlich spricht, jemanden adoptiert, noch die Mutter den Jünger, noch umgekehrt.[2]

Auch von einem Offenbarungsschema sollte in Bezug auf 19,25-27 nicht gesprochen werden.[3] Zwar liegt hier, wie GOEDT nachweisen konnte, ein innerhalb des Joh geprägtes Schema mit dem Ablauf ἰδών.../ λέγει .../ἴδε ... vor,[4] da aber dieses Schema auch mit dem Täufer als Sprecher vorkommt und weder er, noch Jesus im Joh als Offenbarer bezeichnet werden, sollte dieser Begriff vermieden werden. Passender wäre es vielleicht, von Zeugnis-Schema zu reden, weil Zeugnis ein johanneischer Begriff ist, der in Bezug auf Jesus wie den Täufer verwendet wird. Wichtiger als die Nomenklatur ist freilich die Tatsache, daß die Verwendung dieses Schemas, bei dem es immer um die feierliche Proklamation des Wesens einer Person geht (Jesus als Lamm Gottes, Natanael als wahrer Israelit), nochmals das besondere Gewicht unterstreicht, das schon die bisherigen Beobachtungen dem betreffenden Abschnitt zugewiesen haben.

Wenn wir das Bisherige überblicken, so läßt sich zusammenfassend sagen:

Im Zentrum von 19,25-27 stehen die Worte Jesu, in denen eine neue Beziehung zwischen 'Maria' und dem geliebten Jünger konstituiert wird. Diese Beziehung ist die eines gegenseitigen Mutter-Sohn-Verhältnisses. Dieses Verhältnis beinhaltet aufgrund entsprechender kultureller Vorgegebenheiten, die vom Text nicht abrogiert werden, eine Prävalenz des erwachsenen Sohnes, der die Mutter zu sich nimmt. Die Personenkennzeichnung 'Mariens' ist durch ihre Anonymität charakterisiert, durch die die Mutterbezeichnung personkonstituierenden Rang erhält. Ein analoger Vorgang ist beim Lieblingsjünger zu beobachten. Auch hier wird durch die Anonymität eine an-

---

1) Gegen DAUER 1968, 81. Von Adoption sprechen auch Meyer 1924; 159.161 f; EISLER 1930, 349; DIBELIUS 1953, 235; GOEDT 1959, 51; SCHNACKENBURG 1970a, 107; LORENZEN 1971, 84; BARRETT 1978, 552.
2) Vgl. SCHÜRMANN 1970, 14 Anm. 10.
3) Gegen GOEDT 1961/62; ders. 1959, 51.
4) Vgl. GOEDT 1961/62; 142-145 mit dem Hinweis auf Joh 1,29.36.47.

dere Bezeichnung aufgewertet. Die durch die Liebe Jesu näher quali-
fizierte Jüngerschaft ist die personkonstituierende Bezeichnung.
Wird nun nach der Bedeutung gefragt, die all das für eine Charakterisierung des geliebten Jüngers hat, so ist zu sagen, daß die
Person des Jüngers hier dadurch charakterisiert wird, daß er an
die Stelle Jesu tritt. Dieser Schluß ist aufgrund der beschriebenen Struktur der Szene unausweichlich. Wir haben ja gesehen, daß
in der Mutterrolle 'Mariens' eine Dynamik eingebaut ist, die einen Übergang signifiziert **von der mütterlichen Beziehung zu
Jesus**, über den Punkt der Nichtbeziehung in 26d, **auf eine mütter-
liche Beziehung zum geliebten Jünger.** Dieser Übergang aber, in
dem Jesus als Sohn durch den Jünger als Sohn ersetzt wird, bedeutet
für den Jünger, **daß er an die Stelle Jesu tritt, daß er zu seinem
Stellvertreter gemacht wird.** Diese Stellvertreterrolle ist durch
den scheidenden Jesus vom Kreuz herab gestiftet und von daher
mit entsprechender Autorität versehen.

Diese Deutung der Szene 19,25-27 ist nun freilich nicht ganz neu.
Sie knüpft vielmehr an frühere Interpretationen an,[1] wobei die
Nähe zu STRAUSS und KRAGERUD wohl am größten ist, weil diese den
Aspekt der Stellvertreterschaft am deutlichsten herausgearbeitet
haben, indem sie feststellen, in dieser Szene werde der geliebte
Jünger zum Nachfolger Jesu eingesetzt.[2] MEYER, DAUER und LORENZEN
verunklaren demgegenüber den Sachverhalt, wenn sie davon reden,
der Lieblingsjünger werde dadurch aufgewertet, daß Jesus ihn zu
seinem Bruder mache.[3] Einer solchen Bruderbeziehung steht schlicht

---

1) Vgl. KEIM 1872, 426; PFLEIDERER 1902, 385;
   MEYER 1924, besonders 159.161; DAUER 1968, besonders 82.85 f
   88.93; LORENZEN 1971, 84; SNYDER 1971, 12 f;
   LANGBRANDTNER 1977, 33 f; THYEN 1977a, 284 f;
   HAENCHEN 1980, 552.602.
2) Vgl. STRAUSS 1837 II, 548 f; KRAGERUD 1959, 28.81 f.
3) Vgl. MEYER 1924, 159.161 f; DAUER 1968, 82 u. ö;
   LORENZEN 1971, 84; aber auch BAUR 1847, 378;
   SCHOLTEN 1867, 383 f; SPÄTH 1868, 187;
   NOACK 1876, 146; PFLEIDERER 1902, 385;
   DIBELIUS 1953, 214.235; BROWN 1977a, 310;
   JONGE 1979, 103.

die Tatsache im Wege, daß Jesus und der Jünger nie zusammen die Söhne einer Mutter sind, was aber doch Voraussetzung für eine Bruderbeziehung wäre. Vielmehr ist erst Jesus der Sohn 'Mariens' und der Jünger ist es nicht; dann aber ist der geliebte Jünger der Sohn und Jesus ist es nicht mehr.[1] Dieses 'nicht mehr' ist hier sehr wichtig, weil natürlich die Tatsache, daß Jesus einmal Sohn dieser Mutter gewesen ist, nicht mehr ungeschehen gemacht werden kann, sondern vielmehr im Leseprozeß nachhallt. Und auf eben diesem Nachhall, der dadurch unterstützt wird, daß der Erzähler in 27b eine anaphorische Ellipse verwendet und eben nicht explizit von der Mutter des Jüngers spricht – darauf beruht die Aufwertung, die der Jünger erfährt. Seine ihm zugewiesene Rolle ist aber die des Stellvertreters bzw. Nachfolgers Jesu, nicht die eines Bruders.[2]

Bevor ich mich in einem weiteren Abschnitt mit anderen Deutungen dieser Szene auseinandersetze, ist nun noch der Frage nachzugehen, welche interpretatorischen Schlüsse sich von der zweiten Szene 19,28-30 her für die erste Szene ergeben. Es geht hier also nicht um eine einigermaßen erschöpfende Exegese dieses Textes, sondern nur darum, inwiefern er für 19,25-27 interpretationsrelevant ist. Das Frageinteresse ist vorrangig auf den Konnex zwischen beiden Szenen gerichtet.

2.3.1.4.2.3 Der Beitrag von Joh 19,28-30 zur Figurencharakterisierung in Joh 19,25-27

Die Beschreibung der kohäsiven Elemente in 19,25-30 hat gezeigt, worin die Beziehung zwischen den beiden Szenen besteht.
Da ist erstens die durchgängige Präsenz Jesu, zweitens der generelle Rückverweis μετὰ τοῦτο (28a) und drittens der Rückverweis, den 28b aufgrund der Semantik von πάντα, der Sprechperspektive von τετέλεσται und dem lexematischen Rückbezug zu 13,1 impliziert. Wie schon gesagt, geht allerdings der dritte Rückverweis über

---

1) Daran scheitert auch die Deutung von MOLLA 1977, 265.
2) Deswegen kann nicht gesagt werden, Jesus gründe hier seine neue Familie. Gegen CHEVALLIER 1983, 345. Vgl. auch schon SHILLITO 1917, 474.

19,25-27 hinaus und greift makrokontextuell auf 13,1 zurück.
Was die Präsenz Jesu angeht, so ergeben sich aus ihr keine über
das schon Gesagte hinausgehenden Schlüsse für die erste Szene.
Die anderen Rückverweise hängen miteinander zusammen, und zwar
nicht nur syntaktisch, sondern auch thematisch. Durch sie werden
28a.28b mit der ersten Szene korreliert, und auch mit 13,1. Es
kann also nicht gesagt werden, die zweite Szene als solche sei
mit der vorhergehenden verbunden. Diese Aussage wäre so ungenau,
daß die Gefahr interpretatorischer Fehlschlüsse bedrohlich nahe
läge. Die Korrelation liegt vielmehr nur in 28a.28b vor, wodurch
die beiden Äußerungen die Funktion eines Scharniers erhalten. Der
Scharnierbegriff impliziert eine indirekte Verbindung, und eine
solche liegt hier auch vor. Auf derart indirekte Bezüge sollten
keine weitreichenden Schlüsse aufgebaut werden. So ist zwar 28c,
wo von der Erfüllung der Schrift gesprochen wird, mit 28b, wo
'alles' als erfüllt gesehen ist, über den gemeinsamen Begriff der
Erfüllung verbunden, aber die Gegenstände der Erfüllung sind doch
verschieden. Deswegen kann das Motiv der Schrifterfüllung eben
nicht mit der ersten Szene in Beziehung gebracht werden. Der Text
zumindest enthält eine entsprechende Anweisung nicht. Jesu Einsetzung der Mutter-Sohn-Beziehung zwischen 'Maria' und dem geliebten Jünger ist deshalb nicht als Erfüllung der Schrift zu verstehen.[1]
Legitim sind nur 28a.28b auszuwerten. Hier wird zum Ausdruck gebracht, daß Jesus weiß, daß 'alles' erfüllt sei. Da nun das Wissen Jesu im Joh immer als absolut zuverlässig gilt, kann gesagt
werden, daß der implizite Autor das Vorhergehende als die Erfüllung von 'allem' verstanden wissen will. Ist mit μετὰ τοῦτο die
unmittelbar vorhergehende Szene gemeint, so greift 28b auf 13,1
zurück. Dort geht es um die Liebe Jesu zu den Seinen bis zum Ende
bzw. zur Erfüllung. Wir haben die entsprechende Formulierung (εἰς
τέλος) in der Analyse als Vorverweis bezeichnet. Dieser Vorverweis findet hier in 28b seinen Gegenpart. Es kann geschlossen werden, die Liebe Jesu habe hier ihre Erfüllung gefunden in der Ein-

---

1) Gegen KERRIGAN 1960, 371-373 und andere (s. u. 2.3.1.4.2.4)

setzung der Mutter-Sohn-Relation zwischen 'Maria' und dem geliebten Jünger. Diese Einsetzung ist damit als letzte und erfüllende
Tat des gesamten Liebeswerks Jesu zu deuten; als Akt der Liebe zu
den Seinen.[1] Wenn wir diesen interpretatorischen Schluß ziehen,
dürfen wir freilich nicht über das Ziel hinausschießen, indem wir
'Maria' und/oder den geliebten Jünger als Symbole der Repräsentanten der ἴδιοι Jesu sehen.[2] Ein solcher Schluß kann aus den im
Text feststellbaren Bezügen nicht abgeleitet werden. Dies ist
selbst dann festzuhalten, wenn sich hier zu der offenen Frage von
Joh 13 weitere gesellen, insbesondere die, was denn genau die
Stiftung dieser Mutter-Sohn-Beziehung mit denen zu tun hat, die
Jesus die Seinen nennt, und generell, welche Funktion denn eigentlich die mit so ungeheurem Gewicht versehene Position des geliebten Jüngers hat. Daß diese Fragen hier (noch) nicht beantwortet
werden, mag subjektiv als unbefriedigend empfunden werden. Diejenigen aber, die diesen 'Mangel' durch weitere Schlüsse, die vom
Text her nicht mehr gedeckt sind, beheben wollen, laufen Gefahr,
einen vom impliziten Autor aufgebauten Spannungsbogen zu zerstören
und so den Prozeßcharakter, den die Personencharakterisierung im
linearen Gebilde Text hat, aus den Augen zu verlieren.

2.3.1.4.2.4 Auseinandersetzung mit anderen Deutungen

Die von mir vorgelegte Interpretation wird nun all jenen überzogen
vorkommen, die in 19,25 ff eine rein historiographische Notiz erkennen, die neben ihrer Tatsacheninformation keine weitere Semantik
hat. So sieht etwa WEISS in der Szene "einen Zug, der keinerlei
Bedeutung für die Geschichte Jesu als solche hat, sondern eine rein
persönliche Erinnerung ist."[3] Nach allem, was ich anfangs zur
Charakterisierung des Joh im Rahmen der antiken Geschichtsschrei -
bung gesagt habe, ist es aber legitim, die Charakterisierung der Erzählung als Historiographie im antiken Sinne nicht als in Opposi-

---

1) Vgl. GOEDT 1959, 49 f; ders. 1961/62, 149;
   FEUILLET 1964, 437 f; MINEAR 1983, 83 mit Anm. 21.
2) Gegen BRAUN 1953, 105-112; FEUILLET 1964, 474; GOEDT 1959, 52.
3) WEISS 1912, 338; vgl. ders. 1893, 596;
   SPITTA 1910, 381 f; TILLMANN 1914, 260;
   WIKENHAUSER 1948, 275; LAGRANGE 1936, 494.

tion zur Annahme sekundärer Bedeutungebenen stehend zu sehen. Ein Textdatum, das als tätsächlich geschehen erzählt wird, kann in diesem Rahmen durchaus eine Signifikanz besitzen, die über die bloße Tatsacheninformation hinausgeht. Dementsprechend können unbeschadet der Einordnung des Joh in die Gruppe der antiken historiographischen Texte weitergehende Bedeutungen nicht von vorneherein abgelehnt werden. Solche Deutungen dürfen allerdings nicht losgelöst von den im Text verifizierbaren Strukturen entworfen werden. Sie müssen vielmehr auf diesen Strukturen aufbauen, weil eine sekundäre semantische Ebene ja auf der primären Ebene aufbaut, und sich deshalb die 'tiefere' Bedeutung nicht völlig disparat zur 'banalen' Primärsemantik verhalten kann.[1] Schließlich ist sie nichts anderes als ein Komplex weitergehender interpretatorischer Schlüsse, die mit Hilfe zusätzlicher, inner- oder auch außertextlicher Informationen gezogen werden.[2] Unter diesem Aspekt sind nun jene Deutungen zu betrachten, die sich auf solche zusätzlichen semantischen Ebenen konzentrieren.

Recht häufig vertreten wird jene Deutung, nach der der geliebte Jünger in 19,25-27 als Repräsentant des Heidenchristentums zu sehen ist, der 'Maria' als Repräsentantin des Judenchristentums in seine Obhut nimmt. Dieses Verständnis findet sich schon in HOLTZMANNs Gegenüberstellung von 'Maria' als Sinnbild des treu gebliebenen Israels und dem Jünger als Typus des normalen Jüngertums.[3] Bei HEITMÜLLER verkörpert 'Maria' ganz ähnlich das Judenchristentum, während der Jünger, den Jesus liebte, als Repräsentant des Heidenchristentums verstanden wird. "Jesus", so schreibt er, "weist nun das Judenchristentum und das Heiden-, das Weltchristentum zu einander, als Mutter und Sohn. Die Zusammengehörigkeit beider - die Einheit der Kirche (s. 10,16; 17,20 ff) - er-

---

1) Vgl. SCHÜRMANN 1970, 16, der von einer "'Verlängerung' des natürlichen Sinnes" spricht.
2) Ich vermeide deshalb auch in meiner Interpretation den recht unscharfen Begriff 'symbolische Bedeutung'.
3) Vgl. HOLTZMANN 1893, 17 f.57.216; auch BRANDT 1893, 266 f, der die These insofern variiert, als er den geliebten Jünger zum Repräsentanten der Großkirche macht.

scheint hier als mahnendes Testament des sterbenden Christus."[1]
LOISY und BAUER interpretieren entsprechend.[2] BULTMANN, mit
dessen Name diese Deutung meist verbunden wird, folgt.[3]
Die Begründung für diese Deutung geht auf HOLTZMANN zurück und
besteht vor allem darin, daß die Zurückweisung der Mutter in Joh
2,4 als Konflikt zwischen dem göttlichen Logos und der "theokra-
tischen Gemeinde Israels"[4] interpretiert wird. Die Stunde, von
der Jesus dort spricht, wird auf die Todesstunde bezogen, woraus
sich dann ergeben soll, daß "nicht Personen, sondern Principien
sich auseinandersetzen: der in den Tod gehende Gottessohn des
Christenthums und der wunderverklärte Messias der Juden."[5] Da
seit 1893 keine wesentlichen neuen Argumente beigebracht wurden,[6]
ist diese Deutungstradition als inadäquat anzusehen. Sie beruht
auf einer falschen Einschätzung der erzählerischen Funktion von
2,4 und der Beziehung zwischen 2,4 und 19,26. Wie wir gesehen haben, geht es in 2,1-11 ja nicht um die Opposition Wunder gegen
Leiden, sondern darum, daß nur der himmlische Vater den rechten
Zeitpunkt des Handelns Jesu bestimmt. Die Stunde, von der Jesus
in 2,4 spricht, ist die vom Vater gesetzte. Im übrigen spielt die
Opposition jüdisch-nichtjüdisch in Bezug auf 'Maria' keine Rolle.
Daß sie Jüdin ist kann zwar geschlossen werden, wird aber nie ge-
sagt. Denselben Sachverhalt haben wir auch beim geliebten Jünger.
Eine Charakterisierung dieses Jüngers und 'Mariens' als Nichtjude
und Jüdin ist deshalb keine im Text festzumachende Struktur.
Eine andere Deutung hat SCHOLTEN vorgeschlagen. Er sieht in
'Maria' die Kirche repräsentiert, wobei seine Begründung der von

---

1) HEITMÜLLER 1918, 174.
2) Vgl. LOISY 1921, 488; BAUER 1933, 224.
3) Vgl. BULTMANN 1941; 369 f.521; auch SCHULZ 1972, 235;
   MINEAR 1977, 119 f; PAMMENT 1983, 367.
   CHEVALLIER 1983, 345-349 variiert diese These insofern, als er
   den Jünger zum besonderen Zeugen für Passion und Auferstehung
   macht, ohne ihn explizit auf das Heidenchristentum zu deuten.
   Eine andere Variante bieten BACON 1907, 333 und KRAFFT 1956,
   26, die im Jünger die christliche Kirche, in 'Maria' das Judentum erkennen.
4) HOLTZMANN 1893, 57.
5) HOLTZMANN 1893, 57.
6) Die von MINEAR 1977 entworfene Benjamin-Typologie ist mehr Postulat als Argument.

HOLTZMANN ähnelt. In Joh 2 soll die Mutter Jesu Sinnbild der israelitischen Theokratie sein, um dann unter dem Kreuz zum Symbol der Gemeinde zu werden.[1] In dieser Deutung sind ihm SPÄTH und KEIM gefolgt.[ ] Auch in HIRSCHs Interpretation hat "in historisierender Allegorie Jesus die Kirche dem Lieblingsjünger anvertraut."[3]

Diese Deutung hat zwar den unbestreitbaren Vorteil, der festgestellten Absicht des Textes, den Lieblingsjünger aufzuwerten, voll zu entsprechen, allerdings ist festzuhalten, daß diese Aufwertung in 19,25-27 nicht dadurch geschieht, daß 'Maria' als Sinnbild der Kirche in die Obhut des Jüngers gegeben wird, sondern dadurch, daß der Jünger an die Stelle Jesu tritt. Der deutliche Akzent, den der Text auf die Kennzeichnung 'Mariens' als Mutter Jesu legt, steht außerdem quer zu dieser Deutung, denn "die Kirche ist doch Mutter der Gläubigen und Braut Christi!"[4] Der Hinweis auf "die allgemeine Verwandtschaft zwischen Johannesbriefen und Johannesevangelium"[5] hilft da auch kaum etwas, weil eben 2 Joh 1
die Gemeinde nicht als Mutter Jesu, sondern - implizit, nicht ausdrücklich - als Mutter der Gemeindeglieder bezeichnet. Die Stelle ist deshalb kaum als eine Stütze für diese Deutung heranzuziehen, sondern wenn, dann als ein Gegenargument. Entscheidend aber ist, daß diese Interpretationsrichtung mit der Dynamik des Übergangs von der Mutter Jesu zur Mutter des Jüngers nichts anfangen kann.

Großes Gewicht, wenn auch fast nur in der katholischen Exegese, hat die mariologische Deutungstradition. Hier wird umgekehrt wie bei SCHOLTEN der geliebte Jünger sinnbildlich-repräsentativ gefaßt, nämlich als Typus der Glaubenden.[6] Dementsprechend wird 'Maria' dann als Mutter der Glaubenden bzw. der Erlösten verstanden.

---

1) Vgl. SCHOLTEN 1867, 167.383 f.
2) Vgl. SPÄTH 1868, 187 f; KEIM 1972, 426; auch PFLEIDERER 1902, 437.
3) HIRSCH 1936, 123. Vgl. LIGHTFOOT 1956, 317.
4) BULTMANN 1941, 521 Anm. 6.
5) HIRSCH 1936, 123.
6) Vgl. GÄCHTER 1923, 411; ders. 1954, 218;

Diese Deutung, die in mannigfaltigen Variationen vertreten wird, verfechten etwa GÄCHTER, BRAUN, FEUILLET und BROWN.[1] Sie hat viele Schwachstellen. Eine davon besteht darin, daß die Basis dieser Interpretation, gegenteiligen Beteuerungen zum Trotz, weniger aus einer genauen Analyse der Textstruktur als aus dem extensiven Verwerten von 'Bezugsstellen' besteht. Da nun die wichtigsten dieser Stellen, mit denen der Text kontextualisiert wird, nämlich Gen 3,15; Joh 2,4; 16,21, wie wir gesehen haben, insgesamt nur von marginaler Bedeutung für die Interpretation der Szene unter dem Kreuz sind, ist diese Basis der mariologischen Deutung nicht tragfähig. Schließlich liegen bei richtiger Einordnung des Schrifterfüllungsmotivs nur zu Joh 2,4 nachweisbare Bezüge vor, die allerdings keine Stütze für eine mariologische Deutung abgeben.

Eine solche läßt sich auch nicht dadurch gewinnen, daß 19,27c spiritualisierend übersetzt wird, wie dies POTTERIE versucht.[2] Die Unmöglichkeit der entsprechenden Übersetzungen hat die eingehende Kritik von NEIRYNCK aufgezeigt.[3]

Überhaupt setzt die mariologische Deutung die Gewichte im Text ganz falsch, wenn sie 'Maria' ins Zentrum des Interesses rückt. Ich würde zwar nicht soweit gehen wie DAUER und statt von einem Marientext von einem Lieblingsjüngertext reden,[4] weil dabei die dominierende Rolle Jesu vernachlässigt würde, aber immerhin ist DAUER darin Recht zu geben, daß eine gewisse Prävalenz des gelieb-

---

BRAUN 1953, 105-109.128 f; VAWTER 1956, 161 f;
GOEDT 1959, 52, CEROKE 1960, 147;
KERRIGAN 1960, 376f; ZERWICK 1962, 1192;
KILMARTIN 1963, 223; FEUILLET 1964, 474.486;
ders. 1981, 135; BROWN 1966/70, 925;
POTTERIE 1974, 212 f; ders. 1980, 123;
ders. 1982, 31; SERRA 1983, 124.130;
GOURGUES 1986, 188 f.

1) Vgl. GÄCHTER 1923; ders. 1954, 201-226;
BRAUN 1953, 77-129; THYES 1956, 82-94;
VAWATER 1956, 161 f; GOEDT 1959;
CEROKE 1960; KERRIGAN 1960;
ZERWICK 1962; KILMARTIN 1963, 222-224;
FEUILLET 1964; ders. 1966; ders. 1981, 135-150;
POTTERIE 1974, 217-219; ders. 1980, 123; ders. 1982, 31;
HAWKIN 1977, 144; SERRA 1983, 103-146;
GOURGUES 1986.

2) Vgl. POTTERIE 1974; ders. 1980.

3) Vgl. NEIRYNCK 1979; ders. 1981

4) Vgl. DAUER 1967, 236; THYEN 1977a, 285.

ten Jüngers 'Maria' gegenüber besteht. Dies hat die Analyse der Figurenrelation ja gezeigt.

Ein noch wichtigerer Einwand gegen diese Deutung ist aber, daß eine repräsentative Rolle des Lieblingsjüngers in 19,25-27 einfach durch nichts zu begründen ist. Für diesen Text ist zunächst einmal festzuhalten, daß die Zuordnung dieser Figur zur Gruppe der Narratees und/oder der impliziten Leser nicht vorgenommen wird, was allerdings die Voraussetzung dafür wäre, daß er von den Adressaten und Adressatinnen als ihr Repräsentant und Stellvertreter im Text erkannt werden könnte. Ja, es wird sich noch zeigen - das kann hier im Vorgriff auf weitere Analysen schon angedeutet werden -, daß der Jünger seine Relevanz für die Lesenden über seine Zuordnung zur Sende-Seite des Textes gewinnt und gar nicht auf die Rezeptionsseite gehört.[1] Zu 19,25-27 kann freilich zunächst nur gesagt werden, daß eine Zuordnung zur Rezeptionsseite nicht vorgenommen wird. Das reicht freilich völlig aus, um die mariologische Deutung ihrer letzten Basis zu berauben.

So kann denn das argumentative Gewicht dieser Position nur als umgekehrt proportional zur Zahl ihrer Vertreter und zum Umfang entsprechender Publikationen angesehen werden. SCHNACKENBURG kann nur recht gegeben werden, wenn er feststellt: "Die mariologischen Deutungen lassen sich nur als theologische Fundierung und Weiterführung marianischer Frömmigkeit, mit einem gewissen Rückhalt in der kirchlichen Tradition, aber nicht als joh. Gedanken rechtfertigen."[2]

SCHNACKENBURGs eigene Deutung lehnt sich im wesentlichen an SCHÜRMANNs an.

Letzter sieht im geliebten Jünger den Traditionsträger, der als Garant für das Geschehen am Kreuz und das Joh überhaupt Zeugnis gibt.[3] Wenn nun 'Maria' diesem zugewiesen wird, so deshalb, weil

---

1) Ohne literaturwissenschaftliche Terminologie sagt das auch SCHÜRMANN 1970, 17 f.
2) SCHNACKENBURG 1975, 327. Zur kritischen Auseinandersetzung mit den mariologischen Deutungen überhaupt vgl. ders. 1975, 326 f; DAUER 1968, 86 f; BECKER 1979/81, 591.
3) Vgl. SCHÜRMANN 1970, 18-20.25 f. Dieser Interpretation folgen DAUER 1972, 331-333; SCHNACKENBURG 1975, 324 f; THYEN 1977a, 285; WANKE 1981, 109, GNILKA 1983, 145; O'GRADY 1979, 61.

sie die Repräsentantin aller ist, die das Heil erwarten, bzw. empfangen.[1] Diese Szene bedeutet damit, daß alle, die das Heil suchen, auf dieses Evangelium hingewiesen werden, so daß Jesus
selbst "vom Kreuz her dieses Evangelium gewissermaßen als 'kano-
nisch' und für die Kirche verbindlich" erklärt.[2]

Die hier vorgenommene Beschreibung der Rolle 'Mariens' beruht vor
allem auf der Beziehung zu 2,1-11. Einmal wird die Stunde von 2,4
wieder in Verbindung gesetzt mit der von 19,27[3] und außerdem
wird 'Maria' in der Wundererzählung in Joh 2 als Sprecherin
derer, die das Heil suchen, gesehen.[4] Wie wir gesehen haben,
läßt sich aber die Stunde von 2,4 nicht einfach mit der Todesstunde identifizieren, obwohl es jeweils um einen vom Vater ge-
setzten Zeitpunkt geht. Außerdem ist die Sprecherinrolle der Mutter Jesu in 2,1-11 nicht in der Weise verifizierbar, wie SCHÜRMANN
sie sieht. Zwar kann gesagt werden, daß 'Maria' insofern für die
Hochzeitsgesellschaft spricht, als sie die Notlage des Weinmangels
artikuliert; es sollte allerdings festgehalten werden, daß es um
einen Mangel an Wein geht, und eben nicht um einen Mangel an
Heil. Weder 'Maria', noch die Hochzeitsgesellschaft, noch der Erzähler, noch der implizite Autor geben zu erkennen, daß sie den
Wein als Sinnbild des Christusheils verstanden wissen wollen. Es
geht hier um eine Zeichenhandlung, nicht um eine Allegorie.

Was die Beschreibung der Rolle des geliebten Jüngers angeht, so
ist bedenklich, daß sie vor allem aus 19,35 gewonnen wird und aus
den entsprechenden Texten in Joh 13.20.21, nicht aber aus dem
Text, um den es doch zunächst geht. Sie mag deshalb im Blick auf
das Gesamtbild der Figur im Joh völlig richtig sein (oder auch
nicht), jedenfalls ist für den zur Debatte stehenden Text festzuhalten, daß der geliebte Jünger hier schlichtweg **nichts** bezeugt.[5]

---

1) Vgl. SCHÜRMANN 1970, 23-26; DAUER 1972, 329;
   SCHNACKENBURG 1975, 234 f; THYEN 1977a, 285 f;
   WANKE 1981, 110; GNILKA 1983, 145.
2) SCHÜRMANN 1970, 25.
3) Vgl. SCHÜRMANN 1970, 22.
4) Vgl. SCHÜRMANN 1970, 21.
5) Natürlich bezeugt auch 'Maria' nichts - weder hier noch sonstwo
   im Joh. Daran scheitert die Deutung von GRASSI 1986, 71-77,
   der Maria zur Traditionsträgerin kürt.

Das Zeugnisthema spielt, auch wenn es noch so bald auftauchen
mag, hier noch keine Rolle. Insgesamt weist die SCHÜRMANNsche Deutung die Schwäche auf, daß die Struktur von 19,25-27 kaum Beachtung findet. So wird denn der Prozeß des Übergangs von der Mutter
Jesu zur Mutter des geliebten Jüngers nicht berücksichtigt. Diese
Struktur ist aber ebenso zentral für den Text, wie sie quersteht
zur Interpretation SCHÜRMANNs, die die Betonung der Mutterbeziehung zu Jesus ignoriert, und damit die Ausgangsbasis des Texts.
Diese Deutung kann also ebenfalls nicht überzeugen, und das trotz
der Fülle richtiger Feststellungen in Bezug auf die Rolle des
Lieblingsjüngers.

Eine weitere Deutung wird von Georg RICHTER vertreten. Er sieht
in der Betonung der Mutterschaft 'Mariens' eine antidoketische
Spitze:

"Jesus war auch insofern wahrer Mensch, als er eine Mutter hatte,
und der Lieblingsjünger - der bevorzugte Vertraute Jesu und auch
der Mutter Jesu aufgrund dessen, daß sie ihm von Jesus anvertraut
wurde und er sie zu sich nahm - ist qualifizierter Zeuge dafür."[1]

Diese Interpretation ignoriert leider die im Text feststellbare
Struktur weitgehend. Es geht nicht einfach darum, daß Jesus eine
Mutter hatte, die er dem geliebten Jünger anvertraute, sondern darum, daß die Mutter Jesu die Mutter des Jüngers wird. Diese Vernachlässigung textinterner Sachverhalte ist an sich nicht überraschend, weil es sich hier eigentlich um eine Äußerung zur Textpragmatik handelt: ein bestimmter Kommunikationshorizont wird postuliert. Ein solches Postulat ist freilich nur dann einigermaßen
überzeugend, wenn es auf entsprechenden innertextlichen Beobachtungen ruht. Aber: Wie auch immer die Doketismus-Hypothese RICHTERs
in Bezug auf das Joh als ganzes zu beurteilen ist, es muß festgehalten werden, daß 19,25-27 keinen Anlaß zur Rekonstruktion eines
Doketismus-Streits als Hintergrund liefert. Allenfalls kann gesagt werden, daß die Erwähnung der Mutter Jesu einer entsprechenden
Rekonstruktion nicht widerspräche, sondern sich dazu neutral ver-

---

1) RICHTER 1977, 387; vgl. ders. 1977, 409; MAHONEY 1974,102 f;
   ders. 1983, 112 f; THYEN 1977a, 285.

hielte. Die abschließende Beurteilung der pragmatischen Intention des Joh (soweit sie aus den von mir behandelten Texten erkennbar ist) kann erst später erfolgen. Einstweilen ist festzuhalten, daß die Antidoketismus-These für 19,25-27 keine befriedigende Deutung abgibt.

Nach dieser tour d'horizon kann abschließend gesagt werden, daß es gute Gründe gibt, an der sich durch die Analyse textlicher Strukturen ergebenden Interpretation festzuhalten, mag sie auch vielen als zu mager erscheinen.

Bevor ich mich nun der entstehungsgeschichtlichen Frage widme, soll untersucht werden, ob es sich bei der Zeugengestalt in 19,35 ebenfalls um den geliebten Jünger handelt. Da dies der Fall ist, erfolgt zunächst die Interpretation des entsprechenden Texts. Erst danach soll dann die literarkritische Arbeit angegangen werden, weil an dem sich dann ergebenden größeren Textabschnitt (19,25-37) eher ein 'sicheres' Ergebnis zu erzielen ist.

2.3.2 Analyse von Joh 19,31-37

2.3.2.1 Der Lieblingsjünger als Zeuge?

Die Identifizierung des geliebten Jüngers mit dem Zeugen, der in 19,35 erwähnt wird, ist an sich nur naheliegend, weil bis dahin keine männliche Einzelfigur (die Gruppe der Soldaten fällt hier weg) im Text eingeführt wurde, und die Anwesenheit des Zeugen unter dem Kreuz vorausgesetzt wird. So naheliegend also die Annahme der Identität ist, wurde sie doch in der Exegese bisweilen bestritten.

Während z.B. für BAUR und andere Kritiker die Identifizierung mit dem Lieblingsjünger noch selbstverständlich ist,[1] macht "das kritische Messer"[2] von SCHWARTZ vor ihr nicht Halt. Er schreibt:

---

1) Vgl. BAUR 1847, 378 f; auch STRAUSS 1837 I, 628; SCHOLTEN 1867, 385; SPÄTH 1868, 188; KEIM 1872, 442, WEISS 1893, 24.601; ZAHN 1899, 472; WENDT 1900, 194; PFLEIDERER 1902, 434.
2) SCHWARTZ 1908, 497.

"Wer der Augenzeuge ist, wird mit keinem Wort gesagt. Sicherlich
nicht der Lieblingsjünger: der ist nach Hause gegangen zur selbi-
gen Stunde in der Jesus ihn zum Sohn seiner Mutter eingesetzt hat
(19,27)."[1] Diesen Einwand fand schon WELLHAUSEN "nicht stichhal-
tig"[2] und konstatiert, der Schreiber könne mit dem Augenzeugen
"nur den Lieblingsjünger meinen, der allein unter dem Kreuz gestanden hat."[3] SPITTA stimmt dem zu, nennt die Auslegung von
SCHWARTZ pedantisch und stellt an ihn die Frage, "wann denn 'jene
Stunde' zu Ende gewesen sei, und ob Jesu Tod und Abnahme vom
Kreuz jenseits der Grenze derselben sich ereignet habe. Liegt
denn ein Grund vor zu der Annahme, daß Maria und der Lieblingsjünger den Sterbenden sofort verlassen hätten, nachdem er ihnen
sein Testament mitgeteilt?"[4] Diese Fragen sind berechtigt, denn
in der Tat beruht die Deutung von SCHWARTZ vor allem auf einem
Verständnis von 19,27c, das sich in dieser Striktheit nicht
halten läßt. Selbst dann nämlich, wenn $\dot{\alpha}\pi'\dot{\varepsilon}\kappa\varepsilon\dot{\iota}\nu\eta\varsigma$ $\tau\tilde{\eta}\varsigma$ $\tilde{\omega}\rho\alpha\varsigma$ als 'sofort' oder 'von da an' übersetzt werden müßte, hieße es noch
lange nicht, daß darin ein sofortiges Verlassen des Kreuzes impliziert wäre. Schließlich hat 27c im Hinblick auf das Vorausgehende
responsorischen Charakter: der Jünger handelt entsprechend der
Weisung Jesu. Das heißt, daß er sich gegenüber 'Maria' als Sohn
verhält, und zwar von da an. Aus der allgemein gehaltenen Formu-

---

1) SCHWARTZ 1907, 361. Vgl. auch HOLTZMANN 1893, 219, LINDARS
   1972, 589; MAHONEY 1974, 299 f.
2) WELLHAUSEN 1908, 89 Anm. 2.
3) WELLHAUSEN 1908, 89.
4) SPITTA 1910, 386. Die Identifizierung wird auch wieder vollzogen
   von WEISS 1912, 341; TILLMANN 1914, 263;
   HEITMÜLLER 1918, 175; MEYER 1924, 161;
   BAUER 1933, 226; LAGRANGE 1936, 500;
   HIRSCH 1936, 126, BULTMANN 1941, 526;
   WIKENHAUSER 1948, 276, DIBELIUS 1953, 214;
   KRAGERUD 1959, 140; DAUER 1968, 92;
   ROLOFF 1968/69, 132; BROWN 1966/70, 936;
   BOICE 1970, 124; SCHÜRMANN 1970, 19;
   LORENZEN 1971, 58; SCHULZ 1972, 240;
   SCHNACKENBURG 1975, 340; LANGBRANDTNER 1977, 34;
   BARRET 1978, 557; BECKER 1979/81, 435.599 f;
   HAENCHEN 1980, 555.602; GNILKA 1983, 146;
   RUCKSTUHL 1986, 148; JONGE 1979, 104.

lierung (εἰς τὰ ἴδια) zu schließen, er habe die Mutter augenblick-
lich in sein Haus weggeführt, stellt eine Konkretisierung dar,
die durch keine Anweisung des Textes gedeckt und deshalb illegitim
ist. Ihr steht zudem die schon erwähnte Tatsache entgegen, daß
keine andere männliche Einzelperson beim Kreuz eingeführt wurde
als der Lieblingsjünger. Das heißt aber, daß der Autor von 19,35,
wenn er auf eine Einführung des Zeugen verzichtet und dessen Präsenz einfach voraussetzt, damit rechnen **muß**, daß die Lesenden
bzw. Hörenden diese Figur mit der des geliebten Jünger identifizieren. Die Annahme, hier handele es sich um eine neue Figur, deren Anwesenheit eben plötzlich vorausgesetzt sei, käme demgegenüber der Annahme einer Inkohärenz gleich, die im Leseprozeß, der
ja auf Kohärenzbildung ausgerichtet ist, nicht vollzogen wird und
mit der - im Rahmen antiker Konventionen - ein Autor auch nicht
rechnen kann. Daß aber nun gerade SCHWARTZ eine solche Kohärenzstörung entdeckt, ist überhaupt nicht verwunderlich, weil es sich
bei seiner Untersuchung ja um eine Art der Lektüre handelt, bei
der die Suche nach Inkohärenzen die absolut dominierende Ausrichtung darstellt.

Ich halte es deshalb für legitim, in 19,35 den geliebten Jünger
zu sehen und entsprechend 19,31-37 als einschlägigen Text zu untersuchen. Diese Entscheidung wäre allenfalls dann zu revidieren,
wenn sich hier eine Charakterisierung des Jüngers ergäbe, die mit
den Ergebnissen aus den übrigen Texten unvereinbar wäre.

2.3.2.2 Begründung der Textabgrenzung

Zu der Grenze zwischen 19,30 und 19,31 ist in 2.3.1.1 das Nötig-
ste schon gesagt worden, so daß hier also nur noch die Abgrenzung
des Textes nach hinten begründet werden muß.
Mit 19,38 erfolgt eindeutig ein thematischer Neueinsatz. Zwar geht
es nochmals um die Abnahme des Leichnams Jesu, aber aus der Abnahme, die in 19,31 ff nur ein funktionales Nebenthema ist, wird
hier das thematische Zentrum. Dementsprechend findet sie hier in
19,38 ff dann auch statt. Außerdem ist ein Personenwechsel gegen-

über dem Vorhergehenden festzustellen: es ist jetzt von einem Josef von Arimathäa die Rede, der hier ganz neu eingeführt wird. Im übrigen zeigen auch das Gliederungssignal μετὰ δὲ ταῦτα und der in 19,38 vorausgesetzte Ortswechsel, daß mit 19,37 ein Teiltext zu Ende geht.

2.3.2.3 Textauflistung

Zur Begründung der Aufteilung in Äußerungseinheiten ist nicht viel zu sagen. Die meisten Entscheidungen dürften einleuchtend sein. Problematisch ist vielleicht die 'Selbständigkeit' von 32c, aber hier sehe ich einen Parallelgedanken zu 32b. In 33a überwiegt meiner Meinung nach die Verbqualität des Partizips. In 37b.37c ist das Relativpronomen doppelt gesetzt, weil es für die beiden Äußerungseinheiten als Objekt fungiert.

Joh 19,

31a Οἱ οὖν Ἰουδαῖοι, |b+c+d| ἠρώτησαν τὸν Πιλᾶτον

 b ἐπεὶ παρασκευὴ ἦν,

 c ἵνα μὴ μείνῃ ἐπὶ τοῦ σταυροῦ τὰ σώματα ἐν τῷ
   σαββάτῳ,

 d ἦν γὰρ μεγάλη ἡ ἡμέρα ἐκείνου τοῦ σαββάτου,

 e ἵνα κατεαγῶσιν αὐτῶν τὰ σκέλη

 f καὶ ἀρθῶσιν.

32a ἦλθον οὖν οἱ στρατιῶται

 b καὶ τοῦ μὲν πρώτου κατέαξαν τὰ σκέλη

 c καὶ τοῦ ἄλλου τοῦ συσταυρωθέντος αὐτῷ·

33a ἐπὶ δὲ τὸν Ἰησοῦν ἐλθόντες,

 b ὡς εἶδον ἤδη αὐτὸν τεθνηκότα,

 c οὐ κατέαξαν αὐτοῦ τὰ σκέλη,

34a ἀλλ' εἷς τῶν στρατιωτῶν λόγχῃ αὐτοῦ τὴν πλευρὰν
   ἔνυξεν,

 b καὶ ἐξῆλθεν εὐθὺς αἷμα καὶ ὕδωρ.

35a καὶ ὁ ἑωρακὼς μεμαρτύρηκεν,

 b καὶ ἀληθινὴ αὐτοῦ ἐστιν ἡ μαρτυρία,

 c καὶ ἐκεῖνος οἶδεν

 d ὅτι ἀληθῆ λέγει,

 e ἵνα καὶ ὑμεῖς πιστεύ|σ|ητε.

36a ἐγένετο γὰρ ταῦτα

 b ἵνα ἡ γραφὴ πληρωθῇ·

 c ὀστοῦν οὐ συντριβήσεται αὐτοῦ.

37a καὶ πάλιν ἑτέρα γραφὴ λέγει·

 b ὄψονται εἰς ὃν

 c (ὃν) ἐξεκέντησαν.

2.3.2.4   Die Erzählkonstituente 'Zeit'

2.3.2.4.1 Tempusformen

Tempus	Sprechhaltung		Perspektive		Reliefgebung		
	E	B	R	N	Vs	Vg	H
19,31a Aorist	x			x		x	
b Imperfekt	x			x			x
c Konjunktiv Aorist	x				x		
d Imperfekt	x			x			x
e Konjunktiv Aorist	x			x			
f Konjunktiv Aorist	x			x			
32a Aorist	x			x		x	
b Aorist	x			x		x	
c -							
33a Partizip Aorist				x			
b Aorist	x			x		x	
c Aorist	x			x		x	
34a Aorist	x			x		x	
b Aorist	x			x		x	
35a Perfekt	x		x				
b Präsens		x		x			
c Perfekt		x		x			
d Präsens		x		x			
e Konjunktiv Präsens[1]		x		x			
36a Aorist	x			x		x	
b Konjunktiv Aorist	x				x		
c Futur		x			x		
37a Präsens		x	x				
b Futur		x			x		
c Aorist	x			x		x	

Zu den in der Tabelle verwendeten Abkürzungen ist das Nötige schon gesagt. Was die Eintragung in 35c angeht, so liegt hier der

---

1) Wird hier eine Futurform gelesen, so muß der Eintrag unter 'Perspektive' natürlich bei 'Vorschau' erfolgen.

gleiche Sachverhalt vor wie bei 19,28a. Wir haben es mit einer
Perfektform zu tun, die als Präsens fungiert, und dementsprechend
zu beschreiben ist.

Bei der Auswertung der Tabelle ist die Sprechhaltung des Textes
unschwer zu erkennen: Da von 24 Verbformen 15[1] eine erzählende
Sprechhaltung erkennen lassen, und dem nur 8 besprechende Tempusformen gegenüberstehen, ist der Text als erzählend zu betrachten.
Wenn nun die Frage gestellt wird, welche Funktion in diesem
Erzähltext die besprechenden Tempora erfüllen, so ist ein dra-
stischer Unterschied zu 19,25-30 feststellbar. Hatten diese
Formen dort - vor allem im Kontext direkter Rede - zur Verlebendigung des Textes beigetragen, so spielt hier direkte Rede kaum
eine Rolle. Die besprechenden Tempora tauchen vielmehr vor allem
in reiner Erzählerrede auf. Lediglich in 37a liegt eine Inquitformel vor, die allerdings ein Schriftzitat einleitet, nicht aber
eine Figurenrede. Weitere Einblicke in die Funktion der besprechenden Tempora lassen sich im Kontext der Beschreibung vom Erzähltempo und Erzählprofil gewinnen.

Was die Sprechperspektive angeht, so muß wieder festgestellt werden, daß es sich um einen nur schwach perspektivierten Text handelt. Die Nullstufe überwiegt bei weitem, rückschauende Perspektive findet sich nur einmal (35a) und Vorschau fünfmal bzw. wenn in
35e Futur gelesen wird, sechsmal. Die rückschauende Form weist besprechende Sprechhaltung auf. Hier wird also nicht erzählend auf
etwas zurückgegriffen, was weiter zurückliegt, sondern eine in
engagierter Haltung zu rezipierende Aussage gemacht. Das Besprochene liegt nicht in der erzählten Welt und doch vom Blickwinkel
des Sprechenden aus in der Vergangenheit. Es ist also zwischen
der Zeit der Erzählung und der Zeit des Erzählens anzusetzen. Die
vorschauende Perspektive tritt vor allem (31c.31e.31f.36b) mit
dem Konjunktiv Aorist auf, ist also erzählend benutzt. Es geht jeweils um eine finale Funktion: Intentionen, Absichten, Zielset-
zungen werden thematisiert. Sofern in 35e ein Futur gelesen wird,
gilt die finale Funktion auch für den dortigen Vorverweis. Sie

---

1) Für das Partizip in 33a kann erzählende Sprechhaltung aufgrund
   des Kontextes erschlossen werden.

bleibt allerdings - wenn auch gekoppelt mit der Nullstufe - ebenso erhalten bei einer Präsensform, so daß die semantische Differenz zwischen den beiden Textalternativen nicht übermäßig groß
ist. Bei 36c ist zu beachten, daß es sich um ein Zitat
handelt. Es geht also bei dieser Vorschau um die Perspektive
eines zitierten Textes und nicht um die des Erzählers! Die Vorschau
der Schrift als eines alten Texts ist für den Erzähler - das
machen 36a.36b deutlich - schon an ihr Verweisziel gelangt. Bei
37c liegt der Fall insofern anders, als sich hier der Erzähler
durch die Parallelisierung von 34a mit 37c (jeweils Nullstufe)
die Perspektive des zitierten Textes zu eigen macht. Daraus resultiert, daß es sich aus der Sicht des Erzählenden um eine echte
Vorschau handelt, die in der erzählten Welt noch nicht an ihr
Ziel gelangt ist.

Die Reliefgebung ist ebenfalls nur schwach ausgeprägt. Zweimal
nur werden Hintergrundinformationen gegeben. Einmal bilden 31b-31d
den Hintergrund für 31a.31e.31f.[1] Beim zweiten Mal kann erschlossen werden, - und zwar aufgrund der allgemeinen Tendenz der Partizipien zu Hintergrundstellung - daß 33a den Hintergrund für 33b
ff liefert. Ansonsten liegt Vordergrundstellung vor. Sie ist entweder durch den Aorist angezeigt oder kann ansonsten erschlossen
werden. Bei 31e.31f gibt die Zusammengehörigkeit mit 31a den Ausschlag, bei 35a-e die Emphase der Sprechhaltung, bei 36b die
Zusammengehörigkeit mit 36a und bei 36c-37b wieder die Sprechhaltung. Durch die Prädominanz der Vordergrundstellung ist die
Reliefgebung kein besonderes Zeichen für die Schwerpunktsetzung
des Textes. Letztere wird hier eher durch die Sprechhaltung vollzogen. Sie hebt 35a-e und die beiden Schriftzitate hervor. Dabei
ist freilich nochmals eine Abstufung möglich. Da es sich bei 36c
und 37b um zitierte Aussagen und bei 37a um eine bloße Inquitformel handelt, sind diese Äußerungseinheiten weniger betont als die
in V.35. Außerdem ist das zweite Schriftzitat gegenüber dem ersten dadurch hervorgehoben, daß es in besprechender Haltung eingeleitet wird, während das erste mit einer narrativen und so weni-

---

1) Aufgrund des engen Zusammenhangs mit 31b und 31d ist für 31c
   eine Zuordnung zum Hintergrund zu erschließen.

ger emphatischen Einleitung versehen ist. Demnach wäre also der Schwerpunkt des Textes im engeren Sinn in V. 35 zu sehen, obwohl natürlich die Schriftzitate, besonders V. 37, wichtig bleiben.

2.3.2.4.2 Erzähltempo und Erzählprofil

Der besondere Status von V. 35 bestätigt sich, wenn der Aspekt des Erzähltempos hinzugenommen wird. Es zeigt sich dann nämlich, daß dieser Vers zu einer Pause gehört, die von 35a bis 37c dauert. In der erzählten Welt geschieht ja nichts. Das heißt, die erzählte Zeit ist angehalten. Die Erzählzeit dagegen läuft weiter. Wir haben es hier mit dem langsamsten Erzähltempo zu tun, das möglich ist. Dadurch ist dieser Textteil besonders gewichtet gegenüber den übrigen Textteilen, in denen das Erzähltempo höher ist. Für 33a-34b kann annähernd Zeitdeckung angesetzt werden, während in 31a-32c sogar eine geraffte Erzählweise vorliegt, und das trotz der Hintergrundinformation in 31b-d.

War das Erzählprofil von Joh 19,25-30 geprägt durch den relativ raschen Wechsel von diegetischen und mimetischen Teilen, so spielt hier die Mimesis überhaupt keine Rolle. War dort, wenn auch nur ansatzhaft, eine Verschmelzung von erzählter Welt und Lesewelt angezielt, insofern eine lebendige Darstellung die Lesenden bzw. Hörenden in die Textwelt einbinden sollte, so geht es hier zwar auch um eine Annäherung der beiden Welten; die Bewegung verläuft allerdings in entgegengesetzter Richtung; nicht von der Lesewelt in die erzählte Welt, sondern umgekehrt. Der Erzähler bespricht Erzähltes und öffnet den Text so auf die Rezipierenden hin. Dies geschieht in 19,35-37, wo die erzählte Zeit angehalten wird, und der Erzähler in der so entstehenden Pause das vorher Erzählte bespricht. Daß hier besprochen wird, darauf hatte ja schon das gehäufte Vorkommen besprechender Tempusformen aufmerksam gemacht. Nach der oben (2.2.2.1) vorgeschlagenen Definition wäre also 19,35-37 als Erzählerkommentar zu bezeichnen. Beide geforderten Elemente sind vorhanden: Pause und Überwiegen besprechender Tempora. Daß in diesem Abschnitt nun tatsächlich eine - wenigstens ansatzhafte - Annäherung an die Welt der Lesenden stattfindet, zeigt auch die Tatsache, daß hier die Narratees nicht nur voraus-

gesetzt werden, sondern direkt angesprochen werden (35e: ὑμεῖς).
Zwar dürfen die Narratees nicht ohne weiteres mit den impliziten
oder etwa gar mit den tatsächlichen zeitgenössischen Lesern identifiziert werden, aber es ist doch eine Bewegung aus der Figurenebene heraus auf die Rezipierenden hin feststellbar. Auf die Semantik des so gewichteten Erzählerkommentars ist im Folgenden
noch einzugehen.

2.3.2.5   Weitere textsemantische Analysen

2.3.2.5.1 Kohäsion und Kohärenz

31a: 'Ιουδαῖοι verbindet mit dem Makrokontext durch eine Anapher
auf 19,21, wo diese Personengruppe zuletzt erwähnt wurde. In
die gleiche Richtung zielt der Rückverweis, der durch Πιλᾶτον
hergestellt wird. Dieser war zuletzt in 19,22 präsent.

31b: ἐπεί verbindet mit der vorhergehenden Äußerungseinheit.
παρασκευή verweist durch Lexemrekurrenz auf 19,14 zurück und
aktualisiert den dort aufgestellten chronologischen Rahmen.

31c: Die finale Einleitung stellt keine Verbindung zu 31b her,
sondern ist nur sinnvoll in Bezug auf 31a. Zwischen 31c und
31b besteht nur dann ein Bezug, der über die bloße Syntax
hinausgeht, wenn eine Entsprechung zwischen παρασκευή und
σαββάτῳ feststellbar ist. Nach 19,14 ist Rüsttag des Paschafests. Es legt sich daher nahe, den Sabbat als ersten Tag
des Pascha zu verstehen, und so beide Begriffe in Zusammenhang
zu bringen. σώματα verweist auf die in 19,18 erwähnten Personen.

31d: Der zwischen Sabbat und Pascha hergestellte Zusammenhang bestätigt sich hier durch die Charakterisierung des Sabbat als
groß. σαββάτου (Lexemrekurrenz) und das kausative γάρ verbinden mit der vorhergehenden Einheit.

31e: Die finale Einleitung (ἵνα) bindet an 31a an.
αὐτῶν ist anaphorisch auf 19,18 bezogen. Die dort erwähnten
Personen (Jesus und die beiden anderen Delinquenten) sind
hier repräsentiert. Insofern auf diese auch in 31c Bezug genommen ist, liegt auch eine Verbindung zu dieser Äußerungsein-

heit vor. σκέλη ist durch semantische Kontiguität (Schenkel als Teil des Körpers) mit σώματα in 31c verbunden.

31f: ἀρθῶσιν ist durch semantische Kontiguität anaphorisch auf 31c (μὴ μείνη) bezogen. σώματα ist in ἀρθῶσιν grammatikalisch repräsentiert.[1]

32a: στρατιῶται ist durch kulturell begründete Kontiguität mit Πιλᾶτον in 31a verbunden: Daß Pilatus über Soldaten verfügte, ist als kulturelles Wissen vorausgesetzt, wie in 19,1.2.

32b: κατέαξαν ist wie σκέλη durch Lexemrekurrenz anaphorisch auf 31e. Im Verb sind zudem die Soldaten von 32a grammatikalisch repräsentiert.

32c: ist als parallele Konstruktion mit 32b verbunden.
κατέαξαν τὰ σκέλη wäre hier zu ergänzen. ἄλλου ist durch semantische Kontiguität auf πρώτου in 32b rückbezogen.
συσταυρωθέντος ist auf 19,18 anaphorisch, wo erzählt wird, daß mit Jesus zwei andere gekreuzigt wurden. αὐτῷ ist pronominale Anaphora auf 19,30 und Kataphora auf 33a, wo Jesus jeweils namentlich erwähnt wird. Die Präsenz Jesu wird hier wieder so selbstverständlich vorausgesetzt, daß sich der implizite Autor einfach des Pronomens bedient, bevor der Name wieder fällt.

33a: δέ ist adversativer Rückbezug auf das Vorhergehende. 'Ιησοῦν ist mit αὐτῷ in 32c verbunden. In ἐλθόντες sind die Soldaten grammatikalisch repräsentiert.

33b: Auch in εἶδον sind die Soldaten präsent. αὐτόν ist pronominale Anaphora auf 33a ('Ιησοῦν). Jesus ist auch in τεθνηκότα grammatikalisch repräsentiert.

33c: κατέαξαν ist durch Lexemrekurrenz auf 32b rückbezogen. Außerdem sind hier wieder die Soldaten präsent. σκέλη ist anaphorisch auf 32a (Lexemrekurrenz). αὐτοῦ stellt eine pronominale Anaphora auf 33a (Ιησοῦν) dar.

34a: στρατιωτῶν ist durch Lexemrekurrenz auf 32a rückbezogen.
αὐτοῦ ist als vorangestelltes Pronomen (vgl. 31d.31e.32b.33c) auf πλευράν zu beziehen und stellt so einen Rückverweis auf

---

1) Nicht σκέλη! Schließlich sollten ja wohl nicht nur die Schenkel abgenommen werden.

Jesus (33a) dar.

34b: αἶμα ist durch Lexemrekurrenz makrokontextuell auf die Brotrede bezogen, wo (zuletzt 6,56) vom Blut die Rede war. Ein
gleichartiger Bezug besteht bei ὕδωρ zu 13,5; 7,38 und den
übrigen Stellen, wo von Wasser die Rede ist. Die interpretatorische Relevanz dieser makrokontextuellen Bezüge wird zu
prüfen sein.

35a: Wie gesagt, ist ἑωρακώς auf 19,26 f zu beziehen, wo der geliebte Jünger (zuletzt 27c) erwähnt wurde.

35b: αὐτοῦ ist pronominale Anaphora zu ἑωρακώς (35a). μαρτυρία ist
auf μεμαρτύρηκεν (35a) bezogen durch Rekurrenz verwandter Lexeme.

35c: Bei ἐκεῖνος ist der Bezug nicht sofort klar. In der Forschung
werden vor allem zwei Möglichkeiten vertreten, nämlich einmal, das Pronomen auf den Zeugen (und Lieblingsjünger) zu beziehen[1], und zweitens, es auf Jesus zu beziehen.[2]
Rein syntaktisch ist die Frage kaum zu entscheiden, da bei
beiden Deutungen auf dieser Ebene Probleme bleiben. Wird ein
Bezug auf den Zeugen selbst angenommen, so ergibt sich folgende Unstimmigkeit: Zwar kann im Joh ἐκεῖνος als Pronomen
auch so benutzt werden, daß es nicht den Verweis auf etwas
Ferneres impliziert, wie z.B. 9,37 zeigt. Hier besteht aber
das Problem, daß der betonten Setzung des Pronomens kein
rechter Sinn zugeordnet werden kann. Das Subjekt wäre an
sich durch die Verbform hinreichend repräsentiert und der
Kontext läßt keinen Grund für die Betonung erkennen.[3]

---

1) Den Bezug auf den Zeugen vertreten z.B.
   WEISS 1893, 602; ders. 1912, 341 f;
   HOLTZMANN 1893, 218 f; WENDT 1900, 193;
   LOISY 1921, 493; BAUER 1933, 227;
   BROWN 1966/70, 936 f; SCHNACKENBURG 1975, 340;
   LANGBRANDTNER 1977, 34; BARRETT 1978, 557 f;
   BECKER 1979/81, 600.
2) Daß Jesus gemeint ist, vertreten z.B.
   ZAHN 1888, 594 f; ders. 1899, 473-475;
   DECHENT 1899, besonders 448-453; SCHWARTZ 1907, 361;
   SPITTA 1910, 386; TILLMANN 1914, 263;
   ders. 1931, 329; LAGRANGE 1936, 500;
   BULTMANN 1941, 526; BRAUN 1949, 16; SCHULZ 1972, 240.
3) Vgl. ZAHN 1888, 594.

Wird das Pronomen aber auf Jesus bezogen, so entfällt diese
Schwierigkeit natürlich. Es entsteht allerdings ein neues
Problem. Wird nämlich ἐκεῖνος auf eine vom Zeugen verschiedene Person bezogen, so ist zwischen den beiden syntaktisch
eng korrelierten Äußerungseinheiten 35c und 35d ein Subjektwechsel anzunehmen, der nicht markiert ist. Im Demonstrativpronomen von 35c wäre einfach ein anderes Subjekt repräsentiert als in 35d, wo ja nach 35a und 35b nur der Zeuge
gemeint sein kann.

Dieses Problem läßt sich freilich durch Beobachtungen zum
textinternen Sprachgebrauch auflösen. Solche Subjektwechsel
sind nämlich im Joh nicht ungewöhnlich, sondern recht häufig
(vgl. z.B. 13,6a-6b; 21,19a.19b.19c) und gehören wohl zum
Sprachniveau, auf dem das Joh sich bewegt.

Außerdem können textsemantische Beobachtungen zur Entscheidung herangezogen werden.

Außer acht bleiben müssen dabei zunächst alle Überlegungen,
die von der Identität des geliebten Jüngers mit dem Erzähler
ausgehen. Eine entsprechende Identifizierung wird zwar in
21,24 vorgenommen, ist hier aber allenfalls (durch die Ak-
tivierung der Narratees) angedeutet. 21,24 bleibt freilich
der Punkt, an dem sich eine hier vorgenommene Sinnbildung
bestätigt oder als unzutreffend herausstellt. In 19,35 jedenfalls bleibt die Trennung zwischen dem Erzähler und dem
zur Figurenebene gehörenden Jünger noch erhalten. Es kann
daher nicht mit ZAHN gesagt werden, zwischen 35a.35b und
35c.35d liege eine Doppelung vor, wenn ἐκεῖνος auf den Zeugen bezogen werde.[1] Diese existiert einfach nicht, wenn
die Kommunikationsebenen beachtet werden. Der Erzähler würde zunächst eine Aussage über die Wahrheit des Zeugnisses
machen, um dann zu betonen, daß der Zeuge um die Wahrheit
seines Zeugnisses weiß. Eine solche Aussage wäre nicht in
sich widersprüchlich, sondern durchaus möglich. Einem solchen Verständnis steht aber neben dem schon beschriebenen

---

1) Vgl. ZAHN 1888, 594.

Problem die Tatsache entgegen, daß im Joh die Gültigkeit eines Selbstzeugnisses entschieden bestritten wird. ZAHN hat
das ganz richtig gesehen und mit Recht auf Stellen wie 5,31
f; 8,13-18 verwiesen.[1] Dort wird so eindeutig gegen Selbst-
zeugnisse Stellung genommen, daß die Deutung, die ἐκεῖνος
auf den Zeugen beziehen will, als ausgeschlossen anzusehen
ist. BECKERs Einwand, hier läge doch eine doppelte Bezeugung
vor, weil erst der Erzähler und dann der Jünger Zeugnis ab-
legten[2], überzeugt nicht, da in 35b zwar der Erzähler
spricht, seine Personalität aber ganz unbetont bleibt.
Würde der Erzähler hier sein 'ich' setzen, so wäre das ganze Problem ja gelöst, weil ἐκεῖνος dann einen sinnvollen
Kontrapunkt hätte. Das ist aber hier leider nicht der Fall.
Deswegen ist BECKERs Deutung schon hier äußerst problema-
matisch, ganz abgesehen davon, daß sie zu denen gehört, die
in 21,24 dann als unzutreffend aufgegeben werden müssen.
Um nun den Bezug auf Jesus zu begründen, greift ZAHN auf
den Sprachgebrauch des 1 Joh zurück. Dieses Argument soll
hier nicht übernommen werden, weil ich es wie gesagt für un-
angebracht halte, die Nähe zwischen Evangelium und Briefen
zur Basis von Beweisführungen zu machen. Es scheint mir besser zu sein, zunächst innertextlich zu argumentieren, weil
auf diese Weise eine sicherere Ausgangsbasis für eine überzeugende Verhältnisbestimmung zwischen Evangelium und Briefen zu erhalten ist.
Und es gibt in der Tat auch Sachverhalte innerhalb des Joh,
die einen Bezug des Pronomens auf Jesus nahelegen. Zunächst
ist er das einzige Subjekt, das in der Erzählung durchgän-
gig so präsent ist, daß ein Verweis ohne erneute Einführung
hier möglich wäre. Wie präsent Jesus immer ist, haben wir
ja zuletzt an dem αὐτῷ in 32c sehr schön gesehen. Zum anderen aber - und das ist das Entscheidende - ist er auf der
Figurenebene die einzige Person, der ein ebenso umfassendes

---

1) Vgl. ZAHN 1888, 595 mit Anm. 1. Seinen Hinweis auf Joh
   10,25.37 f; 14,11 halte ich für weniger glücklich.
2) Vgl. BECKER 1979/81, 600.

wie unfehlbares Wissen zugeschrieben wird. Ein solches Wissen ist so charakteristisch für Jesus, daß gesagt werden kann: Jesus ist der Wissende schlechthin.[1]

Aus diesen Überlegungen ist nun zu schließen, daß erstens ἐκεῖνος am besten auf eine vom Zeugen verschiedene Person zu beziehen ist, und daß es sich zweitens nahelegt, diese Person mit Jesus, den Wissenden in 19,35c mit **dem** Wissenden, zu identifizieren.

Es bleibt allerdings immer noch die Frage offen: Warum ist der Weg zu dieser Identifizierung so mühsam? Oder anders gefragt: Welches Signifikat ist dem Faktum zuzuordnen, daß der Autor den Bezug auf Jesus zwar erschließbar macht, aber eben nicht explizit setzt. Warum formuliert er nicht: " Καὶ 'Ἰησοῦς οἶδεν..."? Eine Antwort hierauf wird noch zu geben sein. Hier ist zunächst einfach festzuhalten, daß ἐκεῖνος als Pronominalisierung von 'Ἰησοῦν eine Anaphora auf 33a darstellt.

35d: ἀληθῆ ist anaphorisch auf ἀληθινή in 35b (Rekurrenz verwandter Lexeme). In λέγει ist ἑωρακώς (35a) grammatikalisch repräsentiert. Außerdem ist dieser Term aufgrund semantischer Kontiguität (Bezeugen wird im Sagen vollzogen) mit μεμαρτύρηκεν (35a) verbunden.

35e ist durch die finale Einleitung mit 35d verbunden.
πιστεύ|σ|ητε ist mit λέγει (35d) und μεμαρτύρηκεν (35a) verbunden. Hier liegt eine textintern konstituierte logische Verknüpfung vor, insofern im Joh Glaube als adäquate Folge des Zeugnisses gesehen wird.[2]

36a: ταῦτα verweist über V. 35 hinweg auf Vorheriges. Schon die Semantik von ἐγένετο macht klar, daß es hier nicht um das in der Pause Besprochene gehen kann, sondern um das vorher Erzählte. Schließlich zeichnet sich eine Pause ja dadurch aus, daß eben nichts **geschieht.** Auch die Wahl eines Tempus

---

1) Das machen Stellen wie 3,11; 5,32; 6,6.61.64; 7,29; 8,14.55; 11,42; 12,50; 13,1.3.11.18; 19,28 und aber besonders 18,4 hinreichend deutlich. Vgl. auch CULPEPPER 1983, 36, der weitere Belege angibt.
2) Vgl. z.B. 4,39; 10,25 f.

mit erzählender Sprechhaltung macht klar, daß der Rückbezug den Erzählerkommentar in V. 35 überspringt. Die Frage, "ob sich die beiden Schriftzitate nun nicht *auch* auf V. 34b.35 beziehen",[1] ist also negativ zu beantworten.

36b ist durch seine finale Einleitung mit 36a verbunden.

36c: ὀστοῦν ist durch logische Inklusion (Schenkel als Teil der Menge der Knochen) an σκέλη in 33c rückgebunden.συντριβήσεται verweist ebenfalls auf 33c: es liegt hier ein anaphorischer Bezug auf κατέαξαν vor (Rekurrenz synonymer Lexeme).

37a: γραφή verweist auf 36b zurück (Lexemrekurrenz).

Die Verwendung der Begriffe variiert freilich. Während nämlich die Formulierung dort die Singularität **der** Schrift voraussetzt, ist hier durch die Hinzufügung des Adjektivs angezeigt, daß an eine Mehrzahl von Schriften gedacht ist. Die Lexemrekurrenz bei λέγει (35d.37a) ist vernachlässigbar, da in 37a eine Inquitformel vorliegt, und das Lexem deshalb im Unterschied zu 35d weitgehend desemantisiert ist.

37b: ὄψονται verweist auf ἑωρακώς zurück. Die Anaphora beruht auf Lexemrekurrenz.

37c: ἐξεκέντησαν ist anaphorisch auf 34a (ἔνυξεν) bezogen: Rekurrenz semantisch verwandter Lexeme.

2.3.2.5.2 Die zentralen Themen

Ein Überblick über die kohäsiven Elemente des Textes macht deutlich, daß hier die Personen und ihre Zuordnung - was doch in 19,25-30 so wichtig war - keine bedeutende Rolle spielen.
Allein die Soldaten sind von gewisser Bedeutung. Es geht dabei allerdings nicht um ihre Charakterisierung. Ihre Funktion ist ganz von dem Thema bestimmt, das sie ins Spiel bringt. Das ist bezeichnend für diesen Text, dessen Kohärenz primär durch **thematische Handlungszusammenhänge** konstituiert wird. Diese Zusammenhänge lassen sich skizzieren, wie folgt:
Eine explizite Zeitangabe motiviert die Bitte der Juden an Pilatus um die **Abnahme** der Leichen.

---

1) VENETZ 1976, 95.

Das Abnehmen setzt, soweit die Delinquenten noch leben, das **Zerschlagen der Schenkel** voraus. Die Bitte resultiert deshalb in der
Aktion der Soldaten, welche den beiden Mitgekreuzigten die Schenkel zerschlagen.

Da Jesus schon tot ist, unterbleibt bei ihm das Crurifragium.
Statt dessen erfolgt ein Lanzenstoß, welcher den Ausfluß von Blut
und Wasser zur Folge hat. Daß die Soldaten die Leichen abnehmen,
wird nicht erzählt. Das liegt daran, daß das Abnehmen im Grunde
doch nur ein Seitenthema ist. Von zentraler Bedeutung ist dagegen
das **Zerschlagen der Gebeine.** Das zeigt sich nicht nur an der
hohen Rekurrenz der entsprechenden Lexeme, sondern auch daran,
daß dieses Thema und eben nicht die Abnahme im anschließenden Erzählerkommentar 19,35-37 aufgenommen wird. Die Tatsache, daß das
Crurifragium bei Jesus unterbleibt, wird als **Schrifterfüllung** gedeutet. Das zweite Thema, welches wichtig ist, muß in dem **Lanzenstoß** gesehen werden. Hier liegt zwar keine entsprechende Rekurrenz
vor, aber es findet eine Aufnahme im Erzählerkommentar statt, und
zwar wieder als Bezug auf eine Schriftstelle.

Es ist nun die Frage zu stellen, welche weiteren interpretatorischen Schlüsse aus der skizzierten Struktur zu ziehen sind.

2.3.2.5.2.1 Das Nichtzerschlagen der Schenkel

Insofern die Tatsache, daß Jesus von dem Zerbrechen der Schenkel
verschont bleibt, mit der Schrift in Beziehung gesetzt wird, eröffnet sich eine neue Bedeutungsebene. Wichtig ist hierbei, daß
diese Beziehung zur Schrift erstens als Erfüllung bezeichnet
wird, und daß zweitens die Beziehung durch das Zitieren eines
bestimmten Textes konkretisiert wird. Die Frage ist allerdings, um
welchen Text es sich handelt. In Frage kommen dabei im wesentlichen
vier Texte, nämlich Ex 12,10.36; Num 9,12; Ps 33,21 (LXX). Es ist
nun keineswegs gleichgültig, welcher Text hier angezielt ist,
weil nämlich erhebliche Bedeutungsunterschiede vorliegen. Während
es in Ex 12,10.46; Num 9,12 (LXX) um das Paschalamm geht, an dem
kein Knochen zerbrochen werden soll, ist in Ps 33,21 (LXX) vom
leidenden Gerechten, der unter dem Schutz Gottes steht, die Rede.
Da nun das Zahlenverhältnis der Texte an sich nicht viel aussagt,

muß gefragt werden, ob im Joh textintern Indizien auffindbar
sind, die eine Entscheidung darüber erlauben, ob Jesus nun mit
dem Paschalamm oder mit dem leidenden Gerechten in Verbindung gebracht wird. Dies gilt umso mehr, als sich anhand der textlichen
Übereinstimmungen und Abweichungen eine Entscheidung nicht treffen
läßt.

Bei der Suche nach textinternen Entscheidungshilfen ist der nähere
Kontext der Leidensgeschichte natürlich von besonderer Bedeutung.
Hier gibt es nun eine Fülle von Indizien, die eine Entscheidung
erlauben.

Zunächst ist der chronologische Rahmen anzusprechen, in den 19,31-
37 eingefügt ist.

- In 13,1 wird das letzte Mahl Jesu mit seinen Jüngern auf "vor
  dem Paschafest" datiert.

- In 13,31 wird festgestellt, daß es Nacht ist. Diese Zeitangabe
  wird in der Verhaftungsszene (18,1-12) vorausgesetzt, wie z.B.
  18,3 verdeutlicht.

- Am nächsten Morgen (18,28) wird Jesus zu Pilatus gebracht. Dieser
  Tag wird dann öfters mit dem Pascha in Verbindung gebracht. Die
  Juden betreten das Prätorium nicht, um das Paschalamm essen zu
  können. Am Paschafest soll ein Gefangener freigelassen werden
  (18,39).

- In 19,14 schließlich wird explizit gesagt, daß Rüsttag des
  Paschafests ist, und zwar etwa die sechste Stunde. Diese Zeitangabe ist nun insofern höchst relevant, als sie entsprechend dem
  kulturellen Wissen des antiken Judentums mit dem Schlachten der
  Paschalämmer zusammenhängt. Jesu Todesurteil (19,16) wird ge-
  fällt, als im Tempel die Schlachtung der Paschalämmer beginnt.

Zur Parallelisierung Jesu mit dem Paschalamm paßt schließlich
auch die Erwähnung des Ysop in 19,29b. Daß von dieser Pflanze gesprochen wird, ist deshalb auffällig, weil sie aufgrund ihrer Beschaffenheit für die Befestigung eines Schwammes denkbar ungeeignet ist. Die Lösung des Problems liegt freilich nicht in Textände-
rungen[1], und auch nicht in Rückübersetzungen ins Aramäische[2],

---

1) Gegen LAGRANGE 1936, 496.
2) Gegen SCHWARZ 1984.

sondern in der Einsicht, daß hier ohne Rücksicht auf botanische Gegebenheiten eine sekundäre Bedeutungsebene aufgebaut wird. Der Ysop gehört nämlich zum Paschalamm (Ex 12,22). Daß Jesus den Essig mittels eines Ysopstengels dargeboten bekommt, setzt so die Paschalammtypologie fort, die sich schon im chronologischen Rahmen ausdrückt. Wenn nun aber schon vorher die Paschalammparallele präsent war, ist damit für 19,36 die Entscheidung schon fast gefallen, denn der Schluß, das Zitat setze das Paschalammkonzept fort, ist einfach naheliegend. Näherliegend zumindest als der, das Zitat führe die Typologie des leidenden Gerechten ein oder auch nur fort.[1] Jesus, so ist zu schließen, ist das neue Paschalamm: er wird zu Tode verurteilt, als die Schlachtung im Tempel beginnt; ihm wird der Ysop gereicht; kein Knochen wir ihm zerbrochen. Und hatte schließlich nicht schon der Täufer ihn als Lamm Gottes bezeugt?[2]

Das Nichtzerbrechen der Beine, ist also letztes Glied einer Kette von Parallelisierungen, die darauf abzielen, das Pascha der Juden (11,55) mit Jesus als dem wahren Paschalamm zu konstrastieren.[3]

---

1) Gegen SPITTA 1910, 385; DIBELIUS 1953, 236 f;
   VENETZ 1976, 108 f; SEYNAEVE 1977;
   HAENCHEN 1980, 534 f; LEROY 1981, 75-78.
2) Vgl. Joh 1,29.36. Diese Stellen lassen sich, wie besonders V. 29 verdeutlicht, nur in die Paschalammtypologie einbeziehen, wenn dem Pascha eine sühnende Wirkung zugeordnet werden kann. Daß dies durchaus möglich ist, läßt sich in der alttestamentlich-jüdischen Tradition belegen. Vgl. FÜGLISTER 1963, 97-105; LAAF 1970, 132 f.169 f.
3) Die Paschalammtypologie sehen z.B. auch
   STRAUSS 1837 II, 576; BAUER 1842, 303-305;
   BAUR 1847, 218 f; WEITZEL 1849, 594;
   SCHOLTEN 1867, 320; SCHWEIZER 1841, 62;
   BRANDT 1893, 273 f.276; CORSSEN 1896, 130;
   WELLHAUSEN 1908, 88-90; HEITMÜLLER 1918, 175;
   LOISY 1921, 494; DALMAN 1922, 85 f;
   BARTON 1930, 15; CHRISTIE 1931/32, 519;
   BAUER 1933, 225; LAGRANGE 1936, 501;
   BULTMANN 1941, 525; WIKENHAUSER 1948, 277;
   BRAUN 1949, 15 f; LOHSE 1955, 144;
   ders. 1961, 114 f; BENOIT 1960, 147;
   BETZ 1961, 191; VIRGULIN 1961, 76 f;
   HOWARD 1967, 337; MUSSNER 1967, 142 f;
   BROWN 1966/70, 952 f; HEMELSOET 1970, 58;
   LINDARS 1972, 587.590; SCHNACKENBURG 1975, 342;

2.3.2.5.2.2 Der Lanzenstoß

Das zweite Thema von Bedeutung ist der als Durchbohrung gedeutete Lanzenstoß.

In V. 37 haben wir es mit einem Schriftzitat zu tun, das aufgrund seiner Einleitung (37a), die eine besprechende Tempusform aufweist, als besonders gewichtet bezeichnet werden mußte. Dieses Zitat bereitet, soweit es um die Frage des zitierten Textes geht, keine Probleme. Darüber, daß es um Sach 12,10 geht, kann kaum gestritten werden. Die erheblichen Abweichungen gegenüber dem LXX-Text haben allerdings zu der These geführt, hier liege eine eigene Übersetzung des AT-Textes vor. Diese Frage ist freilich in unserem Zusammenhang nicht weiter von Belang und angesichts der Freiheit mit der im antiken Judentum und Christentum zitiert wurde - man denke nur an Mischzitate! -, wohl auch kaum zu entscheiden.

Viel wichtiger ist die Frage nach dem Zusammenhang von Schriftzitat und Erzählung. Wir hatten bei dem ersten Zitat festgestellt, daß hier die Perspektive die ist, daß die Vorschau der Schrift in dem in V. 33 erzählten Geschehen ans Ziel gelangt ist. Dem entspricht voll und ganz die Semantik von 36b, wo ja das Verhältnis zwischen Schriftzitat und Erzähltem als Erfüllung bestimmt wird. Es muß ernstgenommen werden, daß eine solche explizite Verhältnisbestimmung in V. 37 **nicht** vorgenommen wird. **Von Erfüllung ist nicht die Rede!** An die Stelle von πληρωθῇ ist ein neutrales λέγει getreten. Wir müssen deshalb vom Text des Zitats selbst ausgehen.

Hier ist festzustellen, daß die Tempusform in 37c der von 34a angeglichen ist. Dadurch findet eine Parallelisierung der zeitlichen Perspektive statt. Das bedeutet, daß die Schrift nicht als ein alter Text in eine Zukunft hineinspricht, die im Erzählten eingetreten ist, sondern daß vielmehr der Erzähler sich hier die Perspektive der Schrift zu eigen macht. Er nimmt den zitierten Text als seinen eigenen auf und spricht durch ihn.

RICHTER 1977, 179; LANGBRANDTNER 1977, 35.70 f;
BARRETT 1978, 558; BECKER 1979/81, 601;
CAREY 1981, 118; GRIGSBY 1982, 54-59;
GNILKA 1983, 147; KIEFFER 1985, 398;
PAMMENT 1985a, 71; GRASSI 1986, 76.

Wenn diese Beobachtungen zutreffen, dann ist die vorausschauende
Perspektive von 37b auch für den Erzähler noch gültig, was wiederum
bedeutet, daß das Sehen, von dem 37b spricht, trotz der Lexemrekurrenz weder mit 33b, noch mit 35a etwas zu tun hat. Die Soldaten
scheiden als Bezugspunkt ohnehin aus, da sie ja vor dem Lanzenstoß
sehen, während die Perspektivenverteilung in 37b.37c anzeigt, daß
das Sehen (Vorschau) nach dem Durchbohren (Nullstufe) stattfindet.
Aber auch der Augenzeuge kann nicht gemeint sein, weil die Pluralform von 37b einen Bezug auf ihn als Einzelperson ausschließt.
So muß denn die Zukunftsperspektive in 37b als Vorverweis angesehen
werden, der hier noch unbestimmt bleibt und erst später - in der
erzählten Welt oder jenseits von ihr - an sein Ziel kommt. Warum
und inwiefern der Durchbohrte ein Objekt des Sehens ist, soll hier
noch offen bleiben und nur als Problem vermerkt werden. Einen gewissen Beitrag zu seiner Lösung kann sicher V. 34 leisten.
Dort ist zu erfahren, daß der von einem der Soldaten vorgenommene
Lanzenstoß zur Folge hat, daß aus der Seite Jesu Blut und Wasser
heraustreten. Diesem Vorgang ist in der Auslegungsgeschichte oft
eine 'symbolische' Bedeutung zugeordnet worden. Die Frage, ob tatsächlich eine sekundäre Bedeutungsebene vorliegt, läßt sich nur beantworten aufgrund der Semantik, die den Begriffen αἷμα und ὕδωρ im
Joh zugewiesen wird.
Wenn wir die Verwendung von αἷμα im Joh überblicken, so ist auffällig, daß das Lexem relativ selten verwendet wird. Es findet
sich zuerst im Prolog und bezeichnet dort (1,13) zusammen mit σάρξ
und ἀνήρ den Bereich des Menschlich-Irdischen. Ist hier eine eher
negative Wertung zu konnotieren, weil die Gotteskindschaft "be-
gründende Zeugung aus Gott allem Ursprung aus der menschlichen
Sphäre gegenübergestellt"[2] wird, so fehlt diese Konnotation in
der Brotrede. Das Lexem wird dort im zweiten Teil der Rede (6,53.54.
55.56) verwendet, und zwar in Bezug auf Jesus. Sein Blut wird hier
als wahrer Trank bezeichnet (6,55), dessen Genuß die Voraussetzung
für den Besitz des ewigen Lebens ist (6,53.54) und bleibende Gemeinschaft mit Jesus gewährt (6,56). Hier wird also das Blut als Kennzeichnung des Menschlichen nicht in Opposition zum Göttlichen

1) BULTMANN 1941, 38.

gebracht; vielmehr wird gerade dem menschlichen Blut Jesu soteriologische Qualität zugeschrieben. Diese Aussagen über die Heilsqua-
lität des Blutes Jesu stehen - auch daran sei erinnert - in jenem
Teil der Brotrede, dem deutliche Bezüge auf die Herrenmahlfeier
der Gemeinde zugeschrieben werden müssen.

Es stellt sich nun die Frage nach der interpretatorischen Relevanz
der Lexemrekurrenz. Wegen des sparsamen Gebrauchs des Begriffs
sind die Bezüge zwischen den entsprechenden syntagmatischen Stellen als signifikant anzusehen. Es kann aber zwischen 1,13 und dem
Vorkommen in der Brotrede differenziert werden. Ist im Prolog von
Blut **allgemein** die Rede[1], so geht es in der Brotrede ganz konkret
um das Blut **Jesu** - genau wie in 19,34. Das bedeutet, daß der herrenmahlbezogene Teil der Brotrede als primärer Kontext von 19,34 verstanden werden muß, während 1,13 allenfalls eine untergeordnete
Rolle zugewiesen werden kann. Dies liegt aber nicht nur an der
größeren räumlichen Nähe, sondern auch an den festgestellten inhaltlichen Übereinstimmungen.

Darüber hinaus hatten wir ja in 6,51 einen Vorverweis gefunden, der
auf die **Erhöhung am Kreuz** ausgreift. Auch in 6,62 war eine Koppelung
der eucharistischen Brotrede mit dem Kreuzestod zu sehen. Außerdem
ist noch anzumerken, daß das mit der Brotrede eng verbundene - und
ebenfalls mit Anspielungen auf das Herrenmahl (6,11.23) versehene -
Brotwunder mit dem Paschafest in Verbindung gebracht wird (6,4).

Wenn Jesus nun als wahres Paschalamm stirbt, so ist sein Tod eben
im Kontext dieser Stellen zu lesen. Es ist dann geradezu unvermeidlich, mit dem Blut des Paschalamms Jesus die soteriologische Qualität in Verbindung zu bringen, die diesem Blut schon in der Brotrede zugeschrieben wurde. Sofern dort der gemeindliche Brauch des
Herrenmahls zu konnotieren war, ist diese Konnotation auch hier -
als objektive und damit zum Textsinn gehörende - zu vollziehen. Am
Kreuz gibt der Menschensohn die Speise des ewigen Lebens, sein
Fleisch und Blut für das Leben der Welt. Diese Speise ist er selbst;
sein Tod schafft Leben. Hier ist die Struktur der Brotrede zu beachten, wo ja trotz der Aufspaltung des ἐγώ Jesu in Fleisch und

---

1) Zur Semantik der auffälligen Pluralform vgl. BULTMANN 1941, 38
Anm. 2.

Blut, die mit Rücksicht auf die Bestandteile des Kults vorgenommen
wird, immer festgehalten wird, daß **Jesus** das Brot des Lebens ist.
Beim Blut, das aus der Seite Jesu kommt, ist also jedenfalls auch
an das Herrenmahl zu denken, weil dort durch reales Trinken Anteil
an der Heilswirksamkeit des im Tode vergossenen Blutes gewonnen
wird. Für das Herrenmahl bedeutet, dies, daß es zu verstehen ist
als Repräsentation des heilswirksamen Todes Jesu.
Mit dieser Interpretation ist nun schon eine gewisse Vorentscheidung gefallen für die Frage nach einer sekundären Bedeutungsebene
von ὕδωρ. Die Existenz einer solchen Ebene ist wegen der Parallelität der Begriffe nicht mehr zu bezweifeln und sogar für die Inhalt-
lichkeit ergibt sich schon eine gewisse Vorentscheidung. Es ist davon auszugehen, daß es auch bei ὕδωρ um die soteriologische Qualität des Todes Jesu geht.
Das Lexem ὕδωρ wird im Joh ungleich häufiger verwendet als αἷμα.
Daraus kann schon geschlossen werden, daß bloße Lexemrekurrenz an
sich noch keinen interpretationsrelevanten Bezug darstellt.
So fällt denn die räumlich am nächsten liegende Stelle (13,5) als
Bezugspunkt aus. Es geht dort zwar auch um Soteriologie, aber das
Wasser der Fußwaschung hat mit dem aus der Seite Jesu kommenden
Wasser nichts zu tun. Es ist nur Teil einer Zeichenhandlung Jesu,
die als **ganze** sein Heilswirken darstellt. Es wäre deshalb eine
irreführende Allegorisierung, das Wasser als Einzelelement des
Gesamtzeichens Fußwaschung auf die Heilswirkung des Todes hin aus-
zulegen. Genau das gleiche gilt für das Wasser der Weinwunderer-
zählung (2,7.9) und das Wasser der Krankenheilung am Teich (5,7).
Das Wasser der Johannestaufe (1,26.31.33; 3,23) ist ebenfalls
nicht als Kontext anzusehen, denn dieser Taufe wird ja gerade
keine Heilswirkung zugesprochen.
Es bleiben damit die Äußerungen Jesu über die Geburt aus Wasser
und Geist (3,5.8), das Gespräch mit der samaritanischen Frau über
das lebendige Wasser (besonders 4,10.11.14) und schließlich der
Spruch 7,37 f, wo Jesus ebenfalls von lebendigem Wasser spricht.
Diese letzte Stelle ist besonders interessant, weil der Erzähler
in 7,39 einen Kommentar anschließt, der einen Vorverweis auf die
Kreuzigung (ἐδοξάσθη) enthält. Aufgrund dieses Verweises ist 7,37-
39 als der primäre Kontext von 19,34 anzusehen. Bevor dieser Kontext

ausgewertet werden kann, ist das Verständnis dieses Textes abzuklären.

Problematisch ist hier vor allem ὁ πιστεύων εἰς ἐμέ (7,38). Diese Phrase kann zu V. 37 gezogen und als Subjekt von καὶ πινέτω gelesen werden. Die andere Möglichkeit besteht darin, das Partizip als nominalen Bezugspunkt von καθὼς εἶπεν ἡ γραφή zu verstehen. Dann wären Zu-Jesus-Kommen und Trinken (7,37) mit Glauben (7,38) gleichgesetzt, und das Schriftzitat bezöge sich auf den Gläubigen. Diese Lesart würde zwar zu 4,14 passen, wo den Glaubenden ebenfalls eine Art geistlicher Selbstand zugesprochen wird, scheitert aber am Erzählerkommentar in 7,39, wo deutlich festgestellt wird, daß <u>Jesus</u> die Quelle des Wassers ist und eben nicht die Glaubenden. Da hier darüberhinaus das Wasser mit dem Geist identifiziert wird und die Sendung dieses Geistes an die Erhöhung (= Kreuzigung) Jesu gebunden wird, ist ein klarer Bezug zu 19,34 zu erkennen. 19,34 ist der Zielpunkt der in 7,39 angelegten Kataphora! Das heißt, daß das Wasser aus der Seite Jesu in Verbindung zu sehen ist mit dem Wasser, das nach der Ankündigung in 7,38 aus seinem Inneren fließen sollte.[1] Die Prophezeiung der Schrift ist in 19,34 erfüllt: **Bezeichnet durch das ausfließende Wasser hat Jesus durch seinen Tod den Geist gespendet.**

Nun war bei αἷμα ein Bezug zu einem gemeindlichen Ritus festgestellt worden. Deshalb kann natürlich auch hier gefragt werden, ob nicht ein vergleichbarer Bezug feststellbar ist. Das wird schwer zu leugnen sein. Schließlich darf 3,5 nicht übersehen werden. Dort wird die Wiedergeburt aus Geist mit Wasser in Verbindung gebracht. Aller Wahrscheinlichkeit steht hier der Gemeindebrauch der Taufe im Hintergrund, und zwar als der konkrete Vorgang, in dem sich individuell die Geburt aus Geist vollzieht. Es ist daher damit zu

---

1) Zum Bezug zwischen 19,34 und 7,38 f vgl.
   BAUR 1847, 217 f; SCHOLTEN 1867, 158 f;
   BRANDT 1893, 278 f; HOLTZMANN 1893, 218;
   LOISY 1921, 492; BAUER 1933, 226;
   BRAUN 1949, 18-20; BROWN 1966/70, 949 f;
   LORENZEN 1971, 78 Anm. 12; SCHNACKENBURG 1975, 344;
   DUNLOP 1976, 962 f; MALATESTA 1977, 175;
   BARRETT 1978, 556; GNILKA 1983, 147;
   MANNS 1983a, 291 f.

rechnen, daß auch in 19,34 eine entsprechende Konnotation intendiert ist. Der Empfang des im Tode Jesu gegebenen Geistes vollzieht sich für die einzelnen Gläubigen konkret dadurch, daß sie
zum Glauben kommen. Dies ist gekoppelt mit dem Eintritt in die Gemeinde, welcher sich wiederum in der Taufe manifestiert. Für die
Taufe bedeutet dies, daß sie - wie zuvor das Herrenmahl - an den
Tod Jesu gebunden wird. Die durch sie bezeichnete Wiedergeburt ist
durch den Tod Jesu erst ermöglicht. Auch hier sind, um Mißverständnisse zu vermeiden, die Prioritäten festzuhalten: es geht beim Wasser wie beim Blut **primär** um die soteriologische Qualität des Kreuzestodes. Dem ist ein 'sakramentaler'[1] Bezug **nachzuordnen**, allerdings ohne daß er geleugnet oder als irrelevant bezeichnet werden
dürfte. **Insgesamt drückt das Begriffspaar Blut und Wasser aus, daß
der Tod Jesu ewiges Leben schafft.** SCHNACKENBURG spricht ganz zu
Recht von einem einzigen Lebensstrom.[2]

Die hier vorgelegte Deutung von Blut und Wasser steht in einer
breiten Tradition von Deutungen. Zwar wurde den 'sakramentalen'
Bezügen nicht immer das gleiche Gewicht beigemessen, aber es bestehen trotzdem weitreichende Ähnlichkeiten zwischen meiner soterio-
logisch-sakramentsbezogenen Deutung und etwa der von SCHOLTEN,
HOLTZMANN, LOISY u.a.[3]

Bevor ich nun der Frage nachgehe, wie die Figur des geliebten Jüngers in diesem theologischen Kontext charakterisiert ist, ist eine
kurze Auseinandersetzung mit alternativen Deutungen zu führen, und
dabei die vorgelegte weiter zu differenzieren.

---

1) Die Anführungszeichen sollen andeuten, daß ich mir klar darüber
   bin, daß der Sakramentsbegriff für gemeindliche Riten neutestamentlicher Zeit ein Anachronismus ist. Wenn ich den Begriff
   trotzdem verwende, so nur der Kürze wegen.
2) Vgl. SCHNACKENBURG 1975, 345.
3) Vgl. SCHOLTEN 1867, 158 f; WEISS 1893, 601;
   ders. 1912, 341; HOLTZMANN 1893, 218;
   LOISY 1921, 492; BAUER 1933, 226;
   LAGRANGE 1936, 499; LIGHTFOOT 1956, 320;
   CULLMANN 1962, 109; BETZ 1961, 191 f;
   SCHWEIZER 1963, 380; BROWN 1966/70, 950;
   LORENZEN 1971, 57.78 Anm. 12; LINDARS 1972, 587;
   SCHNACKENBURG 1975, 345 f; DUNLOP 1976, 961-963;
   MALATESTA 1977, 175; BARRETT 1978, 556 f;
   GNILKA 1983, 147; KIEFFER 1985, 398;
   GRASSI 1986, 75 f; SCHNELLE 1987, 229 f.

Eine viel diskutierte Frage der Forschung ist die, ob es sich bei dem Ausfließen von Blut und Wasser um einen wunderbaren Vorgang handelt oder nicht.[1] Zu dieser Diskussion ist zu sagen, daß erstens für eine Beurteilung das medizinische Wissen der Kultur, in der der Text beheimatet ist, ausschlaggebend sein muß.[2] Das Wissen heutiger Medizin ist demgegenüber auf der Ebene der Interpretation nicht relevant. Außerdem gilt: Ob der implizite Autor den Vorgang als 'Wunder' verstanden wissen will oder nicht, tangiert nicht die Frage, ob es sich seiner Meinung nach um einen tatsächlichen Vorgang handelt. Die Faktizität des Vorgangs wiederum schließt die Möglichkeit einer sekundären semantischen Ebene nicht aus, sondern ein.

Was nun das medizinische Wissen der Kultur des Textes angeht, so sind unsere Informationen darüber nicht sonderlich reichlich. Die von SCHWEIZER zusammengetragenen Belegtexte deuten freilich darauf hin, daß die Meinung, Blut und Wasser seien die gewöhnlichen Bestandteile des Menschen, eine populäre Auffassung war.[3] Es kann deshalb geschlossen werden, daß das Hervortreten von Blut und Wasser entsprechend diesem medizinischen Wissen **keinen** wunderhaft exzeptionellen Vorgang darstellt.

SCHWEIZERs Belege zeigen aber auch, daß es in 19,34 nicht um die Realität des Todes Jesu gehen kann.[4] Die Zusammengesetztheit aus Blut und Wasser wird von den Texten nämlich **dem Menschen generell**

---

1) Von einem Wunder reden z.B.
   HOLTZMANN 1893, 218; WENDT 1900, 222 f;
   PFLEIDERER 1902, 437, SCHWARTZ 1907, 360;
   HEITMÜLLER 1918, 175; MEYER 1924, 161;
   LOISY 1921, 492; BAUER 1933, 226;
   LAGRANGE 1936, 499; BULTMANN 1941, 525;
   SCHULZ 1972, 240; HAENCHEN 1980, 555.
   Gegensätzlich äußern sich z.B. WEISS 1893, 601; TILLMANN 1914, 263.
2) Vgl. SCHNACKENBURG 1975, 339 f; RICHTER 1977, 135 f;
   BARRETT 1978, 556, BECKER 1979/81, 599.
3) Vgl. SCHWEIZER 1963, 381-383.
4) Gegen STRAUSS 1837 II, 573 f; DECHENT 1899, 456 f;
   TILLMANN 1914, 262 f; SCHWEIZER 1963, 381;
   LORENZEN 1971, 57; LANGBRANDTNER 1977, 35;
   MINEAR 1977, 119; THYEN 1979b, 126 f;
   BECKER 1979/81, 599; PASCHAL 1981, 173;
   KIEFFER 1985, 398.

zugeschrieben und nicht etwa nur **Toten**. Gegen diese Deutung auf
die Realität des Todes Jesu spricht außerdem der textinterne Befund, daß der Tod Jesu als Faktum vorausgesetzt ist. Er tritt in
19,30 ein und wird in 19,33 vorausgesetzt: **Da** die Soldaten sehen,
daß Jesus schon tot ist, unterbleibt das Schenkelzerbrechen. "Man
sieht deutlich, der Evangelist setzt die Realität des schon erfolg-
ten Todes sosehr als eine für sich abgeschlossene Thatsache voraus, daß er, weit entfernt an die Möglichkeit eines Zweifels an
der Realität des Todes zu denken, es nicht mit der Wirklichkeit
des Todes, sondern nur mit der Bedeutung desselben zu thun hat."[1]
Gegen diese Feststellung BAURs kann auch nicht eingewandt werden,
der Lanzenstoß in 19,34 sei eben als Todesprobe gemeint gewesen.[2]
Da nämlich der Stich im Text weder psychologisch noch sonstwie motiviert, sondern einfach dem Crurifragium gegenübergestellt wird
(19,34a: ἀλλ'...), stellt die Behauptung eines bestimmten Motivs
eine Konkretisierung dar, die in den Bereich der subjektiven
Konnotationen führt und deshalb hier vermieden werden muß.
Das von SCHWEIZER erhobene kulturelle Wissen kann auch nicht dazu
benutzt werden, eine antidoketische Deutung abzusichern. Solche,
schon früher vertretenen[3] und heute vor allem mit dem Namen
Georg RICHTERs verbundenen Auffassungen gehören eigentlich in
den Bereich der Textpragmatik und sind hier nur insofern zu diskutieren, als textsemantische Fragen berührt sind. Das ist insoweit
der Fall, als RICHTER die Spitze der Textaussage darin sieht, daß
Jesus einen menschlichen Leib aus Blut und Wasser hatte. 'Sakramentale' Bezüge lehnt er ebenso ab, wie eine soteriologische
Bedeutungsebene.[4] Dazu ist zu sagen, daß Blut und Wasser als normale Konstituenten des menschlichen Körpers selbstverständlich
zeigen, daß Jesus wirklich Mensch war. Die Frage ist allerdings, ob

---

1) BAUR 1847, 216; vgl. auch WEISS 1893, 601;
   SPITTA 1910, 384; GNILKA 1983, 147.
2) Gegen TILLMANN 1914, 262; BROWN 1966/70, 950; BECKER 1979/81, 599.
3) Vgl. etwa DECHENT 1899, 465 f; PFLEIDERER 1902, 437 u. ö.;
   TILLMANN 1914, 263.
4) Vgl. RICHTER 1977, 135 f.140-142.178 f. THYEN 1977a, 287 f
   schließt sich der RICHTERschen Deutung an. Vgl. ders. 1977b,
   250 f; JONGE 1979, 104.

diese Aussage wirklich im Zentrum des Textes steht. Diese Frage ist zu verneinen, wenn die semantische Füllung, die den Begriffen αἷμα und ὕδωρ durch ihre Vorgeschichte im Joh beigegeben ist, die Beachtung findet, die ihr gebührt. Die Tatsache, daß es sich hier um gefüllte Begriffe handelt, ordnet den normalen Körperbestandteilen eben weitere Bedeutungsebenen zu: es geht um die soteriologische Bedeutung des Todes Jesu und damit auch um die Anbindung von Taufe und Herrenmahl an das Kreuz. Wird die semantische Umstrukturierung, die innertextlich stattgefunden hat, und die die Lesenden in Joh 19 schon mitbringen, ernst genommen, dann kann aus einer angenommenen pragmatischen Intention antidoketischer Ausrichtung jedenfalls nicht gegen die hier vertretene Deutung argumentiert werden.[1] Ob aber der Antidoketismus auch nur auf der Ebene der Textpragmatik richtig ist, kann zumindest bezweifelt werden. Hierbei wird wohl das medizinische Wissen, das der Text offensichtlich voraussetzt, in seiner Bedeutung für den Text überschätzt. Es hat zwar eine **grundlegende** Funktion, insofern es die Kombination der zunächst selbständigen Schlüsselbegriffe αἷμα und ὕδωρ ermöglicht. Aber es stellt nicht die **Sinnspitze** des Textes dar. Es geht doch nicht darum zu sagen, daß hier ein Mensch gestorben ist. Vielmehr soll, unter der Voraussetzung des Menschseins Jesu, gesagt werden: Dieser Tod eines Menschen hat Heilsbedeutung!

Gegen die 'sakramentalen' Konnotationen dieser Aussage, die durch die spezifische Behandlung der betreffenden Begriffe im Joh veranlaßt werden, wird nun freilich bisweilen eingewandt, die Reihenfolge sei falsch, die Taufe habe vor dem Herrenmahl zu stehen und außerdem gehörten doch Fleisch und Blut zum Herrenmahl.[2]

Nun ist sicher richtig, daß in Joh 6 σάρξ und αἷμα als festes Begriffspaar verwendet und mit 'sakramentalen' Konnotationen versehen werden, wogegen sich hier in Joh 19 eben nur αἷμα findet. Aber dadurch verschwindet die inhaltliche Füllung, die das Lexem

---

1) Dementsprechend kombinieren auch z.B. PFLEIDERER 1902, 437.487; CULLMANN 1962, 109 f.112; SCHWEIZER 1963, 380.383 f; LORENZEN 1971, 57.78 Anm. 12, LANGBRANDTNER 1977, 34 f; SCHNELLE 1987, 229 f antidoketische Ausrichtung und soteriologisch-sakramentale Deutung.
2) Vgl. z.B. BECKER 1979/81, 598.

gerade durch die Verwendung in dem Begriffspaar σάρξ - αἷμα in
Joh 6 erhalten hat, und die es bei seiner Wiederverwendung in
19,34 mitbringt, nicht einfach. Außerdem darf der Sinn für die
Möglichkeiten eines Erzähltextes nicht verloren gehen. Wenn er
die Grenze des Ziemlichen nicht überschreiten wollte, hatte der
Verfasser ja nicht die Möglichkeit das Fleisch Jesu ins Spiel zu
bringen!

Was das Argument der Reihenfolge angeht, so hat schon LOISY festgestellt, daß das Blut im Kontext des Kreuzestodes das Näherlie-
gende ist und deshalb auch voransteht.[1] Außerdem ist - ganz abgesehen davon, daß 34b überhaupt kein Nacheinander ausdrücken muß -
die Norm, der Text müsse sich an die Reihenfolge halten, in der
die Gemeindeglieder (vermutlich!) die beiden Sakramente empfingen,
nur ein Postulat von Interpreten. Die Abweichung von einer bloß
postulierten Norm ist aber keinesfalls interpretationsrelevant.
Auch ist daran zu erinnern, daß die Szene ja nicht so zu verstehen
ist, als flössen die Sakramente aus dem Leib Jesu hervor. WENDT
irrt eben, wenn er behauptet, der Text wolle sagen, "daß Jesu
irdischer Leib in wunderbarer Weise die sakramentalen Stoffe enthalten habe"[2]. Eine solche im engen Sinn sakramentalistische Deutung ist schon durch die Ungleichartigkeit der beiden Begriffe
ausgeschlossen. Es fließen ja nicht Wein und Wasser, womit jeweils die res significans des Ritus bezeichnet wäre, und es
fließen auch nicht Blut und Geist (res significata). Die Formulierung von 19,34b ist also von den gemeindlichen Riten her gesehen
ungleichgewichtig. Der Text kann dieses Ungleichgewicht aber in
Kauf nehmen, weil seine semantische Basis eben ein kulturelles
Wissen ist, das Blut und Wasser als Bestandteile des menschlichen
Körpers parallelisiert. Als entscheidende Bedeutungselemente kommen freilich die im Text aufgebauten sekundären Ebenen hinzu. Diese implizieren **auch** 'sakramentale' Konnotationen, und weil es eben
auch um gemeindliche Riten als Aktualisierungshandlungen geht,

---

1) Vgl. LOISY 1921, 492; auch BAUER 1933, 226.
2) WENDT 1900, 222 f. Auch die Deutungen von WELLHAUSEN 1907, 28;
   HEITMÜLLER 1918, 175 f; BULTMANN 1941, 525; KILMARTIN 1963,
   224; LOHSE 1961, 115 f; SCHULZ 1972, 240; HAENCHEN 1980; 554
   akzentuieren hier falsch.

und nicht nur oder vorrangig um sie; deswegen kann der Text die Ungleichartigkeit des Bezugs zum jeweiligen Ritus hinnehmen.

2.3.2.5.3   Zur Charakterisierung des geliebten Jüngers

2.3.2.5.3.1 Der Beitrag von 19,35 selbst

Sehen wir zunächst zu, was in V. 35 über den Jünger gesagt wird. Schließlich haben wir es bei diesem Vers mit dem Schwerpunkt des Textabschnittes zu tun.

Der Jünger wird zunächst als ἑωρακώς bezeichnet. Damit ist er als Augenzeuge dargestellt, der gesehen hat, was geschehen ist. Das Sehen ist hier im Sinne des Normalgebrauchs des Verbums ὁράω zu verstehen und bezeichnet damit das körperliche Sehen.[1] Die Deutung auf ein geistiges Sehen, wie BAUR es vertreten hat,[2] ist nicht haltbar. Ein solcher Bedeutungswechsel müßte im Text indiziert werden, indem etwa das Verb mit einem körperlich unsichtbaren Objekt gekoppelt würde. Das ist hier aber nicht der Fall, da das Objekt des Sehens zunächst völlig offen bleibt. Auch sonstige Hinweise auf einen von der Grundbedeutung abweichenden Sprachgebrauch fehlen in 19,35. Deshalb wird der geliebte Jünger durch die Bezeichnung ἑωρακώς zum Augenzeugen gemacht und eben nicht zum Seher.[3] Dies gilt unbeschadet der Probleme, die der moderne Augenzeugenbegriff mit sich bringt.[4] Es ist allerdings klar, daß es bei der johanneischen Geschichtsschreibung nie nur um Fakten im heutigen Sinne geht, sondern immer um bedeutsame Tatsachen.

Der Jünger wird außerdem beschrieben als einer, der Zeugnis abgelegt hat (35a). Hier ist die Zeitperspektive zu beachten. Die Perfektform hat ja rückschauende Perspektive, was hier bedeutet, daß das Zeugnis des geliebten Jüngers aus der Sicht des Erzählers in der Vergangenheit liegt. Da ein solches Zeugnisgeben des geliebten

---

1) Die Körperlichkeit des Sehens betont besonders RICHTER 1977, 141.
2) Vgl. BAUR 1847, 217.
3) Gegen VENETZ 1976, 98.
4) Vgl. HAHN 1972, 131 mit Anm. 19.

Jüngers aber bis zu dieser Textstelle nicht vorgekommen ist, kann
sich die Rückschau des Erzählers nicht auf die erzählte Welt beziehen. Das Zeugnis des Jüngers muß also datiert werden auf eine
Zeit zwischen der erzählten Welt und der Welt des Erzählers. Die
Äußerungseinheit 35b wechselt nun aber wieder in die perspektivi-
sche Nullstufe und versichert die Wahrheit des Zeugnisses, welche
dann auch noch durch die Autorität Jesu bestätigt wird (35c.35d).
Wenn in 35d davon geredet wird, daß der Zeuge die Wahrheit sagt,
so ist damit natürlich sein Zeugnis von 35a gemeint. Auffällig
ist hier, daß im Unterschied zu 35a eben mit dem Präsens ein Null-
stufentempus gewählt wird. Das führt dazu, daß derselbe Sachverhalt
in zwei eng benachbarten Äußerungseinheiten unter je verschiedener
Perspektive gesehen wird, nämlich einmal in der Rückschau, und
dann ohne Betonung der Perspektive. Das ist zwar überraschend,
aber die Nullstufe öffnet das Zeugnis auf 35e hin. Dort werden
die Narratees angesprochen. Das Zeugnis des Lieblingsjüngers soll
Glauben hervorrufen. Im Unterschied zu 35a, wo der Erzähler auf
das Zeugnis des geliebten Jüngers als etwas Vergangenes zurück-
blickt, wird hier also so getan, als sei das bezeugende Sprechen
des Jüngers den Narratees zeitgenössisch. Wir können dieses auffällige Schwanken der Perspektive hier nur festhalten. Deutbar
ist es in Joh 19 nicht - noch nicht. Schließlich ist hier noch
festzustellen, daß der Glauben der Narratees ebenso objektlos absolut ist, wie das Zeugnis des Jüngers. Die Frage nach dem Gegenstand von Zeugnis und Glauben ist hier - zumindest explizit -
nicht beantwortet. Feststeht jedenfalls, daß das Zeugnis des Jüngers absolut zuverlässig ist. Er war nicht nur selbst dabei, sondern seine Zuverlässigkeit als Zeuge wird auch von der Autorität
Jesu abgesichert.
Ein gewisses Problem wirft noch das unscheinbare καί in 35e auf.
Die Verwendung dieses Lexems ist an dieser Stelle ja nur dann
sinnvoll, wenn präsupponiert ist, entweder, daß schon jemand
glaubt, zu dem die Narratees als Gläubige hinzutreten sollen,
oder daß die Narratees etwas Bestimmtes glauben sollen zusätzlich
zu etwas anderem, was sie schon glauben. Die zweite Möglichkeit
ist auszuscheiden. Sie scheitert nicht nur an der Wortstellung,
sondern auch am absoluten Gebrauch von πιστεύω . Wenn hier also

nur die erste Deutungsmöglichkeit bleibt, so ist zu fragen, wer
es denn sei, dem sich die Angesprochenen im Glauben anschließen
sollen. Hier ist eigentlich nur an zwei Personen zu denken. Einmal kann der Glaubende der Erzähler sein, zum anderen kann es
sich auch um den geliebten Jünger handeln. Für den Erzähler spricht,
daß er ja ein direktes Gegenüber zu den Narratees darstellt. Das
καί wäre dann so zu verstehen, daß gesagt werden soll: "Das Zeugnis des Jüngers soll euch dazu führen, auch zu glauben, wie ich
glaube."
Allerdings spricht die direkte Koppelung von Jüngerzeugnis und
Glauben der Narratees eher dafür, den geliebten Jünger für den
schon Glaubenden zu halten. Für ihn spricht auch, daß er als
ἑωρακώς bezeichnet wird. Sehen und Glauben bzw. Unglauben bilden
ja im Joh ein Begriffspaar.[1] Dabei wird Glauben als die adäquate,
Unglauben als die inadäquate Reaktion auf Sehen verstanden. Aufgrund des durchweg positiven Bildes, das vom geliebten Jünger entworfen wird, ist als Reaktion auf Sehen bei ihm nur der Glaube
vorstellbar. Freilich ist der naheliegende Schluß, daß wirklich
er als der schon Glaubende zu sehen ist, nicht zwingend. Einerseits ist nämlich die Zusammengehörigkeit der Begriffe 'sehen'
und 'glauben' vor 19,35 noch nicht so fest etabliert, daß die Lesenden bei der Beschreibung als 'sehend' zugleich das 'glaubend'
mitlesen müßten,[2] andererseits dominiert der ungleich festere Zusammenhang von Sehen und Bezeugen (1,34; 3,11.32).
Hier in 19,35 ist also nur feststellbar, daß das καί in 35e auf
einen schon Glaubenden verweist. Eine Entscheidung, ob damit der
Erzähler oder der geliebte Jünger gemeint ist, kann hier nicht ge-
fällt werden. Die Tatsache, daß für beide passende Indizien im
Text auffindbar sind, stellt die Frage nach dem **Verhältnis von Erzähler und Lieblingsjünger.**[3]

---

1) Vgl. HAHN 1972.
2) Vgl. jedoch später: 20,8.25.29.
3) Diese Frage wird in 21,24 dann gelöst.

2.3.2.5.3.2 Joh 19,35 und der Kontext

Die Frage, die sich hier stellt, ist die, wie denn V. 35 mit dem Rest des ausgegrenzten Textes zusammenhängt, und welche Konsequenzen sich daraus für die Charakterisierung des geliebten Jüngers ergeben.

Die Frage kann beantwortet werden, wie dies z.B. BECKER tut, wenn er über den Lieblingsjünger schreibt: "Er ist stiller und selbstverständlicher Zeuge des gesamten Geschehens, nicht spezielle Autorität einer bestimmten Theologie."[1]

Durch ein solches Verständnis ist die Gestalt des geliebten Jüngers von ihrem theologischen Kontext völlig abgehoben. Die Zusammenhanglosigkeit zwischen 19,35 und seinem Kontext ist damit vorausgesetzt. Es geht nach BECKER eben nur darum, die Autorität des Jüngers zu stärken. Zwar wird noch konzediert, daß das Zeugnis, von dem V. 35 spricht, sich auf V. 32-34 bezieht, aber dort geht es ja nur um eine 'ganz normale Begebenheit', speziell darum, daß Jesus gestorben ist.[2] Natürlich trifft es zu, daß sowohl das Sehen als auch das Bezeugen des Jüngers ganz allgemein angesprochen wird, ohne daß ein Objekt angegeben ist. Aber es kann doch nicht einfach uninterpretiert bleiben, daß das Sehen und Bezeugen des Lieblingsjüngers nun ausgerechnet in V. 35 thematisiert wird. Es ist schließlich unbestreitbar, daß hier zwei thematische Stränge ganz massiv unterbrochen werden:

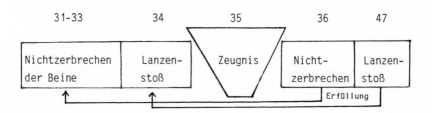

Dieser Unterbrechung einen Sinn zuzuordnen, muß wenigstens versucht werden. Sie von vorneherein als bedeutungslos zu behandeln,

1) BECKER 1979/81, 598.
2) Vgl. BECKER 1979/81, 598-601.

halte ich jedenfalls für illegitim. Ein möglicher Zugang zum Sinn dieser Unterbrechung ist die Frage nach ihrem Ort. Hier ist festzustellen, daß die beiden thematischen Strukturen eben dann unterbrochen werden, wenn vom Ausfluß von Blut und Wasser die Rede war. Daraus ist zu schließen, daß das Sehen des geliebten Jüngers sich eben vor allem auf die Folge des Lanzenstoßes und sein Zeugnis auf die mit Blut und Wasser verbundenen, weiterreichenden Bedeutungen bezieht. Wenn hier 'vor allem' gesagt wird, so soll damit natürlich keine Ausschließlichkeit impliziert sein, denn die offene Formulierung ist immer zu beachten; sie nötigt dazu, auch das Nichtzerschlagen der Knochen, ja letztlich das gesamte Evangelium mit einzubeziehen.[1]

Trotzdem ist festzuhalten, daß der **primäre** Kontext von V. 35 eben V. 34 ist. V. 36 dagegen greift, das wurde schon festgestellt, über die beiden vorhergehenden Verse hinweg auf V. 33 zurück.

Es kann also gesagt werden, daß Blut und Wasser aus der Seite Jesu und die hierdurch signifizierte Heilsbedeutung seines Todes in besonderer Weise zum Zeugnis des geliebten Jüngers gehören.[2]

2.3.3   Joh 19,25-37 in diachroner Betrachtung

2.3.3.1   Literarkritik

Darüber, daß 19,35 sekundär ist, scheint in der literarkritisch arbeitenden Forschung ein nahezu unumstrittener Konsens zu herrschen.[3] Der Text weist freilich wesentlich mehr Ansatzpunkte für literarkritische Operationen auf. Wenn wir uns zunächst auf den

---

1) Die Ausweitung des Lieblingsjüngerzeugnisses auf das Joh wird in 21,24 bestätigt werden.
2) Das heißt übrigens nichts anderes, als daß der Lieblingsjünger eben doch Repräsentant einer in bestimmter Weise akzentuierten Theologie ist.
3) Vgl. etwa SPITTA 1910, 386; HIRSCH 1936, 126; BULTMANN 1941, 525 f; OTTO 1969, 20; LORENZEN 1971, 53-59; SCHULZ 1972, 240; LINDARS 1972, 589 f; SCHNACKENBURG 1975, 335; TEMPLE 1975, 242.246; BETZ 1961, 190; WIKENHAUSER 1961, 335; HAENCHEN 1980, 555; BECKER 1979/81, 600; GNILKA 1983, 146.

zweiten Textteil beschränken, so steht etwa WELLHAUSENs These zur
Debatte, daß nicht nur V. 35, sondern das gesamte Lanzenstoß-Thema
sekundär sei.[1] Diese Lösung hat bis heute ihre Anhänger gefunden [2] und soll hier als die umfassendste Lösung geprüft werden.
Ausgehen kann die literarkritische Arbeit bei der schon festgestellten Reibung zwischen den beiden Schriftzitaten in 19,36 f.
Schon FAURE bemerkte ja, es könnten "die zwei einander folgenden
Zitate unmöglich jesesmal von **einer** Hand geschrieben sein. Bereits
die Wendung **'eine andere** Schrift' 19,37 muß Wunder nehmen, nachdem vorher von 'der Schrift' als Ganzer die Rede war."[3] Dieses
Problem war ja bei der Kohärenzanalyse aufgefallen:
Beim Lexem γραφή findet zwischen V. 36 und V. 37 eine bedeutsame
semantische Verschiebung statt. Präsupponiert 36b die Existenz
nur einer, eben **der** Schrift, so setzt 37a die Existenz mehrerer
Schriften voraus, was nur so verstanden werden kann, daß γραφή
hier mit Schriftstelle zu übersetzen wäre. Diese Verschiebung
deutet darauf hin, daß V. 36 und V. 37 nicht derselben literarischen Schicht angehören. Ihren Grund hat diese Verschiebung vermutlich darin, daß das zweite Zitat sekundär an das erste angeschlossen wurde. So entstand nämlich die Notwendigkeit der im Joh singu-
lären Einleitung 37a.[4] Für eine Trennung der beiden Zitate spricht
übrigens auch die Tatsache, daß sich der Erzähler - wie wir gesehen haben - zum jeweiligen Zitat ganz verschieden verhält:
Prägt in V. 36 das Erfüllungsschema die Perspektive, so identifiziert sich in V. 37 der Sprecher mit dem Zitat. Diese Beobachtung
könnte zwar die vorgenommene Entscheidung allein nicht tragen,
ist aber ein gutes Zusatzindiz, das das Ergebnis absichert.
Wenn nun aber V. 37 sekundär ist, dann gerät auch V. 34 in Verdacht, weil das Schriftzitat eng mit dem Lanzenstoß zusammenhängt.

---

1) Vgl. WELLHAUSEN 1907, 27-31; ders. 1908, 89 f.
2) Vgl. etwa SCHWARTZ 1907, 359 f; LOISY 1921, 494 f;
   RICHTER 1977, 141 f.178.179 (mit Anm. 165).262;
   LANGBRANDTNER 1977, 34 f; THYEN 1977a, 287.
3) FAURE 1922, 103 f.
4) Diese Erklärung macht die Einstufung von V. 37 als tertiäre
   Glosse, wie sie WELLHAUSEN 1907, 30 und SCHWARTZ 1907, 360 vornehmen, überflüssig.

Es genügt aber keineswegs, nur V. 34b auszuscheiden[1], weil das
Zitat ja den als Durchbohrung verstandenen Stoß von 34a aufgreift.
Außerdem ist daran zu erinnern, daß der Lanzenstoß nicht motiviert
ist. Das gilt zumindest auf der Ebene des Erzählten. Auf der Ebene des Erzählens dagegen ist er sehr wohl motiviert, und zwar
durch den Ausfluß von Blut und Wasser. Wenn mit V. 34b nun diese
Folge des Lanzenstoßes gestrichen würde, verkäme letzterer zu einem sinnlosen Erzählzug. Deswegen ist V. 34 als ganzer für sekundär zu halten. Was nun V. 35 angeht, so ist er nicht deshalb auszuscheiden, weil er in 'unpassender Art und Weise' die Adressaten
anspricht[2], sondern vielmehr deshalb, weil er zusammen mit V. 34
den engen Konnex zwischen V. 31.33 - insbesondere 33c - und V. 36
zerreißt. Dieses Zerreißen eines thematischen Zusammenhangs war ja
in der Kohärenzanalyse sehr schön daran zu erkennen gewesen, daß
die Rückbezüge von V. 36 immer an V. 34 .35 vorbei auf V.33 liefen.
Damit gelangen wir also zu einem Ergebnis, das WELLHAUSENs Befund
bestätigt. Es ist allerdings festzustellen, daß, wenn V. 34.35.37
sekundär sind, der verbleibende Text zwar inhaltlich geschlossen
ist, aber in Einzelformulierungen immer noch Spannungen aufweist.
So schließt sich 36a schlecht an 33c an. Es ist vor allem das γάρ
in 36a, das ein Problem darstellt. So muß denn angenommen werden,
daß die Formulierung der Zitateinleitung verändert wurde, als V.
34.35 eingefügt wurden und dadurch ein größerer Abstand zu 33c
entstand.[3] Außerdem verbindet das γάρ im Jetzttext das folgende
Zitat - wenn auch lose - mit der Glaubensforderung in 35e. Das bedeutet, daß V. 36a vermutlich eine sekundäre Hinzufügung und
nicht ursprünglich ist. Das Beispiel 19,24 zeigt im übrigen, daß
sich 36b direkt an 33c anschließen läßt.
Gewisse Probleme weist auch noch V. 31 auf. Der Satzbau ist hier
so überladen, daß sich der Verdacht sekundärer Erweiterung geradezu aufdrängt. Es ist freilich recht schwierig, den Vorgang des Re-
digierens genauer abzuklären. Sicher ist aber, daß 31a.31e.31f

1) Gegen BULTMANN 1941, 525 f; LOHSE 1961, 114 f.
2) So die Begründung von SCHWEIZER 1841, 61.
3) Das sehen auch SCHWARTZ 1907, 359; LOISY 1921, 494;
   SCHNACKENBURG 1975, 341, THYEN 1977a, 287.

thematisch mit dem Folgenden engstens verbunden und keinesfalls als sekundär einzustufen sind. Außerdem hängt 31c ja mit 31f zusammen, wie in der Kohärenzanalyse bemerkt wurde. Diese Äußerungseinheit wird deshalb auch nicht sekundär sein. Auch würden 31a.31c. 31e.31f eine halbwegs plausible Konstruktion ergeben. Die beiden ἵνα-Sätze könnten kaum als konkurrierend betrachtet werden, da 31e das angezielte Verhalten des Pilatus (bzw. seiner Soldaten) thematisieren würde, 31c dagegen die Intention der Juden ausdrückte und deshalb ganz passend nach 'Ιουδαῖοι stünde. Sekundär wäre diese Parenthese dann um 31b.31d[1] als erklärende Zusätze erweitert worden.

Eine wirklich begründete literarkritische Entscheidung in V. 31 setzte freilich eine eingehende Untersuchung der johanneischen Passionschronologie voraus. Da nun die Frage nach dem - bekanntlich von den synoptischen Evangelien abweichenden - Zeitplan eine in der Forschung so umstrittene Frage ist, kann sie hier nicht als Nebenthema angegangen werden. Es muß daher offenbleiben, ob 31d wirklich erst sekundär einen Zusammenhang des Sabbats mit dem Pascha herstellte. Möglich wäre es natürlich auch, daß hier ein vorgegebener chronologischer Rahmen nur erneut verdeutlicht werden mußte, weil er durch das Aufbrechen eines bestehenden Erzählzusammenhangs nicht mehr ausreichend erkennbar war.[2]

Der nächste Ausgangspunkt für literarkritische Operationen liegt in 19,28 vor. Wie wir gesehen haben, findet sich dort zweimal eine Erfüllungsaussage, und zwar einmal in Bezug auf 'alles' (28b), einmal bezogen auf die Schrift (28c). Das Thema der Schrifterfüllung wird nach der Durststillung in 30c wieder aufgegriffen, wo Jesus sein τετέλεσται spricht, was sich nach Lage der Dinge im Jetzttext nur auf die Schrift beziehen kann, weil ja alles andere schon vorher erfüllt ist. Trotz dieses recht eindeutigen Bezugs hat die Rezeptionsgeschichte gezeigt, daß 30c nahezu immer grundsätzlich verstanden wurde. Das ist nun auch durchaus einsichtig,

---

1) Zum sekundären Charakter von 31d vgl. SCHNACKENBURG 1975,334f; BECKER 1979/81, 597.
2) Dafür würde sprechen, daß in 13,1-30 (besonders 13,29) die Datierung des Mahles vorgegeben war.

weil es sich hier immerhin um das letzte Wort des johanneischen
Jesus handelt und eine bloße Feststellung über die Schrifterfül-
lung dem Rang eines letzten Wortes nicht recht entsprechen will.
Das ist wie gesagt einsichtig, tangiert aber noch nicht die Tatsache, daß der Text wie er vorliegt, eine solche, grundsätzliche
Deutung nicht zuläßt. Eventuell kommt in dieser Rezeption eine
Struktur des Textes zur Wirkung, die von seiner heutigen Gestalt
zwar verdeckt, aber nicht völlig getilgt worden ist.
Die schon von WELLHAUSEN beobachteten und von der Kohärenzanalyse
bestätigten Spannungen sollten jedenfalls dazu führen, 28b und
28c unterschiedlichen literarischen Schichten zuzuweisen. Dabei
ist 28b dann als sekundär anzusehen, weil diese Äußerungseinheit
insofern von 28c abhängig ist, als das ἤδη anzeigt, daß hier
schon mit einer konkurrierenden Fortsetzung gerechnet ist. Damit
ist auch 28a, syntaktisch engstens mit 28b verknüpft, als sekundär
einzustufen. 28c-e dagegen gehören offensichtlich einer älteren
Schicht an, zu der auch V.29.30 gehören. In V. 30 selbst sehe
ich keinen Anlaß für eine literarkritische Scheidung. Das Schlußwort Jesu 30b.30c steht mit seinem unmittelbaren Kontext nicht in
Spannung und die Behauptung, es sei mit 28a.28b sekundär eingebracht worden[1], ist keinesfalls überzeugend, weil so die Spannung
zwischen 28a.28b und 30c ungelöst bleibt. Es ist einfach nicht
recht einleuchtend, warum jemand erst in 28b den Erzähler sagen
lassen sollte, daß alles erfüllt sei, um sich dann mit der nach-
klappenden Äußerung Jesu dazu eine Doppelung zu schaffen. Dieses
Problem wird vermieden, wenn 28a.28b einer sekundären und 28c-e.29.
30 einer anderen Schicht zugeordnet werden.
Wie bei der Kohärenzanalyse zu sehen war, ist die Erfüllungsaussage des Erzählers 28a.28b anaphorisch auf V. 26.27 rückbezogen, wodurch das dort erzählte Geschehen als Erfüllung von 'allem' gedeutet wird. Es ist deshalb naheliegend, daß das, was sekundär so
aufgewertet wird, selbst sekundär ist. Dieser Verdacht ist weit
verbreitet[2] und läßt sich gut begründen durch den Hinweis darauf,

---

1) So z.B. BULTMANN 1941, 516; DAUER 1972, 201-216; BECKER 1979/81,
   593.
2) Für sekundär eingefügt (entweder vom 'Evangelisten' oder von
   der Endredaktion) halten die Lieblingsjüngerszene z.B. SCHWARTZ

daß 26a, wo der geliebte Jünger eingeführt wird, mit V. 25 nur schlecht harmoniert. Es geht dabei nicht nur darum, daß in 26a die Anwesenheit des Jüngers vorausgesetzt ist, obwohl er in der Personenliste von V. 25 nicht vorkommt. Entscheidend ist vielmehr, daß die Anwesenheit der in V. 25 aufgezählten Frauen in der folgenden Szene keinerlei Rolle spielt. Die Kohärenzanalyse hatte - von der Mutter Jesu abgesehen - keinerlei Bezüge zwischen V. 25 und V. 26 festgestellt. Es ist deshalb nur naheliegend, V. 25 und die beiden folgenden Verse nicht derselben literarischen Schicht zuzuordnen. Die Behauptung THYENs, V. 25 sei derselben redaktionellen Schicht zuzuweisen wie die Lieblingsjüngerszene,[1] ist also nicht zu halten. Wenn der Autor, der den Jünger einbrachte, wirklich die Frauenliste als Konkretisierung von Lk 23,49 gestaltet hätte, so wäre es doch völlig uneinsehbar, warum er es dann versäumte, die Frauennamen von Lk 23,10 zu übernehmen. Das Faktum, daß die Liste aber im Folgenden einfach keine Rolle spielt, spricht doch eher dafür, daß hier traditionell Vorgegebenes übernommen wird.[2] Dabei muß aber völlig offen bleiben, ob die Liste nicht sekundär erweitert wurde (etwa um die Mutter Jesu[3]), theoretisch wäre auch eine Kürzung möglich. So etwas ist bei einer bloßen Auflistung natürlich nicht mehr zu entscheiden. Dagegen hat die These, hier sei eine sekundäre Umstellung der Liste vorgenommen

---

1907, 354.358 f; WELLHAUSEN 1908, 87; LOISY 1921, 487;
HIRSCH, 1936, 123 f; BULTMANN 1941, 515.520;
WILKENS 1958b, 84 f; OTTO 1969, 58;
ROLOFF 1968/69, 133; BROWN 1966/70, 922;
LORENZEN 1971, 18-24; DAUER 1972, 196-200;
SCHNACKENBURG 1975, 321; THYEN 1977a, 282-284;
LANGBRANDTNER 1977,33; RICHTER 1977, 387.409;
BECKER 1979/81, 589 f; HAENCHEN 1980, 552.
1) Vgl. THYEN 1977a, 282 f. Schon SPITTA 1910, 381 hielt V. 25 für ein redaktionelles Produkt mit der Tendenz der Angleichung an die synoptischen Evangelien.
2) Für den traditionellen Charakter von V. 25 sprechen sich z.B. aus: HIRSCH 1936, 123; BULTMANN 1941, 515; WILKENS 1958b, 84; ROLOFF 1968/69, 133; DAUER 1972, 192 f; BROWN 1966/70, 904-906; LORENZEN 1971, 20-24; SCHNACKENBURG 1975, 321; BECKER 1979/81, 589 f; OTTO 1969, 58.
3) So HIRSCH 1936, 123; OTTO 1969, 58; BECKER 1979/81, 589 f. Schon SCHWARTZ 1907, 354.

worden, mindestens Wahrscheinlichkeitswert. Ausschlaggebend für
diese These ist die Beobachtung, daß einerseits die Frauen in
den drei synoptischen Evangelien später genannt werden, und andererseits, daß der Schluß von V. 24 (οἱ μὲν οὖν στρατιῶται ταῦτα
ἐποίησαν) gegenüber dem abschließenden Schriftzitat nachklappt.
Zwar wird zwischen V. 25 und V. 26 durch die Wendung μέν - δέ eine
syntaktische Verbindung hergestellt. Sie hat allerdings auf der
Seite der Semantik der verbundenen Textteile keine Entsprechung.
Das Ende von V. 24 scheint also eine redaktionelle Übergangswen-
dung zu sein, die V. 25 mit dem Vorhergehenden verbinden soll,
wobei die Frauenliste dann als Aufhänger für die Anfügung von V.
26.27 dient. V. 24 fin. wäre damit wohl derselben literarischen
Schicht zuzuweisen, wie die Lieblingsjüngerszene. V. 25 hatte vor
der Einfügung vermutlich einen anderen Ort und war für den Autor
der Lieblingsjüngerszene nur insofern interessant, als er die
Liste als Vorbereitung seiner Szene benutzen konnte.[1]
Das Ergebnis des literarkritischen Durchgangs ist also folgendes:
Als sekundär sind
19.26a-28b.34-35.37 und vielleicht 31b.31d
einzustufen, während
19,25.28c-33c.36 als traditionell anzusehen sind.
Ein Überblick über den Textbestand der vorgegebenen Textschicht
zeigt, daß hier kein geschlossener Text vorliegt. 28c hat offensichtlich nicht an V. 25 angeschlossen und ob 31a schon vorredaktionell 30e folgte, kann keinesfalls als ausgemacht gelten. Dieser
Befund könnte als Anfrage an das hier angewandte zweistufige entstehungsgeschichtliche Modell (Tradition - Redaktion) verstanden
werden, vor allem von denen, die selbst ein dreistufiges Modell
(Passionsbericht - Evangelist - Redaktion) zugrunde legen. Dazu
ist freilich zu sagen, daß die hier erzielten Ergebnisse ein dreistufiges Modell einfach nicht nötig machen. Alle Spannungen im
Text lassen sich durch die Verteilung des Textes auf zwei Schich-

---

1) Zu der vermutlichen Umstellung von V. 25 vgl. LOISY 1921, 486;
   BULTMANN 1941, 515 f; DAUER 1972, 192 f;
   SCHNACKENBURG 1975, 321 f; BECKER 1979/81, 589 f.

ten lösen. Damit ist das kompliziertere Modell einfach überflüssig und das ökonomische bleibt vorzuziehen. Nichts zwingt dazu, 19,28c-30 einer anderen Schicht zuzuordnen als 19,31a-33.36 oder V. 25. Und ebensowenig ist es notwendig, 26.27 einer anderen Schicht als V. 34.35.37 zuzuordnen. Zwar soll die inhaltliche Zusammengehörigkeit aller Lieblingsjüngerstellen später noch untersucht werden, aber hier kann einstweilen festgehalten werden, daß es jedenfalls keinen zwingenden Grund gibt, die beiden Lieblingsjüngertexte in Joh 19 unterschiedlichen literarischen Schichten zuzuordnen. Sie scheinen vielmehr zueinander passende Teile einer inhaltlichen Konzeption zu sein.

Solche Entsprechungen zeigen sich auch bei den vorredaktionellen Textteilen. So ist etwa in V. 29 die Paschalamm-Typologie ebenso präsent wie in 31-33.36. Daher legt es sich eben doch nahe, die jeweils festgestellte letzte Textschicht als ein einheitliches Bearbeitungsprodukt zu sehen und entsprechend die vorredaktionellen Texte als eine Traditionsschicht. Nun könnte weiter eingewandt werden, daß es doch nicht gelungen ist, vorredaktionell einen geschlossenen Text zu rekonstruieren. Dieser Einwand trifft zwar zu, stellt aber kein echtes Argument gegen die hier gefundene Lösung dar. Er beruht ja auf zwei Annahmen, die hypothetisch sind:

1. Die vorredaktionelle Textschicht existierte als geschlossener Text (Grundschrift oder Grundevangelium).
2. Dieser geschlossene Text ist redaktionell nur erweitert worden und deshalb durch Beseitigen der Erweiterung wieder herzustellen.

Diese beiden Voraussetzungen bilden zusammen natürlich eine respektable Arbeitshypothese, aber eine solche Hypothese ist eben an den konkreten Analyseergebnissen zu messen und nicht umgekehrt. Es spricht also nicht gegen meine literarkritischen Ergebnisse, wenn sie mit der Vorstellung einer rekonstruierbaren Grundschrift nicht übereinstimmen. Es ist vielmehr so, daß die Hypothese wenigstens in ihrer zweiten Hälfte aufzugeben ist. Nach den bisherigen Analysen kann gesagt werden, daß, wenn es vorredaktionell einen geschlossenen Text gab, die Redaktion dessen Gefüge mindestens teilweise so aufgebrochen hat, daß eine Rekonstruktion nicht mehr möglich ist. Zur ersten Hälfte der Grundschrift-These ist zu sagen, daß

die Art und Weise der redaktionellen Überarbeitung zweifellos auf
die Verarbeitung schriftlich fixierter Texte hinweist. Ob aber
wirklich ein schriftlicher Text zugrunde lag oder nicht vielleicht
mehrere mit gleicher oder ähnlicher inhaltlicher Ausrichtung, das
ist eine Frage, die zumindest in dieser Arbeit offen bleiben muß.

2.3.3.2 Der Beitrag der Literarkritik zur Interpretation des Endtextes: Übernommene Textintentionen als Repertoireelemente

2.3.3.2.1 Die Erfüllung der Schrift (19,28c-30)

Soweit erkennbar ist, bezieht sich die letzte Aktion Jesu auf die
Erfüllung der Schrift. Die Äußerung Jesu in 28e löst die Reaktion
der Ungenannten in V. 29 aus. Nachdem die Schrifterfüllung abgeschlossen ist, spricht Jesus sein τετέλεσται (30c) und stirbt.
30c bezieht sich in diesem Rahmen natürlich vorrangig auf die unmittelbar vorangehende Durststillung, kann aber, weil eben 28b
nicht blockiert, darüber hinaus nach hinten ausstrahlen. Unter
der Annahme, daß 28c-30 Glied einer Reihe von Textteilen war, in
denen es um schrifterfüllende Ereignisse des Leidens Jesu ging -
zu dieser Reihe dürfte etwa die vorredaktionelle Form der Kleiderverteilung (19,23 f) gehört haben -, ist ein umfassenderes Verständnis des Schlußwortes Jesu durchaus möglich. Zwar ist die
Durststillung dadurch herausgehoben, daß sie als letzte Szene vor
30c steht, aber das Schlußwort greift doch über diese Szene hinaus:
Jesus hat sein als Erfüllung des in der Schrift festgelegten göttlichen Willens verstandenes Werk vollendet. Er hat damit den
Heilsplan Gottes erfüllt. In diesem Kontext hat also das Schlußwort durchaus den umfassenden Sinn, der ihm üblicherweise zugeordnet wird: 'Es ist vollbracht.'
Diese Interpretation läßt sich weiter abstützen durch einen Nachtrag zur Literarkritik. Es läßt sich nämlich in 28c ein redaktioneller Eingriff zumindest wahrscheinlich machen. Die Formulierung
dieser Äußerungseinheit ist ja insofern recht auffällig als im
Joh nur an dieser Stelle τελειόω mit Bezug auf die Schrift verwendet wird. Üblicherweise steht an entsprechenden Stellen immer

πληρόω. Auch die Redaktion verwendet sonst dieses Lexem, wenn es
um Schrifterfüllung geht - vgl. etwa 13,18. Die Vermutung, daß
auch in 28c ursprünglich πληρόω stand, hat einiges an Wahrscheinlichkeit für sich. Es stellt sich allerdings die Frage, was denn
die Redaktion hätte bewegen können, hier gegen eine Gewohnheit zu
formulieren, die auch die ihre war. Diese Frage findet ihre Antwort, wenn erkannt wird, was die Veränderung im Text bewirkt.
Zwischen den beiden Lexemen gibt es natürlich - zumindest was den
Kontext angeht, der hier zur Debatte steht, große semantische Gemeinsamkeiten. Bei πληρόω aber existiert keine Beziehung, die auf
der Verwandtschaft zu τελέω beruht. Wenn also in 28c ursprünglich
πληρόω stand, dann war die Beziehung dieser Äußerungseinheit zu
30c um einiges lockerer. Der Wechsel zu τελειόω dagegen aktiviert
den Konnex und 30c ist dann weit eher auf die Schrifterfüllung zu
beziehen, die unmittelbar vorausgeht.
Der redaktionelle Eingriff in 28c ist natürlich nicht schlüssig
zu beweisen, aber er ist angesichts der Einzigartigkeit der Formulierung, die jetzt dort steht, doch wenigstens wahrscheinlich.
Vor allem paßt der Wechsel sehr gut zu der Tendenz, die das redaktionelle Vorgehen in diesem Textteil generell zeigt.
Die Redaktion hat mit der vorangestellten Erfüllungsaussage des
Erzählers in 28b die Vollendungsaussage Jesu in 30c de facto überflüssig gemacht. Bevor Jesus nochmals die Schrift erfüllt, ist ja
schon **alles** erfüllt. Wenn aber alles erfüllt ist, bleibt streng
genommen kein Raum mehr für eine weitere Erfüllung. Wenn trotzdem
noch eine stattfindet, ist sie als überflüssige wenigstens nicht
besonders bedeutsam. Die Redaktion macht also durch 28c das Thema
der Schrifterfüllung zu einem Nebenthema, das eigenartig nachklappt. Was in 28c.29 geschieht, ist, nachdem doch schon alles erfüllt ist, eine weniger bedeutende Über-Erfüllung. Auf diese, und
nur darauf, bezieht sich im redaktionellen Kontext die Feststellung Jesu in 30c.[1]

---

1) Somit wäre in der deutschen Übersetzung 'sie ist erfüllt' zu
   formulieren, womit freilich die schöne Ambivalenz der griechischen Formulierung zerstört würde.

Damit hat die Redaktion eine ganz deutliche Akzentverschiebung
vorgenommen. **Der Rang der letzten** und Erfüllung **vollendenden
Szene wird der Durststillung genommen.** Nicht dieser letzte, Gottes
Heilsplan erfüllende Akt Jesu ist die Vollendung seines Werkes,
sondern etwas ganz anderes, nämlich das, wovon in 19,26 f die Rede ist. 28a.28b verbinden ja das Erfüllungsmotiv mit der 'Einsetzung' des geliebten Jüngers als Nachfolger des irdischen Jesus.
In Bezug **darauf** wird jetzt gesagt, daß alles erfüllt sei.
Die Umakzentuierung, die sich hier zeigt, läßt nun die Konturen
der redaktionellen Intention, die bei der synchronen Textanalyse
herausgearbeitet werden konnte, ungleich schärfer hervortreten.
Es kommt offensichtlich alles darauf an, den geliebten Jünger hervorzuheben und ihm einen Platz im Heilswerk Jesu zuzuweisen. Die
redaktionelle These läßt sich vor dem so rekonstruierten Kommunikationshorizont also folgendermaßen formulieren:
Daß der scheidende Jesus den geliebten Jünger als seinen Nachfol-
ger hinterläßt, das ist die Vollendung seines Liebeswerkes - und
nicht **etwa irgendein schrifterfüllender Akt!**

2.3.3.2.2   Jesus als das wahre Paschalamm (19,29b.31-
33.36)

Was in V. 29 durch die Erwähnung des Ysop andeutend fortgesetzt
wurde, wird in 31-33.36 zu Ende geführt, nämlich die Charakterisierung Jesu als Paschalamm. Den letzten Zug in dieser Charakterisierung steuert das Thema der nicht zerbrochenen Knochen bei.
Diese Paschalamm-Typologie - das läßt sich unter der Voraussetzung,
daß die johanneische Passionschronologie nicht gänzlich redaktionell ist, sagen - ist offensichtlich ein wichtiges Thema, das
sorgfältig vorbereitet und entfaltet wird. Es ist nun freilich
nicht mehr exakt anzugeben, welche soteriologische Dimension dem
Sterben Jesu als Paschalamm genau zugeordnet wurde.
THYEN dürfte aber wohl zuzustimmen sein, wenn er sagt, hier werde
Jesus "als das von Gott bestimmte wahre Paschalamm charakterisiert,
das den Seinen die Anodos zum Vater eröffnet."[1]

---

1) THYEN 1977a, 287.

Jedenfalls kann gesagt werden, daß der Gedanke an einen Opfer-
oder Sühnecharakter des Sterbens Jesu mit dieser Art der Paschalamm-Typologie nicht verbunden ist. Die soteriologische Wirkung
des Todes Jesu beruht offensichtlich eher darauf, daß er Zugang
zum Vater ermöglicht.

Daß diese Deutung nicht völlig frei aus der Luft gegriffen ist,
läßt sich belegen durch den Hinweis auf die allegorische Pascha-
Deutung des hellenistischen Judentums, wie sie sich bei Philo
von Alexandrien findet.[1]

Philo hält natürlich am üblichen Verständnis des Pascha als
eines historisch begründeten Kultgeschehens fest (SpecLeg II,
145 f), verweist jedoch sofort auch auf eine allegorische Deutung,
wobei deutlich wird, daß er sich als in einer Deutungstradition
stehend betrachtet. Dieser Deutung entsprechend ist das **Pascha**
als **Überschreitungsopfer** die **Reinigung der 'Seele'**, die sich vom
Körper und den Leidenschaften freimacht und nach Tugend und Weisheit strebt (SpecLeg II, 147). Daß Philo hier nicht nur eine
fremde Meinung zitiert, sondern sie durchaus teilt, zeigt sich
daran, daß diese Auslegung sich an vielen Stellen seines Werkes
wiederfindet. Das Pascha ist für ihn ein 'seelischer' Vorgang,
und zwar der Übergang von Affektgebundenheit und Verhaftung an
die Sinnenwelt zum Göttlichen, zum himmlischen Licht (Congr
106). Es geht um die Abwendung des menschlichen Nous von den Leidenschaften und um die Hinwendung zur gottgeschenkten Freiheit
(Migr 25). Beim Pascha handelt es sich also um einen göttlichen
Übergang von den irdischen Leidenschaften zur Tugend (Sacr 63).
Die 'Seele' bemüht sich, "das unvernünftige Empfinden zu verler-
nen, und die vernünftige Freude" zu empfinden (Her 192).[2]

In diesem Deutungszusammenhang wird dann das **Paschalamm** natürlich nicht als Opfer oder gar als Sühneopfer begriffen, sondern
als **Symbol des Fortschritts vom Irdischen zum Himmlischen** (All
III, 165).

---

1) Zur philonischen Paschadeutung vgl. FÜGLISTER 1963, 35 f.
2) Vgl. auch noch Her 255; All III, 94.151-154.

Wenn die Paschalamm-Typologie der johanneischen Tradition nun
vor diese allegorische Deutung als Kommunikationshintergrund gestellt wird, so ist gut zu begreifen, wie es möglich war, eine
christliche Paschalamm-Deutung ohne Sühneopferdimension zu ent-
wickeln.

**Wenn Jesus zum Paschalamm erklärt wird, dann wird er als Personi-
fizierung der Diabasis zum Göttlichen dargestellt.**

Wenn auf die vorredaktionelle Schicht in Joh 13 zurückgegriffen
wird, so kann gesagt werden, daß zu dieser Art der Paschalamm-Typologie sehr gut die Sicht des Todes als Rückkehr zu Gott (13,3)
paßt. Sogar die Redaktion sieht Jesu Tod als **Übergang** zum Vater
(13,1).

In der johanneischen Engführung der allegorischen Paschalamm-Deutung auf die Person Jesu, tritt freilich eine Frage auf, die
sich für Philo so gar nicht stellt, nämlich die, wie denn der
Mensch an diesem Übergang, den Jesus nicht nur vollzieht, sondern
auch ist, teilnehmen kann. Diese Frage nach der soteriologischen
Dimension der Paschalamm-Typologie läßt sich von Joh 19 her nicht
befriedigend beantworten. Da nun aber schon in Joh 6 für die vorredaktionelle Textschicht ein enger Bezug zu philonischem Gedan-
kengut festgestellt wurde, ist es wohl legitim, diesen Teil der
Brotrede heranzuziehen. Dieses Inbezugsetzen ist zwar nicht
dadurch legitimiert, daß nachgewiesen werden könnte, daß die betreffenden Texte zu einem Textganzen gehörten, aber doch dadurch,
daß sich vom theologiegeschichtlichen Hintergrund eine ähnliche
inhaltliche Ausrichtung nahelegt.[1] In der vorredaktionellen
Schicht der Brotrede findet sich nur **ein** Weg der Teilhabe an dem
vom Lebensbrot vermittelten Leben, nämlich der **Glaube.** Wer an Jesus als Brot des Lebens glaubt, hat ewiges Leben. Es kann von daher geschlossen werden, daß auch bei der vorredaktionellen Schicht
der Paschalamm-Typologie die soteriologische Dimension im Glauben stand. **Wer an das neue Paschalamm glaubt, schafft auch
selbst den Übergang, hat ewiges Leben.** Trifft dieser Schluß zu,
so hat der Kreuzestod keine eigene Heilswirksamkeit. Er ist nur

---

1) Das Manna wird von Philo übrigens bisweilen in unmittelbarer
Nachbarschaft mit dem Pascha erwähnt: Her 191; All III, 165.

der Ort, wo Jesus selbst hinübergeht und sich als personifizierter Übergang erweist.

Auffällig ist nun, was die Redaktion aus dieser Typologie macht. Sie übernimmt nicht einfach, sondern modifiziert sie in eigentümlicher Weise. Durch das Hinzufügen der Szene mit dem Ausfließen von Blut und Wasser wird die soteriologische Qualität des Kreuzes auffällig materialisiert. Zunächst ist zwar festzustellen, daß die Erwähnung von Blut und Wasser als normale Bestandteile des menschlichen Körpers die Paschalamm-Typologie stören, und zwar so, daß diese Störung schier unerträglich wäre, wenn in der Behauptung, Jesus habe einen normalen Menschenleib besessen, die antidoketische Sinnspitze des Textes läge. Wie wir aber gesehen haben, ist der Aspekt der Leiblichkeit eher die Grundlage, denn das eigentliche Aussageziel. Und als solche Grundlage erzeugen Blut und Wasser keine unerträgliche Spannung zum Paschalamm-Gedanken. Vor allem deshalb nicht, weil ja auf einer sekundären semantischen Ebene Blut und Wasser Zeichen der Heilswirkung des Kreuzestodes sind. Auf dieser Ebene ist es nun möglich, das Paschalamm-Konzept mit dem Ausfluß zumindest des Blutes zu verbinden. Die Basis für diese Verbindung stellt das im alttestamentlich-jüdischen Einflußbereich bekannte Wissen um die sündentilgende Kraft von Blut und Blutriten allgemein und des Blutes des Paschalamms im besonderen dar.

Dem mit dem Paschalamm verbundenen Blutritus konnte ja, darauf habe ich schon hingewiesen, eine entsündigende Kraft zugeschrieben werden. Offensichtlich geben solche Vorstellungen der Redaktion die Möglichkeit, das vorgegebene Konzept um den Gedanken der Sündentilgung zu erweitern. Diese Kombination wurde von der Redaktion übrigens schon frühzeitig vorbereitet, nämlich in Joh 1,29, wo gesagt wird, daß Jesus das Lamm Gottes ist, das die Sünden der Welt hinwegnimmt. Da nun dieser Vers vermutlich auch noch eine redaktionelle Dublette zu 1,36 darstellt,[1] wo die Wegnahme der Sünden auffälligerweise fehlt, zeigt sich auch hier sehr schön, daß die Redaktion das vorgegebene Paschalamm-Konzept

---

1) Vgl. LANGBRANDTNER 1977, 76 f.

um die Dimension der Sündentilgung erweitert. In Joh 19 gibt ihr das die Möglichkeit, den Ausfluß von Blut (und Wasser) mit der Paschalamm-Typologie zu verbinden.

Diese Überlegungen dürfen nun freilich nicht dazu verführen, das Blut als Zeichen der Sündentilgung vom Wasser als Zeichen der Wiedergeburt oder ähnlichem abzukoppeln. Es ist vielmehr festzuhalten, daß Blut und Wasser in 19,34 als festgefügtes Begriffspaar auftreten. Außerdem zwingt der Aspekt der Sündenvergebung auch gar nicht zu einer solchen Abkoppelung, weil ja auch der Geist, für den nach meiner Interpretation das Wasser steht, mit Sündenvergebung zu tun hat, wie 20,22 f zeigen. Blut und Wasser sind in 19,34 als Einheit zu sehen, deren Konnotationen gemeinsam auf die soteriologische Funktion des Kreuzestodes hinweisen. Zusammenfassend läßt sich sagen: Für die Redaktion ist es besonders wichtig, deutlich zu machen, **daß Jesus, das wahre Paschalamm, durch seinen Tod menschliche Sündenschuld getilgt hat.**

Diese Akzentsetzung setzt die von der Tradition überkommene Paschalamm-Typologie nicht außer kraft, sondern nimmt sie (verändert) auf. Diese Typologie dient jetzt dazu, die Relevanz des Kreuzestodes für den christlichen Glauben zu betonen.

2.3.3.3 Weitere Überlegungen zu Tradition und Redaktion in 19,25-37

Die redaktionelle Soteriologie, wie sie gerade beschrieben wurde, berührt sich auffällig mit Gedanken des 1 Joh. Dort wird ebenfalls dem Blut eine sündentilgende Kraft zugeschrieben (vgl. 1 Joh 1,7). Was schließlich die vieldiskutierte Stelle 1 Joh 5,6 angeht, so ist sie nach der heute gängigen Interpretation so zu verstehen, daß hier ein Bezug auf die Taufe Jesu durch Johannes und den Kreuzestod vorliegt.[1] Das bedeutet, daß hier nur insofern eine Beziehung zu Joh 19,34 besteht, als an beiden Stellen die besondere Bedeutsamkeit des Kreuzestodes eingeschärft werden soll. Was die Begriffe Blut und Wasser in 19,34 bezeichnen, ist

---

1) Vgl. WENGST 1978, 207 f.

dann in 1 Joh 5,6 durch das Blut allein signifiziert, ohne daß die Lexempaare der beiden Stellen miteinander identifiziert werden dürfen.

Wesentlich enger wäre die Beziehung zwischen den beiden Stellen aber, wenn es an beiden um Blut und Wasser als normale Bestandteile des menschlichen Körpers ginge. Eine solche Deutung wurde von RICHTER mit Entschiedenheit vertreten[1], konnte sich allerdings nicht durchsetzen. Sie greift, was die Semantik der Begriffe in Joh 19,34 angeht, zu kurz und wird dem ganz anders gearteten Kontext in 1 Joh 5,6 nicht gerecht. Der Kontext hat aber eben entscheidenden Anteil am Aufbau der über die lexikalische Wortbedeutung hinausgehenden semantischen Ebenen. So ist trotz der Verwendung gleicher Lexeme in 1 Joh 5,6 die eigentliche Entsprechung zu Joh 19,34 in 1 Joh 1,7 zu sehen.
Es zeigt sich jedenfalls wieder die besondere Nähe zwischen der Redaktion des Joh und 1 Joh.

Was die **Beziehung zu den Synoptikern** angeht, so ist nicht sehr viel auszumachen. Weder die traditionelle noch die redaktionelle Textschicht weisen besondere Nähe zu entsprechenden Texten auf. Eine Ausnahme stellt allenfalls V. 25 dar, der sich mit den entsprechenden Frauenlisten der synoptischen Evangelien berührt. Seine Abweichungen von den dortigen Listen sind allerdings so gravierend, daß eine Kenntnis der Synoptiker in ihrer redaktionellen Endgestalt nicht anzunehmen ist. Eher ist an eine traditionsgeschichtliche Verbindung auf der Ebene von mündlichen (oder schriftlichen) Vorstufen zu denken.

---

1) Vgl. RICHTER 1977, 120-142.

2.4 Der geliebte Jünger in Joh 20

2.4.1 Begründung der Textabgrenzung

Durch die explizite Zeitangabe ist 20,1 von 19,42 (und der dortigen Zeitangabe) eindeutig abgesetzt. Das zeigt auch das adversative δέ in 20,1. Hinzu kommt der Personenwechsel: von Josef und
Nikodemus ist nicht mehr die Rede, sondern von Maria Magdalena.

Bei der Abtrennung von 20,11 ff ist zunächst zu sagen, daß die
beiden Teiltexte natürlich durch die Präsenz der Maria Magdalena
verbunden sind. Trotz dieser Verbindung kann aber zwischen V. 10
und V. 11 getrennt werden. Hier liegt nicht nur ein Ortswechsel
vor (Haus - Grab), sondern in 20,11 f ist auch der Personenkreis
eingeschränkt: Maria agiert jetzt wieder ohne die beiden Jünger.

2.4.2 Textauflistung

Joh 20,

1a Τῇ δὲ μιᾷ τῶν σαββάτων Μαρία ἡ Μαγδαληνὴ ἔρχεται
    πρωὶ |b| εἰς τὸ μνημεῖον

b σκοτίας ἔτι οὔσης

c καὶ βλέπει τὸν λίθον ἠρμένον ἐκ τοῦ μνημείου.

2a τρέχει οὖν

b καὶ ἔρχεται πρὸς Σίμωνα Πέτρον

c καὶ πρὸς τὸν ἄλλον μαθητὴν

d ὃν ἐφίλει ὁ Ἰησοῦς

e καὶ λέγει αὐτοῖς·

f ἦραν τὸν κύριον ἐκ τοῦ μνημείου

g καὶ οὐκ οἴδαμεν

h ποῦ ἔθηκαν αὐτόν.

3a Ἐξῆλθεν οὖν ὁ Πέτρος

b καὶ ὁ ἄλλος μαθητὴς

c καὶ ἤρχοντο εἰς τὸ μνημεῖον.

4a ἔτρεχον δὲ οἱ δύο ὁμοῦ·

b καὶ ὁ ἄλλος μαθητὴς προέδραμεν τάχιον τοῦ Πέτρου

c καὶ ἦλθεν πρῶτος εἰς τὸ μνημεῖον,

5a καὶ παρακύψας βλέπει κείμενα τὰ ὀθόνια,

b οὐ μέντοι εἰσῆλθεν.

6a ἔρχεται οὖν καὶ Σίμων Πέτρος

b ἀκολουθῶν αὐτῷ

c καὶ εἰσῆλθεν εἰς τὸ μνημεῖον,

d καὶ θεωρεῖ τὰ ὀθόνια κείμενα,

7a καὶ τὸ σουδάριον,

b ὃ ἦν ἐπὶ τῆς κεφαλῆς αὐτοῦ,

c οὐ μετὰ τῶν ὀθονίων κείμενον

d ἀλλὰ χωρὶς ἐντετυλιγμένον εἰς ἕνα τόπον.

8a τότε οὖν εἰσῆλθεν καὶ ὁ ἄλλος μαθητὴς

b ὁ ἐλθὼν πρῶτος εἰς τὸ μνημεῖον

c καὶ εἶδεν

d καὶ ἐπίστευσεν·

9a οὐδέπω γὰρ ᾔδεισαν τὴν γραφὴν

b ὅτι δεῖ αὐτὸν ἐκ νεκρῶν ἀναστῆναι.

10 ἀπῆλθον οὖν πάλιν πρὸς αὐτοὺς οἱ μαθηταί.

Von den bei der Aufgliederung in Äußerungseinheiten vorgenommenen
Entscheidungen bedürfen wohl vor allem die Trennungen zwischen
2b und 2c, zwischen 3a und 3b sowie zwischen 6d und 7a (-d) einer Begründung. 2c habe ich ebenso wie 3b als Parallelgedanken
behandelt und deshalb den Status einer Äußerungseinheit zugesprochen. Bei 2c ist die Parallelisierung mit 2b an der Wiederholung
des πρός erkennbar; bei 3b kann die Singularform des Verbs in 3a
als Indiz dafür gelten, daß 3b nicht einfach mit dem vorangehen-
den ὁ Πέτρος ein gemeinsames Subjekt bildet, sondern eher als eigenes, parallelisiertes Subjekt zu verstehen ist. In 3b wäre
dann das Verb aus 3a (ἐξῆλθεν) zu ergänzen. 7a(-d) erhält seinen
Selbstand aufgrund der feststellbaren Ausweitung. Von 7a ist 7b
(als Relativsatz unbestreitbar eine eigene Äußerungseinheit) abhängig und außerdem noch zwei ausgestaltete Partizipialkonstruktionen. Dabei wäre es sicher vertretbar, 7c zu 7a zu schlagen,
und 7b als Inklusion zu behandeln. Die oppositorische Parallelisierung von 7c mit 7d hat mich allerdings von dieser Aufteilung
abgehalten.

2.4.3   Die Erzählkonstituente 'Zeit'

2.4.3.1 Tempusformen

	Tempus	Sprechhaltung		Perspektive			Reliefgebung	
		E	B	R	N	Vs	Vg	H
20,1a	Präsens		x		x			
b	Partizip Präsens				x			
c	Präsens		x		x			
2a	Präsens		x		x			
b	Präsens		x		x			
c	-							
d	Imperfekt	x			x			x
e	Präsens		x		x			
f	Aorist	x			x		x	
g	Perfekt		x		x			
h	Perfekt		x	x				

	Tempus	Sprechhaltung		Perspektive			Reliefgebung	
		E	B	R	N	Vs	Vg	H
20,3a	Aorist	x			x		x	
b	-							
c	Imperfekt	x			x			x
4a	Imperfekt	x			x			x
b	Aorist	x			x		x	
c	Aorist	x			x		x	
5a	Präsens		x		x			
b	Aorist	x			x		x	
6a	Präsens		x		x			
b	Partizip Präsens				x			
c	Aorist	x			x		x	
d	Präsens		x		x			
7a	-							
b	Imperfekt	x			x			x
c	Partizip Präsens				x			
d	Partizip Perfekt			x				
8a	Aorist	x			x		x	
b	Partizip Aorist				x			
c	Aorist	x			x		x	
d	Aorist	x			x		x	
9a	Aorist	x			x		x	
b	Präsens		x		x			
10	Aorist	x			x		x	

Von den 26 Verben, die die entsprechende Information tragen, weisen 11 besprechende Sprechhaltung auf, bei den anderen 15 handelt es sich um erzählende Tempusformen. Es ist also zwar nicht daran zu zweifeln, daß es sich um einen Erzähltext handelt, aber der Anteil besprechender Tempusformen ist doch so hoch, daß sich die Frage nach ihrer Funktion aufdrängt. Auch wenn diese Frage erst in 2.4.3.2 genauer zu behandeln ist, kann doch hier schon gesagt werden, daß hier vermutlich das Erzählphänomen des historischen Präsens vorliegt. Es handelt sich bei den besprechenden Tempus-

formen nämlich fast durchwegs um Präsensformen.[1] Diesem Phänomen
läßt sich die Präsensform bei der Inquit-Formel in 2e gut einordnen.

Was die Sprechperspektive angeht, so ist wieder festzustellen,
daß der Text nur schwach perspektiviert ist. Die Nullstufe ist
absolut dominierend. Nur zweimal liegt eine Rückschau vor. So
blickt Maria Magdalena in ihrer Figurenrede (2f-h) auf die vermutete Umbettung des Leichnams Jesu zurück (2h) und in 7d ist
das separate Zusammenwickeln des Schweißtuches Gegenstand des
Rückblicks.

Aufgrund des hohen Anteils an besprechenden Tempora und Partizi-
pialformen ist die Information über die Reliefgebung oft nur erschließbar. Eindeutig sind nur 2d.3c.4a.7b (Hintergrund) und 3a.
4b.4c.8a.8c.8d.9a.10 (Vordergrund). Da bei den Tempusformen mit
besprechender Sprechhaltung in der Regel Vordergrundstellung erschlossen werden kann, sind 1a.1c.2a.2b.2e.2g.2h.5a.6a.6d.9b dem
Vordergrund zuzuweisen. Hintergrundstellung ist dagegen für
1b.6b.7c.7d.8b zu erschließen. Hier kommt wieder die generelle
Tendenz der Partizipien zum Hintergrund zum Tragen. Insgesamt
läßt sich sagen, daß es sich um eine relativ hintergrundarme
Erzählung handelt.

Die Funktion der Hintergrundstellung läßt sich im einzelnen folgendermaßen beschreiben:

1b gibt den Hintergrund zu πρωΐ in 1a an. Es ist so früh, daß es
noch dunkel ist.

2d bringt die charakteristische Information über den anonymen Jünger (2c).

3c ist auf 3a.3b bezogen, 4a gibt den Hintergrund für 4b ab, 6b
für 6a und 7b.7c.7d für 7a. Joh 20, 8b charakterisiert den anonymen Jünger von 8a näher.

Insgesamt bietet die Analyse der Tempusformen kaum Anhaltspunkte
für besondere Schwerpunktsetzungen in 20,1-10. Es liegt eine relativ glatte, hintergrundarme Erzählung vor, die ihre Akzente
wohl anders setzt als durch die Tempusformen.

---

1) In 2g liegt ja nur formal Perfekt vor, so daß 2h die einzige
   Ausnahme ist.

2.4.3.2 Erzähltempo und Erzählprofil

Bezüglich des **Erzähltempos** ist zu sagen, daß für 1a-2e trotz der gegebenen Hintergrundinformationen eine geraffte Erzählweise anzusetzen ist. Die durch den Gang der Maria Magdalena zum Grab und den Lauf zurück abgedeckte erzählte Zeit ist jedenfalls grösser als die Erzählzeit. Das Erzähltempo verlangsamt sich mit 2e. Hier wird eine direkte Rede (2f-h) eingeleitet, für die natürlich annähernde Zeitdeckung anzunehmen ist. V. 3 gibt in gerafftem Erzähltempo den Grabgang der beiden Jünger wieder. Derselbe Sachverhalt wird in 4a-6b in langsamerem Erzähltempo geschildert. Wenn auch für den Lauf zum Grab und seine Besichtigung kein exakter Zeitwert anzugeben ist, ist er doch höher als die jeweilige Erzählzeit anzusetzen. Das bedeutet, daß für 4a-6b ebenso wie für V. 3 Zeitraffung anzunehmen ist. Freilich ist in 4a-6b das Erzähltempo relativ langsamer als in V. 3. Da nun V. 3 das Folgende wie eine Überschrift zusammenfaßt und so das Erzählte zweimal thematisiert wird, ist der Grabbesuch der beiden Jünger insgesamt langsamer erzählt als der der Maria Magdalena. Es ist daher naheliegend, jenem auch ein größeres Gewicht zuzuordnen als letzterem.

Das Erzähltempo verlangsamt sich mit 6c nun nochmals. Was Petrus sieht, wird sehr ausführlich erzählt (6d-7d). Hier ist sogar Zeitdehnung zu erschließen. Demgegenüber ist das Sehen des geliebten Jüngers wieder in schnellerem Tempo erzählt, weil die Gegenstände nicht wiederholt werden. Vom Erzähltempo her ist also sein Sehen geringer gewichtet als das des Petrus. In V. 9 haben wir es, da die erzählte Zeit angehalten ist, mit einer Pause zu tun. Es liegt hier aber nach meiner Definition kein Erzählerkommentar vor, da die besprechende Sprechhaltung fehlt. Trotzdem werden hier natürlich Informationen über das Erzählte gegeben. Da dies aber in narrativer Haltung geschieht, hat diese erläuternde Bemerkung des Erzählers nicht das kommunikative Gewicht von etwa 19,35.

V. 10 schließt in geraffter Erzählweise den Grabbesuch der Jünger ab.

Das Erzählprofil des Textes ist dadurch gekennzeichnet, daß mimetische Elemente weitgehend fehlen.

Die einzige direkte Rede findet sich in 2f-h und sie ist so kurz, daß ihr eine illusionsbildende Wirkung keinesfalls nachgesagt werden kann. Sie hat ihre Funktion eher als ein die Erzählung belebendes Element. In den Zusammenhang der Verlebendigung des Erzähltextes gehören auch die Präsensformen, die in der Tempusformen-Analyse Aufmerksamkeit erregten. Sie zielen zwar tendenziell auf eine Einbeziehung der Lesenden/Hörenden in die erzählte Welt. Das Resultat ist hier jedoch keine Illusionsbildung, sondern eine Verlebendigung des Erzählten, wobei es nicht möglich erscheint, jeder einzelnen Präsensform eine Bedeutung zuzuordnen. Es ist deshalb anzunehmen, daß sie nur als Gruppe signifikant sind. Die Erzählung vom leeren Grab soll von den Lesenden als spannend und interessant empfunden werden.

2.4.4   Weitere textsemantische Analysen

2.4.4.1 Kohäsion und Kohärenz

20,1a: τῇ δὲ μιᾷ τῶν σαββάτων ist als anaphorisches Element zu sehen, da es als Zeitangabe die folgende Erzählung dem chronologischen Rahmen, der vorher aufgebaut wurde (zuletzt 19,31), eingliedert.

Auch Μαρία ἡ Μαγδαληνή stellt einen Rückbezug dar. Diese Figur war ja in 19,25 eingeführt worden.

Schließlich dient auch μνημεῖον der Verklammerung mit dem Makrotext. Der Rückverweis geht auf die Erwähnung des Grabes Jesu in 19,41 f.

1b ist durch ἔτι auf 1a (πρωΐ) rückbezogen.

1c: In βλέπει ist Maria Magdalena grammatikalisch repräsentiert, wodurch eine Anaphora auf 1a erreicht wird. Dasselbe Resultat hat die Lexemrekurrenz bei μνημείου. Auch λίθον ist anaphorisch auf die Erwähnung des Grabes in 1a bezogen. Hier liegt semantische Kontiguität vor, denn spätestens seit 11,38 f wissen die Lesenden, daß zu einem Grab ein Stein gehört.

20,2a: In τρέχει ist Maria Magdalena grammatikalisch repräsentiert, so daß ein Rückbezug auf 1a entsteht. In

2b ist Maria Magdalena in ἔρχεται repräsentiert. Das Verb verbindet zugleich Maria Magdalena als Subjekt mit Simon Petrus als Objekt.

2c: Auch der andere Jünger ist als Objekt mit Maria Magdalena korreliert.

2d: Durch ὅν (pronominale Anaphora) liegt eine Verbindung mit 2c vor.

2e: In λέγει ist Maria Magdalena wieder grammatikalisch repräsentiert. αὐτοῖς ist pronominale Anaphora auf die beiden Jünger (2b.2c). λέγει hat auch noch kataphorische Funktion. Als Redeeinleitung verweist es auf 2f-h.

2f: μνημείου ist durch Lexemrekurrenz auf 1a.1c rückbezogen.

2g: In οἴδαμεν ist Maria Magdalena als Sprecherin grammatikalisch repräsentiert. Hier beeinträchtigt freilich die Pluralform des Verbs den Rückbezug. Maria Magdalena ist ja als Einzelperson eingeführt. Diese 'Störung' scheint freilich durch entsprechende Sprachkonventionen abgedeckt zu sein.[1]

2h ist als Gegenstand des in οἴδαμεν thematisierten Wissens auf 2g rückbezogen. In ἔθηκαν ist dasselbe anonyme pluralische Subjekt repräsentiert wie in 2f (ἦραν), wodurch ein Rückbezug auf diese Äußerungseinheit entsteht. αὐτόν ist pronominale Anaphora auf κύριον(2f).

3a: Πέτρος ist anaphorisch auf 2b bezogen (Lexemrekurrenz).

3b ist durch das gemeinsame Verb (ἐξῆλθεν ist ja in 3b zu ergänzen) mit der vorausgehenden Äußerungseinheit verbunden.

3c: Durch die gemeinsame grammatikalische Repräsentation der beiden Jünger in ἤρχοντο erfolgt ein Rückbezug auf 3a.3c (und 2b.2c). μνημεῖον ist wieder anaphorisch auf die vorhergehenden Erwähnungen des Grabes (2f.1c.1a) bezogen.

4a: οἱ δύο ist Anaphora auf 3a.3c, wo die beiden Jünger zuletzt erwähnt waren. Beide sind in ἔτρεχον auch grammatikalisch repräsentiert.

---

1) Vgl. z.B. COLWELL 1931, 110-112.

4b: ὁ ἄλλος μαθητής ist Rückbezug auf 3b und 2c (Lexemrekurrenz). προέδραμεν ist auf ἔτρεχον (4a) rückbezogen (Rekurrenz verwandter Lexeme). Πέτρος ist durch Lexemrekurrenz
auf 3a und 2b anaphorisch bezogen. Beide Jünger waren
aber auch in 4a repräsentiert.

4c: In ἦλθεν ist der andere Jünger grammatikalisch repräsentiert: Anaphora auf 4b. μνημεῖον ist wieder durch Lexemrekurrenz rückbezogen (3c.2f.1c.1a). Außerdem ist die
ganze Lexemgruppe ἔρχομαι εἰς τὸ μνημεῖον rekurrent: 4c.1a.
Der Grabgang der Jünger ist auf den der Maria Magdalena
rückbezogen.

5a: In παρακύψας ist der andere Jünger (4b) grammatikalisch
repräsentiert. In βλέπει ist ebenfalls der andere Jünger
(4b) grammatikalisch repräsentiert. Sein Sehen ist außerdem auf das der Maria Magdalena (1c) rückbezogen, auch
wenn die Gegenstände verschieden sind. Daß der Jünger Binden im Grab sieht, ist nicht verwunderlich. Seit 11,44
wissen die Lesenden, daß Binden zum Begräbnis gehören. 5a
ist also durch semantische Kontiguität mit 4c verbunden.

5b: Auch in εἰσῆλθεν ist der geliebte Jünger repräsentiert.
Das Verb korreliert zudem mit μνημεῖον in 4c. Hier liegt
eine anaphorische Ellipse vor: Das Grab ist als Objekt des
Hineingehens vorausgesetzt.

6a: ἔρχεται ist als Kommen an das Grab zu verstehen. Dann liegt
hier ein Rückbezug auf ἔρχομαι εἰς τὸ μνημεῖον in 4c und
1a vor. Σίμων Πέτρος ist durch Lexemrekurrenz auf 2b bezogen. Natürlich liegt auch eine Anaphora auf die Kurzfas-
sungen des Namens in 4b.3a vor.

6b: ἀκολουθῶν ist grammatikalische Repräsentanz von Σίμων
Πέτρος (6a). Außerdem ist das Partizip durch logische Ver-
knüpfungsrelation mit 4b verbunden: Wenn von zweien einer
schneller läuft, folgt ihm der andere. αὐτῷ ist pronominale Anaphora auf den anderen Jünger in 4b.

6c: In εἰσῆλθεν ist Petrus (6a) grammatikalisch repräsentiert.
μνημεῖον ist durch Lexemrekurrenz auf 4c.3c.2f.1c.1a rückbezogen. Anaphorisch ist aber auch die ganze Lexemgruppe
ἔρχομαι εἰς τὸ μνημεῖον . Hier liegt eine oppositorische

Parallelisierung zu 5b vor.

6d: In θεωρεῖ ist Petrus wieder repräsentiert. Sein Sehen ist aber auch auf das des anderen Jüngers (5a) und das der Maria Magdalena (2c) rückbezogen. Der Bezug zu 5a ist freilich - trotz der Lexemvariante - viel enger, da auch die Objekte des Sehens übereinstimmen: τὰ ὀθόνια κείμενα ist durch Lexemrekurrenz auf 5a bezogen.

7a: τὸ σουδάριον ist Objekt des Sehens und so auf 6d rückbezogen. Daß Petrus ein Schweißtuch sieht, wird wieder aus der Lazarusgeschichte verständlich. Nach 11,44 gehört es offensichtlich auch zum Begräbnis. 7a ist so durch semantische Kontiguität auf 6c rückbezogen.

7b: ὅ stellt eine pronominale Anaphora auf 7a dar.
αὐτοῦ könnte sich auf Petrus (6a) beziehen. Hier liegt aber doch wieder der Fall vor, daß ein Bezug auf Jesus gesetzt werden kann, ohne daß er explizit eingeführt ist. Er wurde ja zuletzt nur in der Rede der Maria Magdalena (2f-h) und im Relativsatz 2d erwähnt. Trotzdem ist hier eine pronominale Anaphora auf die entsprechenden Äußerungseinheiten zu sehen.

7c: In κείμενον ist σουδάριον (7a) grammatikalisch repräsentiert. Auf 6d (5b) bezieht sich ὀθονίων zurück (Lexemrekurrenz).

7d: ἐντετυλιγμένον ist grammatikalische Repräsentanz von σουδάριον (7a).

8a: εἰσῆλθεν bezieht sich auf das Grab (zuletzt 6c) als Objekt. Damit liegt auch ein Rückbezug auf 6c vor. Das Eintreten in das Grab wird hier dem anderen Jünger, dort dem Petrus zugeschrieben. Neben dieser Parallelisierung liegt auch ein kontrastiver Rückbezug auf 5b vor.
ὁ ἄλλος μαθητής verweist auch auf 4b zurück (Lexemrekurrenz).

8b: Die gesamte Lexemgruppe ἔρχομαι πρῶτος εἰς τὸ μνημεῖον ist durch Rekurrenz auf 4c rückbezogen.
In ἐλθών ist natürlich der andere Jünger (8a) repräsentiert.

Dies gilt auch für

8c: εἶδεν und für

8d: ἐπίστευσεν.

9a: In ᾔδεισαν sind sowohl Petrus als auch der geliebte Jünger grammatikalisch repräsentiert. Es liegt also eine Anaphora auf die vorhergehenden Erwähnungen der beiden Jünger vor.

9b ist als Objekt des Wissens, von dem 9a spricht auf diese Äußerungseinheit rückbezogen. αὐτόν ist wieder als pronominale Anapher auf Jesus zu verstehen.

10: ἀπῆλθον ist kontrastiv auf 3c bezogen. Die dortige Bewegung zum Grab wird hier rückgängig gemacht. οἱ μαθηταί ist auf die vorherige Erwähnung der beiden Jünger rückbezogen.

Zusammenfassend läßt sich sagen, daß der Text zwei grundlegende Isotopieebenen aufweist.

Die eine ist eine lokale, die durch die Ortsangabe 'Grab' konstituiert wird. Die hohe Rekurrenz des Lexems μνημεῖον (7 x) belegt dies eindeutig.

Eine zweite Ebene wird durch die Präsenz der drei handelnden Personen gebildet, wobei freilich Maria Magdalena als Handlungsträgerin nur in V. 1.2 eine Rolle spielt. Die beiden Isotopieebenen sind miteinander gekoppelt durch die Bewegung der Figuren in Bezug auf das Grab. Dies zeigt sich an der hohen Rekurrenz von Bewegungsverben. Unter Einschluß von ἀνίστημι (9b) sind in den 34 Äußerungseinheiten 16 Verben mit entsprechender Semantik zu finden.

Die weitere Analyse muß also von diesen beiden grundlegenden Ebenen des Ortes und der Figuren (mit ihren Bewegungen) ausgehen.

Da die lokale Textebene nicht ohne Beziehung zu den handelnden Figuren ausgestaltet ist (abgesehen von der Beschreibung des Grabinhalts) läßt sich ihre Analyse in die Figurenanalyse einschließen.

2.4.4.2   Analyse der Figuren in Joh 20,1-10

2.4.4.2.1 Die Handlungsträger bzw. Handlungsträgerin
           und ihre Wechselbeziehungen

Fragen wir, was die drei handelnden Personen tun, so ergibt sich
für **Maria Magdalena:**
- 1a: sie geht
- 1c: sie sieht
- 2a: sie läuft
- 2b: sie kommt
- 2e: sie sagt

Als Objekt der Handlung anderer Personen erscheint Maria Magdalena
dagegen nicht. Statt dessen sind Petrus und der geliebte Jünger
Objekt **ihres** Handelns. Sie sind Ziel ihres Laufs (2a-c) und
Adressaten ihres Sprechens (2e). Daraus könnte - in Analogie zu
ähnlichen Textdaten in 19,25-30 - auf eine Prävalenz der Maria
Magdalena gegenüber den beiden Jüngern geschlossen werden. Freilich spricht der schon quantitativ geringe Anteil dieser Figur
am Text gegen einen solchen Schluß. Vor allem aber handelt sie
an den beiden nicht so wie Jesus an seiner Mutter und dem Lieblingsjünger.

Das Handeln der beiden Jünger erfolgt zum Teil gemeinsam, deshalb können sie gut zusammen betrachtet werden.

	Petrus:		**der geliebte Jünger:**
- 3a:	er geht hinaus		- 3b: er geht hinaus
- 3c:		sie gehen	
- 4a:		sie laufen	
			- 4b: er läuft
			- 4c: er kommt
			- 5a: er sieht
			- 5b: er geht nicht hinein
- 6a:	er kommt		
- 6b:	er folgt		
- 6c:	er geht hinein		
- 6d:	er sieht		

- 8a: er geht hinein
- 8c: er sieht
- 8d: er glaubt

- 9a: sie wissen nicht
- 10:   sie gehen weg

Schon rein quantitativ zeigt sich hier die dominante Stellung,
die der geliebte Jünger gegenüber Petrus einnimmt. Letzterem werden neun Handlungen zugeschrieben, dem Lieblingsjünger dagegen
zwölf.

Was nun die Relation zwischen den beiden Jüngern angeht, so wird
sie nicht dadurch konstituiert, daß sie aneinander handeln. Um
sie miteinander in Beziehung zu setzen, muß deshalb untersucht
werden, wie die Figuren durch ihr Handeln charakterisiert werden.
Besonders interessant ist hier natürlich, worin sie sich unterscheiden.

Über den geliebten Jünger wird gesagt, daß er **schneller** läuft[1]
als Petrus, deswegen kommen die beiden nicht gemeinsam ans Grab,
sondern der Lieblingsjünger ist **zuerst** am Grab.

Diese Verhältnisbestimmung zwischen den beiden Jüngern ist besonders gewichtet. Der schnellere Lauf des geliebten Jüngers (4b)
wird als Nachlaufen[2] des Petrus in 6b wiederholt; daß der
Lieblingsjünger zuerst am Grab ist, wird nicht nur in 4c gesagt,
sondern auch in 8b. Beim Laufen zum Grab kann also ein eindeuti-
ger Vorrang des geliebten Jüngers gegegenüber Petrus festgestellt
werden.

Insofern ist es überraschend, daß Petrus andererseits der erste
ist, der das Grab betritt. Der geliebte Jünger betritt ja trotz
seiner früheren Ankunft das Grab nicht (5b); und da auch Maria
Magdalena in 20,1 nicht in das Grab hineingeht, ist Petrus in 6c
der erste, der das Grab betritt, während ihm in dieser Beziehung

---

1) Die pleonastische Formulierung in 4b ist auffällig und läßt das
   Bemühen, das Vorauslaufen des geliebten Jüngers hervorheben,
   besonders gut erkennen.
2) ἀκολουθέω ist in 20,6 natürlich **nicht** terminus technicus der
   Jüngernachfolge. Petrus ist hier ebenso wenig Jünger des Lieblingsjüngers, wie die Juden die Nachfolge der Maria antreten,
   wenn sie ihr nachlaufen (11,31). Gegen MAYNARD 1984, 540.

der geliebte Jünger nachläuft (8a). Freilich ist auffällig, daß
diese Reihenfolge nur erschließbar ist, und nicht explizit erwähnt wird. Dem Petrus wird hier kein πρῶτος zugesprochen wie
dem anderen Jünger.[1] Der Vorrang des Petrus ist also weniger
stark, als der des geliebten Jüngers.

Eine weitere Verhältnisbestimmung ergibt sich aus dem Sehen, das
beiden Jüngern zugeschrieben wird. Der geliebte Jünger sieht,
schon bevor er eintritt, die liegenden Binden (5a). Als er dann
eintritt, wird kein Objekt seines Sehens (8c) angegeben. Da Petrus sofort eintritt, entfällt bei ihm natürlich das Sehen von
außen. Was er innen sieht, wird nun aber sehr ausführlich wieder-
gegeben. Er sieht ebenfalls die liegenden Binden, darüber hinaus
aber auch noch das Schweißtuch, das getrennt von den Binden liegt.
Diese Gegenstände werden beim Eintreten des geliebten Jüngers
nicht mehr erwähnt. Es kann freilich geschlossen werden, daß er
dasselbe sieht wie Petrus.

Der letzte, unterscheidende Akt liegt nun in der Reaktion des
Lieblingsjüngers auf sein Sehen im Innern des Grabes: er **glaubt**
(8d). Eine entsprechende Reaktion des Petrus wird nicht berichtet.
Zwar kann nicht geschlossen werden, daß er nicht glaubt,[2] aber
die Nichtinformation über seinen Glauben stellt doch einen deut-

---

1) Daß 8b mit seiner Betonung der Erstankunft des geliebten Jün-
   gers unmittelbar auf 8a folgt, ist in diesem Zusammenhang sehr
   bezeichnend.
2) Gegen STRAUSS 1837 II, 605; SPAETH 1868, 190;
   KEIM 1872, 559; SCHWARTZ 1907, 346;
   TILLMANN 1914, 267 (wegen Lk 24,12); LAGRANGE 1936, 508 (we-
   gen Lk 24,12); Mac CLELLAN 1939, 253; MICHEL 1961, 36;
   BROWN 1966/70, 1004 f; BODE 1970, 78;
   SNYDER 1971, 13, COLLINS 1976, 128;
   FEUILLET 1977, 274; BARRETT 1978, 563;
   SALVONI 1979, 73; O'GRADY 1979, 58.62;
   HAENCHEN 1980, 568; BECKER 1979/81, 614;
   BRUCE 1983, 385; SCHNEIDERS 1983, 96;
   NEIRYNCK 1984, 117 (wegen Lk 24,12); MAYNARD 1984, 540;
   SMITH 1985, 146.
   Den **Glauben** des Petrus erschließen dagegen z.B.
   WEISS 1893, 608; ZAHN 1908, 663;
   HAENSLER 1917, 163; BULTMANN 1941, 530;
   WIKENHAUSER 1948, 279; KRAFFT 1956, 25;
   GRASS 1961, 56; OTTO 1969, 13 f.56-58;
   SCHULZ 1972, 242; HAWKIN 1977, 145.

lichen Kontrast zum explizit konstatierten Glauben des geliebten
Jüngers dar.

Hier wird nun deutlich, daß aus der exakten Aufzählung der von
Petrus gesehenen Gegenstände keine Aufwertung des Petrus resultiert, weil die **detaillierte Beschreibung** eben im Gegensatz zur
Nichtfeststellung seines Glaubens steht. Dieser für Petrus negativen Opposition steht die positive beim geliebten Jünger gegenüber: **was er im Grab sieht, wird nicht gesagt, aber daß er glaubt,
wird konstatiert.**

Aus diesen umgekehrten Relationen wird ganz klar, daß der implizite Autor mittels eines subtilen Spiels von Sagen und Verschweigen versucht, den geliebten Jünger dem Petrus gegenüber aufzuwerten. Deswegen kann nicht gesagt werden, daß Petrus ein Ehrenvor-
tritt eingeräumt werde.[1] Durch das beschriebene Kontrastverfah-
ren führt weder der Ersteintritt ins Grab, noch das genaue Sehen
zu einer Aufwertung des Petrus.

Nachdem nun die Relation zwischen Petrus und dem anderen Jünger
untersucht ist, bleibt noch Maria Magdalena einzubeziehen. Da
sie das Grab gar nicht betritt, sieht sie natürlich auch die Binden und das Schweißtuch nicht. Ihr Sehen richtet sich nur auf
den weggenommenen Stein (1c), entsprechend kommt sie auch nicht
zum Glauben. Während die Jünger zum Grab **hin**laufen (4a), läuft
sie **weg** (2a).

Es ist also gut zu sehen, daß Maria Magdalena im Vergleich zu den
Jüngern ganz klar eine Nebenrolle zugewiesen wird. Das bestätigt
die Entscheidung, aus der Objektrolle der Jünger in V. 2 nicht
auf eine Prävalenz der Maria Magdalena zu schließen. Ihre Rolle kann im Vergleich mit der der beiden Jünger nur als peripher
bezeichnet werden.

---

1) Gegen SCHNACKENBURG 1970a, 104; LANGBRANDTNER 1977, 32;
   THYEN 1977a, 290; HAENCHEN 1980, 568;
   BECKER 1979/81, 614.
   Richtig gesehen von SPAETH 1868, 190, der feststellt, daß die
   Tatsache, daß Petrus zuerst ins Grab gehen darf, den Vorzug
   des geliebten Jüngers erst richtig deutlich macht.

2.4.4.2.2 Merkmale der Figuren

Da das Gewicht der aus den Handlungen resultierenden Charakteri-
sierung sehr hoch ist, spielen weitere den Figuren zugeschriebene
Merkmale eine eher untergeordnete Rolle.
Über Maria Magdalena ist zunächst zu sagen, daß sie durch ihren
Eigennamen individualisiert ist. Das gilt auch für Petrus. Der
andere Jünger dagegen wird wie in Joh 13.19 nicht durch einen Na-
men, sondern durch die Aussage über die Liebe Jesu gekennzeichnet.
Über die Bedeutung dieser Aussage ist das Nötige schon gesagt.

Der Tatsache, daß hier ἐφίλει statt ἠγάπα steht, kann kein Sinn
zugeordnet werden. Die beiden Verben werden im Joh unterschieds-
los gebraucht. Festzuhalten ist weiter, daß Maria Magdalena sich
selbst als unwissend bezeichnet: sie weiß nicht, wo der Leichnam
Jesu nach der von ihr vermuteten Entfernung der Leiche liegt.

Wenn die detaillierte Beschreibung von Binden und Schweißtuch in
V. 6.7 gedacht sein sollte als Zeichen, daß Jesus nicht geraubt
wurde, sondern auferstanden ist, würde die mit diesem Nichtwissen
(bzw. der entsprechenden Vermutung) gekoppelte negative Wertung
noch verschärft. Maria Magdalena - wie gesagt durch ihren Eigennamen individualisiert - wird hier auch nicht weiter mit Jesus
in Verbindung gesetzt. Sie wird etwa nicht als Jüngerin bezeichnet. Ihr Verhältnis zu ihrem 'Herren' bleibt offen. Was dagegen
Petrus und den anderen Jünger angeht, so werden sie beide als
Jünger bezeichnet und so in Beziehung zu Jesus gesetzt. Das geschieht nicht nur in V. 10, sondern auch in 2c.3b.4b.8a, denn
immer, wenn der Lieblingsjünger als der andere Jünger bezeichnet
wird, ist damit auch impliziert, daß Petrus ein Jünger ist. Die
Wendung ὁ ἄλλος μαθητής ist aus der Textsituation gut zu erklären:
Der bestimmte Artikel greift auf die Einführung dieses Jüngers
in 13,23 zurück. Der andere ist er, weil er hier im Unterschied
zu 19,26 f mit einem weiteren Jünger zusammen auftritt. Die Kurzform von 19,27 ist hier eben nicht möglich. Die Tatsache, daß
die Wendung in V. 2 durch die Liebesformel erweitert wird,

indiziert im übrigen, daß die in Joh 13 aufgebaute Beziehung zu
Petrus nicht als so stabil eingeschätzt ist, daß von den Rezipierenden erwartet wird, einen zweiten Jünger, wenn er neben Petrus
auftritt, sofort als Lieblingsjünger zu identifizieren. In Parallelität zu Maria Magdalena wird in V. 9 auch über die beiden
Jünger ein Nichtwissen ausgesagt. Es geht freilich um einen ganz
anderen Gegenstand, nämlich um die Schrift. Die Jünger verstehen
nicht, daß Jesus nach der Schrift von den Toten auferstehen mußte.
In der unmittelbaren Nachbarschaft zu V. 8 mag diese Aussage
überraschen, weil dort ja der Glaube des geliebten Jüngers festgestellt worden war. Nun ist aber genau zu beachten, **welche** Opposition hier aufgebaut wird. Sicher nicht die zwischen Glauben
(V. 8) und doch nicht Verstehen (V. 9)[1] Die Opposition liegt
vielmehr im **Grund** des Glaubens. Wurde in V. 8 konstatiert, daß
der Lieblingsjünger aufgrund seines Sehens zum Glauben kommt, so
wird dies in V. 9 so weitergeführt, daß die Einsicht in die von
der Schrift ausgesagte Notwendigkeit der Auferstehung Jesu bei
ihm und Petrus fehlte. Beider Jünger **mangelnde Einsicht in die
Schrift wird** - zumindest für den Lieblingsjünger kann das gesagt
werden - **durch das Sehen als Basis des Auferstehungsglaubens ersetzt.**[2] Insofern paßt der zunächst überraschende V. 9 doch recht
gut in den Zusammenhang, ja er führt sogar die Tendenz, den
geliebten Jünger herauszuheben, weiter.

**Dadurch, daß er glaubt, ohne das Zeugnis der Schrift zu kennen,
wird natürlich die Qualität** seines **Glaubens als Augenzeuge**
besonders **hervorgehoben.**[3]

Der Glaube des geliebten Jüngers wird hier also nicht als anfänglich
und unvollkommen gekennzeichnet, wie POTTERIE behauptet.[4] Dage-

---

1) Gegen LORENZEN 1971, 34, der V. 9 nach V. 8 'unmöglich' findet.
2) Vgl. HAENSLER 1917, 163; LOISY 1921, 501;
   LAGRANGE 1936, 508; WILKENS 1958b, 157;
   BODE 1970, 81 mit Anm. 2; MOLLAT 1974, 317;
   MAHONEY 1974, 271, BARRETT 1978, 564;
   OSBORNE 1984, 155.
3) Vgl. HEITMÜLLER 1918, 177, BAUER 1933, 229;
   GRASS 1961, 56 f; ROLOFF 1968/69, 136 f;
   SCHULZ 1972, 242 f; SCHNACKENBURG 1975, 369;
   THYEN 1977a, 289; JONGE 1979, 102;
   HAENCHEN 1980, 569.
4) Vgl. POTTERIE 1984, 31; auch MORETON 1980, 216.

gen spricht schon der absolute Gebrauch von πιστεύω, der eine solche Einschränkung ebenso wenig duldet,[1] wie einen Bezug auf die Äußerung der Maria Magdalena (2f-h).[2] Für die Annahme eines bloß anfänglichen Glaubens des geliebten Jüngers kann auch die Schlußnotiz V. 10 nicht als Stütze herangezogen werden. Zwar ist es auffällig, daß die beiden Jünger einfach wieder heimgehen, nachdem doch mindestens einer von ihnen zum Glauben gekommen ist, aber es erscheint doch mehr als fraglich, ob daraus geschlossen werden kann: "Le retour des disciples 'chez eux' implique un retour à la situation antérieure, celle d'avant Paques."[3] Natürlich ist zuzugeben, daß der Glaube des Lieblingsjüngers in der erzählten Welt völlig irrelevant bleibt.[4] Aber ein ähnliches Phänomen war ja schon in Joh 13 festzustellen. Auch dort wirkt sich das Wissen um den Verräter auf der Erzählebene nicht aus. So wenig dort geschlossen werden konnte, der geliebte Jünger habe Jesus eben nicht richtig verstanden, so wenig kann hier in Joh 20 behauptet werden, er habe eben nicht richtig geglaubt. Es legt sich vielmehr nahe, an beiden Stellen diesen Erzählzug so zu deuten, daß jeweils eine Ungewißheit aufgebaut wird, die Spannung erzeugt. Diese Spannung besteht in der Frage, **wo** denn - wenn schon nicht in der erzählten Welt - **die besondere Qualität des Lieblingsjüngers zum Tragen kommt.** Aus der Beobachtung in 19,35, daß das Zeugnis des Jüngers mit der Welt der Lesenden in Verbindung gebracht wird, kann vermutet werden, daß Wissen, Zeugnis und Glaube des Lieblingsjüngers eben **außertextlich** relevant sind.[5] Wie das genauer zu verstehen ist? Auf diese Frage verwei-

---

1) Vgl. SCHNACKENBURG 1975, 368, der völlig zu Recht von einem "klaren und festen Glauben" spricht. Vgl. auch COLLINS 1976,130.
2) Gegen DOBSCHÜTZ 1903, 16; NAUCK 1956, 254; KREMER 1969, 91; TEMPLE 1975, 248; MINEAR 1976, 127 f.
3) POTTERIE 1984, 32.
4) KRAGERUD 1959, 31 will in Joh 20 auch den 'Mittlergedanken' finden und behauptet, der Lieblingsjünger habe auf dem Heimweg versucht, Petrus zum Glauben zu bewegen. Dieser Gedanke ist allerdings - wie er selbst zugestehen muß - im Text durch nichts angedeutet. Er gehört deshalb als bloß subjektive Konnotation nicht in den Bereich wissenschaftlicher Interpretation. Das gilt, obwohl sich ähnliche Gedanken auch bei SCHNACKENBURG 1970a, 105 und GUNTHER 1981, 132 f finden.
5) Vgl. BECKER 1979/81, 611.615; auch THYEN 1977a, 290; JONGE 1979, 107 f.

gert der Text (noch) die Antwort.[1]

Aufgrund der guten kontextuellen Einbindung von V. 9 scheint es mir unnötig zu sein, für οὐδέπω (9a) eine Sonderbedeutung zu veranschlagen, wie dies ZELZER vorgeschlagen hat, der hier "bisher noch nicht" übersetzen möchte. Mit dem Glauben von V. 8 wäre dann auch das Schriftverständnis, das vorher mangelte, eingetreten.[2] Die zeitliche Koppelung von Schriftverständnis und Glaube scheint mir freilich problematisch und ist wohl auch durch Joh 2,22 nicht abzustützen. Dort wird ja die Einsicht in die Schriftgemäßheit der Auferstehung einfach auf die Zeit nach der Auferstehung datiert, nicht aber zeitlich auf den in V. 8 erzählten Vorgang fixiert. Ob aber nach dem Sehen und Glauben des geliebten Jüngers die Unkenntnis in Bezug auf das Schriftzeugnis noch fortbesteht oder nicht, das ist im Grunde eine Frage von untergeordneter Bedeutung. Der entscheidende Punkt ist doch der, daß V. 9 mit Blick auf V. 8 sagen will, daß der Glaube des geliebten Jüngers eben nicht auf Schriftgelehrsamkeit beruht, sondern auf seinem Sehen. Auf die Frage nach der Funktion der Opposition zwischen 'Glauben aufgrund von Sehen' und 'Glauben aufgrund von Schriftkenntnis' ist noch einzugehen. Dies kann im nächsten Abschnitt geschehen, wo in Auseinandersetzung mit Ergebnissen der exegetischen Forschung die hier vertretene Position weiter entfaltet werden soll. Dabei wird es auch um die Frage nach weiteren semantischen Ebenen gehen, für die genaue Beschreibung in 6d-7d ebenso wie für den 'Wettlauf' der Jünger.

---

1) Der Text wird die Antwort, die er jetzt noch schuldig bleibt, dann in 21,24 geben. Dieser Vers zeichnet sich damit hier schon als die unverzichtbare **Spitze** aller Lieblingsjüngertexte ab. Abtrennungsversuche erscheinen schon von Joh 20 her als wenig erfolgversprechend.
2) Vgl. ZELZER 1980; schon SCHWEIZER 1841, 213.

2.4.4.2.3 Weitere Vertiefung in Auseinandersetzung
           mit anderen Interpretationen

Daß in 20,1-10 versucht wird, eine Priorität des geliebten Jüngers gegenüber Petrus aufzubauen, wird in der Forschung überwiegend anerkannt.[1] Zwar wird teilweise auch versucht, besonders
den 'Wettlauf' durch den Hinweis auf das höhere Alter des Petrus
zu desemantisieren.[2] Aber diese Position ist einfach deshalb unhaltbar, weil wir über das Alter der beiden Jünger im ganzen Joh
nichts erfahren. Dem 'Wettlauf' kann andererseits über die bloße
Priorität des geliebten Jüngers hinaus eine weitere Bedeutung
zugeordnet werden. So deutet schon SPAETH den Vorsprung des Lieblingsjüngers als Zeichen seiner besonderen Liebe zu Jesus.[3]
Angesichts der Weg-Metaphorik im Joh[4] kann eine weitere semantische Ebene für den Lauf zum Grabe natürlich nicht von vornherein
bestritten werden, aber die Deutung auf die Liebe des geliebten
Jüngers zu Jesus scheint trotzdem unangemessen zu sein. Sie übersieht nämlich, daß wir im Text nicht nur keine Information über
die emotionale Beziehung des geliebten Jüngers zu Jesus erhalten,
sondern daß das Verhältnis zwischen beiden grundsätzlich von Jesus her beschrieben wird. Das Verhältnis zwischen Petrus und dem

---

1) Vgl. STRAUSS 1837 I,626; II, 605; SCHWARTZ 1907, 346;
   HEITMÜLLER 1918, 177; BAUER 1933, 174;
   WILKENS 1958b, 157; KRAGERUD 1959, 29-31;
   MICHEL 1961, 37; LORENZEN 1971, 25 f.94;
   SCHNACKENBURG 1975, 370 f; THYEN 1977a, 289;
   LANGBRANDTNER 1977, 31 f; HOFFMANN 1979b, 506;
   BECKER 1979/81; 614; HAENCHEN 1980, 568;
   GUNTHER 1981, 132; PAMMENT 1983, 366;
   GNILKA 1983, 366; SCHNEIDERS 1983, 95;
   SMITH 1983, 159 f; OSBORNE 1984, 153;
   SMITH 1985, 146.
2) Vgl. WEISS 1893, 607; HOLTZMANN 1893, 221;
   ZAHN 1908, 662; TILLMANN 1914, 266;
   LAGRANGE 1936, 507; SALVONI 1979, 72;
   BRUCE 1983, 385.
3) Vgl. SPAETH 1868, 190; auch KEIM 1872, 559;
   VÖLTER 1907, 11; WEISS 1912, 346;
   GRASS 1961, 55; BROWN 1966/70, 1007;
   MOLLAT 1974, 321; BYRNE 1985, 86.92 f;
   WENDT 1900, 255 spricht von einem größeren Eifer des Lieblingsjüngers.
4) Vgl. zur Metaphorik des Weges im Joh PAMMENT 1985b, 119-121,
   die allerdings auf Joh 20,1-10 nicht eigens eingeht.

geliebten Jünger wird natürlich auch wieder 'symbolisch' gedeutet. LOISY und BULTMANN sehen in Petrus das Judenchristentum, im Lieblingsjünger das Heidenchristentum repräsentiert.[1] Zu diesem repräsentativen Verständnis wurde in Bezug auf die Kreuzesszene schon das Nötige gesagt. Die Argumente, die dort zur Ablehnung der entsprechenden Deutung beigebracht wurden, gelten auch hier; sie brauchen nicht wiederholt zu werden. Hinzuzufügen ist lediglich, daß **weder** Petrus **noch** der geliebte Jünger jemals im Joh als 'Juden' bezeichnet werden. **Beider** jüdische Herkunft ist nur erschließbar.

Insgesamt läßt sich also sagen, daß die Versuche, eine weitere Bedeutungsebene im Lauf zum Grab zu entdecken, wenig überzeugend sind. Diese Skepsis soll aber nicht so verstanden werden, als ob es in 20,1-10 nur einfach um die Priorität des geliebten Jüngers geht. Ich habe ja den Lauf und das Sehen und Glauben des Lieblingsjüngers als Ganzheit betrachtet. Da nun das Sehen und auch das Glauben trotz der absoluten Formulierung kontextbezogen sind, bleibt der Vorrang des geliebten Jüngers natürlich nicht inhaltsleer.

Zum Sehen des Jüngers (8c) ist schon gesagt worden, daß erschlossen werden kann, daß er dasselbe sieht wie Petrus. Dies ergibt sich einfach daraus, daß eine Veränderung des Grabinhalts zwischen 7d und 8c ausgeschlossen werden kann. Was den Glauben angeht, so ist aus V. 9 zu erschließen, daß die **Auferstehung Jesu** einen besonderen Akzent im Glauben des geliebten Jüngers darstellt.

Wenn nun der Vorrang dieses Jüngers durch den Kontextbezug seines Sehens und Glaubens näher qualifiziert ist, so stellt sich die Frage nach der weiteren Bedeutung des Grabinhalts, der ja in 6d-7d so detailliert beschrieben ist.

Die übliche Interpretation sieht so aus, daß aus dem Vorhandensein der Binden und des Schweißtuchs bzw. aus ihrem ordentlichen Zustand geschlossen wird, hier solle der Behauptung einer Entfer-

---

1) Vgl. LOISY 1921, 500; BULTMANN 1941, 531; SCHULZ 1972, 242.

nung der Leiche entgegengetreten werden.[1] Die präsupponierte Logik des Gedankens wäre dabei die, daß niemand der den Leichnam
entfernt, ihn im Grab erst aus den Tüchern wickelt. Dieser Deutung kann nicht widersprochen werden, weil der Gedanke des 'Lei-
chenraubs' ja im Text selbst angesprochen wird: Maria Magdalena
vermutet, daß jemand Jesus weggenommen hat (2f). Zu dieser Vermu-
mutung steht der Glaube des Jüngers in Kontrast. Dem entspricht
aber auch, daß der glaubende Jünger (wie Petrus) die Tücher
sieht, während Maria Magdalena, die eine falsche Vermutung äußert,
diese Tücher weder in 20,1 noch in V. 11 f sieht. Die Grabtücher
zeigen also, daß Jesus nicht weggenommen wurde, sondern auferstanden ist.[2]

Der Terminus 'Auferstehung' bringt eine weitere semantische
Dimension ins Spiel. Nach BODE ist mit den Tücher auch eine
Kontrastierung zur Auferweckung des Lazarus verbunden. Jesus
ist aus eigener Macht auferstanden, während Lazarus von Jesus
auferweckt wurde.[3] Dieses Thema ist aufgrund der zahlreichen Beziehungen auf die Lazarusgeschichte als gut begründet anzusehen.
In der Tat kommt der auferweckte Lazarus mit Binden und Schweißtuch aus dem Grab und muß erst aus ihnen befreit werden (11,44),

---

1) Vgl. SCHWEIZER 1841, 213; KEIM 1872, 559;
   WEISS 1893, 607; HOLTZMANN 1893, 221;
   DOBSCHÜTZ 1903, 17; TILLMANN 1914, 266 f;
   LOISY 1921, 500 f; BAUER 1933, 229;
   LAGRANGE 1936, 508; BULTMANN 1941; 530 Anm. 7;
   WIKENHAUSER 1948, 279; LIGHTFOOT 1956, 332;
   NAUCK 1956, 253 f; GRASS 1961, 55;
   HARTMANN 1964, 198; BROWN 1966/70, 1007 f;
   KREMER 1969, 98; BODE 1970, 76;
   LORENZEN 1971, 33; SCHULZ 1972, 242;
   LINDARS 1972, 600 f; MAHONEY 1974, 255-257;
   SCHNACKENBURG 1975, 367 f; FEUILLET 1977, 273;
   LANGBRANDTNER 1977, 32; MOLLA 1977, 273;
   BARRETT 1978, 563; BECKER 1979/81, 614;
   HAENCHEN 1980, 568; GNILKA 1983, 150:
2) Die spezielle These von Mac CLELLAN 1939, 254 f; WILLAM 1949,
   211-213; FEUILLET 1977, 262-266.275; SALVONI 1979, 74-76 u.a.,
   daß die besondere Lage der Tücher bewiesen habe, daß Jesu
   Leib sie wunderbar durchdrungen habe, hat keinen mir erkenn-
   baren Anhalt im Text. Die vorausgesetzte Lage der Tücher kann
   nur mit unziemlich zu nennenden Verrenkungen bei der Übersetzung erschlossen werden. Zur Kritik dieser Deutung vgl. auch
   BROWN 1966/70, 1007 f.
3) Vgl. BODE 1970, 76; SCHNACKENBURG 1975, 367; BYRNE 1985, 87 f.

während Jesus seine Leichentücher im Grab zurückläßt, und sich
so als Auferstandener erweist. Daß die Auferstehung aus eigener
Macht auch in 10,18 thematisiert ist, ergibt weitere Sicherheit.
BUSSE stellt zu Joh 10,18 fest: "Dem Verständnis der Auferstehung
Jesu als eigenmächtiger Tat entspricht die Notiz Joh 20.5-7 von
den aufgefalteten Binden und dem Schweißtuch an anderem Ort. Danach hat sich Jesus selbst aus der Umklammerung der Todesmacht
befreit."[1] Daß Jesus dies nur kann, weil ihn der Vater, mit dem
er als Sohn eins ist, bevollmächtigt hat, ist selbstverständlich.
Daß der Rückbezug auf die Lazaruserweckung darüber hinaus auch
noch deutlich machen soll, daß Jesus endgültig auferstanden ist,
während Lazarus wieder sterben muß[2], halte ich für wenig wahrscheinlich. Zwar ist es zutreffend, daß Jesus endgültig auferstanden ist, während in 12,10 der Tod des Lazarus zumindest anvisiert
ist. Das hat aber wohl mit den Leichentüchern nichts zu tun.
Sollten sie in 11,44 schon als Andeutung des Todes gemeint sein,
so würden sie die Erweckung als bloß vorläufig entwerten. Das widerspräche aber dem besonderen Rang, den gerade dieses Zeichen
Jesu hat.[3]
Aus dem Rückbezug auf die Lazarusgeschichte gewinnen aber die
Binden und das Schweißtuch noch eine andere Bedeutung. RICHTER
sieht ja in der Beschreibung der Leichentücher eine besondere Betonung der Leiblichkeit der Auferstehung.[4] Von der vermuteten
antidoketischen Frontstellung, die im Bereich der Textpragmatik
diskutiert werden soll, einmal abgesehen, läßt sich diese Deutung
durch den Bezug zur Lazaruserzählung gut begründen. Die Binden
und das Schweißtuch werden ja in Joh 11 als zu einer Leiche gehörend charakterisiert. In dieselbe Richtung geht die Erwähnung
der Binden in 19,40. Wenn nun Binden und Schweißtuch im Grab Jesu vorgefunden werden, dann heißt das eben auch, daß Auferstehung
zunächst als Reanimation einer Leiche, als leibliche Auferstehung

---

1) BUSSE 1987, 522.
2) Vgl. MOLLA 1977, 273 f; SMITH 1983, 160.
3) Vgl. Joh 11,45-53; 12,9-11.17-19, wo deutlich wird, welche
   Bedeutung der Lazarus-Erweckung auf der Erzählebene zukommt.
4) Vgl. RICHTER 1977, 182, THYEN 1977a, 290; HOFFMANN 1979b, 506.
   Schon HIRSCH 1936, 127 vermutete eine entsprechende Intention.

verstanden werden soll. In Übereinstimmung und Kontrast ist also
die Lazaruserzählung eine eminent wichtige Verständnishilfe für
6d-7d.[1]

Der Grabinhalt ist also mit einer komplexen Semantik versehen.
Er bedeutet:

- Jesus ist auferstanden und
  nicht **weggenommen** worden,
- er ist auferstanden und
  nicht **auferweckt** worden,
- er ist **leiblich** auferstanden.

Wenn nun das Sehen dieser hochbedeutsamen Gegenstände bei Petrus
ausführlich erzählt wird, nicht aber, ob sie ihn zum Glauben führen, dann ist das ein recht massiver Versuch, dem Lieblingsjünger
die **Priorität** einzuräumen. **Er** nämlich versteht die Bedeutung der
Leichentücher und **glaubt.** Sein Glaube ist durch die Semantik,
die den Tüchern zugeordnet ist, natürlich inhaltlich mindestens
mitbestimmt. Er glaubt, daß Jesus aus eigener Macht leiblich auferstanden ist.

Eine letzte Frage ist nun noch anzugehen:

Wie ist die in V. 9 erzeugte Opposition zwischen Glauben aufgrund
von Sehen und Glauben aufgrund der Schrift weiter zu deuten? Als
ein guter Hinweis mag eine Bemerkung BARRETTs gelten: "By the
time when John wrote the church's faith in the resurrection was
supported by the conviction that it had been foretold in the Old
Testament."[2] Hier wird der schriftgestützte Auferstehungsglaube
mit der Zeit der Kirche, also der Zeit der Adressaten gekoppelt.
Damit ließe sich die Opposition zwischen V. 8 und V. 9 als Opposition zwischen der innertextlich präsenten Generation der Augenzeugen und den vom Text angezielten Späteren verstehen, die ohne
zu sehen, aufgrund des Schriftzeugnisses glauben müssen. Diese
Folgerung läßt sich abstützen durch den Hinweis darauf, daß wir

---

1) Der besondere Bezug zur Lazarus-Erweckung macht übrigens die
   von SCHNEIDERS 1983, 96 f postulierte Moses-Typologie vollends
   unwahrscheinlich.
2) BARRETT 1978, 564. Vgl. ROLOFF 1968/69, 137.

es in V. 9 ja mit einer erklärenden Bemerkung des Autors zu tun haben. Solche Bemerkungen sind aber immer besonders adressatenorientiert. Die damit vorliegende Öffnung auf die Welt der Lesenden kann die vorgenommene Deutung der Opposition zwischen Sehen und Schriftableitung recht gut absichern. **Der geliebte Jünger steht** dann - das wird später noch deutlich - **als Sehender** zusammen mit Maria Magdalena (20,11-18), den Jüngern (20,19-23) und Thomas (20,24-28) **denen gegenüber, die aufgrund der Schrift und ohne zu sehen glauben** (20,29).

Dieser Zusammenhang wird freilich bisweilen bestritten, indem behauptet wird, der geliebte Jünger gehöre vielmehr auf die Seite der **nichtsehend** Glaubenden, so daß der Makarismus in 20,29 auch auf ihn zutreffe.[1]

Zwar ist zuzugeben, daß dem geliebten Jünger in Joh 20 ein Sehen Jesu nicht explizit zugeschrieben wird. Es ist allerdings zu beachten, daß ein solches Sehen in Joh 21 erfolgen wird und - was wichtiger ist - in 20,19-23, wo von **den** Jüngern die Rede ist, vorausgesetzt wird. Auch kann nicht gesagt werden, der Zeichenglaube des Lieblingsjünger entspreche dem der Narratees als später Glaubenden, die sich nach 20,30 f mit aufgeschriebenen Zeichen begnügen müssen.[2]

Zwar sollte nicht mehr bestritten werden, daß sich 20,30 f im heutigen Text als Zwischenbemerkung vor allem auf die Osterereignisse in Joh 20 bezieht[3], wer aber den Zeichenglauben des Jüngers mit dem Zeichenglauben der in 20,30 f Angesprochenen identifizieren will, übersieht etwas Fundamentales:

---

1) Vgl. OTTO 1969, 57 f; BODE 1970, 79 f;
   LINDARS 1972, 602; DUPONT/LASH/LEVESQUE 1973, 484 f.488 f;
   COLLINS 1976, 130; O'GRADY 1979, 58;
   GUNTHER 1981, 132; SMITH 1983, 151.157.160;
   BYRNE 1985, 90-94.
2) Gegen BYRNE 1985, 90.
3) Vgl. BROWN 1966/70, 1058 f; MAHONEY 1974, 269 f;
   FEUILLET 1975, THYEN 1976, 534;
   ders. 1977a, 260 f; LANGBRANDTNER 1977, 37;
   MINEAR 1983, 87-90; HARTMAN 1984, 30;
   OSBORNE 1984, 156; auch schon BAUR 1847, 235-237. Selbst
   SCHNELLE 1987, 155 f, der 20,30 f für den ursprünglichen
   Schluß des Joh hält, sieht den Bezug auf den unmittelbaren
   Kontext.

Für den geliebten Jünger ist der Grabinhalt ein Zeichen, das ihn
zum Glauben führt. Er **sieht** dieses Zeichen (8c), daran ist nicht
zu rütteln. Die in 20,30 f explizit angesprochenen Narratees
sehen solche Zeichen **nicht**, deswegen ist die Seligpreisung der
nichtsehend Glaubenden in 20,29 auf sie zu beziehen. Sie haben
'nur' die schriftlich fixierte Erzählung über die Zeichen, die
Jesus getan hat. Ein Text, der Zeichen erzählt, ist aber nicht
das erzählte Zeichen selbst; er ist vielmehr Zeichen von Zeichen.
Deshalb ist es völlig unmöglich, den **'Zeichenglauben'** des geliebten Jüngers mit dem **'Zeichenzeichenglauben'** der Narratees zu
identifizieren.

Ein zweiter Einwand:

Wenn 'Zeichen' in 20,30 f schon als auf Joh 20 bezogen interpretiert wird, dann müssen doch auch mindestens die beiden Erscheinungen 20,19-29[1] als solche Zeichen begriffen werden. Das heißt
aber, daß auch der Glaube des Thomas (vom Glauben der Jünger ist
nicht die Rede) als Zeichenglaube zu begreifen ist!

Es bleibt also dabei: Der geliebte Jünger gehört wie Thomas auf
die Seite der **sehend** Glaubenden. Diese Gruppe der Augenzeugen
steht der Gruppe der Narratees gegenüber, die schriftgestützt[2]
glauben müssen. Weil sie Jesus und seine Zeichen nicht mehr
sehen können, sind sie bleibend auf die Überlieferung von Augenzeugen angewiesen. Ihr Trost ist der Makarismus in 20,29.[3] Mit
der Betonung der fundamentalen Gemeinsamkeit zwischen Thomas und
dem geliebten Jünger sollten natürlich die Unterschiede zwischen
beiden nicht verwischt werden. Der Lieblingsjünger könnte niemals
die Rolle des zunächst ungläubigen Thomas übernehmen. Er unterscheidet sich von ihm selbstverständlich dadurch, daß er schon
aufgrund dessen glaubt, was er im Grab sieht, und eben keine Demonstration braucht, wie Thomas sie fordert. Andererseits darf
trotz der Auszeichnung des Lieblingsjüngers die Rolle des Thomas

---

1) Die Erscheinung vor Maria Magdalena 20,11-18 scheidet aus,
   weil sie keine Jüngerin ist. Die Bestimmung ἐνώπιον τῶν μαθητῶν
   in 20,30 schließt sie aus, was der Zählung in 21,14 ganz entspricht.
2) 20,9 ist an das AT gedacht, in 20,31 an das Joh selbst, was der
   Koppelung von Schrift und Jesusworten in 2,22 entspricht.
3) Vgl. SCHNELLE 1987, 158 f.

nicht unterschätzt werden. Sein vielleicht unziemliches Verlangen führt immerhin dazu, daß die Leiblichkeit des Auferstandenen und seine Identität mit dem Gekreuzigten den Lesenden eindringlich vor Augen gestellt wird.

Insgesamt gesehen läßt sich also sagen:

Die Behauptung, der Lieblingsjünger sei Modell und Identifikationsfigur für die impliziten Leser kann in dieser Grundsätzlichkeit nicht aufrecht erhalten werden. **Der geliebte Jünger gehört auf die Seite der Augenzeugen, nicht auf die der nichtsehend Glaubenden.** Sein Glaube ist natürlich mit dem der Narratees verbunden. Diese Verbindung besteht aber nicht in irgendeiner Identifikation, sondern besteht - darüber hat uns 19,35 belehrt - in der Annahme seines Zeugnisses.[1] Der geliebte Jünger ist Zeuge und seine besondere Qualität als solcher wird durch seinen prompten Glauben in 20,8 herausgehoben. Als Identifikationsfigur wird er aber in Joh 20 nicht aufgebaut, auch wenn er für die Adressaten insofern ein Ideal ist, als er glaubt, ohne Jesus gesehen zu haben.[2] Die Abwesenheit Jesu ist für ihn eine Chance des Glaubens, während sie bei Maria Magdalena nur Trauer auslöst.

2.4.5   Joh 20, 1-10 in diachroner Betrachtung

2.4.5.1 Literarkritik

Der ausgegrenzte Abschnitt bietet in sich selbst kaum Anhaltspunkte für literarkritische Operationen. Lediglich der Zusammenhang zwischen V. 1 und V. 2 ist relativ locker. Er beruht hauptsächlich auf der Identität der handelnden Figur Maria Magdalena. Ihre Aussage über das Fehlen der Leiche Jesu (2f-h) ist mit V. 1 nicht recht verbunden. Es wird hier einfach vorausgesetzt, daß aus der Tatsache, daß der Stein weggenommen ist (1c), gefolgert werden kann, daß Jesus nicht mehr im Grabe liegt. So stellt denn auch

---

1) Vgl. MOLLAT 1974, 328 f. Das sieht auch BYRNE 1985, 90 f ganz richtig. Später (93 f) spricht er dann aber wieder von Identifizierung.
2) Vgl. SCHNEIDERS 1975, 58, die auf die jeweils vorliegende 'physical absence' hinweist.

WELLHAUSEN treffend fest: Es wird in 2f-h "eine Aussage vorweg
genommen, die in 13b wiederkehrt und erst dort am Platze ist;
denn in 2 hat die Magdalena ja noch gar nicht in das Grab geguckt,
das geschieht erst in 11."[1]
Nun wäre freilich diese Beobachtung alleine noch keine hinreichende Motivation für literarkritisches Vorgehen, käme nicht
eine weitere Kohärenzstörung hinzu. Sie betrifft den Kontextbezug von 2,1-10. Der Konnex zwischen V. 10 und V. 11 ist nämlich
ein bloß oberflächlicher. Mit δέ soll V. 11 adversativ an V. 10
angeschlossen werden: Maria als neue Handlungsträgerin wird den
beiden Jüngern gegenübergestellt. Trotz dieses kohäsiven Elements
liegt ein Mangel an Kohärenz vor. Nach V. 2 hatte Maria das Grab
verlassen, jetzt steht sie wieder dort, und zwar ohne, daß ihre
Rückkehr irgendwie erzählt, geschweige denn motiviert worden wäre.
V. 11 setzt vielmehr einfach die Situation von V. 1 voraus. Es
ist deshalb nur naheliegend, V. 2-10 von V. 1.11 zu trennen und
einer anderen literarischen Schicht zuzuweisen. Da der Lauf der
Jünger zum Grab auf die Auslösung durch Maria angewiesen ist,
ist der Abschnitt V. 2-10 als sekundär zur Maria-Erzählung V. 1.11
ff zu sehen. Diese einfache Lösung ist nicht neu, sondern wurde
schon von SCHWARTZ und WELLHAUSEN bevorzugt.[2] Sie wurde immer
wieder aufgegriffen,[3] wobei BULTMANN von einer Redaktion des
'Evangelisten' ausgeht, und nur V. 9 der 'kirchlichen Redaktion'
zuweist, und so wieder zu seinem dreistufigen Modell gelangt.[4]
Aufgrund der nachgewiesenen Kontextbezogenheit von V. 9 erübrigt
sich freilich die Trennung von V. 9 und von V. 2-8.10. Das bedeutet aber, daß ein dreistufiges entstehungsgeschichtliches Modell
hier nicht vonnöten ist. Da zudem kein Grund vorliegt, den Lieblingsjüngertext in Joh 20 von den in Joh 13.19 abzusetzen, steht

---

1) WELLHAUSEN 1908, 91.
2) Vgl. SCHWARTZ 1907, 346-348; WELLHAUSEN 1908, 91.
3) Vgl. LOISY 1921, 499.502; HIRSCH 1936, 126 f;
   WILKENS 1958b, 87; GRASS 1961, 54;
   KREMER 1969, 97 f; OTTO 1969, 53-55;
   LORENZEN 1971, 25 f; THYEN 1977a, 288 f;
   ders. 1977b, 251; RICHTER 1977, 182 f;
   HOFFMANN 1979b, 506; HAENCHEN 1980, 568 f.
4) Vgl. BULTMANN 1941, 528.530.

der Zuweisung zur Endredaktion nichts im Wege.

Nun werden aber z.B. von BENOIT[1], HARTMANN[2], SCHNACKENBURG[3] und BECKER wesentlich komplexere Modelle vorgeschlagen. Aufgrund der Verwandschaft dieser Theorien soll BECKERs Lösung als die differenzierteste exemplarisch diskutiert werden.[4] Er sieht eine erste Entwicklungsstufe, die nur noch verstümmelt erhalten und vor allem in V. 1 und V. 11 f zu finden ist. Sie enthielt in Analogie zu der synoptischen Grabtradition die Nennung mehrerer Frauen, was sich im Plural οἴδαμεν in V. 2 niederschlägt.

In einem zweiten Stadium wird eine hinter V. 2-10 zu findende Tradition eingefügt. Sie berichtet von einem Grabbesuch des Petrus (und einiger Jünger). Die Erzählung endet in der unverständdigen (V. 9) Heimkehr.

Schließlich wird der Passionsbericht auch noch um die Begegnung der Maria mit dem Auferstandenen, einer Einzelerzählung aus der johanneischen Gemeinde erweitert. Auf dieser Stufe werden die Frauen getilgt, die Maria Magdalena begleitet hatten.

Das Hauptwerk des 'Evangelisten' der diesen Passionsbericht der Stufe 3 weiter bearbeitet, besteht in der Anfügung der Thomasperikope.

Letztendlich bringt dann die 'Kirchliche Redaktion' in V. 2-10 die Gestalt des Lieblingsjünger ein.

Zur Beurteilung sind die Textbeobachtungen zu untersuchen, die BECKER anführt, um das vorgelegte Entstehungsmodell zu stützen. Die Annahme der ersten Entwicklungsstufe beruht auf dem Plural in 2g und der Dominanz, die den Synoptikern eingeräumt wird. Wird nun BECKERs Weigerung, eine "von Anfang an spezifische Sondertradition für Joh anzunehmen"[5] als Argument gestrichen - und das ist nötig -, so bleibt nur noch die Formulierung von 2g übrig. Hieraus eine eigene Traditionsstufe abzuleiten, muß mindestens als sehr gewagt angesehen werden. Das gilt umso mehr,

---

1) Vgl. BENOIT 1960.
2) Vgl. HARTMANN 1964.
3) Vgl. SCHNACKENBURG 1975, 358-361.
4) Vgl. zum Folgenden BECKER 1979/81, 608-612.
5) BECKER 1979/81, 609.

als es einerseits synchrone[1], andererseits einfachere diachrone Erklärungen[2] dieses Phänomens gibt. Es soll damit nicht die Möglichkeit bestritten werden, daß in der johanneischen Tradition es einmal eine Erzählung von einem Grabgang mehrerer Frauen gegeben hat. Die Frage ist doch aber die, ob wir in der Lage sind, einen solchen Urbericht zu rekonstruieren. Diese Frage ist mit einem glatten Nein zu beantworten. Das οἴδαμεν in 2g zum einzigen nennenswerten Relikt eines solchen Berichts hochzustilisieren, ist jedenfalls alles andere als überzeugend.

Ähnliches gilt auch für die zweite Schicht. Hier liegen die Anhaltspunkte für die Rekonstruktion in einer angeblichen Reibung zwischen V. 3 und V. 4 und in der Unverträglichkeit zwischen V. 8 und V. 9.[3] Daß ich die Spannung zwischen V. 9 und V. 8 nicht als eine sehe, die literarkritisch auszuwerten ist, ist aufgrund des beschriebenen Kontextbezugs von V. 9 klar. Und die Reibung zwischen V. 3 und V. 4 verschwindet, wenn erkannt wird, daß V. 3 Überschriftcharakter trägt. Hier wird in geraffter Form eingeleitet, was in V. 4 genauer entfaltet wird.[4] Natürlich könnte V. 3 auch für sich stehen, aber das ist kein literarkritisches Argument.

Schließlich ist auch nicht einzusehen, wie der geliebte Jünger aus dem Text entfernt werden könnte, was ja die Voraussetzung für eine Rekonstruktion der zweiten und fünften Entwicklungsstufe wäre.

Der Übergang von Singular zu Plural (ἐξῆλθεν - ἤρχοντο) ermöglicht dies jedenfalls nicht.[5] Hier handelt es sich eindeutig um eine Sprachkonvention[6], nicht um eine Unregelmäßigkeit, die literar-

---

1) Vgl. etwa MINEAR 1976, 126, der die kommunikative Funktion des Plurals betont. Das Einzelsubjekt Maria Magdalena werde auf eine Gruppe in der Welt der Lesenden hin geöffnet. Der von ihm angesetzte historische Hintergrund ist freilich kaum überzeugend. Auch auf die Erklärung des Plurals als Sprachkonvention einer bestimmten sprachlichen Ebene (COLWELL 1931, 110-112) sei nochmals hingewiesen.
2) Vgl. HAENCHEN 1980, 568, der eine Kenntnis der synoptischen Tradition beim 'Ergänzer' annimmt.
3) Vgl. auch HARTMANN 1964, 198.
4) Vgl. den ähnlichen Fall in 4,30.40.
5) Gegen HARTMANN 1964, 198.200.
6) Vgl. SCHNACKENBURG 1975, 365; MAHONEY 1974, 217.

kritisch ausgewertet werden könnte. Auch die Aneinanderreihung der Objekte in 2b.2c entfällt als literarkritisches Indiz. Erstens ist es nur das πρός, das 2c von 2b absetzt, und zweitens wäre einem Bearbeiter, der in 2e die Pluralform des Personalpronomens verwenden kann, auch zuzutrauen, daß er 2c an 2b lückenlos anschließt. Er hätte vermutlich auch in 3a die Pluralform des Verbs bilden können - wenn er denn gewollt hätte. Mit anderen Worten: Sowohl für V. 2 als auch für V. 3 ist es mehr als unwahrscheinlich, daß hier Reste einer alten Erzählung zu finden sind, die den geliebten Jünger nicht kannte. Insgesamt kann festgestellt werden, daß die textliche Grundlage für die entstehungsgeschichtliche Rekonstruktion BECKER's und für die verwandten Entwürfe unzureichend ist. Die herangezogenen Textphänomene lassen sich literarkritisch nicht auswerten. Welche Vorstufen es auch immer gegeben haben mag, rekonstruierbar sind sie nicht mehr, und die literarkritischen Probleme des heutigen Textes lassen sich auch durch das hier vorgeschlagene, einfache Modell lösen.[1]

Es hat freilich den Mangel, daß die der Tradition zugewiesenen Textteile als Fragmente erscheinen. V. 11 schließt nicht an V. 1 an und selbst HIRSCHs Lösung, der den traditionellen Text erst wieder mit ὡς οὖν ἔκλαιεν beginnen läßt[2], schafft keinen guten Anschluß; vermutlich hat die Redaktion hier das Sehen des leeren Grabes getilgt, um den beiden Jüngern diesen Vorzug zuzuweisen.[3] Dieser Mangel, keinen vollständigen Text der Vorlage rekonstruieren zu können, ist freilich dann kaum noch ein Gegenargument, wenn einmal das Vorurteil fallen gelassen wird, die Redaktion wirke "durchwegs traditionsvermehrend"[4]. Im übrigen hätte sie ja hier die Tradition vom leeren Grab durchaus nicht ganz getilgt, sondern vor allem die Akteure ausgetauscht, was die Annahme eines solchen Vorgehens auch für diejenigen annehmbar machen sollte, die mit einer eher zaghaften Redaktionsarbeit rechnen.

---

1) Dieses Modell bietet für Joh 20,1-18 insgesamt eine Lösung. Vgl. WELLHAUSEN 1908, 91-93.
2) Vgl. HIRSCH 1936, 127.
3) Vgl. HAENCHEN 1980, 568.
4) BECKER 1979/81, 611.

2.4.5.2 Der Beitrag der Literarkritik zur Interpreta-
         tation des Endtextes: Übernommene Textinten-
         tionen als Repertoireelemente

Der interpretatorische Ertrag des literarkritischen Arbeitsschrit-
tes in Joh 20 mag auf den ersten Blick geringfügig erscheinen,
zumal wenn er mit dem in Joh 19 oder gar Joh 13 verglichen wird.

Das liegt aber an der Abgrenzung des analysierten Textes und ist
keine Anfrage an die Repertoire-Theorie. Aufgrund der vorgenommenen Textabgrenzung ist eben nur in V. 1 traditionelles Textmaterial zu finden. Es sei deshalb gestattet wenigstens thesenartig
auch auf die in 20,11-18 folgende Maria-Erzählung auszugreifen,
um das Repertoire des Textes einigermaßen zu skizzieren.
Zunächst ist festzustellen, daß in der verarbeiteten Tradition
Maria Magdalena die Hauptrolle spielte. Sie ist es, die das Grab
aufsucht, es vermutlich leer findet und dann eine Erscheinung
des Auferstandenen hat, der sie mit der Osterbotschaft beauftragt.
Dieser dominanten Rolle tut es auch keinen Abbruch, daß sie an
eine Entfernung der Leiche glaubt, und auch den Herrn zunächst
nicht erkennt, als er ihr erscheint. Dieser Erzählzug dient der
Betonung der besonderen Qualität des Auferstandenen und verringert
nicht den Rang der Maria als erster Osterzeugin. Maria Magdalena
glaubt, auch das kann sicher festgestellt werden, erst als ihr
Jesus begegnet.
Die Redaktion setzt hier die Akzente deutlich anders.
Durch die Einfügung der Jüngererzählung wird Maria Magdalena um
ihren Rang als Erstzeugin gebracht. Sie wird von der Hauptfigur
zur Nebenfigur degradiert und durch die Zählung in 21,14 wird
dann auch ganz konsequent ihre Erscheinung als vernachlässigbar
gekennzeichnet. Auch das Mißverständnismotiv erhält durch die redaktionelle Überarbeitung eine ganz andere Schärfe. Dadurch, daß
vom geliebten Jünger gesagt wird, daß er aufgrund der Grabbesich-
tigung glaubt, wird Maria Magdalena mit ihrer Vermutung, der
Herr sei weggenommen worden, zur Negativfigur. Sie vertritt nun
dialektisch die eine (falsche) Deutung des leeren Grabs, während
der geliebte Jünger die entgegengesetzte (richtige) vertritt. Natürlich ist auch die Bedeutung Mariens als Verkünderin der Oster-

botschaft drastisch reduziert, wenn vorher (mindestens) ein Jünger unabhängig von ihr zum Glauben kommt.

Ein letztes Moment der redaktionellen Arbeit ist schließlich darin zu sehen, daß der Ursprung des Osterglaubens von einer Vision
auf das Sehen des leeren Grabes verlagert wird.

Zusammenfassend läßt sich sagen, daß die Redaktion mit ihrer
Tradition die Nachricht vom leeren Grab teilt. Sie setzt aber insofern die Akzente anders, als das **Grab** nun zum **Ursprung** des
Auferstehungsglaubens gemacht wird. Die Bedeutung der Vision des
Auferstandenen sinkt dadurch zwangsläufig. Diese Umorientierung
zeigt ein besonderes Interesse der Redaktion an der **Leiblichkeit**
der Auferstehung, wobei freilich zu sagen ist, daß dieser Aspekt
gegenüber der Tradition nicht neu eingeführt, sondern nur neu betont wird. Schließlich ist mit der theologischen Umakzentuierung
auch eine neue Ordnung im Bereich der handelnden Figuren verbunden. Maria, die aufgrund einer Vision glaubt, wird aus ihrer
Hauptrolle verdrängt und statt ihrer nimmt der geliebte Jünger
Platz 1 ein.

Am Anfang des Auferstehungsglaubens steht jetzt einer, der **ohne
Vision, ohne Schriftkenntnis**, allein aufgrund dessen, was er im
Grab **sieht**, glaubt.

2.4.5.3 Weitere Überlegungen zu Tradition und Redak-
tion in 20,1-10

Was zunächst das **Verhältnis zu den Synoptikern** angeht, so behauptet NEIRYNCK treffend, die Annahme der Existenz einer gemeinsamen
Tradition sei "the prevailing view."[1]

Tatsächlich werden die Ähnlichkeiten zwischen Joh 20,1-10 und synoptischen Texten in der Forschung meist nicht als Folge literarischer Abhängigkeit, sondern als Folge der Benutzung eines gemeinsamen oder doch verwandten Quellentextes verstanden.[2] Joh 20
ist hier nur ein Spezialfall der allgemeinen Einschätzung der Be-

---

1) NEIRYNCK 1984, 165.
2) Vgl. außer den schon genannten Autoren z.B.
   LINDARS 1960/61; ALSUP 1975, 95-105; MOHR 1982, 365-401.

ziehungen des Joh zu den Synoptikern.

Aus diesem Konsens scheren einige Forscher allerdings aus, die
dem von WELLHAUSEN vertretenen literarkritischen Modell den Vorzug
geben. In dieser Forschungsrichtung wird neuerdings ein direkter
Kontakt zwischen der johanneischen Redaktion und synoptischem
Textmaterial angenommen. So schreibt etwa Ernst HAENCHEN: "Für
den Ergänzer könnte Lk 24,12.24 die Anregung dazu gewesen sein,
hier neben Petrus - und ihm überlegen - den 'Jünger, den Jesus
liebte' |...|, einzuführen."[1] Diese auch von NEIRYNCK[2] geteilte
These einer **direkten** Abhängigkeit von Lk 24 hat zwei zu beweisen-
de Voraussetzungen.

Zum einen beruht sie darauf, daß Lk 24,12 **textkritisch** als ursprünglich zu beurteilen ist; zum anderen darauf, daß dieser
Vers der lukanischen **Redaktion** angehört, weil erst so der Zusammenhang über eine gemeinsame Tradition ausgeschlossen ist. Nun
kann - das zur ersten Voraussetzung - Lk 24,12 inzwischen als
textkritisch gesichert gelten.[3]

Was die zweite Bedingung angeht, so hat NEIRYNCK in einer sehr
detaillierten Untersuchung nachgewiesen, daß der Vers seine Existenz der lukanischen Redaktion verdankt.[4]

Hier kurz einige seiner Argumente:

- Der Widerspruch zwischen Lk 24,12, wo Petrus allein läuft, und
  Lk 24,24, wo von 'einigen' die Rede ist, erklärt sich aus dem
  lukanischen Stilmittel des generalisierenden Plural, das sich
  auch in Apg 17,28 findet. Eine Spannung im literarkritischen
  Sinne liegt hier also nicht vor.
- Das gilt auch für das historische Präsens ($\beta\lambda\acute{\epsilon}\pi\epsilon\iota$) in Lk 24,12.
  Es wird schließlich auch in Lk 16,23; Apg 10,11 mit einem verbum
  videndi benutzt.
- Die Bemerkung $\mathring{\alpha}\pi\tilde{\eta}\lambda\theta\epsilon\nu$ $\pi\rho\grave{o}\varsigma$ $\acute{\epsilon}\alpha\upsilon\tau\acute{o}\nu$ repräsentiert das typisch lu-
  kanische Erzählmotiv der Rückkehr nach Hause und korrespondiert

---

1) HAENCHEN 1980, 568. Vgl. OTTO 1969, 54; THYEN 1977a, 289;
   ders. 1977b, 251 f.
2) Vgl. NEIRYNCK 1982, besonders 362; ders. 1984, 172-177.
3) Vgl. ALAND 1967, 168; MUDDIMAN 1972; NEIRYNCK 1972.
4) Vgl. zum Folgenden NEIRYNCK 1984, 172-177.

mit der Heimkehr der Frauen in 24,9.

- Überhaupt läßt sich zeigen, daß Lk 24,12 parallel zur Erzählstruktur der Frauenerzählung (24,1 ff) komponiert ist. Lk 24,12
stellt damit einen weiteren Fall einer lukanischen Verifika-
tionserzählung dar (vgl. Lk 1,39-56; 2,16-20; 8,34-36).

So erschließt NEIRYNCK denn, daß "the characteristically Lukan
traits and the function of v. 12 in the composition of chapter
24 are |...| the indications for the Lucan origin of this little
story."[1]

Wenn nun aber aus Lk 24,12.24 eine ältere Tradition nicht erschlossen werden kann, dann ist aufgrund der textlichen Übereinstimmung der Schluß unausweichbar, daß die johanneische Redaktion
zumindest das Lukasevangelium als Text kannte, und mit diesem
nicht nur über den Traditionsstrom in Verbindung steht. Dem Urteil von HAENCHEN und THYEN ist also zuzustimmen. Nun will aber
NEIRYNCK noch einen Schritt weiter gehen, und synoptische Texte
zu den alleinigen Quellen der johanneischen Komposition machen.
Er sieht in Joh 20 keinen Ansatz zur Literarkritik und glaubt,
alle Probleme des Textes mit der Annahme der Verarbeitung verschiedener synoptischer Texte lösen zu können.[2]

Die Maria-Erzählung (Joh 20,1.11 ff) möchte er auf Mt 28,9 f
zurückführen.[3] In diesem Punkt ist freilich seine Argumentation
alles andere als überzeugend. Vor allem sind die Übereinstimmungen an der Textoberfläche einfach zu gering, um den Schluß
literarischer Abhängigkeit zu erzwingen. Dementsprechend weicht
NEIRYNCK auf Ähnlichkeiten in der Erzählstruktur aus, muß aber
auch hier immer wieder mit johanneischen Veränderungen rechnen.
Selbst wenn solche Veränderungen plausibel gemacht und ihre
Basis im Mt-Text aufgezeigt werden kann, liegt hier doch kein Argument für eine literarische Abhängigkeit vor. Damit könnten nämlich allenfalls Angriffe gegen eine vorausgesetzte Abhängigkeit
abgewiesen werden. Die Beweislast liegt aber doch auf der anderen

---

1) NEIRYNCK 1984, 175.
2) Vgl. NEIRYNCK 1984, besonders 179.
3) Vgl. NEIRYNCK 1984, 166-172.

Seite: die literarische Abhängigkeit muß schließlich nachgewiesen werden. Und dafür sind NEIRYNCKs Argumente einfach zu schwach. Es scheint mir deshalb immer noch die beste Lösung zu sein, auf die Spannungen zwischen Jüngererzählung und Mariaerzählung literarkritisch zu reagieren, und die beiden Erzählungen zwei verschiedenen johanneischen Textschichten zuzuweisen. Nur für die spätere, redaktionelle Schicht läßt sich die Kenntnis eines synoptischen Textes wirklich nachweisen. Mit der Feststellung, daß die redaktionelle Erzählung vom Grabbesuch der beiden Jünger abhängig ist von Lk 24,12.24, ist auch schon ein Urteil über das **traditionsgeschichtliche Alter** dieser Erzählung verbunden. Offensichtlich haben wir es hier mit jungem, literarisch erzeugtem Material zu tun. Auch in Joh 13 bezog sich ja die Feststellung, die Redaktion bringe traditionsgeschichtlich älteres Material neu ein, nicht auf den eigentlichen Lieblingsjüngertext, sondern nur auf seinen theologischen Kontext. In dieser Differenzierung trifft dieses Urteil auch hier in Joh 20 zu, denn die Vorstellung von der Leiblichkeit der Auferstehung Jesu ist natürlich eine alte Vorstellung, selbst wenn die Grabgeschichten der Erscheinungstradition gegenüber sekundär sind.[1]

Zum **literarischen Charakter** der verarbeiteten Tradition schließlich läßt sich feststellen, daß es sich offenkundig um schriftlich fixiertes Material handelt. Das wird aus der Art der redaktionellen Bearbeitung deutlich. Die Zeitangabe in 20,1 weist wieder darauf hin, daß ein vorgegebener Erzählzusammenhang angenommen werden muß. Die Marienerzählung war offensichtlich kein Einzelstück.

---

1) Vgl. HOFFMANN 1979b, 485-487.

2.5   Der Jünger, den Jesus liebte, in Joh 21

2.5.1 Begründung der Textabgrenzung

Es mag als völlig überflüssig erscheinen, zu begründen, warum
Joh 21 als eigener Textteil behandelt werden kann. Schließlich
ist sich die Forschung doch weitgehend darüber einig, daß
es sich bei diesem Kapitel um einen sekundären Anhang handelt.
Da ich mich aber entschlossen habe, einen synchronen Interpretationsansatz durchzuziehen, ist Joh 21 zu behandeln, wie jedes
andere Kapitel des Joh. Was läßt sich also zur Begründung der
Textabgrenzung sagen?
In V. 1 treffen wir auf das Gliederungssignal μετὰ ταῦτα, das
trotz seiner anaphorischen Funktion signalisiert, daß etwas
Neues beginnt. Der Ortswechsel, der in V. 1 angezeigt ist, weist
auch auf einen Neuansatz hin.
Überhaupt haben V. 1.2 ganz klar **expositionelle** Funktion und weisen sich so als Textanfang aus. V. 1 erwähnt eine Erscheinung
Jesu und weckt die Erwartung, daß diese erzählt wird. Es folgen
die Angaben über den Ort der Handlung und die handelnden Personen.

2.5.2 Textauflistung

Zur Textauflistung ist zu sagen:
4a halte ich für eine Äußerungseinheit, weil es keinen Umstand
für 4b angibt, sondern das Folgende insgesamt datiert. 5b.12b.15c.
15g.16b.16f.17b.17h.18a.20e.21b stellen wieder phatische Elemente
dar.
5e.15f.16e sind eigene Äußerungseinheiten, weil sie als aphrastische Kurzformen satzähnliche Aussagen ersetzen. Der Inhalt der
ersetzten Aussagen ist hier aus 5c.15d.16c zu rekonstruieren.
Die Partizipien 7d.12f halte ich für selbständige Äußerungseinheiten, weil 7e bzw. 12g syntaktisch von ihnen abhängig sind.
8c.13d habe ich als Parallelgedanken zu 8b bzw. 13c eingestuft.
24b habe ich deshalb als Äußerungseinheit eingeordnet, weil die

Wiederaufnahme in 24e zeigt, daß nicht in 24a, sondern in 24b
der semantische Schwerpunkt liegt. Wenn aber 24b selbständig
ist, dann auch das parallele Partizip in 24c.

Joh 21,

1a Μετὰ ταῦτα ἐφανέρωσεν ἑαυτὸν πάλιν ὁ Ἰησοῦς
τοῖς μαθηταῖς ἐπὶ τῆς θαλάσσης τῆς Τιβεριάδος·

b ἐφανέρωσεν δὲ οὕτως.

2 ἦσαν ὁμοῦ Σίμων Πέτρος καὶ Θωμᾶς ὁ λεγόμενος
Δίδυμος καὶ Ναθαναὴλ ὁ ἀπὸ Κανὰ τῆς Γαλιλαίας
καὶ οἱ τοῦ Ζεβεδαίου καὶ ἄλλοι ἐκ τῶν μαθητῶν
αὐτοῦ δύο.

3a λέγει αὐτοῖς Σίμων Πέτρος·

b ὑπάγω ἁλιεύειν.

c λέγουσιν αὐτῷ·

d ἐρχόμεθα καὶ ἡμεῖς σὺν σοί.

e ἐξῆλθον

f καὶ ἐνέβησαν εἰς τὸ πλοῖον,

g καὶ ἐν ἐκείνῃ τῇ νυκτὶ ἐπίασαν οὐδέν.

4a πρωΐας δὲ ἤδη γενομένης

b ἔστη Ἰησοῦς εἰς τὸν αἰγιαλόν,

c οὐ μέντοι ᾔδεισαν οἱ μαθηταὶ

d ὅτι Ἰησοῦς ἐστιν.

5a λέγει οὖν αὐτοῖς |ὁ| Ἰησοῦς·

b παιδία,

c μή τι προσφάγιον ἔχετε;

d ἀπεκρίθησαν αὐτῷ,

e οὔ.

6a ὁ δὲ εἶπεν αὐτοῖς·

b βάλετε εἰς τὰ δεξιὰ μέρη τοῦ πλοίου τὸ δίκτυον,

c καὶ εὑρήσετε.

d ἔβαλον οὖν,

e καὶ οὐκέτι αὐτὸ ἑλκύσαι ἴσχυον ἀπὸ τοῦ πλήθους
τῶν ἰχθύων.

7a λέγει οὖν ὁ μαθητὴς ἐκεῖνος |b| τῷ Πέτρῳ,

b ὃν ἠγάπα ὁ Ἰησοῦς

c ὁ κύριος ἐστιν.

d Σίμων οὖν Πέτρος ἀκούσας

e ὅτι ὁ κύριός ἐστιν,

7f τὸν ἐπενδύτην διεζώσατο,

g ἦν γὰρ γυμνός,

h καὶ ἔβαλεν ἑαυτὸν εἰς τὴν θάλασσαν,

8a οἱ δὲ ἄλλοι μαθηταὶ τῷ πλοιαρίῳ ἦλθον,

b οὐ γὰρ ἦσαν μακρὰν ἀπὸ τῆς γῆς

c ἀλλὰ ὡς ἀπὸ πηχῶν διακοσίων,

d σύροντες τὸ δίκτυον τῶν ἰχθύων.

9a ὡς οὖν ἀπέβησαν εἰς τὴν γῆν

b βλέπουσιν ἀνθρακιὰν κειμένην καὶ ὀψάριον
ἐπικείμενον καὶ ἄρτον.

10a λέγει αὐτοῖς ὁ Ἰησοῦς·

b ἐνέγκατε ἀπὸ τῶν ὀψαρίων

c ὧν ἐπιάσατε νῦν.

11a ἀνέβη οὖν Σίμων Πέτρος

b καὶ εἵλκυσεν τὸ δίκτυον εἰς τὴν γῆν μεστὸν
ἰχθύων μεγάλων ἑκατὸν πεντήκοντα τριῶν·

c καὶ τοσούτων ὄντων

d οὐκ ἐσχίσθη τὸ δίκτυον.

12a λέγει αὐτοῖς ὁ Ἰησοῦς·

b δεῦτε

c ἀριστήσατε.

d οὐδεῖς δὲ ἐτόλμα τῶν μαθητῶν ἐξετάσαι αὐτόν·

e σὺ τίς εἶ;

f εἰδότες

g ὅτι ὁ κύριός ἐστιν.

13a ἔρχεται Ἰησοῦς

b καὶ λαμβάνει τὸν ἄρτον

c καὶ δίδωσιν αὐτοῖς,

d καὶ τὸ ὀψάριον ὁμοίως.

14 τοῦτο ἤδη τρίτον ἐφανερώθη Ἰησοῦς τοῖς
μαθηταῖς ἐγερθεὶς ἐκ νεκρῶν.

15a ὅτε οὖν ἠρίστησαν

b λέγει τῷ Σίμωνι Πέτρῳ ὁ Ἰησοῦς·

c Σίμων Ἰωάννου,

d ἀγαπᾷς με πλέον τούτων;

15e λέγει αὐτῷ·

  f ναί,

  g κύριε,

  h σὺ οἶδας

  i ὅτι φιλῶ σε.

  k λέγει αὐτῷ,

  l βόσκε τὰ ἀρνία μου.

16a λέγει αὐτῷ πάλιν δεύτερον·

  b Σίμων Ἰωάννου,

  c ἀγαπᾷς με;

  d λέγει αὐτῷ·

  e ναί,

  f κύριε,

  g σὺ οἶδας

  h ὅτι φιλῶ σε.

  i λέγει αὐτῷ,

  k ποίμαινε τὰ πρόβατά μου.

17a λέγει αὐτῷ τὸ τρίτον·

  b Σίμων Ἰωάννου,

  c φιλεῖς με;

  d ἐλυπήθη ὁ Πέτρος

  e ὅτι εἶπεν αὐτῷ τὸ τρίτον;

  f φιλεῖς με·

  g καὶ λέγει αὐτῷ·

  h κύριε,

  i πάντα σὺ οἶδας,

  k σὺ γινώσκεις

  l ὅτι φιλῶ σε.

  m λέγει αὐτῷ |ὁ Ἰησοῦς|

  n βόσκε τὰ πρόβατά μου.

18a ἀμὴν ἀμὴν

  b λέγω σοι,

  c ὅτε ἦς νεώτερος,

  d ἐζώννυες σεαυτὸν

  e καὶ περιεπάτεις

18f ὅπου ἤθελες·

g ὅταν δὲ γηράσῃς,

h ἐκτενεῖς τὰς χεῖράς σου,

i καὶ ἄλλος σε ζώσει

k καὶ οἴσει

l ὅπου οὐ θέλεις.

19a τοῦτο δὲ εἶπεν σημαίνων

b ποίῳ θανάτῳ δοξάσει τὸν θεόν.

c καὶ τοῦτο εἰπὼν λέγει αὐτῷ·

d ἀκολούθει μοι.

20a ἐπιστραφεὶς ὁ Πέτρος βλέπει τὸν μαθητὴν |b|
     ἀκολουθοῦντα,

b ὃν ἠγάπα ὁ Ἰησοῦς

c ὃς καὶ ἀνέπεσεν ἐν τῷ δείπνῳ ἐπὶ τὸ
     στῆθος αὐτοῦ

d καὶ εἶπεν·

e κύριε,

f τίς ἐστιν

g ὁ παραδιδούς σε;

21a τοῦτον οὖν ἰδὼν ὁ Πέτρος λέγει τῷ Ἰησοῦ·

b κύριε,

c οὗτος δὲ τί;

22a λέγει αὐτῷ ὁ Ἰησοῦς·

b ἐὰν αὐτὸν θέλω μένειν

c ἕως ἔρχομαι,

d τί πρὸς σέ;

e σύ μοι ἀκολούθει.

23a ἐξῆλθεν οὖν οὗτος ὁ λόγος εἰς τοὺς ἀδελφοὺς

b ὅτι ὁ μαθητὴς ἐκεῖνος οὐκ ἀποθνήσκει.

c οὐκ εἶπεν δὲ αὐτῷ ὁ Ἰησοῦς

d ὅτι οὐκ ἀποθνήσκει,

e ἀλλ' ἐὰν αὐτὸν θέλω μένειν

f ἕως ἔρχομαι

g |τί πρὸς σέ ;|

24a οὗτός ἐστιν ὁ μαθητὴς

24b ὁ μαρτυρῶν περὶ τούτων

c καὶ ὁ γράψας ταῦτα,

d καὶ οἴδαμεν

e ὅτι ἀληθὴς αὐτοῦ ἡ μαρτυρία ἐστίν.

25a ἔστιν δὲ καὶ ἄλλα πολλὰ

b ἃ ἐποίησεν ὁ Ἰησοῦς,

c ἅτινα ἐάν γράφηται καθ' ἕν,

d οὐδ'αὐτὸν οἶμαι τὸν κόσμον χωρῆσαι τὰ
γραφόμενα βιβλία.

2.5.3 Die Erzählkonstituente 'Zeit'

2.5.3.1 Tempusformen

Tempus	Sprechhaltung		Perspektive			Reliefgebung	
	E	B	R	N	Vs	Vg	H
21,1a Aorist	x			x		x	
b Aorist	x			x		x	
2 Imperfekt	x			x			x
3a Präsens		x		x			
b Präsens		x		x			
c Präsens		x		x			
d Präsens		x		x			
e Aorist	x			x		x	
f Aorist	x			x		x	
4a Partizip Aorist				x			
b Aorist	x			x		x	
c Plusquamperfekt	x			x			x
d Präsens		x		x			
5a Präsens		x		x			
b -							
c Präsens		x		x			
d Aorist	x			x		x	
e -							
6a Aorist	x			x		x	
b Imperativ Aorist						x	
c Futur		x			x		
d Aorist	x			x		x	
e Imperfekt	x			x			x
7a Präsens		x		x			
b Imperfekt	x			x			x
c Präsens	x			x			
d Partizip Aorist				x			
e Präsens		x		x			
f Aorist	x			x		x	
g Imperfekt	x			x			x

Tempus	Sprechhaltung		Perspektive			Reliefgebung	
	E	B	R	N	Vs	Vg	H
21,7h Aorist	x			x		x	
8a Aorist	x			x		x	
b Imperfekt	x			x			x
c -							
d Partizip Präsens				x			
9a Aorist	x			x		x	
b Präsens		x		x			
10a Präsens		x		x			
b Imperativ Aorist						x	
c Aorist	x			x		x	
11a Aorist	x			x		x	
b Aorist	x			x		x	
c Partizip Präsens				x			
d Aorist	x			x		x	
12a Präsens		x		x			
b -							
c Imperativ Aorist						x	
d Imperfekt	x			x			x
e Präsens		x		x			
f Partizip Perfekt				x			
g Präsens		x		x			
13a Präsens		x		x			
b Präsens		x		x			
c Präsens		x		x			
d -							
14 Aorist	x			x		x	
15a Aorist	x			x		x	
b Präsens		x		x			
c -							
d Präsens		x		x			
e Präsens		x		x			
f -							
g -							

	Tempus	Sprechhaltung E	Sprechhaltung B	Perspektive R	Perspektive N	Perspektive Vs	Reliefgebung Vg	Reliefgebung H
21,15h	Perfekt		x		x			
i	Präsens		x		x			
k	Präsens		x		x			
l	Imperativ Präsens							x
16a	Präsens		x		x			
b	-							
c	Präsens		x		x			
d	Präsens		x		x			
e	-							
f	-							
g	Perfekt		x		x			
h	Präsens		x		x			
i	Präsens		x		x			
k	Imperativ Präsens							x
17a	Präsens		x		x			
b	-							
c	Präsens		x		x			
d	Aorist	x			x	x		
e	Aorist	x			x	x		
f	Präsens		x		x			
g	Präsens		x		x			
h	-							
i	Perfekt		x		x			
k	Präsens		x		x			
l	Präsens		x		x			
m	Präsens		x		x			
n	Imperativ Präsens							x
18a	-							
b	Präsens		x		x			
c	Imperfekt	x			x			x
d	Imperfekt	x			x			x
e	Imperfekt	x			x			x
f	Imperfekt	x			x			x

Tempus	Sprechhaltung		Perspektive			Reliefgebung	
	E	B	R	N	Vs	Vg	H
21,18g Konjunktiv Aorist	x				x		
h Futur		x			x		
i Futur		x			x		
k Futur		x			x		
l Präsens		x		x			
19a Aorist	x			x		x	
b Futur		x			x		
c Präsens		x		x			
d Imperativ Präsens							x
20a Präsens		x		x			
b Imperfekt	x			x			x
c Aorist	x			x		x	
d Aorist	x			x		x	
e -							
f Präsens		x		x			
g Partizip Präsens				x			
21a Präsens		x		x			
b -							
c -							
22a Präsens		x		x			
b Präsens		x		x			
c Präsens		x		x			
d -							
e Imperativ Präsens							x
23a Aorist	x			x		x	
b Präsens		x		x			
c Aorist	x			x		x	
d Präsens		x		x			
e Präsens		x		x			
f Präsens		x		x			
g -							
24a Präsens		x		x			
b Partizip Präsens				x			

Tempus	Sprechhaltung		Perspektive			Reliefgebung	
	E	B	R	N	Vs	Vg	H
21,24c Partizip Aorist				x			
d Perfekt		x		x			
e Präsens		x		x			
25a Präsens		x		x			
b Aorist	x			x		x	
c Präsens		x		x			
d Präsens		x		x			

Zur Erläuterung der Tabelle:
Die bei 21,4c.12f.15h.16g.17i.24d feststellbare Spannung zwischen
Tempusform und Zuordnung hinsichtlich Sprechhaltung, Perspektive
und Relief beruht wieder darauf, daß das Tempus gemäß der grammatikalischen Form angegeben wurde, die Einordnung in die drei
anderen Raster aber nach dem verwendeten Tempus erfolgte.
Die in der Tabelle festgehaltenen Beobachtungen lassen sich folgendermaßen weiter auswerten:
Die **Sprechhaltung** des Textes ist als narrativ zu bezeichnen, obwohl statistisch gesehen die besprechenden Tempora dominieren:
40 Tempusformen mit erzählender Sprechhaltung stehen 62 Formen
mit besprechender Haltung gegenüber. Um diesen Befund freilich
richtig einschätzen zu können, sind weitere Beobachtungen hinzu-
zunehmen. Wir haben es hier mit einem Text zu tun, bei dem der
Anteil wörtlicher Rede sehr hoch ist und mehr als die Hälfte aller Äußerungseinheiten umfaßt. Von den Tempusformen mit besprechender Sprechhaltung sind 42 mit diesem Erzählphänomen (inklu-
sive Inquit-Formel) korreliert. Abgesehen vom Bereich der wörtlichen Rede gibt es also eine Dominanz narrativer Tempora, die
es erlaubt, den Text insgesamt als Erzähltext einzustufen. Allerdings ist der Anteil besprechender Tempora sehr hoch und
steigt gegen Ende des Textes. Nach der Bedeutung dieses Sachver-
haltes wird noch zu fragen sein, vor allem deshalb, weil in
21,24.25 das Phänomen der direkten Rede keine Rolle spielt.
Was die **Sprechperspektive** angeht, so haben wir es wieder mit
einem nur schwach perspektivierten Text zu tun, die Nullstufe

überwiegt bei weitem. Nur bei sechs Formen ist eine explizite Perspektivierung festzustellen. Auffällig ist aber, daß wir es dabei immer mit der Vorschau zu tun haben und die Rückschau (als Tempusphänomen) völlig fehlt. Die textliche Funktion der vorschauenden Perspektive ist jeweils verschieden. In 6c geht es innerhalb einer Äußerung Jesu um einen Vorgriff auf das Ereignis, das in 6e dann eintrifft. In 18g-18k.19b dagegen geht es um Zukunftsaussagen, die die Textgrenzen sprengen und über die erzählte Welt hinausweisen. Alle Tempora mit Vorschau-Perspektive - nur 18g ist auszunehmen - stehen übrigens in besprechender Sprechhaltung.

In Bezug auf die **Reliefgebung** des Textes ist festzustellen, daß nur einzelne Hintergrundinformationen gegeben werden; eine blockartige Absetzung von Vordergrund und Hintergrund findet nur in V. 18 statt. Dabei ist der Abschnitt 18c-18f dem Hintergrund zugeordnet. Dagegen vertreten 18g-18h den Vordergrund, weil hier besprechende Tempora dominieren, die ja zur Vordergrundstellung tendieren. Hier sind dann zwei Abschnitte gegenübergestellt: der eine mit erzählender Haltung in Hintergrundstellung, der andere mit besprechender Haltung in Vordergrundstellung. Der zweite Abschnitt ist durch diesen Kontrast besonders gewichtet. In diesem Abschnitt geht es um die Zukunft des Petrus, um sein Alter. Den Aussagen über seine Zukunft dienen die Informationen über seine Jugend als Folie.

Die anderen Hintergrund-Markierungen sind textsemantisch weniger interessant, aber nicht unwichtig.

V. 2 gibt als Hintergrund für die folgende Erzählung die Anwesenden an.

4c formuliert den zeitlichen Hintergrund für 4b und das Folgende.

6e ist gegenüber 6d zurückgenommen. Der Akzent liegt also auf dem Befolgen der Weisung Jesu (6d - 6b) und (hier noch) nicht auf dem Erfolg.

Der kennzeichnende Satz für den anonymen Jünger (7b) steht wie immer in Hintergrundstellung. Die Liebe Jesu bildet wieder den Horizont, vor dem der geliebte Jünger steht.

Die Information über die Nacktheit des Petrus (7g) gibt den Hintergrund an für sein Bekleiden (7f); 8b erfüllt die gleiche Funktion für 8a.

12d ist auffällig. An sich könnte eher in 12f.12g der Hintergrund für 12d.12e formuliert werden, so daß das Wissen um die Identität Jesu die Folie dafür bildete, daß die Jünger nicht zu fragen wagen. Hier aber ist die Information darüber, daß die Jünger nicht fragen, in den Hintergrund gestellt. Es kann geschlossen werden, daß in 12d nicht der Aussageschwerpunkt liegt. Es geht primär nicht darum, daß die Jünger nicht fragen, sondern darum, daß sie wissen, daß es Jesus ist. Für diese Information sind 12d.12e wohl nur die erzählerische Motivation.

Die Hintergrundstellung in 15b.16k.17h.19d.22e bedeutet wohl nicht, daß die Imperative weniger ernst zu nehmen seien. Hintergrundstellung bedeutet hier eher, daß die Aufforderungen aus dem direkten Handlungszusammenhang herausgenommen werden. Es sind Anweisungen, die nicht im Handlungsablauf der erzählten Welt den Ort ihrer Erfüllung haben, sondern über die Grenzen des Textes hinausweisen.

2.5.3.2 Rückblick: WEINRICHs Tempustheorie und das johanneische Griechisch

Insgesamt kann wohl gesagt werden, daß sich die Anwendung dieser Theorie auf neutestamentliche Texte für die Interpretation auszahlt. Die Unterscheidung von Erzählen und Besprechen erweist sich als besonders fruchtbar. Erlaubt sie es doch, einerseits mimetische Phänomene wie die direkte Rede und das präsens historicum in ihrer textsemantischen Funktion exakt zu fassen, andererseits den diegetischen Einsatz besprechender Tempora (Erzählerkommentare) gut auszuwerten. Hier wirkt sich der problemlose Übergang vom Tempusgebrauch zum Bereich 'Erzählprofil und Erzähltempo' positiv aus. Es bleiben freilich Fragen offen, die ein weiteres Nachdenken über den Tempusgebrauch im johanneischen und im neutestamentlichen Griechisch überhaupt notwendig machen. So bestätigt sich zwar die Einordnung des Konjunktiv Aorist als Vorschau-Tempus der erzählenden Tempusgruppe, die Funktion der Modi allgemein bleibt aber ungeklärt.

Bei den Partizipien ist der Differenz zwischen Partizip Präsens und Partizip Aorist weiter nachzugehen. Die Zuordnung beider zur Nullstufe ist unbefriedigend. Vor allem in Bezug auf das Partizip Aorist treten hier Probleme auf. Es gibt in der Tat Fälle, wo sein Einsatz keine rückschauende Perspektive enthält (vgl. etwa 21,7d), andererseits ist dies doch wohl nicht immer der Fall.

So scheint mir etwa in 21,24c eine rückschauende Perspektive
ganz unbestreitbar zu sein. Das gleiche Problem taucht bei den
finiten Aorist-Formen auf. Die Regel ist in der Tat die, daß der
Aorist als erzählendes Nullstufen-Tempus eingesetzt wird. Er
kann aber ganz offensichtlich auch mit rückschauender Perspektive
eingesetzt werden. So steht etwa in 13,12a; 21,10c.15a der
Aorist, wo nach WEINRICHs Theorie das Plusquamperfekt stehen müßte. Offensichtlich sind die Einsatzmöglichkeiten des Aorist viel
breiter als von der Theorie her angenommen.
Resümierend läßt sich sagen:
Es besteht einerseits kein Grund WEINRICHs Theorie als inadäquat
für das neutestamentliche Griechisch abzulehnen, weitere Differenzierung tut allerdings not. Wenn mein zwangsläufig defizitä-
rer Übertragungsversuch eine Diskussion über den neutestamentlichen Tempusgebrauch initiieren würde, die über die alte Aspekt-
Theorie hinausgeht, wäre das sicher ein Schritt in die richtige
Richtung.

2.5.3.3. Erzähltempo und Erzählprofil

Joh 21 insgesamt ist geprägt durch ein sehr langsames **Erzähltempo.**

So müssen etwa 21,1.2 als zeitlose Aussagen bezeichnet werden.
Hier werden ja expositionelle Informationen gegeben, ohne daß in
der erzählten Welt der Ereignisablauf schon in Gang gekommen
wäre. Dies geschieht dann in V. 3, weswegen wir hier auf ein hö-
heres Erzähltempo treffen. Für 3a-d ist freilich immer noch
Zeitdeckung anzusetzen, weil hier ja direkte Rede vorliegt. Erst
mit 3f wird das Tempo deutlich erhöht. In 3f.3g liegt Zeitraffung vor, so daß es in 4a dann schon wieder Morgen sein kann. V.
4 ist vom Erzähltempo her mit den beiden Anfangsversen vergleichbar. Auch hier werden texteröffnende Informationen gegeben, ohne
daß auf der Handlungsebene etwas geschieht. In 5a-6g liegt dann
wieder Zeitdeckung vor (direkte Rede), während in 6d.6e wieder
gerafft erzählt wird. Wir haben es also in 21,1-6 mit zwei Abschnitten zu tun, die hinsichtlich des Erzähltempos parallelisiert
sind:

- Pause: 21,1.2 || 4
- Zeitdeckung: 3a-e || 5a-6c
- Raffung: 3f.3g || 6d.6e

Diese Parallelstellung soll nicht überbewertet werden, schließlich hat 21,1.2 eine über V. 3 hinausreichende expositionelle

Funktion. Es läßt sich aber zeigen, daß zwischen den beiden Abschnitten auch thematische Bezüge vorliegen.

In V. 7 liegt in etwa Zeitdeckung vor, wobei das Tempo in 7a-c
niedriger ist, als in der zweiten Vershälfte. In 7a-c wird wörtliche Rede durch Hintergrundinformation gedehnt, während in 7d-h
an sich eine leichte Raffung vorliegt, andererseits aber ebenfalls
Hintergrundinformationen gegeben werden. In V. 8 liegt trotz der
zeitlosen Aussagen in 8b-d Zeitraffung vor. Das dürfte auch für
V. 9 gelten. Mit V. 10 verlangsamt sich das Erzähltempo wieder
deutlich. Hier wird zeitdeckend erzählt (wörtliche Rede). In V.
11 wird wieder gerafft. Das Erzähltempo ist trotz der Erzählereinrede in 11c.11d insgesamt recht hoch. Für die Einrede selbst
ist natürlich eine Pause anzusetzen. In 12a-c liegt wieder wörtliche Rede und damit Zeitdeckung vor. In 12d-g haben wir es mit
einer Erzählereinrede zu tun (Pause), während in V. 13 leicht gerafft wird. In V. 14 treffen wir dann wieder auf eine Pause. Zwischen V. 14 und V. 15a ist eine Aussparung anzusetzen, 15a
blickt nämlich schon auf das Essen zurück, von dem in V. 12.13
die Rede war. Mit 15b beginnt dann ein Dialogstück, das bis 19d
geht. Hier herrscht weitgehend Zeitdeckung. In 17d-f und 19a-c
wird das Erzähltempo freilich durch Erzählereinreden weiter verlangsamt, so daß hier dann Zeitdehnung vorliegt. Eine sehr gedehnte Erzählweise ist auch in 21,20-22 anzutreffen. Auch hier
ist wieder wörtliche Rede durch Erzählereinrede gedehnt.

Ab V. 23 spricht nur noch der Erzähler. Die erzählte Zeit ist zu
Ende, die Erzählzeit läuft noch bis V. 25. Da hier also eine Pause gegeben ist und zugleich die besprechenden Tempora überwiegen, haben wir es mit einem Erzählerkommentar im definierten
Sinn zu tun. Der Erzähler bespricht Erzähltes und leitet damit
- wir haben ja den Textschluß vor uns! - aus der Textwelt in die
Welt der Lesenden über.

Der beim Erzähltempo festgestellte Wechsel prägt auch das **Erzählprofil** von Joh 21. Es findet sich zwar ein hoher Anteil an
wörtlicher Rede, aber dieses mimetische Mittel bewirkt keine
Illusionsbildung bei den Rezipierenden. Die einzelnen Abschnit-

te sind dafür zu kurz, und außerdem ist der Erzähler in einem
sehr hohen Maße durch seine Einreden präsent. Die Mimesis ist also auch in diesem Textteil wieder als Hilfsmittel zur Verlebendigung eingesetzt. Der Erzählvorgang wird in Joh 21 sogar in besonderer Deutlichkeit präsentiert. Er soll nicht ausgeblendet
werden, sondern wird - ganz im Gegenteil - eigens thematisiert.
Insofern ist 21,24 der Höhepunkt des Bemühens unter Bewußtmachung
der erzählerischen Vermittlung aus der Textwelt hinaus in die Lebenswelt hineinzuführen.

2.5.4   Weitere textsemantische Analysen

2.5.4.1 Kohäsion und Kohärenz

Beginnen wir wieder mit einer Beschreibung kohäsiver Elemente:
21,1a: μετὰ ταῦτα ist ein genereller Rückverweis auf Vorausgehen-
des. Dieser Rückbezug wird durch ἐφανέρωσεν in der Kombination mit πάλιν präzisiert: es geht offensichtlich um
die Erscheinungen in Joh 20, wo die Jünger Jesus gesehen
haben.
1b: ἐφανέρωσεν ist durch Lexemrekurrenz auf 1a bezogen. Jesus
ist hier grammatikalisch repräsentiert. οὕτως ist eine generelle Kataphora.
2: Die Aufzählung der Anwesenden ist als ganze auf τοῖς μαθηταῖς in 1a rückbezogen. Zusätzlich ist allerdings auch
eine Anaphora aufgrund von Lexemrekurrenz feststellbar.
Es ist aber zu beachten, daß μαθητής in V. 2 offensichtlich
eine größere Gruppe umfaßt, von der die in 1a erwähnten
und in V. 2 aufgezählten Jünger nur ein Teil sind. Einzelne Jüngernamen stellen auch makrokontextuelle Bezüge her.
Petrus ist so oft in Joh 1-20 erwähnt, daß sich Einzelbelege erübrigen, Thomas war in 20,24.26.27.28, Nathanael
in 1,45.46.47.48.49 erwähnt worden. Durch diese Rückbezüge
wird die folgende Erzählung an die ersten zwanzig Kapitel
angebunden.
3a: Als Inquit-Formel ist λέγει kataphorisch auf 3b bezogen.

In αὐτοῖς sind die Personen von V. 2 (außer Petrus) pronominalisiert.

3b: In ὑπάγω ist Petrus (3a) grammatikalisch repräsentiert.

3c: In λέγουσιν ist der Personenkreis von V. 2 (ohne Petrus) grammatikalisch repräsentiert, Petrus ist in αὐτῷ pronominalisiert. Die Inquit-Formel ist kataphorisch auf 3d bezogen.

3d: In ὑμεῖς ist die Gruppe von V. 2 (außer Petrus) pronominalisiert, in ἐρχόμεθα grammatikalisch repräsentiert. Petrus wird durch σοί pronominalisiert.

3e: In ἐξῆλθον ist die Jüngergruppe von V. 2 grammatikalisch repräsentiert. Gleichzeitig liegen Rückbezüge zu 3b und 3d vor (Rekurrenz verwandter Lexeme).

3f: Auch in ἐνέβησαν sind die Jünger repräsentiert. πλοῖον ist durch kulturell bedingte Kontiguität mit ἁλιεύειν (3b) verbunden: Zum Fischen gehört ein Brot.

3g: Der gleiche Bezug ist bei νυκτί vorauszusetzen. Die Nacht ist die Zeit des Fischens. Deshalb kann die Zeitangabe auch in 3b einfach vorausgesetzt werden. Auch ἐπίασαν ist auf 3b rückbezogen (Rekurrenz verwandter Lexeme). Im Verb sind außerdem die Personen von V. 2 wieder grammatikalisch repräsentiert.

4a: πρωΐας ist kontrastiv auf νυκτί (3g) rückbezogen.

4b: Ἰησοῦς ist anaphorisch auf 1a bezogen (Lexemrekurrenz). αἰγιαλόν ist logisch mit 1a verknüpft: Zum See gehört ein Ufer.

4c: μαθηταί ist durch Lexemrekurrenz anaphorisch auf 1a. Semantisch liegt auch ein Rückbezug auf V. 2 vor: es geht um die dort aufgezählten Personen, die in ᾔδεισαν auch repräsentiert sind.

4d: Ἰησοῦς ist durch Lexemrekurrenz auf 4b.1a rückbezogen.

5a: Jesus ist in λέγει repräsentiert. Zugleich stellt die Redeeinleitung eine kataphorische Beziehung zu 5b.5c her. Jesus wird auch noch einmal explizit genannt. In αὐτοῖς sind wieder die Jünger vertreten (4c.2.1a). Letzteres gilt auch für

5b, denn in παιδία sind sie ja die Angesprochenen.

5c: Die Jüngergruppe ist in ἔχετε auch grammatikalisch repräsentiert. προσφάγιον ist selbst dann ein Rückbezug auf 3b (ἁλιεύειν) und 3g (ἐπίασαν οὐδέν), wenn die allgemeine Übersetzung 'etwas zu essen' gewählt wird. Schließlich gehören Fische zur Menge der Nahrungsmittel.

5d: In ἀπεκρίθησαν sind wieder die Jünger repräsentiert, in αὐτῷ ist Jesus (5a.4d.4b.1a) pronominalisiert. Die Redeeinleitung stellt eine Kataphora auf 5e dar.

5e: Die Verneinung stellt einen Rückbezug auf die Frage (5c) her. Wir haben es hier wieder mit dem Phänomen des sluicing zu tun. Eine entsprechende Formulierung von 5c ist hier zu ergänzen. Außerdem besteht eine Anaphora zu 3g.

6a: In εἶπεν ist Jesus grammatikalisch repräsentiert. Zugleich wird auf 6b.6c vorverwiesen. In αὐτοῖς ist wieder die Jüngergruppe pronominalisiert.

6b: Diese Gruppe ist in βάλετε repräsentiert. πλοίου stellt einen Rückbezug auf 3f her (Lexemrekurrenz). δίκτυον ist durch kulturell begründete Kontiguität auf 3b bezogen: Auch das Netz gehört zum Fischen.

6c: In εὑρήσετε sind wieder die Jünger repräsentiert. Zugleich liegt ein kontrastiver Rückbezug auf 5e (mit 5c) und 3g vor.

6d: In ἔβαλον sind die Jünger repräsentiert. Auch liegt eine Anaphora zu 6b vor (Lexemrekurrenz). Außerdem ist eine anaphorische Ellipse festzustellen. Aus 6b ist hier τὸ δίκτυον zu ergänzen.

6e: In αὐτό ist das Netz von 6b pronominalisiert. Es ist auch in πλήθους grammatikalisch repräsentiert. Der gleiche Bezug liegt in ἴσχυον vor, nur daß hier die Jünger repräsentiert sind. ἰχθύων ist auf 3b (ἁλιεύειν) bezogen. 6e insgesamt ist auf 6c und kontrastiv auf 5e.3g rückbezogen.

7a: λέγει ist wieder Vorverweis auf die folgende Rede (7c). μαθητής ist durch Lexemrekurrenz auf 4c.2.1a bezogen. Hier geht es allerdings nur um einen Jünger aus der Gruppe, wie die folgende Äußerungseinheit deutlich macht. ἐκεῖνος ist eine generelle Anaphora. Der Jünger wird inzwischen als bekannt vorausgesetzt. Πέτρῳ ist durch Lexemrekurrenz auf 3a.2 rückbezogen.

7b: In ὅν ist μαθητής (7a) pronominalisiert. Ἰησοῦς ist rekurrent (5a.4d.4b.1a). Die ganze Äußerungseinheit ist makrokontextuell auf 20,2d; 19,26b; 13,23b bezogen.

7c: κύριος ist auf Jesus rückbezogen.

7d: Πέτρος ist rekurrent (7a). Der Doppelname war schon in 2.3a genannt worden.

7e: Hier wird 7c wörtlich wiederholt.

7f: In διεζώσατο ist Petrus grammatikalisch repräsentiert. ἐπενδύτην ist durch anaphorische Ellipse auf Σίμων Πέτρος in 7e bezogen. Hier ist das Personalpronomen zu ergänzen.

7g: In ἦν ist Petrus grammatikalisch repräsentiert. γυμνός ist auf 7f bezogen: Die Nacktheit entspricht dem Bekleiden.

7h: In ἔβαλεν ist wieder Petrus repräsentiert. Außerdem liegt ein Bezug auf 6d.6b vor. Diese Lexemrekurrenz ist allerdings nicht überzubewerten, schließlich wirft sich hier Petrus, während dort das Netz geworfen wird. θαλάσσην ist durch Lexemrekurrenz mit 1a verbunden. Auch zu 3f liegt ein Bezug vor: Diese Information über das Besteigen des Bootes wird hier vorausgesetzt.

8a: ἄλλοι μαθηταί bezieht sich auf die in 3a.3c.3d vertretene Gruppe. Es geht um die Jünger von V. 2 ohne Petrus. Lexemrekurrenz begründet Bezüge zu 7a.4c.2.1a. πλοιαρίῳ ist auf 6b.3f rückbezogen (Rekurrenz verwandter Lexeme).

8b: In ἦσαν sind die Jünger von 8a repräsentiert. τῆς γῆς ist durch semantische Kontiguität auf 4b (αἰγιαλόν) bezogen.

8c: Diese Äußerungseinheit spezifiziert das οὐ μακράν von 8b.

8d: In σύροντες sind die Jünger (8a) grammatikalisch repräsentiert. δίκτυον ist anaphorisch mit 6b verknüpft (Lexemrekurrenz). Gleichartig ist der Bezug von ἰχθύων auf 6e.

9a: In ἀπέβησαν sind die Jünger von 8a wieder grammatikalisch repräsentiert. τῆν γῆν stellt durch Lexemrekurrenz einen Bezug zu 8b her.

9b: In βλέπουσιν sind wieder die Jünger (8a) vertreten. ὀψάριον ist auf 8d.6e rückbezogen (Rekurrenz synonymer Lexeme).

10a: λέγει als Redeeinleitung stellt eine Kataphora auf 10b.10c dar. 'Iησοῦς ist rekurrent (7b.5a.4d.4b.1a). In αὐτοῖς sind die Jünger pronominalisiert.

10b: Sie sind auch in ἐνέγκατε vertreten. ὀψάριον ist auf 9b (Lexemrekurrenz) und 8d.6e (Rekurrenz verwandter Lexeme) rückbezogen.

10c: Die Fische sind in ὧν pronominalisiert. In ἐπιάσατε sind die Jünger ohne Petrus (8a) angesprochen. Zugleich liegen aber Rückbezüge auf 6e.3g vor (Lexemrekurrenz), wo alle Jünger Subjekt waren.

11a: Petrus wird wieder mit seinem Doppelnamen genannt (7d.3a.2). ἀνέβη ist auf ἀπέβησαν (9a) rückbezogen.

11b: In εἵλκυσεν ist Petrus repräsentiert. Zugleich liegt ein Rückbezug auf 6e (Lexemrekurrenz) vor. Das Netz war schon in 6e.6b erwähnt worden. τῆν γῆν ist auf 9a.8b (Lexemrekurrenz) und auf 4b (semantische Kontiguität) rückbezogen. μεστόν ist anaphorisch auf 6e (πλήθους) bezogen. ἰχθύων nimmt Bezug auf 6e.8d (Lexemrekurrenz) und auf 10b.9b (Rekurrenz verwandter Lexeme).

11c: τοσούτων bezieht sich auf die Zahl in 11b zurück (Pronominalisierung). In ὄντων sind die Fische grammatikalisch repräsentiert.

11d: δίκτυον ist durch Lexemrekurrenz anaphorisch mit 11b.6b verbunden.

12a: Welche Gruppe in αὐτοῖς pronominalisiert ist, ist nicht sofort klar. Es dürfte sich allerdings um die Gesamtgruppe von V. 2 handeln, weil Petrus in 11a ja wieder erwähnt wurde. 'Iησοῦς ist durch Lexemrekurrenz auf 10a.7b etc. rückbezogen. Die Inquit-Formel ist Kataphora zu 12b.12c.

12c: In ἀριστήσατε sind die Jünger grammatikalisch repräsentiert.

12d: μαθητῶν macht die Jüngergruppe wieder explizit (4c.2.1a). In αὐτόν ist Jesus (12a) pronominalisiert.

12e: Pronominalisierung Jesu liegt auch bei σύ vor. In εἶ ist Jesus dagegen grammatikalisch repräsentiert.

12f: Hier sind die Jünger (12d) repräsentiert.

12g: Die Äußerungseinheit wiederholt 7e.7c. 12f und 12g zusammen sind auch auf 4c.4d zu beziehen. Dem Nichtwissen steht zwar das Wissen gegenüber, aber es geht jeweils um die Identität Jesu.

13a: Jesus ist rekurrent (12a.10a.7b etc.).

13b: In λαμβάνει ist Jesus repräsentiert. Das Brot war schon in 9b erwähnt.

13c: In δίδωσιν ist Jesus repräsentiert. In αὐτοῖς sind die Jünger von 12d pronominalisiert.

13d: ὀφάριον ist durch Lexemrekurrenz auf 10b.9b rückbezogen. ὁμοίως bezieht sich auf 13b.13c insgesamt zurück. Außerdem liegt anaphorische Ellipse vor. Von 13b.13c her sind entsprechende Prädikate zu ergänzen.

Makrokontextuell ist in 13b-d ein Rückbezug auf 6,11 zu sehen. λαμβάνει (13b), ἄρτον (13b), δίδωσιν (13c), ὀφάριον (13d) und ὁμοίως (13d) stellen anaphorische Bezüge her, die auf Lexemrekurrenz beruhen. Hier wie dort geht es um das Handeln Jesu im Kontext eines Mahls mit Brot und Fischen.

14: τοῦτο ist eine generelle Anaphora. Vorhergehendes wird pronominalisiert. Daß es dabei um den Abschnitt 21,1-13 geht, wird aus dem Rückbezug von ἐφανερώθη auf V. 1 (Lexemrekurrenz) deutlich. Die Zählung τρίτον verweist auf zwei vorausgegangene Erscheinungen zurück. Damit können nur 20,19-23 und 20,26-29 gemeint sein. In 20,19.26 werden jeweils die Jünger erwähnt, worauf sich μαθηταί hier rückbezieht. Im engeren Kontext liegen natürlich Beziehungen dieses Lexems zu 12d.4c.2.1a vor. ἐγερθεὶς ἐκ νεκρῶν ist makrokontextuell auf 20,9b bezogen.

15a: In ἠρίστησαν sind die Jünger (und Jesus?) grammatikalisch repräsentiert. Zu 12c liegt eine Anaphora vor, die auf Lexemrekurrenz beruht.

15b: Σίμων Πέτρος ist rekurrent (11a.7d.3a.2), Ἰησοῦς ebenfalls (14.13a.12a etc.). Die Redeeinleitung λέγει ist Kataphora zu 15c.15d.

15c: Σίμων greift auf 15b zurück.

15d: Simon ist in ἀγαπᾷς grammatikalisch repräsentiert. In με ist Jesus pronominalisiert, in τούτων die Jünger außer Simon (8a).

15e: In λέγει ist Simon repräsentiert, außerdem liegt ein Verweis auf 15f-i vor. αὐτῷ ist eine Pronominalisierung von Jesus (15b).

15f: Das 'Ja' des Simon ist auf die Frage in 15 d anaphorisch bezogen. Hier liegt wieder sluicing vor. Eine 15d entsprechende Aussage ist hier zu ergänzen.

15g: Die Anrede ist auf die Identifizierung in 12g.7e.7c bezogen (Lexemrekurrenz).

15h: In σύ ist Jesus pronominalisiert, in οἶδας repräsentiert.

15i: In φιλῶ ist Simon Petrus repräsentiert, in σέ Jesus pronominalisiert. Durch φιλῶ liegt ein auf der Rekurrenz synonymer Lexeme beruhender Rückbezug auf 15d vor.

15k: In λέγει ist Jesus repräsentiert. Außerdem liegt wieder ein Vorverweis auf die folgende Äußerung vor. In αὐτῷ ist Simon repräsentiert.

15l: In βόσκε ist er grammatikalisch repräsentiert. μού ist eine Pronominalisierung von Jesus.

16a: In λέγει ist Jesus repräsentiert. Außerdem haben wir es hier wieder mit einer Kataphora zur folgenden Rede zu tun. In αὐτῷ ist Simon pronominalisiert. πάλιν und δεύτερον beziehen sich auf 15b-d zurück. Entsprechend folgt jetzt eine Wiederholung von V. 15.

16b-i wiederholen 15c-k wörtlich. Nur in 16c wird 15d um πλέον τούτων gekürzt.

16k variiert 15l: βόσκε und ἀρνία werden durch die als Synonyme behandelten Lexeme ποίμαινε und πρόβατα ersetzt. Durch das letztgenannte Lexem entsteht zugleich ein makrokontextueller Rückbezug auf die Hirtenrede in 10,1 ff, wo dieser Begriff ständig für die Schafe verwendet wird. ποίμαινω findet sich dort zwar nicht, aber das entsprechende Nomen in 10,2.11.12.14.16.

17a: Hier wird die Zählung von 16a fortgesetzt und damit eine weitere Wiederholung von 15b-l eingeleitet.

17b wiederholt 16b.15c.

17c variiert 16c.15d. ἀγαπᾷς wird durch das synonyme φιλεῖς ersetzt.

17d: Πέτρος bezieht sich auf die früheren Erwähnungen dieser Figur zurück (17b.16b.15c.15b etc.).

17e: Hier wird 17a wiederholt, wobei λέγει durch εἶπεν ersetzt wird.

17f: Diese Äußerungseinheit ist die wörtliche Wiedergabe von 17c. Durch die Zählung in 17e ist ein Rückbezug auf 16c und 15d gegeben, wobei deutlich wird, daß φιλέω und ἀγαπάω wirklich als Synonyme behandelt werden.[1]

17g ist die wörtliche Wiederholung von 15e und 16d.

17h wiederholt 15g und 16f.

17i: Hier wird auf 15h und 16g zurückgegriffen, wobei allerdings der Gegenstand des Wissens Jeus generalisiert wird (πάντα).

17k.17l wiederholen 15h.15i und 16g.16h. Statt οἶδα wird hier aber das Synonym γινώσκω verwendet. Natürlich liegt hier auch eine Anaphora zu 17i vor. Sie beruht einmal auf der Rekurrenz synomymer Lexeme und außerdem auf logischer Inklusion. Das Wissen Jesu um die Liebe des Petrus ist Teil seines umfassenden Wissens.

17m: Hier wird auf 15k.16i zurückgegriffen. Eingeleitet wird mit dieser Äußerungseinheit der Hirtenauftrag.

17n: Der Auftrag ist die Wiederholung von 15l.16k, wobei wieder mit Variation durch synonyme Lexeme gearbeitet wird. βόσκε stammt aus 15l und ersetzt ποίμαινε in 16k. πρόβατα stammt aus 16k und variiert ἀρνία in 15l. Die Lexemvariationen ergeben folgendes Schema:

15l:	A	-	a
16k:	B	-	b
17n:	A	-	b

---

1) Daß bei den Lexemvarianten in 21,15-17 die Lexeme ἀγαπάω/φιλέω, βόσκω/ποιμαίνω und ἀρνίον/πρόβατον als Synonyme behandelt werden, vertreten u.a. HOLTZMANN 1893, 227; WELLHAUSEN 1908, 98; BAUER 1933, 238; LAGRANGE 1936, 529; GÄCHTER 1947, 329-331; BROWN 1966/70, 1103.1105; SCHNACKENBURG 1975, 432 f; BARRETT 1978, 584 f; SMITH 1983, 183. Anders jetzt wieder Mac KAY 1985.

Semantische Differenzen zwischen den sich ersetzenden Lexemen sind dabei nicht festzustellen. Es geht hier darum,
dem dreifach erteilten Auftrag eine besondere formale Qualität zuzuordnen, die Zeichen für sein inhaltliches
Gewicht ist.

18a: Das phatische Element des doppelten Amen hat allgemeine
kataphorische Eigenschaft.

18b: in λέγω ist Jesus als Sprecher grammatikalisch repräsentiert. Die Inquit-Formel hat auch kataphorische Qualität.
Sie verweist auf 18c-18h. In σοι ist Petrus als Adressat
pronominalisiert.

18c: Dieselbe Figur ist in ῆς grammatikalisch repräsentiert.

18d: Dies gilt auch für ἐζώννυες. Das Verb stellt durch Lexemrekurrenz einen Rückbezug zu 7f her. In σεαυτόν liegt zudem eine entsprechende Pronominalisierung vor.

18e: Hier ist Petrus grammatikalisch repräsentiert (περιεπάτεις).

18f: ὅπου stellt eine anaphorische Beziehung zu 18e her. In
περιπατέω ist ja ein Ortswechsel impliziert. ἤθελες stellt
wieder eine grammatikalische Repräsentation von Petrus dar.

18g-l ist kontrastiv auf 18c-f rückbezogen. Im einzelnen sehen
die Oppositionen folgendermaßen aus:

18g: γηράσῃς steht im Gegensatz zu νεώτερος (18c). Grammatikalisch repräsentiert ist jeweils Petrus.

18h.18i: ζώσει ist durch Lexemrekurrenz auf 18d rückbezogen. Allerdings wird hier ein neues Subjekt (ἄλλος) eingeführt. Petrus wird zum Handlungsobjekt (pronominalisiert in σέ).
Als neue Handlung wird ihm in 18h das Ausstrecken der Hände zugeordnet. In ἐκτενεῖς ist Petrus repräsentiert, in
σου pronominalisiert.

18k: Die Opposition zwischen der Subjekt- und der Objektrolle
des Petrus wird hier fortgesetzt. οἴσει (ἄλλος ist repräsentiert) steht gegen περιεπάτεις (Petrus repräsentiert)
in 18e. 18k ist durch anaphorische Ellipse auf 18i bezogen: das Personalpronomen σέ ist hier als Objekt zu ergänzen. Dadurch wird die Opposition 'Subjekt versus Objekt'
noch deutlicher.

18l ist die verneinte Wiederholung von 18f.

19a: τοῦτο ist ein genereller Rückverweis. In der Verbindung mit εἶπεν ist er auf die vorhergehende Rede Jesu, der hier grammatikalisch repräsentiert ist, ausgerichtet.

19b: Durch die Erwähnung des Todes ist der Rückverweis von 19a inhaltlich enggeführt. Es geht vor allem um 18g-l, denn Tod und Alter (γηράσῃς in 18g!) gehören logisch zusammen. In δοξάσει ist Petrus grammatikalisch repräsentiert.

19c: Diese Äußerungseinheit hat Scharnierfunktion. τοῦτο εἶπων wiederholt die Anaphora von 19a, und gleichzeitig leitet die Inquit-Formel λέγει αὐτῷ zum Folgenden über. In der Redeeinleitung ist Jesus als Sprecher repräsentiert, Petrus als Adressat pronominalisiert.

19d: In ἀκολούθει ist Petrus repräsentiert. μοι ist eine Pronominalisierung von Jesus.

20a: ἐπιστραφείς ist auf ἀκολούθει in 19d rückbezogen. Die semantische Kontiguität ist darin zu sehen, daß ἐπιστρέφω als Richtungsänderung eine richtungsmäßige Vororientierung voraussetzt. Eine solche ist in ἀκολουθέω impliziert. τὸν μαθητήν in Verbindung mit 20b ist anaphorisch auf 7a.7b bezogen, wobei 20b eine wörtliche Wiederholung von 7b darstellt. Im Makrokontext liegen natürlich Rückbezüge zu allen Stellen vor, wo der Lieblingsjünger schon erwähnt wurde. ἀκολουθοῦντα ist auf 19d rückbezogen (Lexemrekurrenz), wobei hier aber nicht Petrus, sondern der geliebte Jünger repräsentiert ist.

20c: In ὅς ist der Jünger von 20a pronominalisiert, in ἀνέπεσεν ist er repräsentiert. Das Verb stellt im Makrokontext einen Rückbezug auf 13,25a dar (Lexemrekurrenz). Das gleiche gilt für ἐπὶ τὸ στῆθος. In αὐτοῦ ist nicht nur 'Ιησοῦς von 21,20b pronominalisiert, sondern auch τοῦ 'Ιησοῦ in 13,25a. Das δεῖπνον schließlich, von dem 21,20c spricht, ist das, das in 13,2a.4a eingeführt wurde.

20d: In εἶπεν ist der Jünger grammatikalisch repräsentiert. Zugleich liegt eine Kataphora auf 20e-g vor. Die ganze Äußerungseinheit greift auf 13,25b zurück.

20e.20f wiederholen wörtlich 13.25c.25d. Im engeren Kontakt ist
die Kyrios-Bezeichnung rekurrent (17h.16f.15g.12g.7c).

20g: Diese Formulierung findet sich in 13,25 nicht. Dort ist
aber die Kurzformulierung τίς ἐστιν eindeutig, weil die
Frage, wie wir gesehen haben, in einem entsprechenden Kontext eingebettet ist: 13,21f eröffnet die Frage nach der
Identität des Verräters, 13,22c setzt dies fort, auch
13,24b greift die Frage auf, bis sie der geliebte Jünger
in 13,25d dann ausformuliert. Da dieser Kontext in Joh 21
fehlt, wird er durch den verdeutlichenden Zusatz 20g ersetzt. Diese Äußerungseinheit ist also auf 13,21-24 rückbezogen, wobei zu 13,21f eine auf Lexemrekurrenz beruhende Anaphora besteht (παραδίδωμι).

21a: τοῦτον ist eine Pronominalisierung des in 20a erwähnten
Jüngers. ἰδών bezieht sich auf βλέπει in 20a zurück. Dort
war auch Petrus zuletzt erwähnt worden, Jesus in 20b. λέγει
ist als Redeeinleitung kataphorisch auf 21b.21c.

21b: Die Kyrios-Bezeichnung ist rekurrent (20e.17h.16f etc.).

21c: In οὗτος ist der Jünger von 20a pronominalisiert, wie zuletzt in 21a.

22a: In αὐτῷ ist Petrus pronominalisiert. Jesus ist rekurrent
(zuletzt: 21a). λέγει leitet 22b-e ein.

22b: In αὐτόν ist der geliebte Jünger (20a) pronominalisiert,
in θέλω Jesus grammatikalisch repräsentiert.

22c: In ἔρχομαι ist Jesus ebenfalls repräsentiert.

22d: σέ ist Pronominalisierung von Petrus (21a). Auch liegt eine anaphorische Ellipse zu 22b.22c vor. Die verkürzte Formulierung in 22d ist mindestens durch eine Pronominalisierung von 22b.22c zu ergänzen.

22e: In σύ ist wieder Petrus pronominalisiert, in μοι Jesus.
ἀκολούθει ist durch Lexemrekurrenz auf 20a.19d rückbezogen.
Allerdings ist nur in 19d und 22e das Subjekt (Petrus)
identisch.

23a: οὗτος ὁ λόγος stellt eine kataphorische Beziehung zu 23b
her.

23b: μαθητής ist rekurrentes Lexem (20a); ἐκεῖνος verdeutlicht

den Rückverweis auf V. 20. οὐκ ἀποθνῄσκει bezieht sich
auf 22b.22c zurück. 'Bleiben bis Jesus kommt' wird dabei
mit 'nicht Sterben' gleichgesetzt.

23c.23d: Diese Gleichsetzung wird hier bestritten.

Zu den Einzelbezügen:

23c: In αὐτῷ ist der Jünger von 20a.20b pronominalisiert. Jesus wurde zuletzt in 22a erwähnt. οὐκ εἶπεν als negative
Inquit-Formel erzeugt eine Kataphora auf 23d und entwer-
tet zugleich die dort gemachte Aussage.

23d ist durch Lexemrekurrenz auf 23b (οὐκ ἀποθνῄσκει)rückbezo-
gen.

23e: ἀλλα bindet diese Äußerungseinheit kontrastiv an 23d. Ausserdem ist eine anaphorische Ellipse zu 23c zu sehen. Mindestens εἶπεν wäre von dort her zu ergänzen. Ansonsten
wird 22b wörtlich wiederholt.

23f.23g wiederholen 22c.22d.

24a: οὗτος pronominalisiert den Jünger, mit allen Eigenschaften,
die ihm in 20-23 zugeschrieben wurden. μαθητής ist durch
Lexemrekurrenz anaphorisch auf 20a.23b bezogen.

24b: Dieser Jünger ist in μαρτυρῶν grammatikalisch repräsentiert. Das Partizip ist durch Lexemrekurrenz auf 19,35a.35b
rückbezogen, wo ebenfalls vom Zeugnis des Jüngers die Rede war. τούτων ist ein genereller Rückverweis, dessen
Reichweite durch nichts eingeschränkt ist. Wir haben es
also wohl mit einer Pronominalisierung des Gesamttextes
zu tun.

24c: Das gilt auch für ταῦτα. In γράψας ist wieder der geliebte
Jünger (20a.20b.23b.24a) grammatikalisch repräsentiert.

24d: οἴδαμεν ist auf 24e kataphorisch bezogen. Dort wird der
Gegenstand des Wissens expliziert.

24e: In αὐτοῦ ist wieder der Jünger (24a) pronominalisiert.
μαρτυρία ist anaphorisch auf 24b bezogen (Rekurrenz verwandter Lexeme). Makrokontextuell liegt hier außerdem ein
Bezug zu 19,35b vor (Lexemrekurrenz). Die Wahrheit des
Jüngerzeugnisses war auch in 19,35b.35d betont worden.
ἀληθής stellt entsprechende Rückbezüge her.

25a: ἄλλα πολλά bezieht sich kontrastiv auf τούτων (24b) und ταῦτα (24c).

25b: In ἅ sind die vielen anderen Dinge pronominalisiert. Jesus wurde zuletzt in 23c erwähnt.

25c: In ἅτινα ist πολλά pronominalisiert. γράφεται ist durch Lexemrekurrenz auf 24c rückbezogen. Dort ging es freilich um das Geschriebene, hier um das, was nicht aufgeschrieben wurde (oppositorische Relation).

25d: γραφόμενα bezieht sich aufgrund von Lexemrekurrenz auf 25c.24c zurück.

Zusammenfassend läßt sich sagen:

Es ist deutlich eine Zweiteilung des Textes festzustellen, weil es nämlich Isotopie-Ebenen gibt, die sich auf eine Texthälfte beschränken. So wird - vorbereitet durch die Ortsangabe in 1a - mit dem Begriff ἁλιεύειν in 3b eine thematische Linie eröffnet, die grundlegend ist für 21,1-13 und in diesem Abschnitt unablässig reaktiviert wird. In 21,15-25 dagegen spielt das Thema 'Fischfang' keine Rolle mehr.

Es kommt hinzu, daß die Präsenz von Personen, die ein wichtiger Faktor für die Kohärenz des Textes ist, im ersten Abschnitt anders ausgestaltet ist als im zweiten.

In 1-14 sind Jesus und die in V. 2 aufgezählten Jünger anwesend, wobei Petrus und der geliebte Jünger aus der Gruppe als Einzelpersonen hervortreten.

In 15-25 dagegen sind die übrigen Jünger völlig ausgeblendet. Auch wenn ihr Abtreten nicht erwähnt wird, so wird doch ihre Anwesenheit in keiner Weise funktionalisiert. In der zweiten Texthälfte sind nur noch Jesus, Petrus und der Lieblingsjünger wichtig; auf sie konzentriert sich der Text.

Für die Zweiteilung des Textes spricht auch, daß die Kataphora von 1b in V. 14 aufgegriffen wird. So entsteht ein Rahmen, der das Thema 'Erscheinung' auf 21,1-14 beschränkt.

In 15-25 spielen andere Themen eine Rolle. Es geht um Liebe, Nachfolge und Tod. Diese Themen tauchen in 1-14 nicht auf. Das

Plädoyer für eine Zweiteilung des Textes[1] darf nun freilich nicht so verstanden werden, als behauptete ich, die beiden Hälften hätten nichts miteinander zu tun. Es gibt natürlich verbindende Elemente. Hier sind etwa der Rückverweis in 15a und die durchgängige Präsenz von Jesus, Petrus und Lieblingsjünger zu nennen.

Die Ebene der Präsenz von Personen und die thematische Ebene sind übrigens so eng miteinander verknüpft, daß es mir möglich erscheint, bei der weiteren Analyse beide Bereiche im Zuge der Figurenanalyse zu behandeln. Was 21,24.25 angeht, so ist festzuhalten, daß hier zwar neue Subjekte, eine Wir-Gruppe (repräsentiert in οἴδαμεν) und ein Ich-Sprecher (repräsentiert in οἶμαι), auftreten, die Rückbezüge auf Vorhergehendes aber sehr ausgeprägt sind. Es geht wie in 20-23 um den geliebten Jünger und zugleich um den Gesamttext, wie die makrokontextuellen Bezüge deutlich machen. Der Rückblick auf den Gesamttext gehört dabei zur weiteren Charakterisierung des Jüngers, deshalb ist eine Abtrennung von 21,15-23 und 24.25 nicht möglich.

2.5.4.2   Analyse der Figuren

2.5.4.2.1   Joh 21,1-14

2.5.4.2.1.1 Die Handlungsträger und ihre Wechselbeziehungen

Beginnen wir mit der Analyse der ersten Figur, die handelnd auftritt: **Petrus.** Ihm werden folgende Handlungen zugeordnet:
- 3a: er sagt
- 7d: er hört
- 7f: er gürtet sich
- 7h: er wirft sich

---

1) Vgl. HARTMAN 1984, 30-33.

- 11a: er kommt heraus[1]
- 11b: er zieht.

Als Objekt des Handelns anderer ist Petrus erwähnt in:
- 3c: er wird angeredet
- 7a: er wird angeredet.

Beim **geliebten Jünger** ergibt sich folgendes Bild. Er tritt nur einmal als Handelnder in Erscheinung, nämlich in
- 7a: er sagt.

Handlungsobjekt ist er in:
- 7b: er wird geliebt.

Beide Jünger gehören der Gruppe der in V. 2 aufgezählten Jünger an. Allerdings tritt nur Petrus als Gegenüber der anderen auf. Deswegen ist im Unterschied zum Lieblingsjünger in Bezug auf ihn die Jüngergruppe zu differenzieren. Wir müssen die Gruppe aller Anwesenden unterscheiden von der Gruppe 'die Jünger ohne Petrus'. Betrachten wir zunächst die **Gesamtgruppe der Jünger.** Ihnen werden folgende Handlungen zugeordnet:
- 3e: sie gehen hinaus
- 3f: sie steigen ein
- 5d: sie antworten
- 6d: sie werfen
- 6e: sie fangen Fische.

Es wäre zu überlegen, ob nicht auch 3g.4c.12d-g Aussagen sind, die hier aufzulisten wären. Ich bin allerdings der Meinung, daß es hier jeweils um Nicht-Handlungen geht, die zwar bei der Figurencharakterisierung zu beachten sind, aber nicht als Handlungen aufzulisten sind. Die Jünger **tun** an den betreffenden Stellen ja nichts, der Erzähler benutzt dieses Nicht-Tun, um die Jünger näher zu beschreiben.

Handlungsobjekt ist die Gesamtgruppe in:

---

1) Ich verstehe 11a so, daß Petrus erst hier aus dem Wasser an Land kommt. Das Präfix von ἀναβαίνω ist dabei auf die Bewegung vom tieferliegenden Wasser zum höherliegenden Land bezogen.

- 5a: sie werden angeredet
- 6a: sie werden angeredet
- 12a: sie werden angeredet
- 13c: ihnen wird gegeben
- 13d: ihnen wird gegeben.

Schließlich sind noch 1a.1b.14 zu erwähnen. Zwar sind auch hier die Jünger Objekt des Handelns (Jesu), aber wir haben es hier nicht mit einer eigenen Handlung zu tun, sondern mit einem interpretativen Summarium. Die Gesamtheit dessen, was Jesus in 21,1-15 tut, wird als Erscheinung interpretiert. Deshalb sind die betreffenden Äußerungseinheiten weder hier, noch bei den Handlungen Jesu aufzulisten.

Wie sieht nun das Bild der Gruppe der **Jünger ohne Petrus** aus? Sie handeln in

- 3c: sie sagen
- 8a: sie kommen
- 8d: sie ziehen
- 9a: sie gehen an Land
- 9b: sie sehen

Als Handlungsobjekt tritt diese Gruppe auf in

- 3a: sie werden angesprochen
- 10a: sie werden angesprochen.

Bevor wir den Beziehungen nachgehen, die sich aus den Handlungen der Personen ergeben, ist noch auf **Jesus** als Handlungsträger einzugehen:

- 4b: er steht
- 5a: er sagt
- 6a: er sagt
- 7b: er liebt
- 10a: er sagt
- 12a: er sagt
- 13a: er kommt
- 13b: er nimmt
- 13c: er gibt
- 13d: er gibt

Die Objektrolle wird Jesus nur einmal zugewiesen, nämlich in
- 5d: ihm wird geantwortet.
Damit ergibt sich das gewohnte Bild, daß Jesus die dominante Figur darstellt, für die die Handlungsrolle und nicht die Objektrolle kennzeichnend ist. Ein großer Teil seines Handelns besteht
im Sprechen. Seine Adressaten sind immer die Jünger, wobei es
sich einmal um die Gruppe ohne Petrus handelt. Jesus spricht in
21,1-15 nicht zu einem einzelnen Jünger. Es kann sogar gesagt
werden, daß die Handlungsrelationen ihn überhaupt nur mit einem
Einzeljünger in Verbindung setzen, nämlich mit dem geliebten Jünger (7b). Insofern hat dieser Jünger einen besonderen Rang, auch
wenn seine Handlungsrolle quantitativ minimal ist. Petrus spielt
eine wesentlich wichtigere Rolle, wird allerdings als Einzelperson
nie direkt mit Jesus in Verbindung gebracht. Seine Kommunikationspartner sind die anderen Jünger und der geliebte Jünger, der zu
ihm spricht. Schematisch läßt sich das Geflecht der Handlungsrelationen folgendermaßen darstellen:

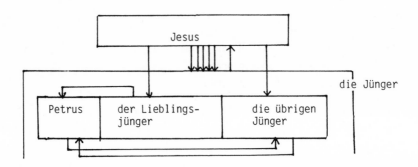

Von den Handlungen der Figuren, die in 21,1-15 erzählt werden,
setzt sie ein Großteil nicht direkt mit anderen Figuren als Objekt in Verbindung. Diese Handlungen bestimmen gleichwohl ebenfalls die Charakterisierung der Personen und ihre Beziehung zueinander. Außerdem sind die inhaltlichen Aspekte der Handlungen
zu berücksichtigen. Konzentrieren wir uns dabei auf Petrus und
den Lieblingsjünger:

Petrus wird auch dadurch gekennzeichnet, daß er als erster auf
die Idee kommt, fischen zu gehen. Er ist es auch, dem der Lieblingsjünger sagt, daß der Mann am Ufer Jesus ist. Petrus stürzt
sich daraufhin ins Wasser, offensichtlich um ans Ufer zu schwim-
men. Er ist es, der der - an alle Jünger gerichteten - Aufforderung Jesu in V. 10 entspricht und das Netz voller Fische ans
Land zieht. All diese Aktionen haben gemeinsam, daß sie Petrus
als aktiv und mit einer besonderen Stellung unter den Jüngern
darstellen. Wir hatten ja schon in Joh 6.13 gesehen, daß Petrus
eine **Führungs-** und **Sprecherrolle** unter den Jüngern zukommt.
Diese Rolle spielt er auch in Joh 21. Das machen seine Handlungen
in 21,3.7.11 recht deutlich.[1] Die Semantik der einzelnen Handlungen reicht aber weiter.

Wenn Petrus sich auf das Wort des geliebten Jüngers ins Wasser
stürzt, so ist das so zu verstehen, daß er mit besonderem Eifer
sich bemüht, schnell zu Jesus zu kommen.[2] Dieses Bemühen hängt
nun freilich merkwürdig in der Luft, denn der zu erwartende Erfolg wird nicht beschrieben. Daß Petrus am Ufer anlangt und so
als erster beim Herrn ist, wird nicht erzählt. Der Erzähler
bleibt vielmehr bei den übrigen Jüngern und läßt diese an Land
kommen. Petrus wird erst wieder in 11a.11b erwähnt. Dort handelt
er zwar wieder als Repräsentant der Jünger, weil **er** die Aufforderung Jesu an die Jünger ausführt, aber 11a bedeutet nicht nur eine positive Charakterisierung der Petrusfigur.

Wenn nämlich mein Verständnis von 11a zutrifft und Petrus wirklich

---

1) Vgl. HOLTZMANN 1893, 226; EBERHARDT 1897, 29;
   LAGRANGE 1936, 523; STAUFFER 1943/44, 15 f;
   WIKENHAUSER 1948, 288; PESCH 1969, 148;
   RUCKSTUHL 1978, 341; HAENCHEN 1980, 595;
   SMITH 1983, 178; MAYNARD 1984, 541;
   HARTMAN 1984, 33 f.37 f.
2) Vgl. STRAUSS 1837 II, 193; WEISS 1893, 624;
   EBERHARDT 1897, 37; KLÖPPER 1899, 340;
   WELLHAUSEN 1908, 96; HEITMÜLLER 1918, 181;
   BULTMANN 1941, 544; LIGHTFOOT 1956, 342;
   BROWN 1966/70, 1096; SCHNACKENBURG 1975, 423 f;
   BECKER 1979/81, 641; HAENCHEN 1980, 585;
   HARTMAN 1984, 39.

erst hier an Land kommt, dann ist damit ja gesagt, daß er **nach** den übrigen Jüngern bei Jesus ankommt.[1] Dadurch ist die Aktion des Petrus in V. 7 als kontraproduktiv gekennzeichnet. Seine eifrige Aktivität führt nicht zu einem positiven Ergebnis. Die anderen Jünger (mit dem geliebten Jünger) haben vor ihm das Land und damit Jesus erreicht.

Selbst dann aber, wenn mein Verständnis von 11a nicht zutreffen und 11a sich nicht auf das Heraussteigen aus dem Wasser beziehen sollte,[2] bliebe doch der interpretatorische Schluß, daß die Aktion des Petrus in V. 7 nicht positiv gekennzeichnet ist. Wenn nämlich 11a sich nicht auf die Ankunft des Petrus bezieht, dann bedeutet das, daß die Ankunft überhaupt nicht erzählt, sondern in V. 11 einfach vorausgesetzt ist. Dieses Ausblenden der Ankunft des Petrus führt nun freilich zu keinem prinzipiell anderen Schluß als die Annahme, er betrete erst in V. 11 das Ufer. Auch durch das Verschweigen der Ankunft ist seine Aktion in V. 7 als zunächst ergebnislos gekennzeichnet.[3] Petrus zeichnet sich war durch besonderen Eifer aus, seinem Aktivismus ist freilich nicht der zu erwartende Erfolg beschieden. Die Semantik von V. 11 ist freilich mit dieser Aussage, die sich durch das Zusammenspiel mit V. 7 ergibt, keinesfalls erschöpft. Hier findet sich ja noch die Information über das volle Netz. Petrus wird wieder durchaus positiv charakterisiert. Er **allein** zieht das Netz an Land, das vorher doch allen Jüngern zusammen zu schwer war.

11b gibt die genaue Zahl der Fische an und in 11c.11d wird festgestellt, daß trotz dieser Zahl das Netz nicht zerriß. Hier werden also die Zahl der großen Fische und die Tatsache, daß das Netz heil blieb, zueinander in Opposition gesetzt. Die Zahl 153 wird damit als besonders groß und das Netz gefährdend dargestellt.

---

1) Vgl. WELLHAUSEN 1908, 96; LOISY 1921, 519;
   BECKER 1979/81, 642; HAENCHEN 1980, 585.596 f.
2) So etwa WEISS 1893, 625; BULTMANN 1941, 544; BROWN 1966/70,
   1073 f.
3) Vgl. SCHWARTZ 1914, 217; HEITMÜLLER 1918, 181;
   AGOURIDES 1967, 128; ROLOFF 1968/69, 135.

Häufig wurde versucht, der Zahl eine weitergehende, 'symbolische' Bedeutung zuzuordnen. Solche Versuche lassen sich nicht mit dem Hinweis auf die angebliche Augenzeugenschaft des Autors[1] abschmettern, "schließlich beherbergt das galiläische Meer keine Walfische."[2]

Außerdem schließt eine Einordnung der Zahl als historisch **gemeintes** Faktum eine sekundäre Semantik keinesfalls aus. Die prinzipielle Berechtigung 'symbolischer' Deutung kann also nicht bestritten werden. Allerdings ist die Opposition zwischen der Zahl und der Unversehrtheit des Netzes der Rahmen, in dem sich jede solche Deutung bewegen muß. Es kann bei der Zahl nur um Gesamtheit, Größe und Fülle gehen. Die Unzahl der vorgelegten Lösungsversuche[3] spricht nun freilich dagegen, daß es heute noch möglich ist, den Code der Zahlensymbolik zu entschlüsseln. Offensichtlich ist das entsprechende kulturelle Wissen so vielfältig, daß eine überzeugende Lösung auf dem Weg semantischer, algebraischer und sonstiger Operationen nicht mehr zu erwarten ist.

Eine gute Chance hätte dagegen die Deutung, die HOLTZMANN vorlegte. Er zog das (von Hieronymus tradierte) antike kulturelle Wissen heran, es gebe 153 verschiedene Fischarten. Die Zahl in V. 11 wäre damit als Ausdruck der Gesamtheit aller Fische zu verstehen und ließe sich in einem zweiten Schritt auf den Erfolg der Weltmission deuten.[4] Diese an sich sehr sympathische Deutung hat nur einen, aber entscheidenden Nachteil: Das herangezogene kulturelle Wissen hat vermutlich gar nicht existiert! Grant 1949

---

1) Vgl. ZAHN 1908, 683; EDWARDS 1953; 227.
2) HAENCHEN 1980, 596.
3) Vgl. KEIM 1872, 564; HILGENFELD 1898;
   GRANT 1949, 274 f; FARRER 1953; EMERTON 1958, ders. 1960;
   ACKROYD 1959, BRAUN 1962/63; 153 f;
   SHAW 1975; Mac ELENEY 1977;
   ROMEO 1978, BARRETT 1978, 581 f;
   RISSI 1979, 81 ff; SMITH 1983, 180;
   GRIGSBY 1984; WOJCIECHOWSKI 1984, 31;
   OBERWEIS 1986, 236-241.
4) Vgl. HOLTZMANN 1893, 226; EBERHARDT 1897, 43;
   KLÖPPER 1899, 359; HEITMÜLLER 1918, 181 f; LOISY 1921, 519;
   BAUER 1933, 237; LAGRANGE 1936, 526 f;
   WIKENHAUSER 1948, 289; HAENCHEN 1980, 587.596.

hat nämlich nachgewiesen, daß Hieronymus nur eine Quelle hat, und er diese auch noch falsch interpretiert. Von einer allgemeinen Ansicht der Antike, es gebe 153 Fischarten, kann also keine Rede sein.[1]

Von einer speziellen Deutung der Zahl ist also Abstand zu nehmen. Die meisten Exegeten deuten heute deshalb auch zurückhaltend allgemein, und zwar mit Bezug auf die späteren Gläubigen: Die Rätselzahl drückt ihre große Anzahl, das Netz die unzerstörbare Einheit der Kirche aus.[2] Diese Deutung setzt voraus, daß das synoptische Menschenfischerwort (oder eine Variante) im johanneischen Christentum bekannt war, sei es über mündliche Tradition oder über eine allgemeine Kenntnis synoptischer Texte. In beiden Varianten ist diese Voraussetzung unbeweisbar, es kann aber auch innertextlich für eine entsprechende Deutung des Fischfangs argumentiert werden. So spricht etwa die Übertragung des Hirtenamtes an Petrus (21,15 ff) für eine gemeindebezogene Interpretation von 11b-d. Allerdings handelt es sich hier um eine nachträgliche Sinnerhellung von einer späteren Textstelle her, weswegen hier auf dieses Argument zunächst verzichtet werden soll.

Nun kann aber aus der Hirtenrede in Joh 10 zumindest geschlossen werden, daß den impliziten Lesern zugetraut wird, Tiere als Zeichen für Menschen zu dekodieren. Dort waren es die Schafe, die als Herde für die Christengemeinde standen. Die Einheit der Herde bzw. Gemeinde wurde besonders betont (10,16). Wenn es hier um die unzerstörte Einheit des Netzes geht, das Petrus handhabt, der doch immer wieder als Leitfigur der Jünger dargestellt wurde, sollte es dann nicht auch hier um die Gemeinde und ihre Einheit gehen? Bis zu dieser Frage kann jedenfalls legitim in-

---

1) Vgl. GRANT 1949, 273.
2) Vgl. TILLMANN 1914, 276; BULTMANN 1941, 549;
LIGHTFOOT 1956, 340; KRAGERUD 1959, 56;
MARROW 1968, 32 f.50; BROWN 1966/70, 1097;
SCHULZ 1972, 250 f; LINDARS 1972, 629-631;
SCHNACKENBURG 1975, 426 f; LANGBRANDTNER 1977, 26;
THYEN 1977a, 264 Anm. 13; RUCKSTUHL 1978, 345 f;
BECKER 1979/81, 642 f; GNILKA 1983, 158;
HARTMAN 1984, 38; OSBORNE 1984, 180.

terpretiert werden, auch wenn weiteres, außertextliches Wissen
nicht vorausgesetzt wird.

Lassen wir diese Frage hier einfach stehen und beantworten sie
dann, wenn der Text dies eindeutig zuläßt.

Gegen die prinzipielle Berechtigung einer gemeindebezogenen Deutung von V. 11 kann jedenfalls nicht eingewandt werden, daß die
Fische gemäß der Aufforderung Jesu in V. 10 offensichtlich zum
Mahl herbeigeholt werden.[1] Das Argument, Gläubige würden ja
wohl nicht verspeist, zieht aus mehreren Gründen nicht: Zum einen
ist die Eigenart solcher weitergehenden Deutungen zu beachten.
Wir haben es beim Joh ja mit einem Text zu tun, der historiographischen Anspruch erhebt und eben nicht als Fiktion, als Gleich-
nis oder Allegorie gelesen werden will. Wenn also die Lesenden
bei den Fischen an Gläubige denken sollen, so bleiben in der erzählten Welt die Fische doch **Fische** und werden nicht zu Menschen.
Ebensowenig wurden ja in 19,34 Blut und Wasser zu Herrenmahl und
Taufe. Die weitere Deutung spielt sich allein im Kopf der Lesenden ab.

Außerdem ist hier zu beachten, daß gar nicht erzählt wird, die
Fische würden zum Mahl zubereitet.[2] Wenn Petrus das Netz an
Land gezogen hat, ist das Interesse des Erzählers an diesen Fischen erloschen. V. 10 hat seine Funktion allein darin, die
Aktion des Petrus in V. 11 auszulösen.[3] Er ist nicht weiter-
gehend zu deuten, weil die Fische im Netz mit dem Mahl am Ufer
einfach nicht in Verbindung gesetzt werden. Deshalb trägt auch
die Mahlzeit in 21,12.13 nichts zur Charakterisierung des Petrus
bei. Dies gilt selbst dann, wenn diesem Mahl Bezüge zum Herrenmahl zuzuordnen wären, was oft behauptet wird[4] und angesichts

---

1) Gegen WEISS 1893, 625; PESCH 1969, 151; RISSI 1979, 81.
2) Vgl. KEIM 1872, 564; TILLMANN 1914, 276;
   LAGRANGE 1936, 526 f; SHAW 1974, 13;
   HARTMAN 1984, 40.
3) Vgl. LINDARS 1972, 629; RUCKSTUHL 1978, 348; HAENCHEN 1980, 596.
4) Vgl. HOLTZMANN 1893, 227, SPITTA 1910, 6;
   HEITMÜLLER 1918, 181; BAUER 1933, 237;
   BULTMANN 1941, 550; MARROW 1968, 49;
   BROWN 1966/70, 1099 f; SCHULZ 1972, 251;

der Rückbezüge auf 6,1 ff und der Tatsache, daß es sich natürlich jedenfalls um Mahlgemeinschaft mit dem Auferstandenen handelt, höchstwahrscheinlich zutreffend ist. Es kann trotzdem nicht behauptet werden, Petrus sei etwa speziell für die Aufrechterhaltung der Herrenmahlgemeinschaft zuständig. Eine solche Deutung wäre vielleicht von der in Joh 6 festgestellten außertextlichen Konfliktlage her recht verlockend, ist aber vom Text in Joh 21 nicht gedeckt.

Wenden wir uns nun jedoch der Gestalt des Lieblingsjüngers zu. Der geliebte Jünger tritt als Einzelperson in diesem Textabschnitt nur ein einziges Mal in Aktion, nämlich in V. 7, wo er Jesus identifiziert. Diese Einzelaktion ist freilich in größere Zusammenhänge eingebunden. Zum einen taucht das Thema 'Identität Jesu' auch noch in 4c.4d und 12d-g auf, zum anderen ist die Äußerung des Jüngers in 7c Konsequenz des erfolgreichen Fischfangs in 6d.6e. Beginnen wir mit dem letzten Aspekt.

Wie schon gesagt ist der Abschnitt 21,4-6 dialektisch auf 21,2.3 bezogen. Dem erfolglosen Fischfang der Jünger in der Nacht steht der überwältigend erfolgreiche Fischzug am Morgen gegenüber. War der erste Fangversuch auf Initiative des Petrus erfolgt, so ging dem zweiten Versuch die Anweisung Jesu voraus. Diese Opposition macht einen Nachtrag zur Charakterisierung der Petrusfigur nötig. Die Erfolglosigkeit des von ihm eingeleiteten Fischfangs macht deutlich, daß er und die anderen Jünger gar nichts von sich aus tun können. Um Erfolg zu haben, sind sie auf die Weisung Jesu angewiesen.[1] Am übergroßen Erfolg, den das Befolgen dieser Weisung zeitigt, erkennt nun der Jünger, den Jesus liebte, daß der Unbekannte am Ufer Jesus ist. Er deutet den Fangerfolg als vom Handeln des Auferstandenen verursacht. Daß seine Deutung zu-

---

LINDARS 1972, 628.632; SHAW 1974, 12-19;
SCHNACKENBURG 1975, 428; RUCKSTUHL 1978, 346 f;
RISSI 1979, 75.82 ff; BECKER 1979/81, 643;
HAENCHEN 1980, 588.597; GNILKA 1983, 158;
SMITH 1983, 181; HARTMAN 1984, 40.42;
OSBORNE 1984, 182.

1) Vgl. LIGHTFOOT 1956, 339; BROWN 1966/70, 1096; HARTMAN 1984, 40.

treffend ist, liegt auf der Hand. Schließlich hat der allwissende
Erzähler die Lesenden schon in 4b darüber informiert, daß es Jesus ist, der am Ufer steht. Die Aussage des Jüngers kennzeichnet
ihn also als zuverlässigen Interpreten, der das Ereignis des
Fangerfolges richtig einzuordnen weiß. Seine Erkenntnis steht im
Kontrast zu 4c.4d, wo die allgemeine, auch den Lieblingsjünger
einschließende Unkenntnis der Jünger formuliert ist. Im Unterschied zur Verräterszene in Joh 13 behält hier der Jünger sein
einzigartiges Wissen nicht für sich, sondern **gibt es weiter**.
Sein direkter Adressat ist Petrus, der sich auf diese Information
hin ins Wasser stürzt; aber da Petrus ja immer wieder als Repräsentant der Jünger auftritt, kann hier die Frage gestellt werden,
ob mit der Mitteilung an ihn nicht auch die anderen Jünger über
die Identität des Mannes am Ufer informiert werden. Diese Frage
kann von V. 12 her bejaht werden. Dort teilt der Erzähler mit,
die Jünger hätten darüber Bescheid gewußt, daß es sich bei ihrem
Gastgeber um Jesus handelt. Da nicht gesagt wird, daß sie Jesus
am Mahlhandeln erkannten, ist es legitim, dieses Wissen auf die
Mitteilung des Lieblingsjüngers in V. 7 zurückzuführen. Dies
gilt umso mehr, als sich ja bei den Beobachtungen zur Reliefgebung zeigte, daß der Aussageschwerpunkt nicht in 12d.12e liegt.
Wenn es aber vor allem um das Wissen der Jünger geht, und wenn
dieses Wissen nicht erst beim Mahl entsteht, so ist die Rück-
führung auf die Information des geliebten Jüngers sicher berechtigt. Es bleibt freilich die merkwürdige Formulierung von 12d-g.
Warum eigentlich sollen die Jünger Jesus fragen, wenn sie doch
wissen, wer er ist? Und warum sollten sie es nicht **wagen**, wenn
sie es wissen? Nun weisen schwierige Einzelstellen oft in die
Welt des intendierten Publikums. Sie sind für spätere Leserinnen
und Leser dann deshalb schwierig, weil die entsprechenden Informationen über die Welt der intendierten Leser fehlen, und so die
Rolle des impliziten Lesers nicht recht ausgefüllt werden kann.
SHAW versucht 12d-g durch einen Rückgriff auf die (vermutete)
Kommunikationssituation zu erklären. Ausgehend vom Herrenmahlbezug des Mahles in V. 12.13 sieht er in der Gemeinde eine Gruppe
von Menschen, die es durchaus wagten, zu fragen. Ihnen mußte die

historische Existenz Jesu und seine Gegenwart im Herrenmahl erklärt werden. Vielleicht fiel es ihnen nicht leicht, die entsprechende Lehre zu akzeptieren.[1] Diese Vermutungen SHAWs passen
zwar ganz gut zur Situation, die aus Joh 6 zu erschließen ist,
aber es ist doch etwas zu unsicher, aus einer Einzelstelle allzu
viel über die historische Situation der Gemeinde zu erschließen.
Halten wir hier einfach fest: 12d-g wollen sagen: Wenn der
geliebte Jünger den Herrn identifiziert hat, ist es unnötig nach-
zufragen. Das zuverlässige Zeugnis des Lieblingsjüngers führt zu
einem Wissen, das jedes weitere Fragen ausschließt. Daß eine solche Textaussage ihre pragmatische Dimension durchaus darin haben kann, unliebsame Fragen auszuschalten, soll SHAW keinesfalls
bestritten werden; das Problem der Textpragmatik soll allerdings
später angegangen werden.

Zurück aber zum **geliebten Jünger in Joh 21.** Zusammenfassend kann
über ihn gesagt werden:

Was in Joh 13 als verfrühte Interpretation verworfen werden mußte, trifft hier durchaus zu: Der Lieblingsjünger betätigt sich
den anderen Jüngern gegenüber als Exeget. Er deutet richtig und
gibt seine richtige Deutung auch weiter. War in 19,35 die Zeugenfunktion des Jüngers zwar schon thematisiert worden, so geschieht
jetzt insofern eine Verdeutlichung, als die Weitergabe besonderen
Wissens hier auch narrativ umgesetzt wird.

Wenn wir nun die beiden im Zentrum stehenden Jüngergestalten zueinander in Beziehung setzen, so ergibt sich folgendes Bild: Petrus wird in seiner Rolle als führender Jünger **nicht** hinterfragt.
Der geliebte Jünger ist ihm in dieser Beziehung keinesfalls ein
Konkurrent. So deutlich freilich der Text die Führungsrolle des
Petrus bestätigt, so deutlich wird diese Rolle relativiert. 'Relativiert' ist hier wörtlich zu nehmen, denn die Rolle des
Petrus wird an die des geliebten Jüngers gebunden. Dies geschieht
so, daß gezeigt wird, wie erfolglos jede Aktivität des Petrus
(und der Jünger) bleibt, wenn er von sich aus handelt. Erfolg
stellt sich nur ein, wenn Jesu Weisung befolgt wird. Da die Jünger

---

1) Vgl. SHAW 1974, 19.

Jesus aber nicht von sich aus erkennen, sind sie auf den geliebten Jünger angewiesen, der als rechter Interpret Ereignisse auf
das Handeln Jesu zurückführen kann. In diese Verwiesenheit auf
den Lieblingsjünger ist auch Petrus als leitender Jünger eingeordnet.[1] Ohne den geliebten Jünger führt die Aktivität des Petrus ins Leere.
Es bleibt hier freilich noch die Frage offen, wie denn die besondere Rolle des Petrus und seine Verwiesenheit auf die Mittlerrol-
le des Lieblingsjüngers genauer zu fassen ist. Diese Frage wird
erst in 21,15-25 beantwortet werden.

2.5.4.2.1.2 Merkmale der Figuren

Da bei der Analyse der Handlungen der Figuren schon in großem Umfang thematische Bezüge mitbehandelt wurden, bleiben bei diesem Arbeitsschritt nur noch wenige Textdaten zu interpretieren.
Ich konzentriere mich wieder auf Petrus und den **Lieblingsjünger**.
Über den Letztgenannten sagt der Erzähler in 7b, daß Jesus ihn
liebt. Diese Information wurde schon in Joh 13.19.20 gegeben und
wurde in den betreffenden Analysen ausführlich thematisiert. Es
mag hier genügen, daran zu erinnern, daß mit dieser Bezeichnung
eine Beziehung zwischen dem Jünger und Jesus hergestellt wird,
die der Beziehung zwischen Jesus und dem Vater parallel läuft:
so wie der Vater Jesus liebt, so liebt Jesus diesen Jünger.
Wieder ist diese Bezeichnung nicht eine unter vielen, sondern
die, die ihn als Person konstituiert. Er bleibt nämlich auch
hier anonym. Theoretisch könnte er zwar mit jeder in V. 2 genannten Figur außer Petrus identifiziert werden, aber jede solche
Identifizierung bliebe eine rein subjektive, völlig beliebige
Sinnbildung. Der Text gibt nämlich keine entsprechende Anweisung.

Ganz im Gegenteil: Die in Joh 13.19.20 durchgehaltene Anonymität
des Jüngers wird die Lesenden zu dem Schluß führen, daß der
Jünger auch hier namenlos bleibt, und deshalb wohl zu den beiden

---

1) Vgl. KRAGERUD 1959, 34; PESCH 1969, 147 f, OSBORNE 1981, 302.

namenlosen Jüngern in V. 2 gehört.[1] Die Anonymität in den früheren Lieblingsjüngertexten hat eine innertextliche Norm aufgebaut, die das Rezeptionsverhalten auch in Joh 21 steuert. Erwartete der Autor eine von dieser Norm abweichende Sinnbildung, so müßte er sie durch eine entsprechende Anweisung veranlassen. Eine solche Instruktion vermag ich in Joh 21 nicht zu erkennen.

Über **Petrus** wird in 7g die Information gegeben, daß er nackt war. Diese Information wird, wie wir bei der Tempusanalyse feststellten, in Hintergrundstellung gesetzt und ist auf 7f begründend bezogen. Das Gürten des Obergewandes gehört mit dem Sprung ins Wasser (7h) zusammen, ist also Teil des Versuchs, möglichst schnell bei Jesus zu sein. Schließlich ist die ganze Aktion durch die Aussage des Lieblingsjüngers (7c) ausgelöst. Nicht umsonst wird die Mitteilung, daß es der Herr ist, in 7e wiederholt. Das Gürten des Obergewandes erhält von V. 18 her weitere Bedeutung, die jedoch hier noch keine Rolle spielen kann. In V. 7 kann das Gürten als Bemühen verstanden werden, dem Auferstandenen, der in 20,28 als Herr und Gott bezeichnet worden war, würdig zu begegnen. In diesem Zusammenhang ist die Aussage über die Nacktheit wohl nur eine motivierende Notiz. Sie soll erklären, warum Petrus sein Obergewand anlegt.

Eine weitergehende Bedeutung ordnet etwa THYEN der Nacktheit des Petrus zu. Er stellt eine Verbindung zur Paradieserzählung her und deutet Nacktheit und Handeln des Petrus in V. 7 als "durch die Intervention des Lieblingsjüngers eingeleitete Buße."[2] Das Wort des geliebten Jüngers mache Petrus seiner Nacktheit bewußt, er schäme sich, bedecke seine Blöße und stürze sich dem Herrn entgegen in den See.[3] Dieses Verständnis THYENs kann nur als Umstrukuierung des Textes bezeichnet werden. Das Wort des gelieb-

---

1) Zwangsläufig ist freilich die Identifizierung mit einem der beiden Namenlosen auch nicht. Schließlich hat ja schon 19,26 gezeigt, daß der Jünger, den Jesus liebte, auftreten kann, ohne daß er explizit eingeführt wäre.
2) THYEN 1977a, 264.
3) Vgl. THYEN 1977a, 264 f; auch BECKER 1979/81, 641; GNILKA 1983, 157.

ten Jüngers löst zwar die Aktion des Petrus aus; daß Petrus seine Nacktheit **erkennt**, steht aber nicht im Text. Ebensowenig kann
gesagt werden, Petrus schäme sich. Diese Züge sind aus der Paradieserzählung in Joh 21,7 eingetragen. Werden sie als unsachgemäß
gestrichen, so bleibt als einzige Verbindung mit Gen 3,7-10 die
Nacktheit. Diese Gemeinsamkeit allein kann kaum die Funktion erfüllen, die Lesenden auf die alttestamentliche Geschichte als Be-
zugsgröße zu verweisen - auch deshalb nicht, weil die Unterschiede
zwischen den beiden Erzählungen doch zu gravierend sind:

      - Petrus **erkennt** seine Nacktheit **nicht**

       (**anders** Adam in Gen 3,7)

      - Petrus versteckt sich **nicht**

       (**anders** Adam in Gen 3,8)

      - Jesus ruft Petrus **nicht**

       (**anders** Gott in Gen 3,9)

      - Petrus fürchtet sich **nicht**

       (**anders** Adam in Gen 3,10)

Diese Unterschiede in wichtigen Erzählzügen stehen einem Bezug
zur Paradieseserzählung so deutlich entgegen, daß die Intention,
trotzdem einen solchen Bezug zu initiieren, durch ein deutliches
Textsignal hätte angezeigt werden müssen. Ein solches Signal
finde ich in 21,7 nicht. Vermutlich erschöpft sich die Bedeutung
von 7g darin, den motivierenden Hintergrund für 7f zu liefern.
γυμνός braucht dabei nicht völlige Nacktheit zu meinen und das
Bekleiden deutet eher darauf hin, daß dem Auferstandenen in ange-
messener Kleidung gegenüberzutreten ist.[1] Weder auf 7f noch auf
7g sollten also große theologische Schlüsse aufgebaut werden.

---

1) Vgl. WEISS 1893, 624; HOLTZMANN 1893, 226;
   KLÖPPER 1899, 340; HEITMÜLLER 1918, 181;
   LOISY 1921, 517; BULTMANN 1941, 548 Anm. 6;
   SCHULZ 1972, 250; LINDARS 1972, 628;
   BARRETT 1978, 580 f; HAENCHEN 1980, 585.596;
   SMITH 1983, 178 f; HARTMAN 1984, 39.

2.5.4.2.2   Joh 21,15-25

2.5.4.2.2.1 Die Handlungsträger und ihre Wechselbezie-
             hungen

Beginnen wir unsere Analyse mit **Jesus**. Er ist als Handlungsträger
präsent in
- 15b: er sagt
- 15k: er sagt
- 16a: er sagt
- 16i: er sagt
- 17a: er sagt
- 17m: er sagt
- 19c: er sagt
- 22a: er sagt.
Handlungsobjekt ist Jesus in
- 15e: er wird angeredet
- 16d: er wird angeredet
- 17g: er wird angeredet
- 21a: er wird angeredet.
Jesus tritt also in diesem Textabschnitt nur als **Redender** auf.
Auch in diesem Zusammenhang bleibt bei ihm die Handlungsrolle
wichtiger als die Objektrolle; er redet öfter, als er angeredet
wird. Das ist umso bemerkenswerter, als es sich in 21,15-18 ja
um eine dialogische Situation handelt. Auch im Dialog ist Jesus
der dominante Partner.

Der andere Gesprächspartner ist **Petrus**. Ihm werden folgende Handlungen zugeschrieben:
- 15e: er sagt
- 16d: er sagt
- 17g: er sagt
- 20a: er dreht sich um
- 20a: er sieht
- 21a: er sagt

Als Objekt von Handlungen erscheint Petrus in:
- 15b: er wird angesprochen
- 15k: er wird angesprochen
- 16a: er wird angesprochen
- 16i: er wird angesprochen
- 17a: er wird angesprochen
- 17d: er wird betrübt
- 17m: er wird angesprochen
- 19c: er wird angesprochen
- 22a: er wird angesprochen

Auch bei Petrus geht es also vor allem um kommunikatives Handeln, und zwar in beiden Rollen. Im Unterschied zu Jesus ist bei ihm allerdings die Objektrolle bedeutsamer.

Wenn wir uns nun den **geliebten Jünger** anschauen, so sind wir wieder überrascht, welch unbedeutende Rolle er spielt.
Als Handlungsträger tritt er nur ein einziges Mal auf:
- 20a: er folgt nach.

Als Handlungsobjekt erscheint er in
- 20a: er wird gesehen
- 20b: er wird geliebt.

Im Handlungszusammenhang spielt der Lieblingsjünger also wieder keine sonderlich bedeutsame Rolle. Das war z.B. auch in 21,1-14 und 13,1-30 so.

Veranschaulichen wir uns die Handlungsrelationen mittels einer Graphik:

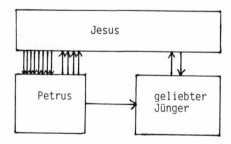

Es ist recht gut zu sehen, in welch intensiver Beziehung Petrus
und Jesus hier stehen. Petrus ist in diesem Textteil der Adressat Jesu, während der Lieblingsjünger in das dialogische Geschehen nicht einbezogen ist. Weder spricht er mit Jesus noch mit
Petrus. Und beide sprechen nicht mit ihm.

2.5.4.2.2.2 Merkmale der Figuren

Beginnen wir mit dem Dialog in 21,15-19.
Hier fragt Jesus dreimal, ob Petrus ihn liebe. Petrus bejaht diese Frage dreimal. Jedesmal beauftragt ihn Jesus daraufhin mit
dem Hüten seiner Schafe, um ihm schließlich die Art seines Todes
vorherzusagen.
Was kann nun aus diesem Gespräch für die Charakterisierung der
Petrusfigur gefolgert werden?
Zunächst ist zu sagen, daß Petrus Jesus liebt. Die entsprechende
Aussage wird dreimal gemacht; sie sollte nicht bezweifelt werden,
auch wenn es sich um eine Figurenäußerung handelt. Schließlich
geben weder Jesus noch der Erzähler zu erkennen, daß die Beteuerungen des Petrus etwa nicht zuträfen. Dies gilt umso mehr als
Petrus ja in seinen Liebesbeteuerungen auf das umfassende Wissen
Jesu rekurriert. Würde dieses Wissen den Aussagen des Petrus widersprechen, so müßte das gesagt werden. Es kann also geschlossen
werden, daß Petrus Jesus wirklich liebt.
Ein weiteres Merkmal wird Petrus durch den dreimal erteilten Hirtenauftrag zugewiesen. Der Auftrag hängt mit der Liebe des Petrus zusammen, so daß gesagt werden kann, daß die Liebe zu Jesus
einerseits die Voraussetzung für den Auftrag ist, andererseits
die Hirtentätigkeit die konkrete Ausformung der Liebe ist. Was
dieser Auftrag bedeutet, läßt sich nur von Joh 10, besonders
10,11-18 her beantworten. Dort wird, darauf habe ich schon hingewiesen, die Gemeinschaft derer, die zu Jesus gehören, mit dem
Bild der Schafherde bezeichnet. Jesus bezeichnet sich selbst als
den guten Hirten (10,11).[1] Diejenigen, die zu Jesus gehören, sind

---

1) Vgl. BUSSE 1987, 517.522.

in der erzählten Welt die, die an ihn glauben, also die gläubigen Jünger. Sofern die Rede Jesu über die Textwelt hinausweist, sind mit den Schafen natürlich alle bezeichnet, die als Glaubende zu Jesus gehören. Innertextlich ist Petrus immer wieder als Sprecher bzw. **Führer der Jünger** aufgetreten. Diese Rolle wird hier in Joh 21 nun mit dem Hirtenbild von Jesus selbst neu beschrieben. Wenn Petrus den Auftrag erhält, die Schafe Jesu zu hüten, so ist damit auch gesagt, daß Petrus an die Stelle Jesu tritt.[1] Petrus ist nun nicht mehr nur der führende Jünger, sondern ist **Stellvertreter Jesu**: er leitet für den Auferstandenen die Gemeinschaft der Glaubenden, die natürlich bleibend auf Jesus ausgerichtet und so immer **dessen** Schafe sind. Daß Petrus den Auftrag Jesu erfüllt, wird nun freilich innertextlich nicht mehr erzählt. Der Auftrag weist über die Textwelt hinaus:[2] es geht generell um alle, die zum Glauben an Jesus kommen. Für das angezielte Publikum ist die Gemeinschaft der Glaubenden konkret das johanneische Christentum - die Gemeinde(n), für die das Evangelium geschrieben ist.

Nun heißt es in Joh 10,11.17, daß Jesus als guter Hirte sein Leben für die Seinen hingibt.[3] Wenn Petrus Jesus in der Hirtenfunktion nachfolgt, so ist zu erwarten, daß auch er sein Leben hingibt. Außerdem wird Jesu Liebe als Liebe bis zum Ende im Tod beschrieben (13,1), also sollte wohl auch die Liebe des Petrus, die sich in der Hirtenfunktion konkretisiert, bis zum Tod reichen. Wenn es zutrifft, daß beim Ausstrecken der Hände, dem Binden und Führen an Vorgänge bei Kreuzigungen zu denken ist,[4] dann ist

---

1) Vgl. TILLMANN 1914, 278 f; LOISY 1921, 522 f;
   LAGRANGE 1936, 528; STAUFFER 1943/44, 16 f;
   OTTO 1969, 25 f; SCHNACKENBURG 1975, 436;
   LANGBRANDTNER 1977, 114 f; HARTMAN 1984, 38;
   RUCKSTUHL 1986, 132.
2) Das hatte sich schon in der Tempusanalyse abgezeichnet.
3) Vgl. BUSSE 1987, 522.
4) Vgl. HOLTZMANN 1893, 228, ZAHN 1908, 688;
   STRACHAN 1914, 269; TILLMANN 1914, 280;
   HEITMÜLLER 1918, 183; BAUER 1933, 238 f;
   LANGRANGE 1936, 531 f; WIKENHAUSER 1948, 290;
   BARRETT 1978, 585; RUCKSTUHL 1978, 355;

die Parallele zwischen Jesus und Petrus auch noch auf die Art des Todes ausgedehnt. Die deutende Erzählereinrede in V. 19 hebt jedenfalls auf die **Art** des Todes ab und bestätigt so indirekt die Deutung auf die Kreuzigung.

Nachdem Jesus die Konsequenz der Hirtenfunktion klar gemacht hat, fordert er Petrus jetzt zur Nachfolge auf. Der Imperativ von 19d ist semantisch mit allem gefüllt, was in 21,15 ff über die zukünftige Rolle des Petrus gesagt wurde. Der Nachfolgeruf bedeutet jetzt für Petrus die Aufforderung, seine **Liebe** zu Jesus in der **Hirtenfunktion** zu konkretisieren und für die Schafe, wenn es sein muß, auch in den **Tod** zu gehen. Daß Petrus dem Ruf Jesu folgt, ist nicht gesagt, kann aber erschlossen werden (vgl. 20a). Wenn nun Petrus auf diese Art zum Stellvertreter Jesu wird, dann taucht natürlich wie von selbst die Frage auf, was denn mit dem geliebten Jünger sei, der ja schließlich in Joh 19 ebenfalls zum Nachfolger Jesu gemacht wurde. Der Text nimmt diese Frage mit V. 20 auf. Bevor ich mich mit der Antwort, die dort gegeben wird, befassen kann, muß ich mich allerdings noch mit einigen abweichenden Forschungsmeinungen zur Rolle des Petrus auseinandersetzen.

AGOURIDES etwa bestreitet die Deutung des Hirtenauftrages auf eine ganz besondere Funktion des Petrus. Er sieht nur eine Restitution des Petrus, der durch seine Verleugnung seinen Status als Jünger eingebüßt habe. Er werde nun von Jesus wieder in die Rolle eingesetzt, die er vor der Verleugnung innehatte.[1] Nun ist ein Rückbezug der dreimaligen Beauftragung auf die dreimalige Verleugnung schwer abzustreiten. Schließlich kann sich die Bedeutung der Dreimaligkeit des Auftrags nicht in einer bloß formalen Gewichtung erschöpfen, weil dann die Notiz, daß Petrus traurig wird (17d), einfach unerklärlich wäre. Die mehrmalige Wiederholung von Frage und Auftrag muß als etwas angesehen werden,

---

BECKER 1979/81, 647; HAENCHEN 1980, 590;
SMITH 1983, 184; GNILKA 1983, 159 f;
OSBORNE 1984, 186.
1) Vgl. AGOURIDES 1967, 129-132.

das für Petrus unangenehm ist. Von daher drängt sich ein Rückbezug auf die Verleugnung auf. Allerdings ist die Bezugnahme nicht
so explizit, daß hier die Hauptaussage von 21,15 ff gesehen werden dürfte. Außerdem ist gegen diese Restitutions-These einzuwenden, daß keiner von den anderen Jüngern einen ähnlichen Auftrag
erhält. Die Hirtenfunktion ist nichts, was zum Jüngersein an
sich gehört, sondern bedeutet eine **besondere** Beauftragung des
Petrus. Außerdem ist auch vor der Verleugnung nie davon die Rede, daß Petrus von Jesus zum Hirten gemacht wird. Deshalb ist
der Hirtenauftrag ungeeignet, Petrus wieder in den Stand zu versetzen, den er vor seinem Versagen hatte. Hirte war er vorher
nämlich gar nicht. Petrus wird in Joh 21 vielmehr etwas zuteil,
was über seinen früheren Stand hinausgeht. Die Zuweisung der
neuen Rolle geschieht freilich nicht ohne Erinnerung an sein früheres Versagen.

Nun sind die Ressentiments eines nichtkatholischen Exegeten
gegen eine solche Deutung zwar verständlich - schließlich kann
in der Betonung der besonderen Rolle des Petrus eine Begründung
des Papstprimats gewittert werden -, aber jedes kontrovers-theolo-
gische Schema wird dem Text nicht gerecht. Ungeachtet der Deutungsgeschichte ist nämlich festzuhalten, daß es dem Text natürlich nicht um den Primat des Papstes gehen kann. Dieser liegt
als spätere Konkretisierung der Hirtenfunktion noch nicht im
Blickfeld des neutestamentlichen Textes. Diese unumgängliche
Trennung von Text und Deutungsgeschichte sollte eigentlich auch
jedem nichtkatholischen Exegeten die Freiheit einräumen, die
Textaussage gelten zu lassen, daß Petrus in Joh 21 als Hirte zum
Stellvertreter Jesu gemacht wird.

Ein weiteres Problem ist die Frage, wie weit die Hirtenfunktion
des Petrus reicht. Geht es hier um ein universalkirchliches Ober-
hirtenamt? - Eine solche Interpretation, die nun recht häufig
vertreten wird,[1] halte ich für überzogen. Sie wäre allenfalls

---

1) Vgl. HOLTZMANN 1893, 227.229; WEISS 1893, 628;
   KLÖPPER 1899, 347.363-367; TILLMANN 1914, 277-279;
   HEITMÜLLER 1918, 183, LOISY 1921, 522-524;
   BACON 1931, 72 f; BAUER 1933, 238;
   LAGRANGE 1936, 528-530; BULTMANN 1941, 551 f;
   STAUFFER 1943/44, 16 f; WIKENHAUSER 1948; 290;
   MARROW 1968, 48-51; BROWN 1966/70, 1112-1117;
   SCHULZ 1972, 252; SCHNACKENBURG 1975, 435 f;

dann zu halten, wenn die Deutung der 153 Fische (11b) auf die Gesamtheit der Gattungen und also auf die Gesamtheit der Weltkirche zuträfe. Das ist, wie wir gesehen haben, nicht der Fall. Damit gibt das Bild, das ansonsten im Evangelium von Petrus entwickelt wird, den Ausschlag. Petrus erscheint zwar oft als Sprecher und Führer der Jünger, aber er bleibt immer in die Jüngerschar eingebettet. Wenn die Jünger aber zur Welt der Lesenden in Beziehung gesetzt werden, so ergibt sich, daß sie oft Teil der Rolle des impliziten Lesers sind. Das bedeutet, daß sich die Lesenden mit den Jüngern zumindest teilweise 'identifizieren' sollen. Wenn es zutrifft, daß das Joh eine gemeindlich orientierte Schrift ist, dann können die Jünger (und auch Petrus) nicht anders als gemeindebezogen interpretiert werden. Das bedeutet, daß es bei der Hirtenfunktion des Petrus nicht um eine weltkirchliche Funktion geht, sondern zunächst um eine, die sich im johanneischen Christentum als Adressatenkreis realisiert.[1]

Den entscheidenden Einwand gegen ein weltkirchliches Verständnis des Hirtenauftrags hat aber KRAGERUD gebracht, wenn er darauf hinweist, daß die Leitung der Kirche in 21,15 ff nicht gemeint sein kann, weil Petrus ja nicht zum **obersten** Hirten eingesetzt wird, sondern zum Hirten.[2] Während eine hierarchische Zuordnung verschiedener Hirten noch außerhalb des Interesses liegt, geht es also um die **Hirtenfunktion als solche**. Diese Funktion konkretisiert sich in der Leitung der jeweiligen Gemeinden. Wenn freilich KRAGERUD die Beauftragung des Petrus als Konstituierung des Gemeinde_amtes_ überhaupt versteht[3], so kann das kaum dem Text

---

BARRETT 1978, 583; RUCKSTUHL 1978, 353 f;
ders. 1986, 132; BECKER 1979/81, 646;
HAENCHEN 1980, 598; GNILKA 1983, 159, MAYNARD 1984, 542.
1) Vgl. KRAGERUD 1959, 58 f; LEFORT 1970, 138-143;
LANGBRANDTNER 1977, 27.114 f; THYEN 1977a, 265 f.
Universale Deutungen späterer Leserinnen und Leser, die das Joh als gesamtkirchlich verbreiteten Text rezipieren, sind damit natürlich nicht ausgeschlossen. Entsprechende Aussagen haben aber nicht den Status einer Textinterpretation als Formulierung des Textsinns, sondern den Status von existentiellen Anwendungen des Textsinns.
2) Vgl. KRAGERUD 1959, 59.
3) Vgl. KRAGERUD 1959, 65 f.

entsprechen. Es geht doch bei der Rolle des Petrus nicht um das Amt an sich, sondern vor allem um Leitung und Führung. Lehre und Zeugnis werden z.B. nicht erwähnt. Auf diesen Punkt müssen wir freilich später noch zurückkommen.

Wenden wir uns nun endlich dem **geliebten Jünger** zu.

Wie gesagt drängt sich aufmerksam Lesenden, die in 21,15-19 Petrus als Nachfolger Jesu erkennen, die Frage auf, was denn nun mit dem geliebten Jünger sei, der doch in 19,25-27 ebenfalls zum Stellvertreter Jesu gemacht wurde.

Damit diese Frage eine Antwort erhält, muß Petrus sich in 20a umdrehen. Er sieht den Lieblingsjünger nachlaufen. Das ist zunächst einfach wörtlich zu nehmen: die beiden Jünger laufen hinter Jesus her. Freilich bleibt dieser Vorgang merkwürdig ortlos. Es wird nichts gesagt über Richtung und Ziel. Offensichtlich handelt es sich um ein Gehen im absoluten Sinn. Es legt sich deshalb nahe, im Nachlaufen der Jünger eine existentielle Ausrichtung auf Jesus im Sinne der Jüngernachfolge bezeichnet zu sehen. Objekt dieser Nachfolge ist immer Jesus. Deshalb ist es unzutreffend, zu behaupten, der Lieblingsjünger folge Petrus nach.[1] Selbstverständlich ist aus 20a zu erschließen, daß der geliebte Jünger hinter Petrus läuft, aber es geht doch hier nicht um einen Wettlauf wie in 20,1-10. Vielmehr folgen beide Jünger Jesus; deshalb hat die Reihenfolge der beiden eine ganz andere Wertigkeit als in Joh 20. Es geht hier nicht um eine Zuordnung der Jünger untereinander, sondern um die Ausrichtung **beider** auf Jesus.

Wie sich die Nachfolge beider Jünger zueinander verhält, ist die Frage, die jetzt ansteht. Die Antwort beginnt mit einer ausführlichen Charakterisierung des geliebten Jüngers. Diese geschieht durch den Rückgriff auf Joh 13. Der Abschnitt 20c-20g blickt ja auf die **Veräterszene** in 13,21 ff zurück. Damit wird den Lesenden die Rolle, die der Lieblingsjünger bei der **Identifizierung des Verräters** gespielt hatte, zur Erinnerung gebracht:

---

1) Gegen MAYNARD 1984, 542.545.

Er war es, der an der Brust Jesu lag, wie dieser an der Brust
des Vaters.

Er war es, der deshalb als einziger die richtige Frage stellen
konnte.

Er war die notwendige Zwischeninstanz zu Jesus, auf die die Jünger und Petrus, ihr Sprecher, angewiesen waren, wenn es um die
Identität des Verräters ging.

Diesen Jünger nun sieht Petrus Jesus nachfolgen und fragt, was
mit ihm sein soll.

Die Antwort in V. 22 ist zunächst eine Abweisung der Frage als
solcher. Petrus soll selber nachfolgen (22e) und die Nachfolge
des geliebten Jüngers nicht in Frage stellen (22d)[1] Dessen Nachfolge steht nämlich in völliger Unabhängigkeit neben der des Petrus. Über den Weg des geliebten Jüngers bestimmt der Herr und
nur er allein. Deshalb ist die Frage des Petrus "ungehörig", wie
HIRSCH feststellt.[2] Der erste Teil der Antwort Jesu wird in V.
23 nochmals aufgegriffen: Zunächst wird eine bestimmte Interpretation der Äußerung Jesu angeführt (23a.23b), dann wird diese
Deutung als falsch gekennzeichnet (23c.23d). Als Gegenüber zum
falschen Verständnis wird dann aber nicht etwa eine richtige Deutung gegeben, sondern einfach die Äußerung Jesu wiederholt (23d-
g). Rein logisch bleibt der Äußerung Jesu damit ihre Mehrdeutig-
keit erhalten. Es kann zwar festgestellt werden, daß das Gerücht
unter den Brüdern ein Mißverständnis ist, aber damit ist nur
gesagt, daß nicht einfach behauptet werden kann, der Jünger ster-
be nicht. Die Verneinung des Gerüchts macht aber 22b-d nicht eindeutig. Hier liegen nämlich zwei logische Oppositionen vor:

Im Gerücht wird einmal 'bleiben' durch 'nicht sterben' ersetzt
und außerdem die konditionale Formulierung 'wenn ich will' weg-
gelassen. Wenn deshalb das Gerücht verneint und die Äußerung Jesu
wiederholt wird, wird damit nur die **unbedingte** Aussage, daß der
Jünger nicht **stirbt** ausgeschlossen. Für die Antwort Jesu selbst
bleiben damit als mögliche Deutungen:

---

1) Vgl. SCHNACKENBURG 1975, 441; RUCKSTUHL 1978, 356.
2) Vgl. HIRSCH 1936, 129.

1. Der **hypothetische** Charakter der Aussage Jesu wird betont:
   Das Bleiben des Jüngers bedeutet zwar, daß er nicht stirbt; sein Weiterleben bis zur Parusie ist allerdings davon abhängig, ob Jesus will oder nicht.[1]

2. Das Wollen Jesu ist als gegeben anzunehmen:
   Jesus will, daß der Jünger **bleibt**. 'Bleiben' heißt aber nicht 'nicht sterben'. Der Jünger bleibt also, auch wenn er stirbt.[2]

Es gibt nach meiner Überzeugung keine Möglichkeit, innertextlich zwischen beiden Deutungen zu entscheiden.

Eindeutigkeit ist hier nicht erreichbar. Wer sich für eine von beiden Deutungen entscheidet, nimmt eine unerlaubte Konkretisierung vor. Das gilt unbeschadet der Tatsache, daß die Betonung des Bleibens in der zweiten Interpretationsmöglichkeit einen sehr schönen Zusammenhang zu V. 24 herzustellen ermöglicht. Es kann dann nämlich gesagt werden, der geliebte Jünger bleibe in seinem Zeugnis bzw. seinem Text. Trotz dieser Verlockung ist die Unentscheidbarkeit festzuhalten. Die Ambivalenz des Textes muß ernst genommen werden. Nur sie darf Interpretationsgegenstand sein.

Was kann nun auf dieser Grundlage legitim gesagt werden?

---

1) Vgl. GRIMM 1875, 272 f; WEISS 1893, 632 f; HOLTZMANN 1893, 228; WENDT 1900, 230.232; VÖLTER 1907, 19-21; WELLHAUSEN 1908, 99 f; SPITTA 1910, 10 f.457 f; SCHWARTZ 1914, 216; TILLMANN 1914, 281; HEITMÜLLER 1918, 183; LOISY 1921, 527; LAGRANGE 1936, 533; BULTMANN 1941, 554; WIKENHAUSER 1948, 291; WILKENS 1958b, 162; GRASS 1961, 85; MARROW 1968, 34; ROLOFF 1968/69, 136 Anm. 2; OTTO 1969, 31 f; THYEN 1971, 345 Anm. 6; SCHULZ 1972, 253; OSBORNE 1981, 313; ders. 1984, 187.

2) Den Akzent auf das **Bleiben** legen z.B. NOACK 1876, 192 f; SHILLITO 1917, 474; LIGHTFOOT 1956, 341 f; KRAGERUD 1959, 120-129; SCHNACKENBURG 1970a, 107; ders. 1975, 444 f; LINDARS 1972, 639; THYEN 1977a, 270-273; RUCKSTUHL 1978, 358; SMITH 1983, 185.187; HARTMAN 1984, 37.41; KAEFER 1984, 260; DELEBECQUE 1986, 340 f; POTTERIE 1986, 353-359.

Zunächst ist die konditionale Formulierung in 22b mit 22d zusammenzusehen. Die Betonung des Willens Jesu weist dann darauf hin, daß die Nachfolge des geliebten Jüngers dem Fragen des Petrus entzogen und ganz der Verfügungsmacht Jesu zugeordnet ist: **Was mit diesem Jünger ist, hängt einzig und allein von Jesus ab**, Petrus hat danach nicht zu fragen.

Im Zusammenhang mit der Abgrenzung von der Deutung des Gerüchts bewirkt die Äußerung Jesu eine auffällige Distanzierung vom Tod des geliebten Jüngers. Weder kann gesagt werden, daß er stirbt, noch daß er nicht stirbt. **Das Sterben als solches ist in den Hintergrund gedrängt.**

Das Schicksal des geliebten Jüngers wird also in V. 22.23 einerseits ausschließlich der Bestimmung Jesu unterstellt, andererseits deutlich als vom Sterben unabhängig gekennzeichnet.

Bevor wir uns der letzten Merkmalszuweisung durch den Erzähler in V. 24 zuwenden, ist der geliebte Jünger mit Petrus in Verbindung zu setzen. Schließlich war eine Frage des Petrus der Auslöser für V. 22.23.

Wie in Joh 20 unterscheiden sich die Jünger durch das, was über sie gesagt bzw. nicht gesagt wird. Das läßt sich gut veranschaulichen:

Petrus	Lieblingsjünger
liebt Jesus	keine Aussage
keine Aussage	wird von Jesus geliebt
wird zur Nachfolge aufgefordert (zweimal)	keine Aussage
folgt Jesus nach (erschließbar)	folgt Jesus nach (explizit)
wird sterben (explizit)	keine klare Aussage

Diese Oppositionen tragen zur weiteren Charakterisierung der beiden Jünger bei.

Wenn über den geliebten Jünger im Gegensatz zu Petrus nie gesagt wird, daß er Jesus liebt, so ist daraus nicht zu schließen, daß er Jesus nicht liebt. Im Gegenteil: Da dem Jünger durchweg nur positive Eigenschaften zugewiesen werden, kann geschlossen werden, daß er Jesus liebt. Wenn das nicht ausdrücklich gesagt wird, so bedeutet das in diesem Fall, daß es selbstverständlich ist. Selbstverständlich ist auch, daß Jesus Petrus liebt. Der Unterschied zum geliebten Jünger liegt allerdings darin, daß es bei diesem eben nicht nur allgemein gesagt wird.

Petrus ist von Jesus geliebt, weil er zu den Seinen (13,1) gehört. Der Lieblingsjünger dagegen wird durch die Liebe Jesu aus dieser Gruppe gerade **herausgehoben**.

Wenn bei ihm der Nachfolgeruf unterbleibt, er aber trotzdem nachfolgt, so ist seine Nachfolge nicht als eigenmächtig gekennzeichnet. Da Jesus sie gegen die Frage des Petrus verteidigt, ist im Gegenteil mit einer positiven Besetzung zu rechnen. Der geliebte Jünger folgt Jesus **von selbst**, ohne daß er aufgefordert werden müßte. Das bedeutet für die Charakterisierung des Petrus, daß ihm mit dem zweimaligen Nachfolgeruf ein (im Verhältnis zum Lieblingsjünger) negatives Merkmal zugewiesen ist. Folgt der geliebte Jünger unaufgefordert, so muß Jesus Petrus gleich zweimal zur Nachfolge auffordern. Zu dieser Abstufung paßt auch, daß die Nachfolge des Lieblingsjüngers **explizit** gegeben ist, während die des Petrus nur erschlossen werden kann.

Welche Bedeutung der letzten Opposition zuzuweisen ist, läßt sich nur schwer sagen. Wenn der Tod des Petrus als Verherrlichung Gottes bezeichnet wird, so ist damit ja eine ausgesprochen positive Bewertung dieses Todes gegeben. Die ambivalente Aussage über den Tod des geliebten Jüngers verhindert allerdings eine klare Opposition, so daß die Zuweisung eines negativen Merkmals an den Lieblingsjünger unterbleibt. Das Abblenden des Todes des geliebten Jüngers macht jeden Vergleich mit dem Schicksal des Petrus unmöglich. So kann auch nicht gefolgert werden, der Lieblingsjünger lebe länger als Petrus und nehme nach dessen Tod

seinen Platz ein.[1] Die Ambivalenz hat noch eine weitere Funktion. Sie ermöglicht die in V. 24 gemachte Aussage:
Der geliebte Jünger ist der, der dies, also das gesamte Evangelium, **bezeugt.** Und nicht nur Zeuge ist er, sondern auch der **Verfasser** der vorliegenden Schrift.
Wenn hier der geliebte Jünger als Autor bezeichnet wird, so ist ein expliziter Bezug zu den Kommunikationsebenen des Textes hergestellt. Eine erzählte Figur wird mit dem Erzähler identifiziert. Diese Identifizierung mag heutige Leser überraschen, schließlich hatte sich der Erzähler innerhalb der Erzählung immer vom geliebten Jünger unterschieden, hatte immer von ihm in der 3. Person gesprochen. Innerhalb antiker Literaturnormen ist freilich ein solches Verhältnis von Erzähler und erzählter Figur nicht ungewöhnlich. CHAPMAN macht in einer Nebenbemerkung darauf aufmerksam, daß Thukydides in seinem Werk von sich entweder in der 1. Person spricht oder sich mit der 3. Person bezeichnet, wenn er selbst als handelnde Person auftritt. Denselben Sachverhalt stellt er bei Procopius im sechsten Jahrhundert fest.[2] Nun handelt es sich hier um Autoren, die zeitlich doch sehr weit vom Joh entfernt sind. Auch wenn es sich bei Thukydides um eine normative Gestalt griechisch-römischer Historiographie handelt, kann doch nicht ohne weiteres geschlossen werden, daß eine Regel, die sich bei ihm findet, auch in der Zeit der Evangelien gegolten habe. Es läßt sich aber zusätzlich zur Autorität des Thukydides ein Beleg aus neutestamentlicher Zeit beibringen. Josephus nämlich verhält sich in seiner Geschichte des jüdischen Krieges ganz entsprechend. Sein erzählerisches Ich tritt dort auf, wo er in besprechenden Teilen direkt mit seinen Adressaten kommuniziert, so z.B. im Prolog (Bell 1,1-30) und an vielen anderen Stellen (z.B. Bell 1,33; 2,651; 3,58.108f). Trotzdem erwähnt sich Josephus als Teil der Figurenebene nur in der 3. Per-

---

1) Gegen SPAETH 1868, 193, HOLTZMANN 1893, 229;
   BAUER 1933, 239; BULTMANN 1941, 547.552.555;
   STAUFFER 1943/44, 17, WILKENS 1958b, 163;
   LORENZEN 1971, 72; SCHULZ 1972, 253.
2) Vgl. CHAPMAN 1930, 385 f.

son. Er hält die **auktoriale** Erzählperspektive konsequent durch.
Das zeigt sich von Bell 2,568 an, wo Josephus als erzählte Figur
erstmals auftritt, an unzähligen Stellen. Soweit distanziert
sich der Erzähler Josephus von der Figur Josephus, daß letztere
sogar einfach als ἀνήρ bezeichnet werden kann (Bell 3,345.351).
Aufschlußreich ist auch Bell 3,202, wo der Erzähler kurz in die
Erzählung eingreift (ἔμοιγε δοκεῖν) und in demselben Satz Jose-
phus als erzählte Figur auftritt.
Es kann also geschlossen werden, daß auch im Zeitalter der Entstehung des Joh die historiographische Regel gültig war, daß
ein Verfasser von sich in der 3. Person spricht, wenn er selbst
in seinem Werk als erzählte Figur vorkommt. Diese Trennung von
Erzähler und erzählter Person hat ihre erzählerische Logik. Die
Alternative ist ja, daß der Erzähler sich mit seiner erzählten
Person verbindet und in der Ich-Form redet. Damit ist aber ein
Perspektivenwechsel verbunden. Aus dem auktorialen Erzähler wird
ein **Ich-Erzähler**. Das hat für die Zuverlässigkeit der Erzählung
aber gewichtige Nachteile. Der Ich-Erzähler ist nämlich von Natur aus ein **unzuverlässiger** Erzähler. Das ist - unabhängig von
seinen persönlichen Eigenschaften - begründet "in der ontologi-
schen Basis der Position des Ich-Erzählers in der Welt der Erzählung: er kann auf Grund seines Standortes in der Welt der
Charaktere und auf Grund seiner Ausstattung mit einer auch körperlich determinierten Eigenpersönlichkeit - aus beiden ergibt
sich eine Eingrenzung seines Wahrnehmungs- und Wissenshorizontes
- nur eine persönlich-subjektive und daher bedingt gültige
Ansicht von den erzählten Vorgängen haben."[1]. Deshalb wird
eine Erzählung, die absolut zuverlässig informieren will, in auk-
torialer Perspektive geschrieben, auch wenn der Autor ein Augenzeuge ist (oder zu sein beansprucht). **Die auktoriale Perspektive
ermöglicht den Einsatz eines allwissenden, allgegenwärtigen und
unbedingt zuverlässigen Erzählers.**[2] Die Teilnahme des Autors
am Geschehen wirkt sich so zwar nicht in der Erzählperspektive

---

1) STANZEL 1979, 121 f.
2) Zur Opposition 'Ich-Erzähler/Er-Erzähler' vgl. auch GROSLOUIS
   1982, 18.

aus, erhöht aber im Kommunikationsprozeß mit den Lesenden die
Glaubwürdigkeit des Textes. Die umfassende Informiertheit des
Erzählers wird durch die Augenzeugenschaft des Autors geschichtlich rückgekoppelt.
Die Kombination von Augenzeugenschaft und auktioraler Perspektive verschafft deshalb einem Erzähltext **ein Maximum an Wahrheitsanspruch.**
Wenn also in Joh 21,24 behauptet wird, der Lieblingsjünger sei
der Autor des Evangeliums, so wird damit genau diese Erzählstra-
tegie angewandt und der entsprechende Wahrheitsanspruch erhoben.
Nach antiker Konvention widerspricht - das haben wir gesehen -
diese explizite Verfasserangabe nicht der Tatsache, daß sich innerhalb der Erzählung der Erzähler immer vom geliebten Jünger
als von einer anderen Person abhebt.
Die Identifikation mit dem Erzähler ist also trotz der feststellbaren Trennung einleuchtend, wie aber steht es mit dem impliziten
Autor?
CULPEPPER meint, der geliebte Jünger werde mit dem impliziten
Autor identifiziert.[1] Er stützt sich dabei auf die durchaus zutreffende Beobachtung, daß der Jünger in vielen Zügen dem Bild,
das die Lesenden im Laufe der Lektüre vom Autor gewinnen können,
entspricht. "When the narrator dramatically pulls the curtain
on the implied author in the closing verses of the gospel, the
reader recognizes that the Beloved Dsciple fits the image the
gospel projects of its implied author as one who knows Jesus
intimately, shares his theological perspective, and can interpret
reliably, that is, 'his witness is true'."[2]
Diese Nähe zwischen Jesus und dem impliziten Autor beruht darauf,
daß zwischen implizitem Autor und Erzähler im Joh keinerlei Distanz auszumachen ist[3] und außerdem die Perspektive Jesu mit
der des Erzählers weitgehend parallel ist.[4]

---

1) Vgl. CULPEPPER 1983, 47;
2) CULPEPPER 1983, 47.
3) Vgl. CULPEPPER 1983, 43.
4) Vgl. CULPEPPER 1983, 34-43. Das hat auch schon KEIM 1867, 122 f
   festgestellt.

Trotz dieser Nähe zwischen implizitem Autor und Erzähler einerseits und dem Lieblingsjünger andererseits, ist die in 21,24
vollzogene Identifizierung innertextlich nicht unproblematisch.
Es stellt sich nämlich die Frage, wer denn in 21,24d-25 spricht.
Der in V. 24a-c als Verfasser bezeichnete Jünger? Das ist kaum
möglich, denn dann müßte dieser zugleich von sich selbst in der
1. Person (24d: οἴδαμεν) und in der 3. Person (24e: αὐτοῦ ἡ μαρτυρία) reden. Zwar ist ein solcher Wechsel auf engstem Raum
durchaus denkbar, was Bell 3,202 beweist, aber bei der Josephus-
Stelle handelt sich sich um einen kurzen Erzählereinwurf in einem narrativen Teil. In Joh 21,24.25 liegt aber der besprechende
Abschluß eines Textes vor. In einem besprechenden Textteil kann
die Distanzierung des Sprechers vom geliebten Jünger nur so verstanden werden, daß der Jünger hier **nicht selbst** spricht, sondern
ein anderer **von ihm** spricht. Es ist also anzunehmen, daß ab 24d,
vermutlich aber schon ab 24a, eine Person spricht, die die
Lesenden als eine Art Herausgeber verstehen sollen. Dieser Herausgeber fungiert als 'Meta-Sprecher', der den Lesenden das
Werk des geliebten Jüngers, wie es seiner Aussage nach in 1,1-21,
23 vorliegt, vorlegt. Die Pluralform in 24d braucht dabei nicht
als pluralis auctorialis gelesen werden.[1] Das wäre zwar an
sich möglich, allerdings spricht der Wechsel in den Singular in
25d gegen ein solches Verständnis. Wenn zunächst die 1. Person
Plural und dann die 1. Person Singular verwendet wird, so ist
das eher so zu verstehen, daß der Sprecher Mitglied einer Gruppe ist, für die er spricht. Diese Gruppe bestätigt das Zeugnis
des geliebten Jüngers als wahr.[2] Damit ergibt sich am Ende des
Joh ein recht rundes Bild:
Der geliebte Jünger wird, obwohl er in der Erzählung bloß als
erzählte Figur auftrat, mit dem impliziten Autor und dem Erzähler

---

1) Einen pluralis auctorialis lesen CHAPMAN 1930, 385; BAUER
   1933, 235.240.
2) Vgl. HOLTZMANN 1893, 229 f; WENDT 1900, 233;
   VÖLTER 1907, 7; TILLMANN 1914, 281 f;
   HEITMÜLLER 1918, 184; LOISY 1921, 528 f;
   LAGRANGE 1936, 534 f; WIKENHAUSER 1948, 291 f;
   HARTMAN 1984, 37.

identifiziert. Das ist möglich, weil es einmal eine entsprechende
Literaturkonvention gibt und außerdem eine innere Entsprechung
zwischen dem Bild des geliebten Jüngers und dem impliziten Autor
besteht. Das Werk des geliebten Jüngers wird den Lesenden in V.
24.25 dann von einem zu einer Gruppe gehörenden Sprecher vorgelegt.
Es sind aber trotz allem gewisse Störungen und Verwerfungen un-
verkennbar.
So ist etwa der Übergang von V. 23 zu V. 24 nahtlos. Ein Spre-
cherwechsel ist nicht sofort angezeigt. Auch ist V. 23 kein
Textschluß. Wenn aber der Sprecher von V. 24.25 wirklich nur
als Herausgeber fungierte, müßte doch der Text des geliebten
Jüngers einen eigenen Abschluß haben. Es drängt sich der Verdacht
auf, daß der Sprecher von V. 24.25 mehr ist als nur Herausgeber,
vielleicht der Erzähler des gesamten Textes? Diese Vermutung
wird bestärkt durch die Beobachtung, daß schon in Joh 1 ein Sprecher aufgetreten war, der sich in eine Wir-Gruppe einordnete.
Wenn es nämlich in 1,14 heißt καὶ ἐθεασάμεθα τὴν δόξαν αὐτοῦ,
so ist das wohl auf eine Gruppe von Augenzeugen zu beziehen.[1]
Daraus rekonstruieren die Lesenden einen impliziten Autor, der
Teil einer Gruppe ist, für die er spricht. Das paßt zwar auch
auf den geliebten Jünger, der ja (auch wenn das nie besonders
betont wird) zum Kreis der Jünger gehört; aber es paßt eben
wesentlich besser auf den, der in 21,24.25 spricht und mit dem
Lieblingsjünger **nicht** identisch ist.
Diese Probleme, die die Verfasserschaftsangabe in 21,24 verursacht, haben einige Exegeten dadurch zu lösen versucht, daß sie
in 24c eine abgeschwächte, kausative Bedeutung annahmen: der
Lieblingsjünger hat nicht selbst geschrieben, sondern schreiben

---

1) Vgl. THYEN 1974, 242 f; ders. 1976, 532;
   ders. 1977a, 273; ders. 1977b, 246;
   auch KRAGERUD 1959, 113;
   LANGBRANDTNER 1977, 39; RICHTER 1977, 141.191 f;
   MINEAR 1983, 95;
   KOTZE 1985, 55 f.

lassen.[1] "Grammatisch ist dieses Verständnis jedoch unmöglich."[2]

Die Spannungen lassen sich, wenn 24c ernst genommen wird, innertextlich nicht mehr lösen. Es legt sich vielmehr die Annahme nahe, daß derjenige, der in V. 24.25 als Herausgeber spricht, in Wirklichkeit der Autor des gesamten Evangeliums ist. Die festgestellten Verwerfungen beruhen vermutlich darauf, daß wir es in 21,24 mit einer falschen Verfasserschaftsangabe zu tun haben und das Joh also in die Gruppe der neutestamentlichen Pseudepigraphen einzureihen ist.[3] Damit ist aber der Bereich der Textinterpretation verlassen und der Bereich historischer Rückfrage betreten. Da der historischen Fragestellung in einem eigenen Kapitel ausführlich nachgegangen werden soll, will ich hier nicht weiter auf diese Problematik eingehen.

2.5.5 Joh 21 in diachroner Betrachtung

Auch wenn heute in der Exegese weitgehend Einigkeit darüber herrscht, daß Joh 21 ein redaktioneller Text ist, so ist damit die literarkritische Fragestellung noch lange nicht erledigt. Schließlich fordern zahlreiche Ungereimtheiten besonders in V. 1-14 geradezu zur Unterscheidung verschiedener Schichten heraus. LOISY hat das Problem treffend formuliert: "Ou l' auteur combine maladroitement plusieurs traditions ou récits, ou bien il poursuit une allégorie qui détruit l'équilibre de sa description."[4] Ich meinerseits führe die Spannungen vor allem auf eine besondere Betonung sekundärer semantischer Ebenen zurück; damit soll die Verarbeitung verschiedener Traditionen nicht geleugnet

---

1) Vgl. BROWN 1966/70, 1123.1127; DAUER 1968, 91-93;
   HAWKIN 1977, 148; SMITH 1983, 186 f;
   HARTMAN 1984, 37.
   SCHNACKENBURG macht 'schreiben' faktisch zu einem Synonym von 'bezeugen' (1975, 446).
2) THYEN 1977a, 294. Vgl. auch SCHÜRMANN 1970, 19 Anm. 36.
3) Vgl. einstweilen THYEN 1977a, 294.
4) LOISY 1921, 519.

werden. Ich halte es allerdings nicht für möglich, die Spannungen
durch Schichtenaufteilung zu lösen. Die verarbeiteten Traditionen
sind aus Joh 21 nicht zu rekonstruieren, weil sie sehr frei verarbeitet werden. Es legt sich außerdem aufgrund der in Joh 20
festgestellten Lk-Kenntnis nahe, das Lk als die Quelle des johanneischen Redaktors zu betrachten. Um diese These, die auch
von Hartwig THYEN vertreten wird,[1] zu erhärten, ist eine Auseinandersetzung mit literarkritischen Entwürfen zu führen. Da ich
hier nicht auf die Fülle solcher Entwürfe eingehen kann, disku-
tiere ich die literarkritische These von Jürgen BECKER.[2] Sein
Modell erfaßt die in der Forschungsgeschichte festgestellten
Spannungen annährend vollständig und kann deshalb wieder als
exemplarisch gelten.

Während BECKER für 21,15-23 eine freie Gestaltung der Redaktion
annimmt, der außer V. 22 kaum Traditionsmaterial zugrunde liegt,[3]
sieht er in 21,1-15 zwei Erzählungen redaktionell verknüpft, und
zwar eine Erzählung vom reichen Fischfang und eine österliche
Rekognitionslegende.[4]

Ausgangspunkt für die Rekonstruktion sind folgende Spannungen:

1. Der geliebte Jünger, der in V. 7 so wichtig ist, wird in V.
   2 nicht eingeführt.

2. Nach V. 5.6 dient das Fischen der Jünger dazu, etwas zu
   essen zu bekommen, in V. 9 dagegen ist schon ein Mahl am Ufer
   bereitet. V. 10 will diesen Konflikt beheben.

3. In V. 12 wissen alle Jünger, wer der Fremde am Ufer ist, in
   V. 7 dagegen wird Jesus nur vom geliebten Jünger erkannt.

4. V. 11 kommt in der Erzählung zu spät. Die Einzelhandlung des
   Petrus widerspricht V. 8.

Um diese Spannungen zu beheben, teilt BECKER das Textmaterial
folgendermaßen auf die drei literarischen Schichten auf:

V. 1 ist fast ganz redaktionell; nur die Ortsangabe 'am Meer
von Tiberias' entstammt der Fischfangerzählung. In V. 2 gehören

---

1) Vgl. THYEN 1977a, 262 f.
2) Vgl. zum Folgenden BECKER 1979/81, 636-643.
3) Vgl. BECKER 1979/81, 645.
4) Vgl. auch PESCH 1969, besonders 53-110; SCHNACKENBURG 1975,
   410-415.

Simon Petrus und die Zebedaiden zur Fischfangerzählung. Die Redaktion erweitert die Liste um Thomas, Nathanael und die beiden
Namenlosen. In V. 3-4b läuft die Erzählung vom wunderbaren Fischfang weiter. 4c.4d stellen einen Rest der Einleitung der Wiedererkennungslegende dar. Die V. 5.6 gehören im wesentlichen zum
wunderbaren Fischfang, allerdings geht die konkrete Formulierung
in 5b.5c auf die Redaktion zurück. V. 7 ist ganz redaktionell.
In V. 8.9 wird die Rekognitionserzählung fortgesetzt, allerdings
ist der Anfang von V. 8 redaktionell überformt, um einen Anschluß
an V. 7 zu schaffen. In V. 10 ist wieder die Redaktion am Werk.
Sie versucht, durch die Aufforderung Jesu die Fischer der Fangerzählung mit denen der Erkennungsgeschichte zusammenzubringen.
V. 11 ist der ursprüngliche Abschluß der Erzählung vom wunderbaren Fischfang. In V. 12.13 kommt wieder die Geschichte vom wunderbaren Mahl, bei dem die Jünger Jesus erkennen, zum Zuge. Mit
V. 14 schafft die Redaktion unter Rückbezug auf V. 1 einen Abschluß.
Die Rekonstruktion BECKERs hat das gleiche Problem wie alle
derartigen Entwürfe: Das Textmaterial reicht einfach nicht aus;
immer wieder sind hypothetische Ergänzungen notwendig, die wenig
überzeugend sind.
Die Reste der Wiedererkennungslegende sind doch mehr als dürftig.
Es fehlt jede Einleitung. Sie wurde nach BECKER beim redaktionellen Verarbeitungsprozeß von der anderen Erzählung verdrängt. Er
wird damit recht haben, aber wie hat diese Einleitung, wie die
ganze Erzählung ausgesehen? BECKERs Antwort:
Jesus steht am Ufer des galiläischen Sees. Er winkt den Jüngern,
die fischen. Sie erkennen ihn nicht (4c.4d). Trotzdem kommen
sie mit ihrem Boot an Land, wo sie ein Mahl von Brot und Fischen
entdecken (V. 8.9). Jesus lädt sie zum Essen ein. Sie erkennen
ihn. Er teilt ihnen die Mahlzeit aus (V.12.13).
Hier ist wohl doch mehr exegetische Phantasie am Werk, als erlaubt ist. Nicht daß der fragmentarische Charakter des rekonstruierten Textes schon gegen die Lösung spräche, aber die Erzählung
ist in sich keinesfalls schlüssig.
Außerdem steht in V. 12 **nicht**, daß die Jünger Jesus **erkennen,**

sondern daß sie **wissen**, daß er es ist. Sie erkennen ihn weder
an der zubereiteten Mahlzeit (V. 9), noch an der Einladung zum
Mahl (V. 12). Woher ihr Wissen kommt, wird nicht gesagt. Die Information ist sinnlos, wenn nicht V. 7 als Bezugspunkt eingebracht wird. Daran wird dann ganz deutlich, daß die angeblichen
Fragmente einer Wiedererkennungslegende redaktionell formulierter
Text sind.

V. 7 erklärt auch, warum die Jünger ans Land zurückkehren. Sie
wissen, daß dort Jesus ist. Nun hängt aber V. 7 eng mit der
Fischfangerzählung zusammen. Das Erkennen des Herrn durch den
geliebten Jünger ist ja Reaktion auf den reichen Fang. Die Erzählung vom Fischfang ist von der Mahlgeschichte also nicht zu
trennen. Das zeigt sich auch in V. 4, wo nun wirklich kein Grund
besteht, 4c.4d abzutrennen, außer eben dem, daß 4c.4d für die
Wiedererkennungslegende gebraucht wird.

Für die unlösbare Einheit von Fischfanggeschichte und Mahlerzäh-
lung spricht auch die große Ähnlichkeit, die die rekonstruierte
Rekognitionserzählung in ihren hypothetischen Teilen mit der Geschichte vom wunderbaren Fischfang hat. In beiden Erzählungen
sind die Jünger am galiläischen See und fischen. Jeweils steht
unverhofft Jesus am Ufer. Diese Ähnlichkeiten in der Grundstruktur sind nun nicht auf BECKERs mangelnde Phantasie zurückzuführen, sondern gründen in einer durchaus adäquaten Verlängerung
der Vorgaben, die die 'Fragmente' der Wiedererkennungslegende
machen. Diese Vorgaben deuten aber nicht darauf hin, daß es
zwei Erzählungen unterschiedlicher Gattung aber mit paralleler
Erzählstruktur gegeben hätte, sondern darauf, daß die Redaktion
die Motive von Mahl und Wiedererkennen mit der **einen** Grundstruktur der Fischfangerzählung verschmolzen hat.

Diese Erzählung vom wunderbaren Fischfang ist übrigens auch nicht
von einer redaktionellen Textschicht abzulösen. So sitzt etwa
die Ortsangabe in 21,1a fest. Sie muß von BECKER nur deshalb
herausgelöst werden, weil er 1a richtig als redaktionelle Überleitung einschätzt, die Ortsangabe aber für die Fangerzählung
braucht. Desgleichen in V. 2: Thomas und Nathanael sind johanne-
isches Personal; die beiden anonymen Jünger sind anaphorisch an

V.1 angebunden. Da das Fischfangwunder auch Handelnde braucht, wird in der Liste geschnitten. In V. 5 ist 5b aufgrund des Sprachgebrauchs von 1 Joh als johanneische Anrede erkannt, 5c verweist auf die Mahlszene vor, also muß redaktionelle Umformulierung postuliert werden. Beweisbar ist so etwas natürlich nicht mehr.

Insgesamt wirft die Rekonstruktion zweier redaktionell verarbeiteter Erzählungen mehr Probleme auf, als sie löst.

Nun soll BECKER und der Forschungsrichtung, die er vertritt, natürlich nicht bestritten werden, daß in Joh 21,1-14 tatächlich Erzählungen zweier verschiedener Gattungen verwendet wurden, aber sie sind redaktionell so verschmolzen, daß eine Rekonstruktion unmöglich ist. Beim redaktionellen Verarbeitungsprozeß scheint die Fischfangerzählung als strukturelle Matrix verwendet worden zu sein, in die dann Motive einer Geschichte von der Wiedererkennung beim Mahl eingefügt wurden.

Die Ähnlichkeit von Joh 21,1-14 mit lukanischem Material ist seit langem allgemein bekannt. Für den wunderbaren Fischfang bietet sich Lk 5,1-11, für die Wiedererkennung beim Mahl dagegen Lk 24,13-35 als Parallele an. Die Berührungen zwischen Joh 21,1-14 und Lk 5,1-11; 24,13-25 sind nun nicht so eng, daß sofort literarische Abhängigkeit angenommen werden müßte. Wenn allerdings johanneische Vorstufen nicht mehr rekonstruierbar sind, und in Joh 20 eine Kenntnis des lukanischen Endtextes angenommen werden muß, dann ist die These einer direkten Abhängigkeit von Lk 21,1-14 die nächstliegende Lösung. Als einfachere Hypothese verdient sie entschieden den Vorzug vor der Behauptung eines bloß traditionsgeschichtlichen Zusammenhangs.

Es bietet sich damit folgendes entstehungsgeschichtliches Bild: Die johanneische Redaktion übernimmt in 21,1a die Ortsangabe von Lk 5,1, allerdings in eigenständiger, ihrem soziokulturellen Kontext angepaßter[1] Formulierung.

---

1) Vgl. THEISSEN 1985b, 13-17.

Simon Petrus und die dem Joh ansonsten unbekannten Zebedaiden (V.
2) stammen aus Lk 5,10, werden aber hier schon in der Exposition
genannt. Der erfolglose Fischfang in V. 3 ist aus Lk 5,5 abgeleitet, wird hier allerdings eigens erzählt, da er als Kontrast
zum erfolgreichen Fischfang in V. 6 dienen soll. Daß V. 6 eine
Variante von Lk 5,4-8 ist, sieht auch BECKER.[1] Die Variationen
lassen sich aber gut auf die johanneische Redaktion zurückführen.
V. 8 ist eine ausführliche Fassung von Lk 5,11. Daß die Nachfol-
genotiz wegfällt, ist verständlich, schließlich folgt noch Joh
21,15 ff. In Joh 21,11 kommt Lk 5,6 zum Zuge. Das drohende Zerreißen der Netze wird aber durch das betonte Nichtzerreißen des
einen Netzes ersetzt, weil die Redaktion daran interessiert ist,
Petrus mit der Einheit der Glaubenden in Verbindung zu bringen.

In V. 4.12.13 kommen Einzelmotive der Emmauserzählung zum Zuge,
allerdings in Ausrichtung auf die durch den Fischfang geschaffene
Szenerie. So ist V. 4 der Auslöser für den reichen Fang und in
der Notiz des Nichterkennens wird in Vorbereitung für V. 7.12
zugleich Lk 24,16 übernommen. Das Motiv des Erkennens (Lk 24,30 f)
ist nun nicht mehr an das Mahlhandeln Jesu gebunden, sondern
kehrt (eingeengt auf den Lieblingsjünger) in Joh 21,7 wieder.
Allerdings wird das Mahl auch in V. 9.13 aufgegriffen. Warum
die johanneische Redaktion die Fische hinzufügt, ist klar. Erstens geht es um eine Koppelung von Fischfang und Mahl und zweitens um einen Rückbezug auf Joh 6,1 ff.
Das Motiv des Erkennens (Lk 24,31) ist auch in Joh 21,12 durch-
geschlagen, aber nun in Rückbezug auf das Erkennen des Lieblingsjüngers (V. 7) und damit auf den Fischfang.
Insgesamt kann also von einer recht **freien Verarbeitung zweier
lukanischer Texte** durch die johanneische Redaktion gesprochen
werden. Dabei ist die Orientierung an der Struktur der Erzählung
vom wunderbaren Fischfang maßgeblich für die Grundstruktur der
Erzählung, während die Rekognitionslegende Lk 24,13-35 nur in
Einzelmotiven verwendet wird.

---

1) Vgl. BECKER 1979/81, 640.

Die im johanneischen Text spürbaren Spannungen gehen aber nicht
nur auf die Synthetisierung von zwei unterschiedlichen Gattungen
zurück, sondern auch - wenn nicht vor allem - auf das Bemühen,
Einzelzüge der Erzählung mit weiteren Bedeutungsebenen zu versehen.

Joh 21,1-14 ist also als **einheitlicher redaktioneller Text**
anzusehen, der unter Verwendung von Erzählzügen aus Lk 5 und Lk
24 komponiert wurde.

Ob in dem Jesuswort in Joh 21,22 mündliche Tradition der johanneischen Gemeinde(n) zu sehen ist, hängt davon ab, ob dem Gerücht in V. 23 ein historischer Hintergrund zugesprochen wird
oder nicht. In der vorliegenden Fassung ist V. 22 jedenfalls
seinem literarischen Kontext angepaßt formuliert, so daß kein
Grund für literarkritische Operationen bestehen. Da auch die
Schlußbemerkung in Joh 21,24.25 nicht abgetrennt werden kann[1],
muß Joh 21 insgesamt als einheitlicher redaktioneller Block
gelten.

---

1) Dieser Schnitt wird z.B. von TILLMANN 1914, 281 f; LAGRANGE
   1936, 534 f; WIKENHAUSER 1948, 291 f; OSBORNE 1981, 314 f;
   ders. 1984, 189.191; DELEBECQUE 1986, 335-338 vertreten.
   Gegen diese Abtrennung haben sich u.a. HOLTZMANN 1893, 229 f;
   LOISY 1921, 528 f; THYEN 1977a, 269 f; BARRETT 1978, 583.587
   f; POYTHRESS 1984b, 364; POTTERIE 1986, 346 f ausgesprochen.

2.6 Beobachtungen zu Tradition und Redaktion (Resümee)

Beginnen wir gleich mit dem zuletzt besprochenen Themenbereich,
der Beziehung zu den synoptischen Evangelien. War schon in Joh 6
und Joh 13 eine besondere Nähe der redaktionellen Textschicht
zu synoptischen Texten aufgefallen, so ergab sich in Joh 20 die
Notwendigkeit, eine **Kenntnis des Lk** anzunehmen. Mit dieser Annahme konnte auch die Entstehungsgeschichte von Joh 21,1-14 hinreichend geklärt werden. Für die übernommene johanneische Tradition legte sich die These einer direkten Kenntnis synoptischer
Texte an keinem Punkt nahe.

Was die Beziehung zu 1 Joh angeht, so ist in Joh 6.13.19.21 eine
besondere Nähe der Redaktion zum Brief festzustellen, teilweise
im Sprachgebrauch (19,35c; 21,5b), vorwiegend jedoch in theolo-
gisch-konzeptioneller Hinsicht. Auch hierin unterscheidet sich
die Redaktion von ihrer Tradition. Die Gemeinsamkeiten der Evan-
geliumsredaktion mit 1 Joh sind aber an den von mir betrachteten
Stellen nie derart, daß sich der Schluß auf Verfasseridentität
aufgedrängt hätte.

In Bezug auf die literarische Charakterisierung ist festzuhalten,
daß wir es mit einer **echten Redaktion** zu tun haben, deren Arbeit
im Joh sich nicht auf Glossen u.ä. einschränken läßt. Unter Verwendung vorgegebener Materialien schafft sie **ihren** Text. Sie
ist deshalb als **literarisch innovativ** zu bezeichnen. Diese literarische Innovation kontrastiert scharf mit dem **theologischen
Konservatismus**, den die Redaktion an den Tag legt. Immer wieder
konnte festgestellt werden, daß das von der Redaktion eingebrach-
te Material traditionsgeschichtlich **älter** ist, als das von ihr
als Tradition bearbeitete. RICHTER hat also recht, wenn er
meint, daß der Redaktor und seine Sympathisanten "von Anfang an
so etwas wie einen konservativen Flügel der joh Gruppe" bildeten.[1]

Noch ein Wort zur 'Grundschrift': Wo johanneische Tradition aus

---

1) RICHTER 1977, 411 Anm. 99.

dem redaktionellen Text herausgeschält werden konnte, war an
der Art der Überarbeitung deutlich zu erkennen, daß es sich um
schriftlich fixiertes Material handelt. Zwar konnten Bezüge auf
größere Textzusammenhänge festgestellt werden, aber die Texte
selber blieben **fragmentarisch.** Es muß also offenbleiben, ob
mehrere Texte mit ähnlicher oder gleicher Grundausrichtung, oder
ob eine zusammenhängende Grundschrift existiert hat. Wenn ja,
dann hat die Redaktion diese so verarbeitet, daß sie auch bei
einer literarkritischen Analyse des gesamten Joh nicht mehr zu
rekonstruieren sein dürfte. Mit Kürzungen ist jedenfalls immer
zu rechnen. Das Bild einer Redaktion, die sich auf das **Hinzufü-**
gen beschränkt, trifft keinesfalls den Sachverhalt. Schon die
Bemerkungen in 20,30; 21,25 hätten gegen eine solche Sicht von
jeher skeptisch machen sollen. Ob nämlich 20,30 redaktionell
ist[1] oder vorgegeben, jedenfalls ist im redaktionellen Endtext
zweimal (und in 21,25 besonders drastisch!) der Auswahlcharakter
des Niedergeschriebenen betont. Der implizite - und damit wohl
auch der reale - Autor rechnet offensichtlich damit, daß die Lesenden mehr an Jesuserzählungen und Jesusreden kennen, als er
erzählt hat. Neben den Beobachtungen bei den Textanalysen ist
das m. E. ein starkes Indiz dafür, daß die Redaktion ihre vorgegebene Tradition recht **selektiv** verarbeitet hat. Das Ausgeschie-
dene wird von ihr als zum Glauben nicht notwendig abgewertet,
das Niedergeschriebene dagegen wird durch die Zuweisung an den
Lieblingsjünger als Autor (21,24) und durch die Koppelung mit
dem Glauben (20,31) mit höchstem Autoritätsanspruch versehen.
Was schließlich die Lieblingsjüngertexte selbst angeht, so wurden sie alle als **redaktionell** erkannt. Es kann zwar nicht zwingend geschlossen werden, daß sie alle derselben Redaktion angehören, aber es wurden andererseits auch keine Beobachtungen gemacht, die die Annahme einer mehrstufigen Redaktion nahelegen.
Den letzten Beweis für eine literarkritische Zusammengehörigkeit
aller Texte über den geliebten Jünger wird die Verdeutlichung

---

1) So THYEN 1974, 226 f; LANGBRANDTNER 1977, 37; vgl. schon
   BAUR 1847, 235-237.

der engen inhaltlichen Zusammengehörigkeit (vgl. 2.8.1) erbringen. Was das **traditionsgeschichtliche** Alter der Lieblingsjüngergestalt angeht, so ist festzustellen, daß hier von einem Konservatismus der Redaktion nicht gesprochen werden kann. Es gab jedenfalls bei keinem der analysierten Texte einen Anlaß, hinter
der Figur des geliebten Jüngers selbst eine ältere Tradition anzunehmen. Es ist also ROLOFF zuzustimmen, der über die Lieblings-
jüngertexte urteilt: "Sie weisen sich |...| durchweg als *literari-
sche Kompositionen* aus, hinter denen keine älteren Traditionen
stehen."[1] Die Texte gehören also voll in den Bereich der narrativen Kreativität der Redaktion, selbst wenn sie inhaltlich auf
Traditionssicherung ausgerichtet sind. Dieser Befund wird bei
der historischen Rückfrage zu beachten sein.

---

1) ROLOFF 1968/69, 133.

2.7   Lieblingsjüngertexte in Joh 1 und Joh 18?

2.7.1 Der anonyme Jünger in Joh 1,35-40

In 1,35-40 werden zwei namenlose Jünger des Täufers erwähnt, die auf dessen Zeugnis hin Jesus nachfolgen und so zu Jesusjüngern werden, und zwar als erste. In 1,40 wird der eine von beiden als Andreas, der Bruder des Petrus, identifiziert, während der andere der beiden anonym bleibt. In diesem Anonymus wurde bisweilen der geliebte Jünger erkannt. In neuerer Zeit hat sich vor allem THYEN für eine entsprechende Identifizierung stark gemacht. Er hält V. 43 für eine redaktionelle Interpolation mit dem Ziel, "den einen der beiden Erstberufenen zum Anonymus zu *machen.* Ohne Vers 43 sind Andreas und Philippus die beiden vom Täufer an Jesus gewiesenen ersten Jünger."[1] Ganz unabhängig von der literarkritischen Frage, ob V. 44 wirklich an V. 42 anschließt, sind gegen die Identifizierung des Unbekannten mit dem Lieblingsjünger massive Einwände zu erheben.

Das Joh wird nicht am Textanfang als Werk des geliebten Jüngers gekennzeichnet. Das bedeutet, daß die Lesenden sich zu Beginn der Lektüre natürlich nicht auf die Suche nach dem Lieblingsjünger als dem Autor und Augenzeugen machen. Wenn dann in 1,35 die

---

1) THYEN 1977a, 275; vgl. ders. 1971, 352 Anm. 25.
Die Identifizierung vollziehen auch:
STRAUSS 1837 I, 583; SCHWEIZER 1841, 240;
WEISS 1893, 25, WENDT 1900, 194;
VÖLTER 1907, 18 f; ZAHN 1908, 9 f;
SPITTA 1910, 53 f; HEITMÜLLER 1918, 35;
LOISY 1921, 128; EISLER 1930, 349;
LAGRANGE 1936, 46 f; WIKENHAUSER 1948, 57;
KRAGERUD 1959, 19-21; BROWN 1966/70; 74;
SCHÜRMANN 1970, 18 f; SOLAGES 1972, 48;
HAHN 1974, 184-187; CULLMANN 1975, 75 f;
Anders entscheiden sich z.B.
BULTMANN 1941, 369 Anm. 1; FILSON 1949, 84;
SCHNACKENBURG 1965, 310; ders. 1970a, 113;
ROLOFF 1968/69, 131; OTTO 1969, 15-17;
LORENZEN 1971, 39-46; LINDARS 1972, 31 f;
MAHONEY 1974, 297 f; BECKER 1979/81, 102.435;
PAMMENT 1983, 366.

beiden Jünger erwähnt werden und in 1,40 einer von ihnen als Andreas identifiziert wird, so ist schon eine sehr genaue Lektüre
notwendig, um den überzähligen Jünger überhaupt zu bemerken. Er
ist ja ab 1,40 so vollständig aus dem Blickfeld des Erzählers
verschwunden, daß die Lesenden ihn in der Regel sofort vergessen
werden. Niemand wird diesen Schatten mit einer so wichtigen Gestalt wie dem Lieblingsjünger identifizieren, außer er bzw. sie
hat schon Joh 13.19.20.21 gelesen und macht sich jetzt auf die
Suche nach einem früheren Auftreten des geliebten Jüngers.
Allenfalls im Sinne einer **nachträglichen** Sinnerhellung könnte
1,35 ff als Lieblingsjüngertext akzeptiert werden. Aber der implizite Autor gibt den Lesenden keinerlei Impuls, sich an den
Unbekannten in Joh 1 zu erinnern. Ein entsprechender Rückbezug
wäre also durch keine Textanweisung abgedeckt, ja die Formulierung in Joh 13,23a.23b scheint mir einen solchen Rückbezug nach-
gerade auszuschließen. Wenn nämlich 23a formuliert "**einer** von
seinen Jüngern" und 23b diesen beliebigen Jünger durch den Zusatz "den Jesus liebte" erst individualisiert, so ist damit
klar gemacht, daß der implizite Autor von den impliziten Lesenden **nicht** erwartet, daß sie diesen Jünger kennen.[1] Dieser Art
zu formulieren fehlt nämlich jedes anaphorische Element. Das
ist in 19,26 auffälligerweise anders. Dort wird in 26a der bestimmte Artikel, der ja anaphorische Wirkung hat, gesetzt und
damit signalisiert, daß jetzt eine Kenntnis dieses Jüngers vorausgesetzt wird. Das alles deutet doch darauf hin, daß der geliebte Jünger in Joh 13 **erstmals** erwähnt wird.[2]

Es könnte demnach allenfalls noch darum gehen, daß dem geliebten
Jünger von Anfang an ein Platz freigehalten wird, damit die Behauptung, dieser Jünger sei mit dem allwissenden Erzähler identisch, durch die ständige Anwesenheit des Jüngers plausibel
ist. Immerhin wird in Joh 15,27 die Qualität der Zeugen mit ihrer Anwesenheit von Anfang an gekoppelt. Diese Aussage ist aber

---

1) Vgl. ÜCHTRITZ 1876, 213 f.
2) Die Bedeutung dieser Beobachtung auch für die historische
Rückfrage ist gar nicht zu überschätzen.

an alle Jünger gerichtet, und trotzdem hat der implizite Autor
nicht die Notwendigkeit gesehen,die Berufung aller dieser Jünger
in Joh 1 zu erzählen. Es ist also zu schließen, daß auch der geliebte Jünger als anwesend gedacht werden kann, ohne daß er in
Joh 1 (mehr nebenbei!) eingeführt wird. Er hat solche Einführung auch später nicht nötig: er tritt in Joh 13 dann auf, wenn
er gebraucht wird, und unter dem Kreuz wird er in 19,25 zunächst
auch nicht erwähnt, um dann in 19,26 überraschend aufzutreten.
Dieser Jünger, so ist zu schließen, braucht nicht eingeführt zu
werden. **Er ist immer da.** Ein weiterer Einwand gegen eine auch nur
nachträgliche Identifizierung des geliebten Jüngers mit dem
Anonymus in Joh 1 erwächst aus der Beobachtung, daß im Joh Personen, bei ihrem **ersten** Auftreten alle wichtigen Eigenschaften zugeordnet bekommen. Auf diese kann dann an späterer Stelle zurückgegriffen werden.[1] 'Maria' ist die Mutter Jesu (Joh 2,1 - Joh 6,42;
19,25.26.27), Judas ist der Verräter (Joh 6,71 - Joh 12,4; 13,2;
18,2.5); Nikodemus hat Jesus nachts besucht (Joh 3,2 - Joh 7,50;
19,39). Wenn also in Joh 21 auf die Rolle des geliebten Jüngers
beim Mahl in Joh 13 zurückgeblickt wird, so ist das ein weiteres
Indiz dafür, daß dort das erste Auftreten des Jüngers zu sehen ist.

Und schließlich: Wäre es wirklich darum gegangen, den geliebten
Jünger in Joh 1 als einen der beiden Erstberufenen zu charakterisieren, so wäre es völlig unverständlich, warum auf dieses
Merkmal nie rekurriert wird. Wollte der implizite Autor den Namenlosen vielleicht gar nicht als Erstberufenen verstanden wissen? Immerhin ist es doch auffällig, daß nur Andreas für Jesus
wirbt, nicht aber der andere Jünger. Könnte das nicht auch so
verstanden werden, daß **dieser** Jünger <u>nicht</u> weiter nachfolgte?
Und wenn V. 43 wirklich eine redaktionelle Erweiterung sein
sollte mit dem Ziel, einen der beiden Jünger anonym zu machen,
so könnte für die Redaktion das stillschweigende Verschwinden
des Namenlosen durchaus ein erstes Zeichen für das in Joh 6 the-

---

1) Vgl. JONGE 1979, 102 Anm. 1.

matisierte Schisma sein: **Nicht jeder, der einmal Jesus nachfolgt, ist wirklich ein Jünger Jesu und bleibt bei ihm.**[1]
Alles in allem ist also festzuhalten, daß Joh 1,35 ff **nicht** als Beitrag zur Charakterisierung des geliebten Jüngers anzusehen ist.

2.7.2 Der 'andere Jünger' in Joh 18,15 f

Hier folgt ein namenloser Jünger zusammen mit Petrus dem verhafteten Jesus. Als Bekannter des Hohenpriesters kann er es Petrus ermöglichen, in den Hof des Hohenpriesters zu gelangen, wo dieser Jesus verrät.
Die Identität dieses Namenlosen mit dem geliebten Jünger ist in der jüngeren Exegese von NEIRYNCK besonders nachdrücklich vertreten worden.[2] Sein Hauptargument besteht darin, daß er Analogien zwischen 18,15 f und 20,2 ff aufzeigt. Hier wie dort wird seiner Meinung nach Petrus dem jeweils anderen Jünger un-

---

1) Dem entsprächen die düsteren Andeutungen über falschen Glauben in Joh 2,23-25, wo übrigens auch wieder das Wissen Jesu betont wird.
2) Vgl. NEIRYNCK 1975.
   Die Identifizierung wird z.B. auch vertreten von
   STRAUSS 1837 I 625; II 490; SCHWEIZER 1941, 235.240;
   SPAETH 1868, 184-186; WEISS 1893, 25.566 f;
   DELFF 1890b, 35; ders. 1892, 94-97;
   WENDT 1900, 194; SCHWARTZ 1907, 353;
   ders. 1914, 218; VÖLTER 1907, 10 f;
   OVERBECK 1911, 424; TILLMANN 1914, 17;
   HEITMÜLLER 1918, 168; LOISY 1921, 459;
   GRIFFITH 1920/21, 379; FLEMING 1926, 201;
   EISLER 1930, 349; ders. 1938, 197;
   LAGRANGE 1936, 463; WIKENHAUSER 1948, 264;
   KRAGERUD 1959, 25 f; PARKER 1960, 97 f.102;
   JOHNSON 1965/66, 158; SCHÜRMANN 1970, 19;
   BROWN 1966/70, XCIV.822; LORENZEN 1971, 47-53;
   SOLAGES 1972, 47; CULLMANN 1975, 75 f;
   COLLINS 1976, 129; LANGBRANDTNER 1977, 44 f;
   MINEAR 1977, 117; THYEN 1977a, 281;
   ders. 1977b, 249; JONGE 1979, 103;
   O'GRADY 1979, 58; BECKER 1979/81, 435.546;
   GUNTHER 1981, 133; SMITH 1985, 145 f.

tergeordnet, in 18,15 f was den Eintritt in den Hof angeht, in
20,2 ff in bezug auf den Glauben.

An beiden Stellen werde zudem eine wichtige Kennzeichnung des
anonymen Jüngers zweimal genannt. In 18,15 ist dies die Bekanntschaft mit dem Hohenpriester, in 20,2-10 die Tatsache, daß er
zuerst am Grab ankommt.

Auch weise die Bezeichnung des Lieblingsjüngers in Joh 20,2c.2d
auf 18,15 zurück. Zwar identifiziere 20d den Jünger als den geliebten Jünger aus Joh 13.19, die Formulierung in 20c aber sei
anaphorisch auf 18,15 f bezogen.[1]

Die Unterordnung des Petrus unter den jeweils anderen Jünger,
die NEIRYNCK als Aussageziel des Evangelisten bestimmt, ist
für beide Texte nicht zu bestreiten. Damit ist aber über die
Idendität der beiden anonymen Jünger noch nichts ausgesagt. Was
die Bezeichnung des Lieblingsjüngers in 20,2c.2d angeht, so erklärt sie sich ohne Rückbezug auf Joh 18. Natürlich hat der bestimmte Artikel in 20,2c anaphorische Wirkung, aber das heißt
nur, daß hier eine Person benannt wird, die die Lesenden schon
kennen sollen. Sie kennen den Lieblingsjünger aber aus Joh 13.
Was das Adjektiv ἄλλος angeht, so erklärt es sich in Joh 20 aus
der Tatsache, daß hier zwei Jünger auftreten, die voneinander
unterschieden werden müssen. Deshalb ist die Kurzform von Joh
19,26 f nicht möglich. Andererseits konnte die Bezeichnung 'der
andere Jünger' in Joh 13 nicht angewandt werden, weil dort mehr
als zwei Jünger anwesend waren. Die Formulierung in 20,2c erklärt sich also ganz aus der Situation von Joh 20; ein Rückbezug
auf 18,15 f liegt nicht vor, weil die Bezeichnung 'der andere
Jünger' jeweils eine situationsbedingte, der allgemeinen Ökonomieregel der Sprache folgende Kurzform ist, aber **kein festes
Merkmal einer Person.** Damit ist eine Identifizierung des anonymen in Joh 18 mit dem geliebten Jünger im Sinne einer nachträglich in Joh 20 erfolgenden Sinnerhellung ausgeschlossen.

---

1) Vgl. NEIRYNCK 1975, 136-141.

Es bleibt also nur die Frage, ob die Lesenden in Joh 18 diese Identifizierung vornehmen sollen oder nicht. Das anzunehmen, liegt kein Grund vor. Das einzige Merkmal, das der Anonymus in Joh 18 mit dem geliebten Jünger in Joh 13 teilt, ist das gemeinsame Auftreten mit Petrus. Nun ist freilich der geliebte Jünger in Joh 13 zum ersten Mal erwähnt worden. Das bedeutet, daß noch keine Norm aufgebaut werden konnte, die die Lesenden veranlaßt, einen Namenlosen, der mit Petrus zusammen auftritt, als Lieblingsjünger zu identifizieren. Daß der implizite Autor bei den Lesenden eine solche Norm **nicht** voraussetzt, zeigt gerade die Formulierung in Joh 20,2c.2d. Wenn er nämlich erwartete, daß ein anonymer Jünger an der Seite des Petrus als der Lieblingsjünger von Joh 13 erkannt wird, so könnte er in Joh 20 auf 2d verzichten. Er tut es nicht.

Wie schließlich NEIRYNCK die Bekanntschaft mit dem Hohenpriester mit der Erstankunft am Grab in Verbindung setzen mag, ist mir unverständlich. In Joh 18 kann der implizite Autor, wenn er nicht für Exegeten geschrieben hat, doch nicht voraussetzen, daß seine Leser und Leserinnen Joh 20 kennen und in Joh 20 kann er auch nicht erwarten, daß sie die beiden Erzählzüge miteinander verbinden. Schließlich handelt es sich bei der Erstankunft in Joh 20 um ein **positiv** bewertetes Merkmal, während die Bekanntschaft mit dem Hohenpriester doch eindeutig ein **negatives** Merkmal ist. Das ist überhaupt das größte Hindernis für die Identifizierung. Wie sollen Lesende, die in Joh 13 von der einzigartigen Beziehung zwischen Jesus und dem Lieblingsjünger erfahren haben, in Joh 18 diesen in einem Namenlosen wiedererkennen, der mit dem Hohenpriester in Verbindung steht? Schließlich wird doch in der Passionserzählung versucht, die jüdischen Autoritäten in besonderer Weise für den Tod Jesu verantwortlich zu machen, und der Hohepriester ist der höchste Repräsentant dieser Autoritäten. Wie könnte der Jünger aus Joh 13 mit dem **jüdischen Erzfeind** Jesu bekannt sein! Gegen diese Bedenken läßt sich auch nicht einwenden, daß diese Bekanntschaft doch nicht so wichtig sei, schließlich gehe es nur darum, zu erklären, wieso der Jünger dem Petrus den Eintritt ermöglichen kann. Daß die Bekanntschaft mit dem Hohenpriester ein wichtiges Merkmal ist, zeigt sich aber in der zweimaligen Nennung. Überhaupt - dieses negative Merkmal ist das einzige, das dem Jünger zusätzlich zur Jüngerschaft zugewiesen wird!

Auch die Überordnung über Petrus kann kaum positiv bewertet werden. Der Namenlose geht zwar mit Jesus in den Hof hinein, aber NEIRYNCK bemerkt zu Recht: "As there is no allusion to his presence after 18,15-16, either in 18-24 or in 18,25-27, it can hardly be maintained that the evangelist presented the other disciple as the eyewitness of the interrogation and the denial story."[1] Da der Jünger nach 18,16 nicht mehr auftritt, kann auch nicht behauptet werden, er sei Jesus in der Passion treu geblieben oder ähnliches. Für keine derartige Schlußfolgerung bietet der Text einen Anhalt. Überhaupt ist der Hof des Hohenpriesters kein positiv besetzter Ort. Entsprechend wirkt es sich auch negativ aus, wenn Petrus auf die Vermittlung des Namenlosen hin hineingelangt: er gerät in Gefahr und verleugnet Jesus.

Von einer Identifizierung des anonymen Jüngers mit dem geliebten Jünger sollte also Abstand genommen werden. Bei dem Namenlosen ist statt dessen an einen 'Halbjünger' zu denken, wie es auch Nikodemus und Josef aus Arimathäa sind.[2] Freilich legt sich auch eine **Identifizierung** mit einem dieser beiden nicht nahe.

Wenn es zutrifft, daß die Redaktion an Joh 18,15-17 besonders interessiert ist,[3] so will sie mit dieser Szene und der anschließenden Verleugnung wohl zeigen, wohin Petrus gerät, wenn er sich der Führung der falschen Leute anvertraut. Es legt sich demnach **nicht** nahe, in Joh 18,15 f einen Lieblingsjüngertext zu sehen.[4]

---

1) NEIRYNCK 1975, 134.
2) Vgl. HIRSCH 1936, 124.
3) Vgl. z.B. BECKER 1979/81, 546 f.
   THYEN 1977b, 249 und LANGBRANDTNER 1977, 44-46 halten auch die Verleugnungsszene für redaktionell.
4) Vgl. BULTMANN 1941, 369; auch ZAHN 1908, 10;
   LEWIS 1921/22; HIRSCH 1936, 124;
   FILSON 1949, 84; EDWARDS 1953, 203 f;

Insgesamt kann damit gesagt werden, daß es nicht nötig ist, das
Untersuchungskorpus auszuweiten. Es muß einfach akzeptiert werden, daß es im Joh mehrere anonyme Personen gibt.

ROLOFF 1968/69, 132; DAUER 1972, 75;
LINDARS 1972, 600; MAHONEY 1974, 298 f;
SCHNACKENBURG 1975, 266 f; HAWKIN 1977, 148 Anm. 68;
PAMMENT 1983, 366.

2.8 Das Bild des geliebten Jüngers im Johannesevangelium

Es geht in diesem Abschnitt zwar um einen resümierenden Rückblick auf die gemachten Beobachtungen zum Lieblingsjünger als erzählte Figur, aber weniger im Sinne einer Rekapitulation der Ergebnisse der Einzelanalysen als vielmehr einer Thematisierung von Aspekten, die bei den Textanalysen noch nicht hinreichend bzw. gar nicht beachtet wurden.
Zum einen soll der Wahrnehmungs**prozeß** nachgezeichnet werden, der bei der linearen Lektüre der Lieblingsjüngertexte in Gang gesetzt wird, zum anderen ist das **Verhältnis** des Lieblingsjüngers zum **Parakleten** zu klären. Die jeweilige Funktion dieser beiden Gestalten wird ja recht ähnlich beschrieben, ohne daß aber eine explizite Zuordnung im Text erfolgte.

2.8.1 Die Entwicklungslinie in der Charakterisierung des geliebten Jüngers: Die Einzeltexte als Elemente eines großen Spannungsbogens.

Wird die Leserichtung des Textes bei der Analyse beachtet, so wird eine Entwicklung im Bild des Lieblingsjüngers deutlich. Auch wenn diese Figur in sich recht statisch ist, gibt es doch insofern Veränderungen in der Wahrnehmung durch die Lesenden als der implizite Autor nicht alle Informationen auf einmal gibt, sondern sie auf verschiedene Textstellen verteilt. Er initiiert damit einen **Lernprozeß**, der - ohne daß sich die Figur selbst groß veränderte - zu einem immer umfassenderen Verstehen des Lieblingsjüngers und seiner Bedeutung führt. Wie sieht dieser Prozeß nun aus?
In **Joh 13** erfahren wir, daß es einen Jünger gibt, den Jesus liebte und der beim Mahl an Jesu Brust ruhte. Er wird damit in zweifacher Hinsicht in dieselbe Beziehung zu Jesus gesetzt wie dieser zum Vater. Der Jünger ist damit entsprechend positiv bewertet und aus der Gruppe der Jünger herausgehoben. Diese stehen ihm mit Petrus als ihrem Sprecher gegenüber. Der geliebte Jünger ist ihr einziger Zugang zu Jesus, wenn es um die Identität des Verräters geht. Nur er ist - im wahrsten Sinne des Wortes - in

der Lage, Jesus die entscheidende Frage zu stellen. Da der Verräter in Joh 6 mittels der Koppelung mit den abfallenden Jüngern
auch als Ungläubiger charakterisiert wurde, wird der geliebte
Jünger in Joh 13 zugleich als besondere Autorität in Bezug auf
den Unglauben vorgestellt, wenn ihm eine wichtige Rolle bei der
Entlarvung des Verräters zugewiesen wird. Die so überaus gewichtige Autorität des geliebten Jüngers steht nun freilich in kras-
sem Kontrast zu seiner Rolle als Handelnder, wo er nahezu bedeutungslos ist. Er fragt nämlich, erhält auch Antwort, gibt aber
sein Wissen **nicht** weiter und bleibt so auf der Handlungsebene
völlig **wirkungslos.** Der Überschuß, den die positive Charakterisierung des Jüngers gegenüber seiner Handlungsrolle aufweist,
wird bei den Lesenden die Frage provozieren, wie und wann denn
die Autorität zur **Wirkung** kommt. Die besondere Beteiligung der
Lesenden bei den einzelnen Verratsstellen legen es nahe, die Antwort in der außertextlichen Welt zu suchen. Mehr als ein Hinweis
ist das hier freilich noch nicht.
In **Joh 19** wird die ausgezeichnete Stellung des Lieblingsjüngers
weiter beschrieben.
Dadurch, daß der scheidende Jesus den Jünger, den er liebt, zum
Sohn seiner Mutter macht, weist er dem Jünger die Stelle zu, die
er selbst vorher innehatte. Der Jünger wird so zum Stellvertreter
und Nachfolger Jesu auf Erden. Dieser Vorgang ist für Jesus die
Vollendung der Liebe zu den Seinen! Damit taucht nun für die Lesenden, die sich der Gruppe derer, die zu Jesus gehören, zurech-
nen, die Frage auf, inwiefern denn die Rolle des geliebten Jüngers, die hier so beeindruckend aufgewertet wird, die Vollendung
der Liebe Jesu zu ihnen sein kann. Was **tut** eigentlich dieser Jünger, daß sich darin die Liebe Jesu realisieren könnte? In 19,26.27
bleibt er ja wieder recht **passiv,** die Frage erhält also hier keine Antwort. Wenigstens eine **Teilantwort** wird aber in 19,35 gegeben. Hier wird nämlich vom Erzähler mitgeteilt, daß der Jünger
das, was er gesehen hat, **bezeugt.** Dieses Zeugnis, dessen Wahrheit
vom erhöhten Herrn selbst verbürgt wird, liegt aber jenseits der
Textwelt und vom Erzählerstandpunkt aus in der Vergangenheit
(19,35a). Die Lesenden, die durch die direkte Anrede der Narratees

besonders beteiligt werden, sollen also offensichtlich das Zeugnis des geliebten Jüngers in vergangenen Ereignissen ihrer **Lebenswelt** entdecken. Aber das in 19,35 festgestellte Schwanken in der
Sprechperspektive macht deutlich, daß das Zeugnis des Jüngers
nicht nur etwas Vergangenes ist.

Wird die Frage nach einer Wirkung der Autorität des Jüngers
durch den Hinweis auf sein Zeugnis hier wenigstens partiell
beantwortet, so taucht eine andere Frage ganz neu auf, nämlich
die, wie denn das **Verhältnis von Lieblingsjünger und Autor bzw.
Erzähler**[1] zu bestimmen sei. Dieses Problem wird virulent durch
das Textdatum, daß in 19,35c nicht klar ist, wer denn der schon
Glaubende ist, dem sich die Narratees im Glauben anschließen sollen. Lösbar ist dieses Problem in 19,35 noch nicht. Das Zeugnis,
von dem hier gesprochen wird, hat jedenfalls höchstes Gewicht.
Es ist ja das Zeugnis dessen, der in einer einzigartigen Beziehung
zu Jesus steht und dessen irdischer Nachfolger er ist. **Inhaltlich**
hat das Zeugnis des Augenzeugen einen Schwerpunkt in der Heilsbedeutung des Kreuzestodes Jesu. Wenn derjenige, der in Joh 13 die
entscheidene Instanz in Sachen 'Verräteridentifizierung' darstell-
te, zum Zeugen für den Kreuzestod gemacht wird, dann ist zu
schließen, daß dieses Zeugnisgeben auch als Verräterenttarnung
zu verstehen ist, zumindest aber damit in Zusammenhang steht.
Dieser Schluß bestätigt sich in der in Joh 6 festgestellten Koppelung der ungläubigen Jünger mit dem Verräter. Für die Feststellung, daß das Zeugnis des geliebten Jüngers zum Glauben führen
will, ist dann auch die entgegengesetzte These zu erschließen,
daß im verräterischen Unglauben die Frage der Heilsbedeutung des
Kreuzes ebenfalls eine wichtige Rolle spielt.

Wie gesagt wird in 19,35 dem Lieblingsjünger erstmals eine Handlung zugeordnet, die seiner überragenden Autorität entspricht.
Allerdings spielt sich das Ablegen des Zeugnisses nicht in der
erzählten Welt ab, sondern wird 'nur' in einem Erzählerkommentar
thematisiert. Damit bleibt die Frage nach der Wirksamkeit des

---

1) Das textzeitgenössische Publikum wird hier nicht unterschieden
   haben.

Jüngers zum Teil offen und die Orientierung auf die **außertextliche Welt** erhalten.

In **Joh 20** wird der besondere Rang des geliebten Jüngers weiter
beschrieben, und zwar dadurch, daß er als Augenzeuge des leeren
Grabes dargestellt wird. Er hat aber nicht nur gesehen, sondern
auch geglaubt. Sogar ohne das helfende Zeugnis der Schrift interpretiert er das leere Grab richtig, nämlich als Zeichen für
die Auferstehung Jesu. Hier wird nicht nur der geliebte Jünger
als der dargestellt, der zuerst an die Auferstehung Jesu glaubt,
sondern zugleich wird das leere Grab in die besondere Autorität
seines Glaubens hineingenommen. Wenn der Jünger hier (wie in Joh
13) Petrus vorgeordnet wird, so bedeutet das, daß **er** und nicht
Petrus die zuverlässige Autorität für die rechte **Interpretation
der Heilstatsachen**[1] ist. Allerdings ist es wieder sehr auffällig,
daß der geliebte Jünger (ebenfalls wie in Joh 13) sein Wissen
nicht mitteilt, sondern für sich behält. Die Frage nach dem **Wirk-
samwerden** seiner besonderen Qualitäten bleibt also bei den Lesenden erhalten. Das bedeutet auch, daß Joh 20,1-10 nicht der letzte
Lieblingsjüngertext sein **kann**; die Erwartungen der Lesenden sind
nämlich noch nicht befriedigt.

Dies muß in **Joh 21** geschehen.

Im letzten Kapitel tritt der geliebte Jünger zunächst im Kontext
des wunderbaren Fischfangs auf. Wie beim leeren Grab erweist er
sich als **zuverlässiger Interpret**. Er allein deutet den reichen
Fang richtig, indem er ihn auf Jesus zurückführt. Erstmals **teilt**
er sein Wissen auch **mit**, und zwar an Petrus als den führenden
Jünger. Dieser freilich disqualifiziert sich selbst durch seine
ebenso eifrige wie ergebnislose Aktion. Die Jünger, die mit dem
Lieblingsjünger im Boot geblieben sind, sind vor ihm an Land.
Trotzdem wird Petrus - erst andeutend (21,11) und dann explizit

---

1) Mit dem Begriff 'Heilstatsache' versuche ich dem historiographischen Konzept des Joh gerecht zu werden: Die erzählten
   Ereignisse sind als Tatsachen verstanden, denen eine weitere,
   nämlich soteriologische Bedeutung zukommt.

- in seiner Führungsrolle mehr als bestätigt. Er tritt als Hirt
der Herde Jesu an die Stelle des Herrn, wird dessen irdischer
Nachfolger.

Damit hat Jesus **zwei** Nachfolger und es stellt sich die Frage
nach deren **Verhältnis**. Beide folgen Jesus nach und ihre Nachfolge ist jeweils direkt von Jesus initiiert. Deshalb weist Jesus
die Frage des Petrus nach dem Lieblingsjünger ab. Darüber hinaus
nimmt das Jesuswort in 21,22 keine Verhältnisbestimmung der beiden Jünger vor. Dies ist auch unnötig, weil die Rückblende in 21,
20 die Verräterszene in Joh 13 reaktiviert. Dort war Petrus als
abhängig vom Lieblingsjünger gezeichnet worden: ohne ihn hat er
keine Möglichkeit, die Identität des ungläubigen Verräters zu erfahren. Diese Abhängigkeit kam auch in Joh 20 und in 21,7 zum
Vorschein. Wenn es um die **interpretative Grundlage des Glaubens**
(als Identifizierung des Verräters oder des wirksam gegenwärtigen
Herrn) geht, braucht **Petrus als Hirte** den **Lieblingsjünger als
Zeugen.**[1]

Wenn in Joh 21,24c der geliebte Jünger dann als Autor des Gesamttextes bezeichnet wird, so ist nun endlich klar, wie der Jünger
sich zum Autor verhält; **er ist es selbst!**

In dieser Verfasserschaftszuweisung findet auch die Frage nach
der Wirksamkeit der besonderen Qualitäten des Lieblingsjüngers
endlich eine Antwort. Das Zeugnis, das den verräterischen Unglauben identifiziert und zum (rechten) Glauben führt, hat im Evange-
liumstext Gestalt gewonnen. Die einzigartige Autorität des geliebten Jüngers ist zugleich die Autorität seines **Textes;**[2]
seine Wirksamkeit wird über die Textebene hinausgehoben und mit
dem Kommunikationsprozeß, dessen Medium der Text ist, verbunden.

Die Wirksamkeit des geliebten Jüngers läßt sich nun freilich
nicht auf den Text des Evangeliums **einschränken**. Das Abblenden
des Todes in 21,23, das Schwanken der Perspektive zwischen Rück-

---

1) Vgl. LIGHTFOOT 1956, 341; besonders aber THYEN 1976, 534;
   ders. 1977a, 270.273; ders. 1979a, 476;
   LANGBRANDTNER 1977, 114 f.
2) Hier trifft nun die Deutung von SCHÜRMANN 1970, 19.25 f zu.

schau und Nullstufe in 19,35 und auch das präsentische Partizip in 21,24b halten das Zeugnis des Jüngers für eine Wirklichkeit jenseits des Textes offen, und zwar in Bezug auf Vergangenheit **und** Gegenwart. Damit kommt die Wirklichkeit der Lesenden massiv ins Spiel; wie diese Wirklichkeit textzeitgenös-
sisch aussah, darauf werde ich im Rahmen der pragmatischen
und historischen Fragestellung noch ausführlich eingehen.

Hier sei abschließend festgestellt, daß mit der aufgezeigten
Entwicklungslinie zugleich die entstehungsgeschichtliche Fragestellung abschließend beantwortet ist. Die Lieblingsjüngertexte sind nicht nur alle in ihrem Kontext sekundär, sie sind
auch **alle** Produkt der **Endredaktion.**[1] Dieser Schluß ist aufgrund ihres inhaltlichen Zusammenhangs unausweichlich. Jeder
einzelne Lieblingsjüngertext ist integraler Bestandteil eines
großen Spannungsbogens, der sich von Joh 13 bis 21,24 er-
streckt. Keinesfalls kann auf einen von ihnen, etwa Joh 21,
verzichtet werden. Es liegen nicht nur immer wieder Rückbezüge
zu Vorhergehendem vor, es kommen auch vorverweisende Fragen
aus früheren Texten erst in Joh 21 an ihr Ziel. Dies gilt vor
allem für V. 24, ohne den die Texte in Joh 13.19.20 mit ihrer
Ineffektivität des Lieblingsjüngers im Handlungszusammenhang
in einem wichtigen Punkt rätselhaft, ja sinnlos blieben.

Aufs ganze gesehen dient der geliebte Jünger dazu, aus der
Textwelt in die Welt der Lesenden zu führen. Damit kann auch
abschließend die Frage beantwortet werden, was es bedeutet,
daß der geliebte Jünger erst so spät, nämlich ab Joh 13 auftritt.
Weil seine Funktion über die Textwirklichkeit hinaus- und in die
Zeit nach Jesus hineinragt, taucht er auch erst dann auf,
wenn für Jesus die Stunde des Abschieds gekommen ist. Dies
ist mit Beginn des zweiten Teils des Joh der Fall: In 13,1

---

1) Vgl. SCHWARTZ 1907, 342-354; ders. 1914, 218 f;
   BOUSSET 1909, 48; ders. 1912, 614 f;
   ROLOFF 1968/69, 134; THYEN 1977a; BECKER 1979/81, 436;
   HAENCHEN 1980, 601-605; PAINTER 1980, 22;
   KOESTER 1980, 622.

weiß Jesus, daß es Zeit wird zu gehen. Damit ist die Zeit nach Jesus eingeläutet, jene Zeit also, in der auch die Lesenden leben. Es ist daher einsichtig, daß Jesus sich in Joh 13-21 in ganz besonderer Weise den Problemen der Seinen, zu denen sich auch die Lesenden rechnen, widmet. Da die Funktion des geliebten Jüngers in der Welt der Lesenden von eminenter Bedeutung ist, tritt er in dem Textteil auf, wo Jesu Weggang beginnt.

2.8.2   Die Funktion des Parakleten im Vergleich mit der des geliebten Jüngers

Daß der Paraklet im Zuge der Textanalyse nicht erwähnt wurde, ist kein Versehen meinerseits, sondern liegt am Text selbst. Nirgends werden Paraklet und Lieblingsjünger ausdrücklich in Verbindung gebracht. Das muß aufmerksame Leser umso mehr erstaunen, als das, was sie über beide Gestalten erfahren, zu einem guten Teil übereinstimmt.

Vergegenwärtigen wir uns kurz die relevanten Aussagen über den Parakleten:

- Joh 14,16.17: Der Paraklet bleibt immer bei den Jüngern. Er ist der Geist der Wahrheit.
  Die Welt kann ihn nicht empfangen, weil sie ihn nicht sieht und kennt.
- Joh 14,26: Der Paraklet ist der Heilige Geist.
  Er lehrt und erinnert an das, was Jesus gesagt hat.
- Joh 15,26: Der Paraklet ist der Geist der Wahrheit.
  Er legt Zeugnis für Jesus ab.
- Joh 16,7-15: Der Paraklet kommt, wenn Jesus geht.
  Er hält Gericht über die Welt.
  Er ist der Geist der Wahrheit.
  Er führt die Jünger in die Wahrheit.
  Er spricht nicht von sich aus.
  Er verherrlicht Jesus.
  Er verkündet das, was Jesus eigen ist.

Der Paraklet hat also seine Funktion im wesentlichen als Teil eines Kommunikationsprozesses. In diesem Prozeß ist er der Sender, die Jünger sind die Adressaten. Da die Aussagen über den Parakleten in den Abschiedsreden lokalisiert sind, ist ein besonderer Bezug zu den Lesenden zu erschließen. Innertextlich sind diese Reden nämlich an den vom Veräter gereinigten Jüngerkreis gerichtet, also an eine positiv besetzte Gruppe, die den impliziten Lesern besonders gut als Modell dienen kann. Außerdem sind die Abschiedsreden so lang, daß angenommen werden kann, daß hier die direkte Rede ihre mimetische Kraft voll zum Zuge bringen kann, die Lesenden also in die Textwelt versetzt werden. Sie werden quasi direkte Adressaten Jesu wie die erzählten Jünger.

Damit sind nicht nur die Jünger, sondern auch die Lesenden Adressaten des Parakleten.

So ergibt sich eine erste Parallele zwischen dem Lieblingsjünger als Autor und dem Parakleten. Beide sind Sender in einem Kommunikationsgeschehen mit den Lesenden.

Eine weitere Parallele wird deutlich, wenn ihre jeweilige Rolle näher qualifiziert wird:

  - beide **bezeugen** Jesus nach dessen **Weggang**,
  - beide **erinnern** an das, was Jesus gesagt hat,
  - beide sprechen die **Wahrheit**,
  - beide wollen in die Wahrheit führen.

Der Paraklet erfüllt also in wichtigen Punkten eine Funktion, die der Lieblingsjünger als (behaupteter) Autor des Evangeliums auch erfüllt.

Wie ist nun das Verhältnis zwischen beiden Gestalten zu bestimmen?

Daß der geliebte Jünger selbst der Paraklet ist, kann ausgeschlossen werden.[1] Die Gleichsetzung des Parakleten mit dem Geist macht eine solche Identifizierung unmöglich. Schließlich ist der Jünger eine konkrete, als geschichtlich erzählte Gestalt, der nicht Unsichtbarkeit (14,17) zugeschrieben werden kann.

---

1) Vgl. BECKER 1979/81, 439.474 f.

Eine andere Möglichkeit wäre die, daß der geliebte Jünger als
Geistträger, als prophetisches Instrument des Geistes zu verstehen ist.[1] Dagegen ist aber sofort einzuwenden, daß die Autorität des Jüngers als Zeuge und Autor **niemals** auf seine Geistbe-
gabung zurückgeführt wird. Sie konstituiert sich anders: durch
seine Augenzeugenschaft, seine besondere Beziehung zu Jesus
usw. Allenfalls kann gesagt werden, daß der Lieblingsjünger
durch sein Werk auch die Funktion des Parakleten erfüllt und
insofern die Autorität des Parakleten auf sein Werk überträgt.
Dieses ist aber als Geschichtsschreibung nicht vom Wirken des
Parakleten **ableitbar**, wie umgekehrt sich dieses Wirken nicht
auf den Text des Evangeliums einschränken läßt. Der Geist wirkt
nämlich bei **den** Jüngern (also in der Gemeinde[2]), und nicht nur
bei einem, dem geliebten Jünger. Paraklet und Lieblingsjünger
sind also **zwei selbständige Größen.** Deshalb kann eben **nicht** gesagt werden: "Der prophetische Verfasser ist Empfänger des
durch den Parakleten vermittelten Christuswortes."[3] Und doch
gibt es eine Verbindung zwischen beiden Gestalten. Sie beruht
auf der strikten Bindung des Geistes an Jesus und sein Wort.
Wenn nämlich der Geist wirklich **nichts** Eigenes hat, sondern nur
von dem reden und das lehren kann, was **Jesus** gesagt hat, so ist
jede Äußerung, die vom Parakleten zu stammen beansprucht, am
Text des Evangeliums zu messen. In diesem Text nämlich sind die
Worte (und Taten) Jesu in allein gültiger Form aufgezeichnet
von einem, der nicht nur selbst dabei war, sondern von Jesus
direkt mit höchster Autorität versehen wurde. <u>Damit ist jedes
lehrende Zeugnis des Geistes an das Evangelium als Kontrollnorm
verwiesen.</u> Das Wirken des Geistes ist also nicht nur auf die
Lehrfunktion konzentriert,[4] sondern muß sich in dieser Funktion
auch noch an einem normativen Text messen lassen. Dem entspricht
dann auch die redaktionelle Erweiterung des Geistspruches in

---

1) Vgl. BORING 1979, 120, der behauptet, der Autor verstehe
   sich als Prophet.
2) Vgl. SCHNACKENBURG 1978, 294-298.
3) DIETZFELBINGER 1985, 405.
4) Vgl. BORING 1979, 113 f; DIETZFELBINGER 1985, 401.

Joh 6,63, wo der lebensspendende Geist mit den Worten Jesu identifiziert wird. Diese Worte, die Geist und Leben **sind**, bewahrt das schriftgewordene Zeugnis des geliebten Jüngers in unbedingt zuverlässiger Weise. Wenn DIETZFELBINGER behauptet, der Paraklet sei "es, kraft dessen das Wort des Evangelisten |...| zum heute verplichtenden Jesuswort wird"[1], so kehrt er die Verhältnisse glatt um. Das rührt daher, daß er den historiographischen Anspruch des Evangeliums nicht ausreichend ernst nimmt.

---

1) DIETZFELBINGER 1985, 405.

3. Überlegungen zum historischen Hintergrund der redaktionellen Arbeit allgemein und der Lieblingsjüngergestalt im besonderen

Im Folgenden soll nun jenes Problemfeld thematisiert werden, das in der Forschungsgeschichte allzu oft als das eigentliche angesehen wurde, nämlich das Problem des historischen Hintergrunds der Lieblingsjüngerfigur. Hier steht der entsprechende Abschnitt am Ende und wird im Vergleich zu den Textanalysen relativ knapp ausfallen. Das liegt am vorrangigen Interesse meiner Arbeit. Es ging vor allem um die Aussagen der Lieblingsjüngertexte. Freilich gehören die historischen Fragen mindestens insofern zur Arbeit der Textanalyse als die pragmatischen Intentionen eines Textes auf einen bestimmten Kommunikationshintergrund ausgerichtet sind. Daß historische Arbeit von der Textinterpretation zwar zu unterscheiden, aber nicht zu trennen ist, wurde in der anfänglichen Standortbestimmung ja ausführlich deutlich gemacht. Ich versuche, hier der dort vorgenommenen Verhältnisbestimmung dadurch gerecht zu werden, daß ich die pragmatische und historische Analyse getrennt durchführe aber doch aufeinander beziehe, wobei es - vor allem wenn die allgemeine Konfliktsituation der Redaktion thematisiert wird - durchaus zu Randunschärfen kommen mag. Diese scheinen mir freilich unvermeidlich zu sein.

3.1 "Wer war der geliebte Jünger?" - Bisherige Identifizierungsversuche

Wenn es um das Problem des historischen Hintergrunds ging, wurde (besonders in der älteren Forschung) die dabei gestellte Aufgabe oft so verstanden, daß die innertextliche **Anonymität aufzulösen** und ein konkreter Name für den geliebten Jünger zu finden sei. Dabei wurden dann die unterschiedlichsten Kandidaten als Namenspatrone präsentiert.

Aufgrund der frühkirchlichen Tradition war **Johannes der Zebedaide** natürlich eine naheliegende Lösung. Angesichts der von der Kritik des 19. Jahrhunderts aufgedeckten historischen Probleme, die einer Identifizierung des Lieblingsjüngers (als Verfasser) mit dem Zebedaiden im Wege stehen[1], wunderte sich HIRSCH schon

---

1) Vgl. die Zusammenstellung bei PARKER 1962; auch

1936 darüber, daß es immer noch Forschende gibt, "welche den Lieblingsjünger mit Johannes Zebedäi und mit dem Verfasser des vierten Evangeliums |...| gleichzusetzen noch die Nervenkraft haben."[1] Die Verwunderung, die sich in dieser Äußerung ausdrückt, wäre ein halbes Jahrhundert später natürlich noch berechtigter, aber wenn die Verfasserschaft des galiläischen Fischers mit dem Hinweis auf den sechzig Jahre währenden Einfluß des Heiligen Geistes verteidigt wird[2], dann sollten wir uns besser gar nicht mehr wundern. Das 'Argument' zeigt ja deutlich, daß sich die Zebedaidenverfasserschaft offensichtlich nur noch außerhalb der Kategorien historischer Wissenschaft halten läßt.[3] Dabei soll den Vertretern der Zebedaidenthese[4] gar nicht bestritten werden, daß diese Identifizierung des geliebten Jüngers dann vertreten werden kann, wenn das Joh von den Synoptikern und anderen neutestamentlichen Schriften her interpretiert wird. Schließlich gehören Petrus, Jakobus und Johannes zum engeren Kreis der Apostel und treten Petrus und Johannes in der Apg oft[5] gemeinsam auf. Vermutlich liegt in der Interpretation der Lieblingsjüngertexte des Joh mit Hilfe anderer neutestamentlicher Texte auch der Ursprung der frühchristlichen Meinung, das vierte Evangelium sei von Johannes dem Zebedaiden verfaßt worden. SCHNACKENBURGs entsprechender Überlegung kann nur zugestimmt werden.[6] Freilich führt eine solche Deutung auch nicht

---

SCHNACKENBURG 1975, 459 f.
1) HIRSCH 1936, 124.
2) Vgl. SOLAGES 1972, Anm. 1.
3) Der Rückzug auf das Wirken des Geistes ist auch theologisch suspekt. Allzuleicht wird der Geist hier zu einem supranaturalen Lückenbüßer, der immer dann einspringen muß, wenn die eigenen Vorurteile ins Wanken geraten.
4) In diesem Jh. etwa ZAHN 1908, 1-39; TILLMANN 1914, 13-17; RIGG 1921/22; LAGRANGE 1936, XIII-XV; WIKENHAUSER 1948, 7-16; LIGHTFOOT 1956, 1-7; BOICE 1970, 124-130; SOLAGES 1972; FEUILLET 1975, 258; CARSON 1981, 130 ff; OSBORNE 1984, 151.
5) Vgl. z.B. Apg 3,1.3.11; 4,13.19; 8,14.
6) Vgl. SCHNACKENBURG 1970a, 111.

sehr weit, nämlich nur zu der Feststellung, der Text erhebe den
Anspruch, vom Apostel Johannes verfaßt zu sein. Die historischen
Probleme bleiben davon völlig unberührt, was dann dazu führt,
daß innertextlicher Anspruch und historische Wirklichkeit voneinander getrennt werden müssen. Das versuchte schon BAUR mit
seiner These vom **pseudepigraphischen** Charakter des Joh.[1] 'Pseudepigraphie' heißt hier: Der Verfasser ist zwar nicht der Zebedaide, will seinen Text trotzdem dessen Autorität unterstellen,
ohne sich aber im eigentlichen Sinn als Johannes auszugeben.
"Mit Einem Worte: der Verfasser des Evangeliums spricht von seiner Identität mit dem Apostel Johannes nur wie Einer, welchem
es nicht um die Person, sondern nur um die Sache zu thun ist,
sein Evangelium soll als johanneisch angesehen werden, aber es
soll nicht den Namen des Apostels an der Stirne tragen."[2]
In einer noch milderen Variante findet sich diese Pseudepigra-
phie-These bei BROWN 1966/70 und SCHNACKENBURG 1965. Beide wollen der historischen Kritik einerseits und der kirchlichen
Tradition andererseits dadurch gerecht werden, daß sie den Zebedaiden vom Verfasser des Evangeliums entschieden trennen. Bei
beiden wird die Rolle des Zebedaiden auf die eines Traditions-
trägers reduziert. Er ist nicht mehr der Verfasser, sondern die
Autorität, deren Zeugnis hinter dem Evangelium steht.[3] Daß
BROWN ihn trotzdem 'author', den eigentlichen Verfasser aber
'writer' nennt,[4] ist bei seiner weiten Definition des Begriffs
'author' (in Richtung auf 'Autorität') nur mehr ein Wortspiel,
das die Rolle des Zebedaiden optisch vergrößert. Daß der Apostel
Johannes aber nicht der Verfasser des Joh ist, darin sind sich
SCHNACKENBURG und BROWN mit BAUR durchaus einig, auch wenn sie
den Einfluß des Urzeugen auf den Evangelisten noch so wortreich
betonen.

---

1) Vgl. BAUR 1847, 377 ff.
2) BAUR 1847, 379.
3) Vgl. SCHNACKENBURG 1965, 85-88; BROWN 1966/70, LXXXVII-CII.
4) Vgl. BROWN 1966/70, LXXXVII f.

Die Frage ist nun aber, ob der Text den Anspruch erhebt, von Johannes dem Zebedaiden verfaßt worden zu sein. Wirkliche Argumente sind hier nicht zu sehen. Um den geliebten Jünger mit Johannes zu identifizieren, bleibt offensichtlich nur der Umweg über andere neutestamentliche Texte. Daß dieser Weg in gefährliches Gelände führt, zeigt sich deutlich an BROWNs Behauptung, Johannes sei unter anderem deshalb mit dem Lieblingsjünger zu identifizieren, weil er der Cousin Jesu gewesen sei. Damit wird versucht Joh 19,26 f so zu erklären, daß Salome, die Mutter der Zebedaiden, die Schwester der Mutter Jesu war.[1] Die Frau des Zebedäus stammt aus Mt 20,20, wo sie freilich namenlos ist. Um sie Salome zu taufen, muß Mt 27,56 mit Mk 15,40 kombiniert werden. Zur Tante Jesu wird die Frau dann schließlich dadurch, daß auch Joh 19,25 noch herangezogen wird. Wenn dann aber aus Lk 1,5.36 auch noch eine priesterliche Verwandtschaft der Mutter Jesu erschlossen werden soll, um Joh 18,15 f zu erklären,[2] dann schrumpft nicht nur die ganze Heilsgeschichte zum Familiendrama, sondern die ganze Konstruktion entlarvt sich auch endgültig als exegetische Notgeburt. Nun darf dieser Lapsus in einem großen Kommentar natürlich nicht überbewertet werden, ich halte ihn aber trotzdem für symptomatisch. Wenn nämlich ein Exeget vom Range eines Raymond BROWN sich derart verirrt, so ist das ein deutliches Zeichen für den argumentativen Notstand, in dem sich die Identifizierung des geliebten Jüngers mit dem Zebedaiden befindet.

Bei den Textanalysen war kein Anlaß aufgetaucht, diese Identifizierung zu vollziehen, und dabei sollte es bleiben: Die Söhne des Zebedäus werden nur in Joh 21,2 erwähnt. Eine Gleichsetzung des geliebten Jüngers mit einem von ihnen ist (außer im Sinne rein subjektiver Deutung) nicht möglich, weil auch zwei Namenlose eingeführt werden und von den früheren Texten her Namenlosigkeit ein festes Merkmal des Lieblingsjüngers ist.

Der Name des Johannes ist also kein Beitrag zur Lösung des

---

1) Vgl. BROWN 1966/70, XCVII.
2) Vgl. BROWN 1966/70, a.a.O.

historischen Problems der Lieblingsjüngerfrage - weder in der frühkirchlichen Identifizierung mit dem Verfasser, noch in irgendwelchen Reduzierungen.[1]

Der Name des Zebedaiden legt sich vom Text her nicht nahe und muß deshalb aus der Diskussion ausscheiden. Da helfen weder pseudepigraphische[2], noch traditionsgeschichtliche, noch literarkritische[3] Varianten weiter, wobei gegen letztere auch noch zu sagen ist, daß nach meinen literarkritischen Ergebnissen eine mehrstufige Entwicklung der Lieblingsjüngertexte nicht angenommen werden kann, weil sie alle auf ein und dieselbe Redaktion zurückgehen. Dieser literarkritische Befund spricht auch gegen SPAETHs These, wonach der Zebedaide Johannes als Lieblingsjünger innertextlich mit Nathanael zu identifizieren sei.[4] Hier ist vorausgesetzt, daß Joh 21, wo Nathanael **neben** den Zebedaiden genannt wird, von den übrigen Lieblingsjüngertexten zu trennen sei.[5] Da dies nicht möglich ist, scheitert der Versuch, in Nathanael einen ehrenden Beinamen des Zebedaiden zu erkennen.

Wenn nun aber der Zebedaide weder der geliebte Jünger ist, noch es vom Text her sein soll, dann scheidet auch der kleinasiatische Presbyter Johannes[6] aus dem Spiel aus. Er verdankt ja seine Kan-

---

1) Das sieht jetzt auch SCHNACKENBURG so. Vgl. ders. 1970a, ders. 1975.

2) Vgl. neben BAUR noch: KEIM 1867, 168-172; SCHOLTEN 1867, 376-399; CORSSEN 1896, 125-134; OVERBECK 1911, 409-430.

3) Vgl. z.B. HOLTZMANN 1893, 18 (Erst der Redaktor nimmt eine Identifizierung von Lieblingsjünger, Autor und Johannes vor.); WENDT 1900, 194-196 (Johannes ist Verfasser der Quelle, die vom Evangelisten bearbeitet wird; redaktionell werden dann beide identifiziert.); BACON 1907, 325-329 (Erst redaktionell wird der geliebte Jünger mit dem Zebedaiden identifiziert.); SPITTA 1910, 453-458 (Verfasser der Grundschrift ist Johannes, der vom Redaktor als Lieblingsjünger bezeichnet wird.); SOLTAU 1915 (Während der Evangelist den geliebten Jünger nicht kennt, macht der Kontinuator den Apostel Johannes zum Lieblingsjünger und Verfasser.); EDWARDS 1953, 203 ff (Der geliebte Jünger ist Johannes, dessen Quelle von einem aus Jerusalemer Priestergeschlecht stammenden Johannes, der später nach Ephesus ging, redigiert wurde.); BROWNLEE 1972, 194 (Der Endredaktor identifiziert den Autor mit dem Lieblingsjünger und Zebedaiden).

4) Vgl. SPAETH 1868, besonders 177. 5) Vgl. SPAETH 1868, 210-213.

6) Vgl. VÖLTER 1907, 21 f (Redaktionell wird der geliebte Jünger

didatenrolle vor allem der Namensgleichheit mit dem Apostel,
die es der Kritik erlaubte, historische Einwände gegen die Zebe-
daidenverfasserschaft zu berücksichtigen und trotzdem (unter
der Annahme irrtümlicher oder bewußter Verwechslung) die frühchristliche Johannestradition zu würdigen.

Die Namensgleichheit mit dem Zebedaiden ist wohl auch bei **Johannes Markus** der Auslöser dafür, daß er zum Lieblingsjünger avan-
cierte. Begründet wird die Gleichsetzung meist damit, daß der
geliebte Jünger (wegen 19,27) ein Haus in Jerusalem gehabt haben muß. Diese Anforderung scheint der Johannes Markus aus Apg
12,12 zu erfüllen.[1] Als Hausbesitzer konnte dieser Johannes
auch an der Brust Jesu liegen (Joh 13,23) und - aus priesterlicher
Familie stammend (Kol 4,10 kombiniert mit Apg 4,36) - Zutritt
zum Hof des Hohenpriesters haben (Joh 18,15 f).[2]

---

zum Presbyter gemacht.); ERBES 1912, 169-196 (Der geliebte
Jünger ist der aus Jerusalem gebürtige und in Mk 14,51 erwähnte Presbyter, der der Gewährsmann für Joh 1-20 ist. Erst der
Redaktor macht ihn in Joh 21 zum Verfasser.); HEITMÜLLER
1914, 204-209 (In der 2. Bearbeitungsschicht ist der Presbyter
als Lieblingsjünger Zeuge. Redaktionell wird er auf einer 3.
Stufe dann zum Autor gemacht.); ders. 1918, 35-37.184; LOISY
1921, 528 f (Während in Joh 1-20 der geliebte Jünger den ide-
alen Glaubenden repräsentiert, wird er in Joh 21 redaktionell
mit dem Presbyter als Autor identifiziert.); BAUER 1933, 174
f.241-244 (Zwar hat der Lieblingsjünger so, wie er beschrieben
wird, nie existiert, historischer Anhalt für die Fiktion ist
aber der Presbyter.); HIRSCH 1936, 179-183 (Die Redaktion
führt den geliebten Jünger ein, um ihn mit dem Verfasser und
Presbyter zu identifizieren.); BULTMANN 1941, 369 f (War für
den Evangelisten der geliebte Jünger nur ein Symbol für das
Heidenchristentum, so macht ihn die Redaktion zur historischen
Gestalt, zum Verfasser und zum Presbyter Johannes.); COLSON
1969, 109-114 (Der geliebte Jünger ist Quelle und Zeuge des
Evangelisten, stammt aus Jerusalemer Priesterkreisen und
taucht später als Presbyter Johannes in Ephesus auf, wo er
mit dem Zebedaiden verwechselt wird.).

1) Vgl. VÖLTER 1907, 15-17; WELLHAUSEN 1908, 87 f (Johannes Markus ist auch der Jüngling von Mk 14,51 f, der zum Lieblingsjünger wird, weil er fast mit Jesus verhaftet worden wäre.);
SANDERS 1957, 73 (Nur der in 20,2 erwähnte Jünger ist Johannes Markus, der später nach Ephesus ging, wo er als Presbyter
das Johannesevangelium edierte.).
2) Vgl. PARKER 1960; JOHNSON 1965/66a bringt auch wieder den
Jüngling von Mk 14,51 f ins Spiel.

Argumente dieser Art sind schwer zu widerlegen, aber leicht und in beliebiger Anzahl zu produzieren. Offensichtlich geht es ja nur darum, Details aus johanneischen Texten zu historisieren und sie mit Details aus anderen neutestamentlichen Texten zu kombinieren. Gegen eine solche Vorgehensweise spricht freilich, daß damit jede, aber auch jede gewünschte Identifizierung 'begründet' werden kann.

Ein weiteres Produkt solch gelehrter Kombinationsfreude ist auch der Vorschlag, im Lieblingsjünger den **Matthias** aus Apg 1,15-26 zu erkennen.[1] Ganz abgesehen davon, daß dieser Matthias natürlich nicht als historische Gestalt gesehen werden muß, wird der geliebte Jünger in Joh 13 nicht zum Nachfolger des Judas, sondern ist als Jünger dessen Gegenüber.

Die Kombinationsmethode erlaubt es auch, in dem **Mann von Mk 10,17-22** den Lieblingsjünger zu sehen.[2] Schließlich wird ja gesagt, Jesus habe ihn geliebt (Mk 10,21). Außerdem - so SWETE - war er ein reicher Bekannter des Hohenpriesters und vielleicht sogar Mitglied des Sanhedrin. Zwar wird in Mk 10,23 erzählt, daß er Jesus traurig verläßt. "But who shall say that Christ's love did not avail to bring him back?"[3]

Demgegenüber ist die Deutung auf **Judas** geradezu asketisch auf den Text des Joh bezogen. Sie macht es freilich nötig, alle Judas-Stellen zu streichen, in denen es um den Verrat geht. Außerdem ist in Joh 14,22 die differenzierende 'Glosse' für sekundär zu erklären, damit eine Grundschrift entsteht, die nur einen Judas kennt. Dieser ist kein Verräter, sondern der treueste Freund Jesu, der ihm den Liebesdienst erweist, ihn auszuliefern, damit er sein Erlösungswerk vollenden kann.[4] Diese Konstruktion NOACKs scheitert einfach daran, daß die erforderlichen literarkritischen Operationen absolut unbegründbar sind. Nun muß NOACK freilich zugute gehalten werden, daß zu seiner Zeit die literarkritischen Kriterien in der Exegese allgemein nur ganz ungenügend

---

1) Vgl. TITUS 1950.
2) Vgl. SWETE 1916a.
3) SWETE 1916a, 374.
4) Vgl. NOACK 1876, 142-197.

definiert waren und Literarkritik deshalb noch willkürlicher praktiziert wurde als heutzutage. Wenn allerdings die Judastheorie (mit derselben literarkritischen 'Begründung') über hundert Jahre später nochmals präsentiert wird[1], so ist das nur mehr peinlich.[2]

Ein durchaus ernst zu nehmender Vorschlag ist dagegen die Idendifizierung des geliebten Jünger mit **Lazarus**. Auszuscheiden hat freilich der Lösungsversuch, der Lazarus mit dem Zebedaiden identifiziert. So behauptet etwa HENDRY, der zweite Name des Johannes sei eben Eleazar gewesen. Eine Schwester von ihm sei in Bethanien verheiratet gewesen.[3] Das ist schon deshalb keine Lösung des historischen Lieblingsjüngerproblems, weil der Zebedaide aus bekannten Gründen ausscheiden muß.

Ansonsten kann sich die Lazarus-These[4] auf folgende Überlegungen stützen:

1. Lazarus wird in Joh 11,3.5.36 als von Jesus geliebt bezeichnet.

2. In Entsprechung zu Joh 18,15 f ist für Lazarus eine Bekanntschaft mit dem Hohenpriester möglich, weil er in der Nähe Jerusalems ein Haus besaß.

3. Das Haus in Bethanien erklärt auch, wie der geliebte Jünger die Mutter Jesu sofort mit nach Hause nehmen kann (19,27).

---

1) Vgl. HUETER 1983, 106 ff; besonders 150-177.
2) Die Faszination, die von der Identifizierung des geliebten Jüngers mit Judas ausgeht, ist unbestreitbar. Sie kann Element einer Fiktion von hohem literarischen Wert sein, wie Stefan Heyms 'Ahasver' beweist. Im Bereich wissenschaftlicher Textinterpretation hat diese Gleichsetzung trotzdem nichts verloren.
3) Vgl. HENDRY 1920/21; eine andere Identifizierung mit dem Zebedaiden findet sich bei ECKHARDT 1961.
4) Vgl. vor allem FILSON 1949, ders. 1962, 119-123; aber auch ZICKENDRAHT 1915; GRIFFITH 1920/21; LEWIS 1921/22 (Das Werk des Lazarus wird von Johannes dem Zebedaiden herausgegeben.); FLEMING 1926; EISLER 1930, besonders 349-357 (Lazarus ist Verfasser einer Quelle des Joh. Der Evangelist ist Kerinth.); ders. 1938, 190 ff (Der Evangelist ist Johannes, der Sohn des Hohenpriesters Hannas.); SANDERS 1954/55, 33 f; ders. 1957 (Johannes Markus ediert als Presbyter in Ephesus die Schriften des Lazarus.); BROWNLEE 1972, 191-194; WISTINGHAUSEN 1983, 85 ff; LEONARD 1983.

Damit dürften die wichtigsten Gründe für die Identifizierung genannt sein, denn die Behauptung, Lazarus - als Fachmann in Sachen
'Auferstehung' - sei besonders geeignet, das leere Grab zu deuten
(20,8) und den Auferstandenen zu erkennen (21,7)[1] kann ja wohl
nicht ernstlich als Argument angeführt werden. Was die anderen
Beobachtungen angeht, so ist zu 2. und 3. zu sagen, daß die Historizität der beiden Szenen in 18,15 f und in 19,26 f so einfach
nicht festgesetzt werden kann - ganz abgesehen davon, daß 18,15
f meiner Meinung nach kein Lieblingsjüngertext ist und 19,27
durchaus nicht so verstanden werden muß, daß der Jünger die
Mutter Jesu sofort in ein nahegelegenes Haus führt.
Auch das Argument der Liebesbezeichnung überzeugt nicht. Jesu
Liebe zu Lazarus ist nämlich eingebettet in die Beziehung zu den
drei Geschwistern insgesamt und wird zudem in 11,11 als Freund-
schaft definiert. Damit reduziert sich die Bedeutung der Beziehung
Jesu zu Lazarus doch ganz erheblich. Außerdem ist Lazarus kein
Jünger Jesu; mindestens wird er im Text nie so bezeichnet, und
der Ruf Jesu in 11,43 kann nur gegen den Textsinn als Ruf in die
Jüngernachfolge verstanden werden.[2] Damit bleibt auch von diesem Argument nicht viel übrig.
Grundsätzlich ist gegen die Lazarus-These zu sagen, daß die Annahme, die erzählte Figur 'Lazarus' habe außertextlich eine
historische Entsprechung, natürlich schwer zu halten ist. Die
Tatsache, daß die Figur im Kontext der spektakulärsten Wundererzählung des Neuen Testaments auftritt, spricht jedenfalls kaum
dafür. Auch eine bloß innertextliche Identifizierung hat wenig
für sich. Schließlich kann ein Autor, der in Joh 13 einen anonymen
Jünger einführt (und zwar als einen Unbekannten!) und diesen bis
zum Textende anonym läßt, keinesfalls damit rechnen, daß die Lesenden diesen mit einer Figur identifizieren, die vorher namentlich genannt und nicht als Jünger bezeichnet ist. Auf eine solche
Sinnbildung können nur exegetische Detektive kommen, die fieber-
haft nach einem Namen suchen, um eine lästige Anonymität auflösen

---

1) Vgl. GRIFFITH 1920/21, 380; FLEMING 1926, 203; FILSON 1949, 86.
2) Gegen BROWNLEE 1972, 192.

zu können.[1] Wenn nun mit den zahlreichen Identifizierungsversuchen dem historischen Problem der Lieblingsjüngergestalt offensichtlich nicht beizukommen ist, so muß dies wohl an der **Unangemessenheit des Identifizierungsansatzes** überhaupt liegen. Hier wird die vom Text gesetzte Anonymität nämlich immer als etwas Negatives gesehen, das es aufzulösen und also zu zerstören gilt. Ein solcher Ansatz muß ja am Text und seinen Intentionen vorbeigehen. Nun ist zwar nicht zu leugnen, daß sich die historische Fragestellung durchaus auch quer zu den Textintentionen stellen, den Text gegen seine Aussageabsicht befragen muß. Ein solches Unternehmen ist freilich nur dann einigermaßen erfolgversprechend, wenn die Textintentionen wenigstens soweit beachtet werden, daß bewußt bleibt, wogegen gefragt wird. Wer gegen den Strich bürsten will, muß zuerst wissen, wie das Fell normalerweise liegt. Bei keinem der vorgestellten Identifizierungsversuche konnte aber klar werden, wie denn nun die Gestalt des geliebten Jüngers und seine Identität im Kontext der theologischen Konzeption des Textes zu sehen sind.

Was die Beobachtungen der Textintentionen bei der historischen Rückfrage angeht, so hat die Johannesforschung inzwischen insofern dazugelernt, als meistens akzeptiert wird, daß die Anonymität des geliebten Jüngers eine gewollte ist, die es zu respektieren gilt. Entsprechende Überlegungen sollen im nächsten Abschnitt vorgestellt werden.

---

1) Anmerkungsweise sei als weiteres Meisterstück detektivischer Arbeit schließlich noch die These erwähnt, der geliebte Jünger sei ein spät bekehrter Bruder Jesu gewesen. Dies vertritt GUNTHER 1981.

3.2 Akzeptierte Anonymität: Der namenlose Lehrer der Gemeinde

Einen besonderen Erkenntnisfortschritt für die historischen Überlegungen zum geliebten Jünger hat die Arbeit von ROLOFF gebracht.[1] Er versuchte, die Diastase zwischen historischem und symbolischem Verständnis der Lieblingsjüngergestalt zu überwinden, indem er auf die Parallele zum 'Lehrer der Gerechtigkeit' in der Qumran-Gemeinde hinwies. Bei diesem haben wir es mit einer idealisiert beschriebenen Gestalt zu tun, deren Historizität gleichwohl kaum zu bestreiten ist. Beim geliebten Jünger sieht ROLOFF einen ähnlichen Sachverhalt. Auch hier haben wir es mit einer historischen Gestalt zu tun, die in überhöhender Weise von ihrer Funktion her beschrieben wird. Trotz der Fiktivität der konkreten Darstellung in den betreffenden Texten ist der geliebte Jünger also kein Produkt literarischer Fiktion, sondern eine für das johanneische Christentum besonders wichtige Autorität, die als Gewährsmann aus der ersten Generation nominiert wird. Die Anonymität dieses Mannes hängt mit seiner Funktion zusammen. Er ist eben nicht nur eine geschichtliche Gestalt, sondern zugleich Typus des Jüngers, der Jesus aufgrund besonderer Vertrautheit richtig zu deuten vermag. Die von ROLOFF eingeschlagene Richtung ist für viele folgende Lösungsversuche bestimmend. So sieht SCHNACKENBURG[2] in dem Jünger eine unbekannte Autorität des johanneischen Gemeindeverbandes, deren Lehre gesammelt und zum Evangelium zusammengestellt wird. Auch wenn das Evangelium eine längere Entstehungsgeschichte hätte, möchte SCHNACKENBURG doch am geliebten Jünger als Hauptverfasser des Joh festhalten. Als der 'Jünger, den Jesus liebte' wird der Lehrer erst von seinen Schülern bezeichnet, aber die Lieblingsjüngertexte gehen in ihrem Grund-

---

1) Vgl. zum Folgenden ROLOFF 1968/69, besonders 140 ff.
2) Vgl. zum Folgenden SCHNACKENBURG 1970a, besonders 110-117; auch ders. 1975, 449-464, wo allerdings der geliebte Jünger stärker vom 'Evangelisten' getrennt wird.

bestand auf ihn selbst zurück. Auch wenn sie im einzelnen nicht
historisch sind, läßt sich aus ihnen doch erkennen, daß der
Jünger ein historischer Jerusalemer Jünger Jesu war. Beim letzten
Mahl war er zwar nicht anwesend, bei der Kreuzigung aber ...?
"Man **könnte** sich auch **denken**, daß jener Jünger - damals ein jun-
ger Mann - zwar nicht weit vom Ort des blutigen Schauspiels
entfernt war, aber nicht unmittelbar der Kreuzigung beiwohnte;
Jesus **konnte** ihm schon vorher die Sorge und den Schutz für seine
Mutter anvertraut haben. Da nach der lukanischen **Tradition** zur
Zeit des Todes Jesu und der nachfolgenden Ereignisse eine ganze
Anzahl Jesusanhänger in Jerusalem und seiner Umgebung anwesend
waren |...| und von ihnen auch 'einige' das Grab besichtigten
(24,24), **könnte** jener Jünger, den Jesus liebte, in diesem Kreis
zu suchen sein."[1]

Gedacht werden kann natürlich viel und Jesus hätte mancherlei
tun **können** - das ist unbestreitbar, aber der Wert solcher Aussagen im Kontext historischer Fragestellung ist doch eher gering.
Hier geht es nämlich nicht um das weite Feld des Möglichen,
sondern um das, was verifiziert oder doch wenigstens wahrscheinlich gemacht werden kann. Wahrscheinlicher wird SCHNACKENBURGs
Entwurf aber auch dadurch nicht, daß er die lukanische **Redaktion**
zur **Tradition** umetikettiert. Überhaupt stellt sich die Frage,
warum das gesunde Mißtrauen, das SCHNACKENBURG aufgrund der synoptischen Berichte gegen die Mahlszene in Joh 13 zeigt, nicht
auch bei den übrigen Lieblingsjüngertexten zum Tragen kommt.
Schließlich wird doch prinzipiell zugegeben, daß bei allen Lieblingsjüngertexten mindestens mit interpretativen Abweichungen
von den historischen Ereignissen zu rechnen ist. Ist diese Einschätzung nicht nur für Joh 13 richtig, so ist aufgrund der Diskrepanz zu den Synoptikern der Versuch, dem geliebten Jünger
einen Platz im Leben Jesu zuzuweisen, überhaupt aufzugeben. Als
Quellentexte betrachtet können die Lieblingsjüngertexte, die in
ihrer Struktur so deutlich auf das Überbringen einer theologischen
Botschaft ausgerichtet sind, nur als 'tendenziell' bezeichnet

---

1) SCHNACKENBURG 1970a, 111. (Hervorhebungen von mir!)

werden. Solchen Quellen ist historisch von vorneherein zu mißtrauen. Liegt auch noch, wie in unserem Fall, eine eklatante Abweichung von anderen Quellen vor, so gibt es für die Annahme,
das Berichtete habe eine außertextliche Entsprechung, schlichtweg
keinen Grund. Natürlich können auch in 'tendenziellen' Quellen
(das sind in unterschiedlichem Maße ja alle) historisch wertvolle
Nachrichten enthalten sein. In unserem Fall müßten sie durch traditionsgeschichtliche Analysen herausgearbeitet werden. Wie gesagt sind aber bei den Lieblingsjüngertexten traditionsgeschichtliche Vorstufen nicht feststellbar. Da der 'historische Kern'
fiktionaler Texte nicht einfach spekulativ gesetzt werden kann,
ist es nicht zulässig, eine vom Text abweichende, aber historisch
vielleicht plausible Konstruktion vorzulegen. Statt dessen ist
festzuhalten, daß es keinen Grund gibt, anzunehmen, dem erzählten
Lieblingsjünger entspreche eine reale Gestalt des Lebens Jesu.

Gegen diesen Schluß können auch die übrigen Beobachtungen, die
SCHNACKENBURG zugunsten seines Entwurfs anführt,[1] nichts ausrich-
ten. Die auffällige Orientierung des Joh auf Judäa und Jerusalem
braucht nämlich kein Indiz für einen Jerusalemer Augenzeugen
sein, sondern kann ganz im Gegenteil als Hinweis auf einen Autor
außerhalb Palästinas gelten. Konzentration auf Städte als zentrale Punkte ist nämlich ein Zeichen für Fernperspektive.[2] Die
angebliche Kenntnis von der Sitzung des Hohen Rats (Joh 11,47-53)
schließlich erklärt sich aus der Erzählperspektive. Der Erzähler
des Joh ist schließlich allgegenwärtig und allwissend.

Insgesamt muß also gesagt werden, daß SCHNACKENBURGs Überlegungen[3]
- mindestens soweit sie die Spezifizierung auf einen Jerusalemer Jünger[4] betreffen - wenig Chancen haben, den historischen
Sachverhalt zu treffen.

Trotzdem kehren sie mit gewissen Veränderungen bei CULLMANN[5]
wieder. Auch bei ihm ist der geliebte Jünger in besonderer Verbin-

---

1) Vgl. SCHNACKENBURG 1970a, 112 f.
2) Vgl. THEISSEN 1985b, 16.
3) Ähnliche Überlegungen stellten schon SCHWEIZER 1841, 234-239;
   DELFF 1890a, 1-11, ders. 1890b, 35; ders. 1892, 94-104 an.
4) Vgl. auch HAWKIN 1977, 149.
5) Vgl. zum Folgenden CULLMANN 1975, 67-88.

dung mit Jerusalem zu sehen. Der Jünger kennt den Hohenpriester und ist Zeuge des letzten Aufenthalts Jesu in Jerusalem. Die Argumente, die von CULLMANN vorgebracht werden, gehen über die SCHNACKENBURGs nicht hinaus. Der Unterschied liegt vor allem darin, daß die Informationen des johanneischen Textes noch ungeschützter historisiert werden, und daß der geliebte Jünger mit dem Verfasser identifiziert wird. Abgesehen davon sieht auch CULLMANN im Lieblingsjünger die besondere Autorität, den Repräsentanten des johanneischen Christentums.

Die Bindung an Jerusalem ist auch für RUCKSTUHLs Beitrag zur historischen Frage der Lieblingsjüngergestalt kennzeichnend.[1] Bei RUCKSTUHL wird das Historisieren von Einzeldaten des Textes in einer geradezu wagemutigen Konsequenz durchgeführt, die erkennen läßt, daß die Zuversicht des Theologen durch die historische Kritik des 19. Jahrhunderts nicht im mindesten angekränkelt ist.

So wird aus Joh 13,10 geschlossen, daß die Jünger ein für das Paschamahl vorgeschriebenes Bad genommen hatten.[2] Aus 13,29 wird die Information entnommen, "daß in der Nacht auf den Straßen noch Bettler anzutreffen waren, die um Almosen baten."[3] Der besonderen Position des Jüngers in 13,23 wird entnommen, daß er Verwalter und Wirt des Hauses war, in dem das Mahl stattfand.[4] RUCKSTUHL weiß auch, daß der geliebte Jünger ehelos war! Wie hätte ihm Jesus sonst seine Mutter und der Mutter den Jünger anvertrauen können (19,26)?[5]

Durch diese und andere 'Argumente' wird der geliebte Jünger schließlich zum Gästemönch der Essenergemeinde in Jerusalem!

Als solcher ist die spätere Gründerautorität des johanneischen Christentums Augenzeuge der Jerusalemer Ereignisse. Den Einwand, daß die Synoptiker von einem solchen Zeugen nichts wissen, läßt RUCKSTUHL nicht gelten. Er rettet seine Konstruktion mit einem geradezu klassischen Ringsschluß:

---

1) Vgl. RUCKSTUHL 1985; ders. 1986, besonders 142 ff.
2) Vgl. RUCKSTUHL 1985, 79.
3) RUCKSTUHL 1985, 80.
4) Vgl. RUCKSTUHL 1985, 83; ders. 1986, 143 f.
5) Vgl. RUCKSTUHL 1985, 83.

"Daß die joh Überlieferung hier mehr wußte als jene |= die synoptische Überlieferung|, ist selbstverständlich, wenn man annehmen kann, daß der Vorzugsjünger, die Gründergestalt der joh Gemeinden, ihr geschichtlicher Quellort gewesen war."[1]

Ein Wort noch zur religionsgeschichtlichen Seite der Essener-Hypothese. Selbst dann, wenn die Entscheidung RUCKSTUHLs mitvollzogen würde, die johanneischen Textdaten für historisches Urgestein zu nehmen, bliebe ein meiner Meinung nach unlösbares Problem, die Frage nämlich, wie die Gesetzesrigoristen von Qumran mit dem Joh in Verbindung zu bringen sind. In der Gesetzesfrage ist das johanneische Christentum ja offensichtlich schon weit über Paulus hinausgegangen. Der Konflikt ist schon gelöst, die Trennung von der Gesetzesobservanz vollzogen. Das bedeutet, daß entweder das vorliegende Evangelium mit dem Augenzeugen und seiner Geisteshaltung nichts mehr zu tun hat, oder aber daß dieser Zeuge sich von seiner früheren religiösen Orientierung völlig abgewandt hat. Beide Alternativen sind für RUCKSTUHLs These jedenfalls problematisch. Es muß energisch darauf hingewiesen werden, daß im Joh eben keine Spuren essenischer Spiritualität zu finden sind. Ein deutliches Zeichen dafür, daß der geheimnisvolle Gästemönch keine historische Gestalt, sondern nur ein Phantom ist.

Den Problemen, die solche Spezifizierungen mit sich bringen, geht die Forschung heute meist aus dem Weg. Der geliebte Jünger wird als Autorität des johanneischen Christentums gesehen, auf den Versuch, diesem Jünger einen Platz im Leben Jesu zuzuweisen, wird dagegen meist verzichtet.[2]

So sieht OTTO[3] hinter dem geliebten Jünger den verehrten **Lehrer** und **Begründer des johanneischen Christentums**. Er ist der Verfasser des Evangeliums, der von der Redaktion in die Zeit Jesu rückprojiziert wird, um seine Autoriät als besonderer Zeuge aufzubau-

---

1) RUCKSTUHL 1986, 161.
2) HAENCHEN 1980, 601-605 verzichtet zwar auf eine nähere Bestimmung des geliebten Jüngers, hält ihn aber für einen so alten Mann, daß er "in seiner Jugend noch Jesus und den Apostelkreis kennengelernt hatte" (603).
3) Vgl. OTTO 1969, 59-86.

en. Hinter der Redaktion steht eine Gruppe charismatischer Wanderprediger (KRAGERUD!), die im Kampf der Orthodoxie gegen die Gnosis als Häretiker verdächtig wurden. Gegen diesen Verdacht soll deutlich gemacht werden, daß das Zeugnis des geliebten Jüngers sich **gegen** die Häretiker richtet, und daß die Gemeindeleiter (innertextlich durch Petrus repräsentiert) auf dieses Zeugnis der Wanderprediger angewiesen sind. Der Konflikt wird in Parallele zum Konflikt in Joh 3 gesehen.

Adressat der redaktionellen Arbeit ist für OTTO ein 'gesamtkirchliches' Publikum, dem die johanneische Tradition, wie sie im Evangelium festgehalten ist, nahegebracht werden soll. Ähnliche Überlegungen finden sich bei LORENZEN[1]: Der geliebte Jünger ist eine historische Gestalt, die in der Gemeinde eine bedeutende Rolle spielt. Er wird als Augenzeuge verstanden, obwohl er das historisch nicht war. Aufgrund seiner (fingierten) apostolischen Autorität garantiert der Lieblingsjünger gegen 'Ketzer' die rechte Lehre, wie sie der Evangelist akzentuiert. Die Hervorhebung des Jüngers gegenüber Petrus dient der Selbstbehauptung des johanneischen Christentums gegen andere christliche Richtungen. "Es wäre möglich, daß der Name Petrus mit theologischen Strömungen, die nicht dem typisch johanneischen Christentum entsprachen, verbunden wurde, denn Petrus kann gut als Garant für ein konservatives, jüdisch orientiertes Christentum bekannt gewesen sein."[2]

Die Tatsache, daß der Jünger an bestimmten Punkten der Geschichte von Leiden, Tod und Auferstehung Jesu eingeführt wird, weist darauf hin, daß der Evangelist hier besondere theologische Akzente setzt, für die er die Autorität des Lieblingsjüngers reklamiert. Diese Akzentsetzung läßt auf eine antidoketische Frontstellung schließen.

Die Berufung auf eine fingierte apostolische Autorität reiht das Joh in den Kreis der neutestamentlichen und generell frühchristlichen Pseudepigraphen. Die - in diesem Zusammenhang überraschende - Anonymität des Jüngers erklärt sich daraus, daß die Bekannt-

---

1) Vgl. LORENZEN 1971, 76 ff; ähnlich BECKER 1979/81, 436-439.
2) LORENZEN 1971, 96.

heit des Jüngers bei den Adressaten vorausgesetzt wird.

Im Unterschied zu OTTO sieht also LORENZEN die gesamtkirchliche Orientierung als weniger bestimmend an. Adressaten sind offensichtlich die Gläubigen des johanneischen Christentums, die den Lieblingsjünger als Autorität kennen. Trotzdem ist auch bei ihm Petrus der Repräsentant eines 'anderen' außerjohanneischen Christentums. Diese These zur Pragmatik der Beziehung Lieblingsjünger - Petrus muß eingehender diskutiert werden, weil sie nicht nur in älterer Literatur, sondern auch in jüngster Zeit eine Rolle spielt. Immer wieder wurde und wird das Verhältnis zwischen den beiden Jüngern gedeutet auf die Außenkontakte zwischen johanneischem Kreis/Gemeindeverband/Christentum und anderen kirchlichen Größen, seien diese nun die Gemeinden "des vulgären Christentums"[1] mit den synoptischen Evangelien als ihrer Tradition, oder sei es die 'römische Kirche' mit ihrem 'Primatsanspruch'[2], oder allgemein die an Petrus orientierte "Gesamttradition der Heidenkirche"[3], das 'petrinische' Christentum.[4]

---

1) HEITMÜLLER 1914, 205.   2) Vgl. SOLTAU 1915, 378; STAUFFER
   1943/44, 18 Anm.56; WILKENS 1958b, 163 Anm.605.
3) HIRSCH 1936, 129. Vgl. BECKER 1979/81, 437-439.
4) Vgl. GRASS 1961, 57; MINEAR 1977, 115 f;
   HAWKIN 1977,146 f; O'GRADY 1979, 62-65;
   SMITH 1985, 147; RUCKSTUHL 1986, 131-142.

3.3 Die Pragmatik der Beziehung zwischen Petrus und dem geliebten Jünger

Da der literarkritische Durchgang (zusammen mit textsemantischen Beobachtungen) ergab, daß die Lieblingsjüngertexte einschließlich Joh 21 ein und derselben Redaktion entstammen, ist die alte These, in Joh 21 verändere sich die Konstellation zwischen Petrus und dem geliebten Jünger gegenüber Joh 1-20[1], ganz unwahrscheinlich. Außerdem zeigen die Analysen: Weder wird in den entsprechenden Szenen ab Joh 13 die Führungsrolle des Petrus bestritten, noch wird in Joh 21 etwas von der grundsätzlichen Verwiesenheit des Petrus auf den Lieblingsjünger zurückgenommen. Der Rückverweis auf Joh 13 in 21,20 spricht gegen die Annahme, hier werde ein 'Ausgleich' (etwa mit 'petrinischen' Kreisen) gesucht. In Joh 13 aber hatten wir festgestellt, daß die Konstellation Petrus/ Lieblingsjünger von ihrem thematischen Kontext nicht zu lösen ist, deshalb ist zunächst dieser Kontext auf die pragmatische Intention der Redaktion hin zu befragen. Wenn nämlich im Bereich der Semantik eine Loslösung vom Kontext sich verbietet, so ist auch für den Bereich der Pragmatik ein enger Zusammenhang zu sehen.

3.3.1 Zur pragmatischen Intention der Redaktion im allgemeinen

Zu den folgenden Analysen ist zu sagen, daß sie selbstverständlich nur eine begrenzte Aussagekraft für die Arbeit der Redaktion insgesamt haben. Das liegt einfach an der Begrenztheit der ausgewählten Texte. Andererseits ist aber auch anzunehmen, daß wir es im Umfeld der Lieblingsjüngertexte mit besonders wichtigen Themen zu tun haben. Schließlich wird in 21,24 dieser Jünger als Autor des Textes bezeichnet und damit explizit mit dem Kommunikationsprozeß zwischen Text und Lesenden in Verbindung gesetzt. Wir können also mindestens vermuten, daß der thematische Kontext, in dem diese für die Rezeption besonders wichtige Gestalt auftritt, auch für die pragmatische Dimension des Kommunikationsgeschehens ein besonderes Gewicht hat.

---

1) Vgl. jetzt wieder MAYNARD 1984.

3.3.1.1 Implizite Pragmatik

Rekapitulieren wir zunächst die Ergebnisse der entsprechenden Analyse im Exkurs zu **Joh 6,26-71.**[1]
Dort war zu sehen, daß die Redaktion[2] konzeptionell an einer Aufwertung des Herrenmahls arbeitet. Die Teilnahme am Herrenmahl (als angezieltes praktisches Verhalten der Rezipienten) wird mit der Verheißung ewigen Lebens gekoppelt und in den Glaubensbegriff integriert. Wer glaubt, ißt und trinkt auch; wer nicht ißt und nicht trinkt, der glaubt auch nicht, sondern ist ein Verräter wie Judas.

Als Kommunikationshorizont des Textes ist eine **Auseinandersetzung um das Herrenmahl** zu erkennen. Die Redaktion sieht es nämlich als nötig an, den Wert des gemeindlichen Brauchs neu einzuschärfen, und zwar in Opposition zu einer Gruppe der Gemeinde, die aufgrund einer bestimmten Interpretation der gemeindlichen Tradition[3] Probleme mit dem Herrenmahl hat. Es ist zu erschließen, daß die Lebensaussagen dieser Tradition so radikal aufgefaßt wurden, daß sich die Glaubenden in einem unüberbietbaren Heilszustand wähnten. Dieses Vollendungsbewußtsein relativierte offensichtlich das für die Identität der christlichen Gemeinde grundlegende Institut des Mahls in einer Weise, die der Redaktion als bedrohlich erschien. Gegen das Konzept einer gegenwärtigen, geistig-geistlichen Vollendung stellt sie deshalb ihr Programm einer theologischen Verkörperung:

---

1) Vgl. zum Folgenden E 6.
2) Der Begriff 'Redaktion' hat im Folgenden eine etwas andere Semantik als bei den Textanalysen. Er bezieht sich stärker auf die hinter der redaktionellen Tätigkeit stehende Gruppe. Ihr gehört der faktische Autor, der nicht der Lieblingsjünger ist, an. Diese Gruppe will als bloßer Herausgeberkreis erscheinen.
3) Inwieweit die Interpretation der bekämpften Gruppe berechtigt oder aber ein Mißverständnis war, kann kaum abgeschätzt werden, da wir die Tradition der Gemeinde ja nur mehr in den von der Redaktion (!) verarbeiteten Fragmenten kennen. Daß es sich in den Augen der Gruppe um den Redaktor um eine Fehlinterpretation handelte, dürfte selbstverständlich sein, hat aber unter dem Aspekt historischer Fragestellung nicht viel zu besagen.

Das Brot des Lebens ist nicht nur geistig zu genießen, sondern real beim Mahl zu zerbeißen. Das ewige Leben ist nicht nur geistige Auferstehung im Hier und Jetzt, sondern bedeutet auch leibliche Auferweckung im Eschaton.

Eine solche Akzentsetzung wird der gegnerischen Gruppe inakzeptabel gewesen sein. Sie verzichteten deshalb wohl auf die Teilnahme an dem für sie ohnehin nicht sonderlich interessanten Mahl und verließen im Laufe der Auseinandersetzung die 'Gemeinde', und zwar auf Betreiben der Redaktion, die die Konfrontation offensichtlich beförderte, um eine Klärung herbeizuführen.

Der Text in Joh 6 setzt den **Vollzug der Spaltung** schon voraus. Es wird versucht, den Schock, den das Schisma auslöste, durch eine 'deterministische' *Stabilisierungsstrategie* zu bewältigen. Den Bleibenden wird gesagt, daß sie sich nicht beunruhigen lassen brauchen, weil die, die 'weggingen', ohnehin nie echte Gemeindeglieder waren, sondern Ungläubige wie die Juden und Verräter wie Judas. In diesem Versuch der Stabilisierung ist die Gleichsetzung der eigenen Position mit dem christlichen Glauben an sich und der abweichenden Position mit dem Unglauben ein ganz entscheidender Punkt.

Ich habe versucht, die redaktionelle Vorgehensweise in Joh 6 ohne die Annahme einer doketischen Position der Gegner zu erklären. Dies ist meiner Meinung nach nicht nur möglich, sondern auch nötig, wenn die soteriologische Zentrierung von Tradition und Redaktion ernst genommen werden soll. Da freilich die These vom Doketismus-Streit ein so großes Gewicht in der Forschung hat, muß bei den folgenden Analysen diese Frage immer mit bedacht werden.

Fragen wir zunächst, was aus **Joh 13,1-30** zu erschließen ist.[1]

Ist Judas in Joh 6 innertextliches ikonisches Zeichen für die außertextlich bekämpfte Position, so zeigt sich an der Behandlung der Verratsthematik in Joh 13,1-30, daß die Judasfigur und das mit ihr gekoppelte Thema dieselbe textpragmatische Funktion er-

---

1) Ich setze im Folgenden die Ergebnisse der Textanalysen in 2.2 voraus.

füllen. Nicht umsonst ist bei den Verratsstellen immer wieder
eine deutliche Öffnung der Textwelt auf die Lesenden hin zu beobachten.

Auch hier wird an Judas und seinem Verrat modellhaft die Krise bewältigt, die in der Welt der Kommunikationsbeteiligten
durch das Schisma ausgelöst wurde. Wenn im Zusammenhang mit dem
Verrat immer wieder Jesu Wissen herausgestellt wird, so geht es
nicht um die Abwehr jüdischer Angriffe gegen Jesu Messianität,
sondern um die **Apologie** der vollzogenen **Spaltung**. In der Krise,
die das Ausscheiden der 'Verräter' offensichtlich ausgelöst hat,
soll jeder Glaubenszweifel abgewehrt werden. Es geht also bei
Stellen wie Joh 13,11 nicht, wie BULTMANN meint, darum, "eine
falsche Sicherheit des Glaubens zu erschüttern"[1], sondern ganz
im Gegenteil darum, vor Erschütterungen durch 'falschen' Glauben
zu sichern.

Die Redaktion versucht, die entstandene Verunsicherung, - das
zeigt sich in Joh 13 ebenso wie in Joh 6 - mit einer ekklesialen
Wendung des johanneischen 'Determinismus' zu beheben. Es hat immer,
so die These, in der Gemeinde eine geheime Trennungslinie gegeben
und wenn die gehen, die nie dazugehörten, so darf das kein Problem
sein, sondern sollte im Gegenteil den Glauben an Jesus stärken
(13,19), der den hier aufbrechenden Kontrast zwischen (scheinbarer) Jüngerschaft und Verrat vorhergesagt hat und immer wußte,
wo die wahre Grenze zwischen Glaube und Unglaube verläuft. Die
Behauptung, denen, die wie Judas und die ungläubigen Jünger
hinausgehen, habe es der Vater nie gegeben, zu Jesus zu kommen,
ermöglicht es der Redaktion, Jesus als den zu verkünden, der
immer von sich sagen kann, er habe keinen von denen verloren,
die ihm der Vater gegeben hat (Joh 17,12; 18,9). Die vollzogene
Spaltung darf den Glauben an Jesus (und damit die soziologische
und theologische Stabilität der Restgemeinde) keinesfalls gefährden. Das Schisma ist kein Skandal, sondern das gottgewollte
(13,18) Offenbarwerden der Grenze zwischen Erwählten und Nichter-
wählten.

---

1) BULTMANN 1941, 361; vgl. auch 364. Ähnlich äußern sich auch
MAHONEY 1974, 89; VOGLER 1983, 103.

Inhaltlich wird das Judasbild in Joh 13 durch den thematischen
Kontext gegenüber Joh 6 erweitert. Werden auch die Herrenmahl-
bezüge in Joh 13 reaktiviert, so kommt doch durch die **Liebesthematik** ein neuer Zug hinzu. Judas ist auch der, der immer von der
Heilszusage Jesu ausgenommen wird. Ihm gilt Jesu Liebe nicht,
weil er nicht zu den Seinen gehört. Da die Liebe, zu der die
Adressaten verpflichtet werden, als Umsetzung der erlösenden Liebe Jesu gedacht ist, kann Judas als Ungeliebter auch nicht lieben. Deswegen wird er selbst vom bedingten Makarismus in 13,17
ausgenommen. Da Judas innertextlich Repräsentant der außertextlichen Gegner ist, kann geschlossen werden, daß die Redaktion bei
diesen ein ethisches Defizit diagnostiziert und dieses Defizit
als Anzeichen dafür wertet, daß sie keine Jünger Jesu sind, sondern eben Ungläubige.[1]
Entsprechend ihrer Diagnose geht die Redaktion mit ihrer Tradition
um:
In der Tradition war die Fußwaschung ein Bild für die Vermittlung
endgültig-umfassenden Heils. Dieses Heil liegt im geistig-geistlichen Bereich: Es ist Anteil der 'Seele' am himmlischen, göttlichen Leben, das sich individuell im Glauben an Jesus als himmlisches Wesen (Logos) realisiert.
Diese soteriologische Interpretation der Fußwaschung greift die
Redaktion nun auf und versucht, die **pragmatische** Seite des Heils
deutlich werden zu lassen. Die notwendige christologische Basis
schafft sie sich, indem sie den **Kreuzestod** Jesu als **Liebestat** interpretiert und an diesen Tod die Erlösung bindet. Damit hat sie
sich die Möglichkeit eröffnet, eine **paradigmatische** Entfaltung
auf Praxis hin durchzuführen. Die Liebestat Jesu kann als Vorbild
für die Erlösten ausgewertet werden. Diejenigen, die durch die
Liebe Jesu bis in den Tod Anteil am himmlischen Leben erhalten
haben, haben auch die Pflicht, das ihnen geschenkte Heil in der
gegenseitigen Liebe praktisch werden zu lassen. Die Redaktion
klagt also die **soziale Dimension** des Heils ein. Die Frage ist
nun, in welcher Situation diese konzeptionelle Arbeit sinnvoll

---

1) Zur Liebe als Kennzeichen der Jüngerschaft sei nochmals auf
   13,35 verwiesen.

ist. Steht Doketismus im Hintergrund, wenn die Lesenden dazu gebracht werden sollen, die Notwendigkeit einer praktischen Umsetzung des Christusheils zu erkennen?[1] Für die Annahme einer
antidoketischen Ausrichtung der redaktionellen Arbeit ließen
sich vor allem zwei Argumente beibringen. Einmal die Betonung
des Kreuzestodes und sodann die Relativierung des Vorwurfes der
Lieblosigkeit als eines frühchristlichen Standardarguments gegen
theologische Gegner. Letzteres würde die Vertreter der Doketismus-
These davon entlasten, nachzuweisen, daß doketische Christologie
zu ethischen Defiziten führt.

Nun bin ich allerdings der Meinung, daß - unabhängig davon in
welchem **Ausmaß** der Vorwurf der Lieblosigkeit tatsächlich zutrifft
- es der Redaktion doch um mehr geht als um pure Polemik. Ausschlaggebend für diese Beurteilung ist die von der Redaktion
bearbeitete Tradition. Wie gesagt, ist dort die Erlösung ein
rein geistiges, im Glauben geschenktes Gut. Eine Verleiblichung
dieses Heilsgutes in alltäglicher Praxis, ist bei einem solchen
Konzept von Erlösung natürlich nicht ausgeschlossen. Das Konzept
selbst gibt dazu aber - und das ist entscheidend - keinen Impuls.
Eine Ausrichtung auf die Praxis christlichen Lebens ist dieser
Auffassung von Erlösung nicht inhärent.

Ja, es kann sogar gesagt werden, daß im Gegenteil in ihr Tendenzen mindestens angelegt sind, die bei entsprechend konsequenter
Interpretation zu einer Vernachlässigung des ethisch-sozialen Aspekts verführen. Erlösung als Aufstieg der Seele in die himmlische Welt ist ja notwendigerweise etwas **Individuelles**. Ein solches
Soteriologiekonzept hat also keine feststellbare Sozialdimension.
Diese Individualisierung und **Vergeistigung** des Heilsgeschehens
bei gleichzeitiger Behauptung eines **vollendeten** Heilszustandes
in der Gegenwart läßt das Auftreten von Problemen in der ethisch-
sozialen Praxis als so plausibel erscheinen, daß der Verdacht,
der Redaktion gehe es bei der Liebesthematik **nur** um eine polemische Breitseite gegen ihre Gegner, als überzogen abzulehnen ist.
Zu beachten ist in diesem Zusammenhang auch noch, daß ja nicht

---

1) Für eine antidoketische Frontstellung in Joh 13,1-20 ist in
neuerer Zeit besonders SEGOVIA 1982a, 49-51 eingetreten.

nur den in Judas personifizierten Schismatikern ein ethisches Defizit unterstellt wird, sondern auch die verbleibenden Jünger,
die hier die Adressaten vertreten und so zur Rolle des impliziten
Lesers gehören, energisch auf ihre Pflicht zur praktischen Umsetzung der ihnen erwiesenen Liebe Jesu hingewiesen werden. Daraus
ist zu schließen, daß auch bei den verbleibenden Gemeindegliedern
eine entsprechende Mahnung als notwendig erschien. Es wird also
so gewesen sein, daß auch diese von dem bekämpften Konzept nicht
unbeeinflußt gewesen waren. Zudem hat die Betonung der Pflicht
zur **gegenseitigen** Liebe einen wichtigen soziologischen Aspekt.
Es geht hier nämlich auch um die Stabilisierung der durch den
Streit verunsicherten Gruppe der Restgemeinde. Die Redaktion arbeitet mit der Akzentuierung der Sozialbezüge innerhalb der Gruppe zugleich an der Bewältigung der durch den Bruch ausgelösten
Krise.
Dieser ekklesiale Impetus der Paränese erklärt, warum im Joh an
die Stelle der Nächsten- und Feindesliebe die gemeindliche Binnen-
liebe tritt, was gegenüber urchristlicher Tradition eine bedenk-
liche Reduktion ist.[1] Ihren Grund hat diese Reduktion in der
prekären Situation, in der sich das johanneische Christentum befindet. Nach der Spaltung wird alle Energie darauf verwandt,
eine soziale Organisation bzw. Reorganisation der Verbliebenen
zu fördern.
Bleibt also noch die Frage des Kreuzesbezugs zu klären.
Ich habe ja schon darauf hingewiesen, daß die christologischen
Veränderungen, die die Redaktion vornimmt, dazu dienen, ihr die
Basis für die paradigmatische Auswertung zu verschaffen. Daß es
ihr dabei darüber hinaus um ein spezifisch christologisches Anliegen - etwa eine antidoketische Betonung der Niedrigkeit des
Kreuzestodes - ginge, vermag ich nicht zu sehen. Einmal ist die
primär soteriologische Ausrichtung der Vorlage zu beachten, und
außerdem unterscheidet sich die Redaktion hinsichtlich der Christologie keinesfalls auffällig von ihrer Tradition. Hier wie dort
ist Jesus begriffen als menschgewordener Logos, also ein Wesen,

---

1) Vgl. KÄSEMANN 1980, 123 ff.

das aus dem Himmel stammt und dorthin wieder zurückkehrt. Wenn
ihn die Redaktion in 13,1 zum Vater 'hingehen' läßt, dann signalisiert diese Formulierung keinesfalls das Bedürfnis, antidoketisch die menschlich-niedrige Seite Jesu und seines Todes zu betonen. Außerdem wird in der paradigmatischen Deutung gerade die
Hoheit Jesu betont, weil dadurch der Verpflichtungscharakter
seines Beispiels umso besser herausgestellt werden kann.

Insgesamt ist also in der redaktionellen Deutung der Fußwaschung
kein Anlaß zu sehen, eine antidoketische Frontstellung anzunehmen.

Was Joh 19,25-27 angeht, so habe ich schon in der Textanalyse
festgestellt, daß hier die Doketismus-These nun wirklich nur
einen äußerst geringen Anhalt finden kann. Zwar wird von der Mutter Jesu erzählt, aber die Tatsache, daß Jesus eine menschliche
Mutter hat, steht keinesfalls im Zentrum des Textes. Sie wird
vielmehr einfach vorausgesetzt. Schon daraus, wie auch aus der
Beobachtung, daß die Beziehung zur Mutter Jesu benutzt werden
kann, um die Autorität des geliebten Jüngers zu stärken, ist zu
schließen, daß hier nichts umstritten ist. Anders könnte die
Sache schon in Joh 19,31-37 liegen. Hier könnte es durchaus darum gehen, "das reale und totale Menschsein Jesu gegen seine
doketische Bestreitung sicherzustellen."[1] Immerhin beweisen
doch Blut und Wasser aus der Seite Jesu nach dem Wissen der Kultur, aus der der Text stammt, daß hier ein wahrer Mensch gestorben ist. Wir haben freilich in der Textanalyse gesehen, daß hier
nicht die Sinnspitze des Textes liegt. Blut und Wasser als normale Bestandteile des menschlichen Körpers werden vielmehr zum Zeichen für die Heilsbedeutsamkeit des Kreuzestodes Jesu. Offensichtlich ist also auch hier das Menschsein eher selbstverständliche
Voraussetzung als Aussageziel. Das ist keinesfalls ein Indiz für,
sondern eher eines gegen die Doketismus-These.

Nun hat THYEN inzwischen im Anschluß an HOFRICHTER die Annahme
einer antidoketischen Ausrichtung insofern modifiziert, als er
nun die Gegner nicht mehr als Leugner der wahren Leiblichkeit Je-

---

1) THYEN 1977a, 288.

su, sondern als **christologische Dualisten** sieht. Gegen diese These einer bloß zeitweiligen Verbindung des himmlischen Christus
mit dem Menschen Jesus, setze die Redaktion ihre Betonung der totalen Identität von Jesus und Christus.[1] In eine solche Konfliktlage würde die Betonung der Heilsbedeutsamkeit des Kreuzestodes
gut passen.[2] Gegen die Trennung von Jesus und Christus würde
dann darauf hingewiesen, daß hier nicht einfach ein Mensch (verlassen vom himmlischen Christus) hingerichtet wurde, sondern daß
dieser Tod Heilsbedeutung hat, weil der, der da starb der eine
menschgewordene Logos war.

Diese an sich recht geschlossene Interpretation hat allerdings
zwei Nachteile. Einmal wäre die Identität Jesu mit dem Christus
nur sekundär aus der soteriologischen Dimension des Kreuzes ableitbar, was bei einer Ausrichtung gegen eine Trennungschristologie eine inadäquate Zurückhaltung wäre; zum anderen abstrahiert
die Annahme eines christologischen Dualismus weitgehend von der
in 19,31-37 verarbeiteten Tradition und deren Intentionen. Die
Frage ist doch, ob aus dieser Tradition ein christologischer Dualismus (als mögliche Interpretation) abgeleitet werden kann.

Soweit ich sehe, ist das nicht der Fall. Das Problem der Vorlage
ist nämlich ganz anders gelagert. Ihr geht es um eine Bewältigung
des Todes Jesu mit Hilfe der Paschalamm-Typologie. Jesus stirbt
als Paschalamm und erweist sich so als das wahre Überschreitungsopfer, das den Zugang der 'Seele' zum himmlischen Leben ermög-

---

1) Vgl. THYEN 1979b, 119-127; HOFRICHTER 1978, 155-161.
2) THYEN 1979b, 118 ff leugnet freilich die soteriologische
   Intention von 19,34 und reduziert die Textaussage auf den tatsächlichen Tod des Menschgewordenen. Wie damit einer Trennungschristologie begegnet werden soll, ist nicht zu sehen. Zwar
   wird in der Thomas-Erzählung in 20,24-29 der Auferstandene
   mit dem Gekreuzigten als Herr und Gott identifiziert, aber es
   ist doch zu beachten, daß schon in 19,35 eine Glaubensaufforderung an die Lesenden geäußert wird. Das Ereignis in 19,34
   muß also aus sich heraus schon Anlaß zum Glauben sein. Wie
   das möglich ist, wenn es nur um den wirklichen Tod des Menschen
   Jesus geht, und welches Gewicht diese Aussage für die Identität mit dem Christus hätte, die dann doch wohl Gegenstand des
   Glaubens sein sollte, verstehe ich nicht.

licht. Wir haben es also hier wie bei der Gleichsetzung Jesu mit dem Lebensbrot mit einer soteriologischen Aussage auf der Basis einer christologischen Identifizierung zu tun. Aus dieser soteriologischen These oder aus ihrer christologischen Basis eine dualistische Christologie herzuleiten, dürfte schwerfallen. Dagegen ist es durchaus plausibel hier dieselbe Streitsituation anzunehmen wie in Joh 6.13. Wir haben es ja wieder mit einer **individuellen** Soteriologie zu tun, die das Heil auf den **geistig-geistlichen** Bereich beschränkt. Es liegt also nahe, auch hier in der redaktionellen Arbeit ein Vorgehen gegen Defizite, die eine solche Soteriologie zeitigen kann, zu sehen. Wo nämlich der Tod Jesu nur mehr der Ort ist, wo sich Jesus als der personifizierte Übergang zum himmlischen Vater erweist, da kann diesem Tod in letzter Konsequenz jede eigene Heilsbedeutung abgesprochen werden. Eine solche Vernachlässigung kann leicht dazu führen, nicht nur den Tod Jesu nicht mehr recht ernst zu nehmen, sondern auch die Schattenseiten der irdischen Existenz auszublenden.

Eine Redaktion, die wie in Joh 13 zu sehen ist - gegen eine Vernachlässigung der Sozialbezüge kämpft und in diesem Kampf den Kreuzestod als Liebestat paradigmatisch auswertet, muß eine Paschalamm-Typologie korrigieren, die auf eine Abwertung des Kreuzes hinauslaufen kann. Wenn in Joh 13 die Fußwaschung zum Zeichen der erlösenden Liebe bis in den Tod gemacht wurde, dann ist es nicht nur konsequent, sondern auch - damit der Bezug auf die Heilswirksamkeit des Kreuzes in Joh 13 sinnvoll wird - notwendig, in Joh 19 das Kreuz und seine Heilsbedeutung besonders zu akzentuieren. Die Interpretation von Joh 19,31-37 aus dem in Joh 6.13 erschlossenen situativen Kontext erhält außerdem ihre Berechtigung durch die Rückbezüge, die in Joh 19 festzustellen sind. Schließlich greift 19,28 auf 13,1 und 19,34 auf die Brotrede zurück.

Für die Rekonstruktion einer doketischen (oder trennungschristologischen) Problemlage besteht also auch in Joh 19 kein Anlaß. Das redaktionelle Vorgehen läßt sich als pragmatisch adäquat auch dann erklären, wenn die in Joh 6.13 festgestellte Problemlage angenommen wird. Die Betonung der Heilsbedeutung des Kreuzestodes erklärt sich zum einen als Reaktion auf die Defizite der traditionellen Paschalamm-Typologie und ist zum anderen konsequente

Fortsetzung der Paradigmatisierung der Christologie, die es ermöglicht die soziale und praktische Dimension des Christusheils
zu verdeutlichen.

Was **Joh 20,1-10** angeht, so läßt sich aufgrund der vorgenommenen
Textabgrenzung über das verarbeitete Repertoire kaum etwas sagen. In 2.4.5.2 wurde allerdings ausgeführt, daß Maria Magdalena
in der Tradition offensichtlich die Rolle der Erstzeugin der Auferstehung innehatte. Ihr Glaube kam durch eine Erscheinung des
Auferstandenen zustande. Die Redaktion macht nun den geliebten
Jünger zum ersten Zeugen, als einen der - ohne Jesus gesehen zu
haben - aufgrund des leeren Grabes glaubt. Aus der in der redaktionellen Arbeit unbestreitbar festzustellenden Betonung der
Leiblichkeit der Auferstehung ist nun aber kaum auf eine doketische Position der Gegner zuschließen. Schließlich teilt - soweit erkennbar - auch die Tradition die Überzeugung der leiblichen
Auferstehung. Allein die Existenz von Grabesgeschichten spricht
gegen die Annahme einer Position, die etwa die leibliche Auferstehung geleugnet hätte. Feststellbar ist dagegen, daß sich die
Redaktion bemüht, die Bedeutung der Ostererscheinungen, und damit des **visionären** Elements im Osterglauben, zu reduzieren.
Jesus erscheint zwar dreimal, aber erstens wird dabei seine
Leiblichkeit betont und zudem sind die Erscheinungen eben nicht
der **Ursprung** des Auferstehungsglaubens.

Dieses Zurückdrängen des visionären Elements bei gleichzeitiger
Neubetonung der Leiblichkeit der Auferstehung reicht zwar nicht
aus, um eine antidoketische Ausrichtung zu erschließen, erklärt
sich aber als pragmatisch sinnvoll in einer Situation, in der eine **Vergeistigung** des christlichen Glaubens zum Problem geworden
ist. Schon in Joh 6 war ja zu sehen, welchen Wert die Redaktion
darauf legt, daß das ewige Leben der Glaubenden sich nicht als
bloß geistig-geistliches in der Gegenwart vollendet, sondern
auch eine leiblich-zukünftige Komponente in der endzeitlichen Totenerweckung hat. Wenn die Redaktion aber die endzeitliche Auferweckung als Korrektur einer bestimmten Soteriologie einsetzt,
dann kann sie gar nicht darauf verzichten, auch die Leiblichkeit
der Auferstehung Jesu energisch zu betonen.

Welches Bild ergibt sich damit insgesamt für den Kommunikationshorizont, vor dem die Redaktion agiert?

In Auseinandersetzung mit einem theologischen Konzept, das Erlösung als einen **individuellen**, rein **geistig-geistlichen** Vorgang
faßt, der sich in der **Gegenwart** vollendet, betont die Redaktion
die leibliche Komponente des Heils. Es ist nicht nur gegenwärtig
geistlicher Besitz des einzelnen, sondern muß konkret werden in
der praktischen Gestaltung der Sozialbezüge der Gemeinde. Der In-
dikativ des ewigen Lebens beinhaltet aber nicht nur einen ethischen Imperativ, sondern hat auch eine futurische Komponente in
der endzeitlichen Totenerweckung.

Im Laufe dieser Auseinandersetzung ist es zu einer **Spaltung** der
Gemeinde(n) gekommen. Eine Gruppe von Gemeindegliedern hat die
'Gemeinde' verlassen. An die Bleibenden wendet sich nun die Redaktion mit einer schriftlich fixierten Neuinterpretation der gemeinsamen Tradition. Diese wird so bearbeitet, daß die System-
schwächen, die nach Meinung der Redaktion zum Konflikt führten,
behoben werden.

Als umfassende pragmatische Intention kann die **Stabilisierung
der Restgruppe** angesehen werden. Die Verbliebenen müssen sich
neu als Gemeinde begreifen, und zwar als **die** Gemeinde.

Deshalb wird die Spaltung so verarbeitet, daß die Ausgeschiedenen
mit den ungläubigen Juden und dem Verräter Judas auf eine Stufe
gestellt werden. Mit der Behauptung, die Weggegangenen seien nie
echte Gläubige, sondern immer Ungläubige wie die Juden gewesen,
reaktiviert die Redaktion nicht nur die traumatische Erfahrung
der Trennung von der jüdischen Mutterreligion, sondern auch die
traditionellen Bewältigungsmuster, wie sie z.B. in der Vorlage
der Brotrede (vgl. etwa 6,37.44.45) deutlich werden. Die 'deterministische' Erklärung von Glauben und Unglauben wird jetzt auf die
ehemaligen Mitchristen angewandt. Soziologisch gesehen geschieht
hier nicht mehr und nicht weniger, als daß die **Außengrenze der
Gruppe** nach der Spaltung **neu definiert** wird. Bisheriges Innen
(die Redaktion würde "scheinbares Innen" sagen), wird als Außen
definiert.

Der Neuformierung von Gemeinde dient die Betonung des gemeind-
schaftlichen Herrenmahls, das für die Identität der Gemeinde(n)

grundlegend wichtig war, ebenso wie die geschilderte Aktualisierung der Verratsthematik und das energische Einschärfen des Lie-
besgebots.

Neben dieser Stabilsierungsfunktion lassen die Liebesthematik
und die Neuinterpretation des Herrenmahls aber (wie die verarbeiteten Vorlagen überhaupt) auch Rückschlüsse auf die Position der
Gegner zu. Es geht offensichtlich um ein Konzept des christlichen
Glaubens, das die realized eschatology der johanneischen Tradition radikal interpretierte. Aus dem Verständnis von Erlösung
als eines individuellen geistig-seelischen und in der Gegenwart
sich vollendenden Geschehens erwuchs offenbar ein **Heilsbewußtsein**,
das die Notwendigkeiten des **Irdisch-Menschlichen** in einem Maße
vernachlässigte, daß schließlich auch das Zusammenleben der Ge-
meinde(n) entscheidend gestört wurde.[1]

Daß die neue Grenzziehung mit beachtlichem theologischen Aufwand
legitimiert werden muß, deutet darauf hin, daß sie sehr mühsam
gewesen ist, und das johanneische Christentum in eine schwere
Krise gestürzt hat. Das wird zum einen daran gelegen haben, daß
die alte Abgrenzung der Gemeinde nach außen sehr massiv war. Darauf deutet zumindest das Erwählungsbewußtsein hin, das die in
der Brotrede verarbeitete Tradition zeigt. Zum anderen wird die
Schwierigkeit der Grenzziehung daher gerührt haben, daß die
Unterscheidung verschiedener ideologischer[2] Positionen theore-

---

1) Die letzte Schlußfolgerung ist natürlich nicht zwingend und
   könnte als Versuch gedeutet werden, für das Vorgehen der
   Redaktion entschuldigend Partei zu ergreifen. Nun kann und
   will ich eine gewisse Sympathie für die Redaktion und ihr theologisches Programm nicht verhehlen, meine aber, daß es unabhängig davon historisch unwahrscheinlich ist, daß eine bloß theoretische Auseinandersetzung um theologische Konzepte einen hinreichenden Grund für eine Spaltung darstellt. Das ist in groß-
   kirchlichen Verhältnissen eher denkbar als bei einer Minderhei-
   tengruppe, die sich mehr oder minder stark von einer als feind-
   lich eingestuften Umwelt abgrenzt. In der soziologischen Situation, die für das johanneische Christentum anzusetzen ist -
   MEEKS 1972 spricht wohl zu Recht von Johannine sectarianism -,
   mußte eine Spaltung den Bestand der Gruppe an sich gefährden.
   Deshalb wird die Redaktion wohl erst dann auf Aussonderung
   der Gegner als Ungläubige gedrängt haben, als die Situation
   ohnehin einen kritischen Punkt erreicht hatte.
2) Ich verwende hier einen **neutralen** Ideologiebegriff. 'Ideologie'
   bedeutet einfach: Ordnung bzw. System von Ideen und Vorstellungen.

tisch einfacher war als praktisch, d.h. in bezug auf die konkreten Individuen der Gruppe. Es wird zwischen den klar zu unter-
scheidenden Extremen und ihren Vertretern und Vertreterinnen[1]
das unvermeidliche Mittelfeld gegeben haben, das sich meist
durch fließende Übergänge in den ideologischen Positionen ebenso
auszeichnet wie durch eine gewisse Indifferenz. Das Problem der
Redaktion ist es dann gewesen, durch dieses Mittelfeld die Grenze
zu ziehen, und zwar so, daß die abgetrennte Gruppe möglichst
klein ausfiel. In welchem Maße dies gelungen ist, kann freilich
nicht gesagt werden. Feststeht jedenfalls, daß die Gruppe um die
Redaktion zumindest so lange überlebte, daß uns ihre Texte überliefert werden konnten, während wir von den Gegnern keine Nachricht mehr haben. Die Existenz eines wenig ausdifferenzierten
Mittelfeldes ist die Voraussetzung dafür, daß es pragmatisch
sinnvoll ist, wenn die Redaktion nach dem Bruch die brisanten
theologischen Themen denen gegenüber nochmals äußert, die doch
nicht 'gegangen' sind. Das ist eben dann adäquat, wenn wenigstens
ein nicht zu vernachlässigender Teil der intendierten Leser und

---

1) Die bedeutsame Rolle, die Maria Magdalena in der traditionellen
   Ostergeschichte allem Anschein nach gespielt hat, könnte darauf hindeuten, daß die traditionelle johanneische Theologie
   und/oder deren Interpetation, die die Redaktion bekämpft, besonders von Frauen vertreten wurde. Diese Hypothese hat ihren
   Anhalt in der soziologischen Verortung der innergemeindlichen
   Gegner: Es handelte sich vermutlich um eine Gruppe, die - mindestens für die Verhältnisse der Gemeinde - einen gehobenen
   sozialen Status hatten. Die Verpflichtung zur sozialen Praxis,
   die die Redaktion gegen diese Gruppe betont, zeigt, daß die
   Redaktion sich zur Fürsprecherin der sozial Niederen und Ärme-
   ren macht. Wenn nämlich die Armen mangelndes soziales Engage-
   ment gezeigt hätten, wäre das für die Gemeinde sicher kein
   sehr großes Problem gewesen. Die Aktion der Redaktion macht nur
   Sinn, wenn sie sich gegen das Fehlverhalten von relativ **Vermö-
   genden** richtet, das für die Gemeinde schmerzhaft ist. Nun ist
   aber zu vermuten, daß die Zugehörigkeit zu einer 'Untergrund-
   gruppe' wie einer christlichen Gemeinde vor allem für **Frauen**
   (weniger für Männer) 'gehobener' Schichten attraktiv war. Es
   ist daher zu überlegen, ob nicht Frauen bei den Gegnern eine
   besondere Rolle spielten. - Diese Überlegungen, das sei ganz
   deutlich gesagt, gehören nicht in den Bereich des **Bewiesenen**,
   sondern des zu **Beweisenden.** Sie wurden hier nur zwecks weiterer Überprüfung vorgestellt.

Leserinnen zwar soziologisch eine Entscheidung getroffen, ideologisch aber nicht in jedem Punkt mit der Redaktion übereinstimmt.
Diese Übereinstimmung zu allererst herzustellen, ist eine wichtige
pragmatische Intention des Joh. Nicht umsonst kann die Rolle des
des impliziten Lesers - also das intendierte Rezeptionsverhalten
- als **Übernahme des Standpunktes des impliziten Autors** bestimmt
werden.[1]
Bevor nun Ort und Funktion von Petrus und Lieblingsjünger in der
hier skizzierten Pragmatik beschrieben werden können, ist noch
auf die expliziten Angaben zur Pragmatik einzugehen, vor allem auf
die Frage nach ihrem Verhältnis zur erschlossenen pragmatischen
Intention.

3.3.1.2 Explizite Angaben zur pragmatischen Intention (Joh 19,35; 20,31)

Wenn das Joh als ein Text begriffen werden muß, der sich an ein
christliches Publikum richtet und ein innergemeindliches Problem
bewältigen will, dann ist die Frage zu klären, wie sich eine solche binnengemeindliche Ausrichtung mit der allgemeinen Glaubensaufforderung verträgt, die die explizite Formulierung zur pragmatischen Intention in Joh 20,31 ausspricht. Die Zuweisung zu
einer Zeichenquelle, wie BULTMANN sie vertritt[2] hilft nicht weiter, weil damit nicht geklärt ist, welche Bedeutung diese Äußerung in ihrem neuen Verwendungszusammenhang hat. Auch die Betonung des Bezugs von 20,30 f auf die Erscheinungen des Auferstandenen in Joh 20 hebt die Frage nicht auf, weil damit noch nicht
beantwortet ist, warum hier so allgemein formuliert ist, daß fast
angenommen werden könnte, der Text richte sich an nichtchristliche
Adressaten und wolle sie zum Glauben an Jesus als Christus führen.
THYEN hat das Problem so versucht, zu lösen, daß er einmal 20,31
nicht als Basisaussage des christlichen Glaubens versteht, sondern

---

1) Vgl. CULPEPPER 1983, 225-227.
2) Vgl. BULTMANN 1941, 540-542; auch BECKER 1979/81, 632 f.

als Betonung der totalen **Identität Jesu** mit dem himmlischen **Christus**. Die Aussage steht seiner Meinung nach in Front gegen eine Trennungschristologie.

Außerdem entscheidet er sich für die Lesart πιστεύητε und übersetzt im Anschluß an NEUGEBAUER: "damit ihr gläubig bleibet ..."[1]

In beiden Elementen scheint mir diese Lösung falsch zu sein. Zur Behauptung einer häretischen Trennungschristologie ist das Nötige oben (3.3.1.1) schon gesagt. Eine derartige Position der Gegner kann ja aus 20,31 nicht erschlossen werden, sondern der Vers ist allenfalls von dieser These her zu erklären. Da aber 19,34 und andere Stellen keinen Anhalt für eine entsprechende Frontstellung bieten, kann auch 20,31 nicht so interpretiert werden. Es ist vielmehr festzuhalten, daß es in 20,31 um die **grundsätzliche** Formulierung des **christlichen Bekenntnisses** geht.

Was die beiden Lesarten angeht, so halte ich den Unterschied zwischen präsentischer und futurischer Formulierung für relativ unerheblich. Dieses Urteil gründet sich einmal darauf, daß die Glaubensaufforderung durch die Einleitung mit ἵνα jedenfalls eine futurische Komponente hat, auch wenn die Präsensform gelesen wird. Der futurische Aspekt ist bei der Futurform lediglich **deutlicher**. Außerdem zeigt der Sprachgebrauch des Joh daß auch die Präsensform im futurischen Sinn gebraucht werden kann, bzw. daß zwischen den beiden Formen nicht konsequent differenziert wird.[2]

So steht in 6,29d das Präsens, obwohl Jesus doch mit Juden redet, die noch gar nicht glauben.

In 13,19b und 14,29 dagegen steht die Futurform, obwohl jetzt die Jünger, die doch wohl als Glaubende zu sehen sind, angesprochen werden. Und soll die Präsensform in 17,21 etwa sagen, daß die Welt schon glaubt und gläubig bleiben soll? Das ist doch wohl unvorstellbar.[3]

---

1) Vgl. THYEN 1974, 224-227; ders. 1977a, 260 f;
   ders. 1977b, 268 f; NEUGEBAUER 1968, 10-20;
   LANGBRANDTNER 1977, 37; SCHNELLE 1987, 155.
2) Vgl. BULTMANN 1941, 541 mit Anm. 7.
3) Vgl. KRUIJF 1975, 446.

Welchen Sinn schließlich würde THYENs Übersetzung in 19,35e
machen? Wenn die Narratees auch gläubig bleiben sollten, dann wäre auch der geliebte Jünger/Erzähler/Verfasser einer, der gläubig
geblieben ist.[1] Diese Charakterisierung erscheint mir unmöglich.
Der geliebte Jünger hat doch keine Anfechtung hinter sich, er
glaubt einfach! Gerade das zeichnet ihn aus und macht ihn zum zuverlässigen Zeugen. Es ist also wohl besser an einem **grundsätzlichen** Verständnis von 20,31 (und auch 19,35e) festzuhalten. Es
geht um den christlichen Glauben an sich, wobei die Perspektive
(Nullstufe oder Vorschau) vom Verb her unklar bleibt, und das
ἵνα den Glauben als etwas Angezieltes, also Zukünftiges darstellt,
ohne daß eine Gegenwart des Glaubens ausgeschlossen wäre. Wir
sind damit wieder am Ausgangspunkt angelangt, bei der Feststel-
ung einer Diskrepanz zwischen impliziter Pragmatik (soteriologischer Schwerpunkt, innergemeindliche Ausrichtung) und expliziter
Pragmatik (christologischer Schwerpunkt, nicht deutlich gemeindebezogen).
Diese Diskrepanz ist nicht aufzulösen, sondern auf ihre **kommunikative Qualität** zu befragen.
Der Schlüssel hierzu scheint mir das unscheinbare καί in 19,35e.
Die Narratees werden aufgefordert, sich dem geliebten Jünger im
Glauben anzuschließen. Ihr Glaube wird also in einen engen Zusammenhang mit dem des Lieblingsjüngers gebracht. Auffällig ist, daß
eine nähere inhaltliche Bestimmung dieses Glaubens fehlt, obwohl
der Kontext einen Bezug auf Wasser und Blut als Zeichen der
soteriologischen Qualität des Kreuzestodes unausweichlich macht.
Ebenso wird in 20,8 in absoluter Form vom Glauben des Lieblingsjüngers gesprochen, obwohl es sich im Zusammenhang doch nur um
den Glauben an die Auferstehung handeln kann. Damit wird klar gemacht, daß der Glaube des geliebten Jüngers - mit seiner bestimmten inhaltliche Füllung - Glaube schlechthin ist. Er ist nicht
ein Glaube neben anderen, sondern **der** Glaube; ansonsten gibt es
nur Unglauben. Da es sich hier natürlich um den **christlichen**
Glauben handelt, sind die absoluten Formulierungen in 19,35 und

---

1) Vgl. KRUIJF 1975, 446 f.

20,8 mit der christologisch zentrierten Glaubensaufforderung in 20,31 identisch. Letztere bezieht sich ja trotz ihrer grundsätzlichen Formulierung auf den in der Thomasperikope präzisierten Glauben an den Auferstandenen und seine Identität mit dem Gekreuzigten zurück. Einen vergleichbaren Fall gibt es auch noch in Joh 6, wo Petrus ein grundsätzliches christologisches Bekenntnis ausspricht (Joh 6,69), das trotzdem kontextuell auf die herrenmahlbezogen reinterpretierte Brotrede bezogen war.

In Joh 6 war festzustellen, daß die Redaktion sich bemüht, Differenzen im Glauben zur Opposition zwischen Glauben und Unglauben zu erklären. Den Gegnern wird der Glaube abgesprochen. Weil sie die herrenmahlbezogen reinterpretierte Brotrede nicht akzeptierten, sind sie nicht anders als die Juden und der Verräter. Sie gehörten nie zu denen, die der Vater Jesus gegeben hat.

So sind auch die Formulierungen in Joh 19,35; 20,8.31 zu verstehen. Das Textdatum der grundsätzlichen Formulierung bedeutet, daß der Glaube des geliebten Jüngers, der im Joh gültig festgehalten ist und den die Adressaten annehmen sollen, nicht als eine bestimmte Interpretation des christlichen Glaubens aufgefaßt werden soll, sondern als der Glaube schlechthin. Jede Abweichung ist Unglaube und Verrat.

Die **Neuinterpretation** der gemeindlichen Tradition soll als **einfache Ausformulierung** des christlichen Glaubens aufgefaßt und akzeptiert werden. Das Neue[1] will als das Alte, immer schon Geglaubte verstanden werden. Zu dieser Absicht paßt die eigentlich antiquierte Formulierung in 20,31 sehr gut. Sie erinnert an den Ursprung des christlichen Glaubens, wie er sich historisch in der Entstehung der Gemeinde und biographisch bei der Taufe vollzogen hat. Was hier redaktionell vorgelegt wird, will nichts anderes sein, als das damals Verkündete und Geglaubte.

---

1) Unbeschadet der Tatsache, daß die Redaktion traditionsgeschichtlich älteres Material einbringt, schafft sie mit ihrer redaktionellen Arbeit doch etwas Neues, weil sie den Entwicklungsstand der Gemeindetradition nicht rückgängig macht.

3.3.2 Die Pragmatik der Petrus/Lieblingsjünger-Relation im Rahmen der redaktionellen Intention überhaupt

Wenden wir uns also nun der Frage zu, welche Funktion die Beziehung zwischen Petrus und dem Lieblingsjünger im Rahmen der skizzierten Probleme hat.

Welcher pragmatischer Sinn ist - darauf läßt sich die Frage zuspitzen - der Tatsache zuzuordnen, daß Petrus und der Lieblingsjünger (auf je eigene Art) zu Stellvertretern Jesu auf Erden gemacht werden?

Wenn Petrus in Joh 21 das Hirtenamt, also die Leitungsfunktion zugesprochen wird, so kann es kaum darum gehen, die Lesenden einfach über die führende Rolle des Petrus zu informieren. Petrus ist inzwischen tot und seine Person an sich wird für das johanneische Christentum von eher untergeordneter Bedeutung gewesen sein. Nun wurde schon in der Textanalyse (2.5.4.2) festgestellt, daß Petrus offensichtlich eine repräsentative Funktion zukommt. Die Rolle des Hirten, die ihm zugewiesen wird, ist deshalb nicht an seine Person gebunden und auf sie beschränkt, sondern aktualisiert sich in der Funktion der Gemeindeleitung. Daß es hier nicht um eine **kirchen**leitende Funktion geht, wurde in der Textanalyse auch schon festgestellt. Petrus wird zum Hirten und nicht zum Oberhirten gemacht. Wird nun die Hirtenfunktion des Petrus als eine begriffen, die sich in der Leitungsfunktion der johanneischen Gemeinde(n) aktualisiert, so hat das Petruskonzept des Joh einen gut erklärbaren Ort in der skizzierten Kommunikationssituation der Redaktion.

Im innergemeindlichen Konflikt wird den Leitern[1] des johanneischen Christentums eine wichtige Rolle zugeteilt. Sie haben nach dem Bruch für die (offensichtlich alles andere als gesicherte) Einheit, für den Zusammenhalt der Restgemeinde zu sorgen. In dieser Aufgabe haben sie Jesus nachzufolgen, wenn sie ihn denn

---

1) Wenn das johanneische Christentum als Gemeindeverband vorgestellt wird, wie dies heute meist der Fall ist, dann wird es mehrere Leiter gegeben haben. Daher meine Pluralformulierung.

lieben. Jesus hat als Hirte sein Leben hingegeben für die Schafe,
Petrus hat als Hirte sein Leben verloren, also müssen auch die
Leiter der Gemeinde(n) bereit sein, Härten in Kauf zu nehmen. Es
braucht dabei nicht so zu sein ,daß die Gemeinde(n) in einer aku-
ten Verfolgungssituation stand(en), in der die Leiter tatsächlich
Gefahr liefen, ihr Leben zu verlieren. Der Gedanke wird eher der
sein, daß die gegenwärtigen Hirten angesichts der Tatsache, daß
Jesus und Petrus in den Tod gingen, die viel kleineren Lasten,
die ihnen abverlangt werden, erst recht auf sich nehmen müssen.[1]
Die Verpflichtung der Leitenden zum Dienst an der Einheit der Gemeinde paßt gut zum Bemühen der Redaktion, nach dem Bruch die
Gruppe der Bleibenden zu stabilisieren, Gemeinde neu zu formie-
ren.
Auffällig ist nun, daß Petrus immer dann in die Rolle des zweiten gedrängt wird, wenn es um Glaube und Zeugnis geht. Beim Verrat, am leeren Grab, bei der Begegnung mit dem Auferstandenen
muß er hinter den Lieblingsjünger zurücktreten. So wird deutlich
gemacht, daß der Lieblingsjünger - und nicht Petrus - für die
rechte Interpretation der Heilstatsachen zuständig ist. In diesem Punkt steht Petrus allenfalls an zweiter Stelle, ja aus 13,
21 ff ist zu schließen, daß er in dieser Hinsicht ganz genau wie
alle anderen Jünger auf den geliebten Jünger angewiesen ist und
keine besondere eigene Qualität hat. Mit dieser Konstruktion
wird in der innergemeindlichen Auseinandersetzung den Leitenden
die Lehrfunktion abgesprochen. Zuständig für den (rechten) Glauben sind nicht die Hirten, sondern die, die der Lieblingsjünger
innertextlich repräsentiert. Aus der Tatsache, daß im Text die
Leitungsfunktion des Petrus und die Zeugenfunktion des geliebten
Jüngers so deutlich unterschieden werden, ist weiter zu schließen,
daß die Gemeindeleiter in der Auseinandersetzung nicht selbstverständlich auf der Seite der Redaktion standen oder einfach zu
dieser Gruppe dazugehörten. Dann würden dem Lieblingsjünger innertextlich wohl beide Funktionen zugeschrieben.

---

1) Ein solcher Schluß liegt ja auch in Joh 13 vor, wo aus der
   Liebe Jesu bis in den Tod die Pflicht zur gegenseitigen Liebe
   abgeleitet wird, ohne daß die Glaubenden unbedingt für einander sterben müßten.

Die erzählte Trennung deutet eher darauf hin, daß sich die Leitenden im Konflikt schwankend verhielten, vielleicht sogar in
Richtung der Gegner tendierten[1] und sich erst später für die
Gruppe derer entschieden, die dann letztlich 'blieben'. Die Leitungsfunktion war nicht einfach auf der Seite der Redaktion, sondern mußte als eine von dieser Gruppe unterschiedene Größe erst
auf die 'richtige' Seite gebracht werden.

Dies ist offensichtlich gelungen, und zwar so, daß die Gemeindeleitung, was die inhaltliche Bestimmung des christlichen Glaubens
angeht, der Redaktion untergeordnet wird.

Wenn nun Petrus als innertextlicher Repräsentant einer außertextlichen Funktion zu sehen ist, dann stellt sich die Frage, ob
dies auch beim geliebten Jünger so ist.

Vergegenwärtigen wir uns die Indizien noch einmal:

In Joh 13 hatten wir festgestellt, daß die Verratsthematik immer wieder durch eine besondere Beteiligung der Lesenden auf die
außertextliche Welt hin geöffnet wird. In Joh 19,35 war zu sehen,
daß die impliziten Leser und Leserinnen das Zeugnis des geliebten
Jüngers in vergangenen[2] Ereignissen ihrer Lebenswelt entdecken
sollen. Gleichzeitig war aber auch in der Nullstufenperspektive
in 35d die Gegenwart als Ort des Zeugnisses ins Spiel gekommen.
Dieses Schwanken der Perspektive entspricht dem auffälligen, jede klare Aussage vermeidenden Abblenden des Todes des Jüngers in
21,22 f. In 21,24 findet sich die abschließende Verfasserschaftsangabe und eine präsentische Formulierung über das Lieblingsjün-
gerzeugnis und es wird deutlich, daß das Joh zwar als gültige Fixierung des Zeugnisses zu sehen ist, daß sich aber das Zeugnis
des geliebten Jüngers nicht auf den Text einschränken läßt. Es
war festzustellen, daß 21,24 als pseudepigraphische Verfasserschaftszuweisung aufzufassen ist. Hinter dem Autor, der nicht
der geliebte Jünger ist, steht eine Gruppe, die das Evangelium
in seiner redigierten Fassung faktisch verantwortet, sich selbst

---

1) Diese Erfahrung wäre dann in der Verleugnungserzählung in Joh
18 narrativ umgesetzt.
2) Ich erinnere an die rückschauende Perspektive in 19,35a!

aber nur die Rolle von Herausgebern zuweist. Diese Gruppe - ich habe sie hier im 3. Kapitel einfach Redaktion genannt - hat im innergemeindlichen Streit eine Entscheidung herbeigeführt durch die Trennung von den als ungläubige Verräter gebrandmarkten Gegnern.

Diese Trennung und ihre Folgen aufzuarbeiten, ist eine grundlegende pragmatische Intention des redaktionellen Joh.

In Parallele zur pragmatischen Qualität der Petrusgestalt könnte nun diese Reihe von Indizien so gedeutet werden, daß es auch beim geliebten Jünger nicht primär um die Qualität einer Einzelperson geht, sondern um die Beschreibung einer Funktion, die relativ personenunabhängig existiert. Die rückschauende Perspektive in 19,35a wäre dann von den Lesenden konkret auf die von der Redaktion vollzogene Trennung zu beziehen. Das verräterentlarvende Zeugnis des geliebten Jüngers würde den Lesenden als ein Deutemodell für das konkrete Vorgehen der Redaktion an die Hand gegeben. Das Abblenden des Todes hätte dann seinen pragmatischen Sinn darin, das Zeugnis des geliebten Jüngers von einer Einzelperson zu lösen und eine funktionale Auswertung für die Zukunft zu ermöglichen. Die Redaktion würde dann nicht nur ihr vergangenes Vorgehen legitimieren, sondern mit der Funktion des Lieblingsjüngers zugleich die Rolle beschreiben und zu institutionalisieren, die sie von nun an in der Gemeinde zu spielen gedenkt.

Diese Konstruktion entspricht dem Textdatum, daß jeweils die Funktion des Jüngers über die Textwelt hinausweist. Auf die Annahme einer konkreten historischen Gestalt, die die Lesenden mit dem erzählten Lieblingsjünger in Verbindung bringen sollen, kann damit verzichtet werden.[1]

---

1) Die hier vorgetragene Lösung unterscheidet sich von KRAGERUDs (1959, 113 ff) in zweierlei Hinsicht:
 - Ich behaupte nicht, daß der geliebte Jünger als Kollektivgestalt **gemeint** ist, sondern halte daran fest, daß er eine geschichtliche Gestalt darstellen **soll**.
 - Die Zuordnung des Lieblingsjüngers zum charismatischen Prophetentum halte ich für falsch, weil die Redaktion eher eine **antipneumatische** Position einnimmt.

Da nun freilich diese Konsequenz zu einem Widerspruch mit einem weitgehenden Konsens der jüngeren Forschung führt, soll die hier skizzierte Hypothese im folgenden Abschnitt in Auseinandersetzung mit den Lösungsmodellen von THYEN und LANGBRANDTNER weiter begründet werden.

3.3.3 Radikale Anonymität: Der geliebte Jünger als fingiert historische Gestalt

Was die innerjohanneische Ausrichtung der Petrus/Lieblingsjünger-Relation angeht, so befinde ich mich mit THYEN und LANGBRANDT-NER[1] wohl weitgehend in Übereinstimmung. Beide halten aber an der historischen Existenz des Lieblingsjüngers fest.
THYEN[2] sieht das 'historische Pendent' der erzählten Figur in einem 'geachteten Lehrer' der Gemeinde, der als 'geistbegabter Überlieferungsgarant' fungierte. Das aktuelle Schisma hat eine Situation akuter Naherwartung (21,22 f) erzeugt. In dieser Situation ist der geliebte Jünger gestorben. Dieser Tod muß bewältigt, sein Zeugnis durch schriftliche Fixierung vor dem 'Zersagen' geschützt werden.
Die Lieblingsjüngertexte sind Fiktion, sie stammen nicht vom Jünger selbst, der sich auch nicht als Lieblingsjünger bezeichnet hat, sondern erst von der Redaktion so genannt wird.[3] Der geliebte Jünger ist nicht der Verfasser des vorliegenden Joh und auch nicht der Grundschrift. Er war auch kein historischer Jünger Jesu. Die Verfasserschaftsangabe in Joh 21,24 ist also ein Fall von Pseudepigraphie. Allerdings wird hier nicht auf eine allgemein bekannte urchristliche Autorität rekurriert, sondern eine nur dem eigenen Kreis bekannte Gestalt als Anonymus in die Zeit Jesu rückprojiziert.

---

1) Vgl. THYEN 1977a, 265 f.292 f; ders. 1977b, 254; ders. 1979a, 476; ders. 1980, 179; LANGBRANDTNER 1977, 27.114 f.
2) Vgl. zum Folgenden THYEN 1977a, 293-299.
3) Die Tatsache, daß bei der Lieblingsjüngerbezeichnung eine Lexemvarianz (20,2 weicht mit ἐφίλει von den anderen Stellen ab) auftritt, spricht sehr dafür, daß die Bezeichnung außertextlich **nicht vorgeprägt** war.

Der historische Lieblingsjünger könnte die synoptische Tradition in die johanneischen Gemeinden eingebracht und mit ihrer Hilfe die Doketismus-Krise bekämpft haben.

Schließlich identifiziert THYEN den geliebten Jünger mit dem 'Alten' des 3 Joh.

Bei LANGBRANDTNER[1] sieht die Sache ganz ähnlich aus. Auch er konstatiert, daß der geliebte Jünger eine historische Person gewesen sein müsse. Sein Tod ist entgegen einem in der Gemeinde umlaufenden Herrenwort doch vor der Parusie eingetreten, was die Gläubigen verwirrt hat.

Der Jünger war eine Persönlichkeit höchsten Ansehens und wurde aufgrund seines hohen Alters für einen Jünger Jesu gehalten. Sein Wirkungsfeld lag im Bereich der Lehre und so trug er in der Auseinandersetzung mit den innergemeindlichen Gegnern die Hauptlast. Seine Autorität im Streit festigte er durch den Anspruch, bis zur Parusie zu leben, bei der Entlarvung des Judas, bei der Kreuzigung und am leeren Grab Augenzeuge gewesen zu sein.

So gelang es ihm, die Dissidenten als Verräter auszustoßen. Nach der Spaltung (und nach dem Tod des Jüngers) untermauert die Redaktion ihren Wahrheitsanspruch durch Berufung auf den geliebten Jünger als Garanten. Die konkrete narrative Gestaltung des Lieblingsjüngers benutzt sie, um die historisch von ihm vertretene und jetzt umstrittene Lehre zu festigen, ihr wieder Geltung zu verschaffen.

Könnte es so gewesen sein?

Ich glaube es nicht. Die Probleme, die beide Entwürfe noch mit sich bringen, scheinen mir doch zu groß.

Da steht auf der einen, der historischen Seite ein Mann, der **nicht** der Verfasser des Evangeliums ist, der **nicht** Jünger Jesu war und sich **nicht** als Lieblingsjünger bezeichnete, und auf der anderen, der textlichen Seite steht ein Jünger Jesu, der als der geliebte Jünger bezeichnet und mit dem Autor des Evangeliums identifiziert wird.

---

1) Vgl. zum Folgenden LANGBRANDTNER 1977, 115-120.

Die Frage stellt sich, wie die Lesenden der johanneischen Gemeinde die historische Gestalt mit der erzählten Figur identifizieren konnten. Das Argument, die historische Gestalt sei eben eine überragende Autorität des johanneischen Christentums gewesen, ist nur eine Ausrede, die nicht weiter hilft, weil sie das Problem des Wiedererkennens nicht löst. Wird aber der Zusammenhang auf die funktionale Parallele zwischen Lieblingsjünger und dem anonymen Lehrer der Gemeinde reduziert, so sind wir bei dem von mir skizzierten Modell, weil die Funktion natürlich etwas ist, was nicht nur auf eine Person zutreffen muß.

Eine Möglichkeit wäre es, mit LANGBRANDTNER anzunehmen, daß die in den Lieblingsjüngertexten entworfenen Situationen wenigstens grob auf einen vom Lehrer erhobenen Anspruch auf Augenzeugenschaft zurückgehen. Damit wäre in der Tat das Problem der Verknüpfung von erzählter und historischer Person gelöst. Leider ist diese Annahme auch wenig wahrscheinlich. Entweder ist dieser Anspruch nämlich in der Gemeinde nicht akzeptiert worden, dann war dieser Lehrer keine Autorität und eine Berufung auf ihn mit Hilfe einer narrativen Ausgestaltung für die Redaktion sinnlos; oder dieser Anspruch wurde akzeptiert, dann war der Zeuge eine gewichtige Autorität und eine Berufung auf ihn sinnvoll. Es stellt sich dann aber die Frage, warum diese Autorität die Fehlentwicklung in der johanneischen Gemeinde nicht verhindern konnte. Sollte der Lehrer etwa die Position der von der Redaktion korrigierten Gemeindetradition vertreten haben? Das ist doch mehr als unwahrscheinlich, denn dann müßte die Redaktion die erzählte Lieblingsjüngerfigur "ausgerechnet stets dazu gebraucht haben, gerade solche Mißverständnisse auszuräumen, die das historische Urbild dieser literarischen Figur allererst **erzeugt** hätte".[1] Es ist wohl unausweichlich anzunehmen, daß, wenn diese historische Lehrergestalt tatsächlich existierte, ihre Lehrposition in engem Zusammenhang mit der theologischen Position der Redaktion zu sehen ist. Dann aber stellt die Frage, wie es denn überhaupt zu der bedrohlichen Fehlentwicklung kommen konnte, ein schier unüber-

---

1) THYEN 1977a, 295.

windbares Problem dar. Eine mögliche Lösung wäre es, den historischen Gemeindelehrer in die Zeit **vor** der Ausbildung der Theologie
zu verlegen, die die Redaktion reinterpretiert. Dieser Überlegung
würde entsprechen, daß die Redaktion ja traditionsgeschichtlich
altes Material neu einbringt. Allerdings würde die Gestalt des
Lehrers dann im Dunkel der Frühgeschichte der Gemeinde verschwinden. Daß die Adressaten, die nicht zur Gruppe der Traditionsträger
(Johanneische Schule) gehörten, eine genauere Kenntnis von ihm
hatten, ist dann nahezu ausgeschlossen. Eine besondere Autorität
kann er in der Gemeinde kaum noch besessen haben. Das freilich
entspricht durchaus zwei wichtigen Beobachtungen, die am Text zu
machen sind.

1. "The Beloved Disciple, somewhat surprisingly, is introduced
   as a character unknown to the reader (13:23; 21:24). He is
   first referred to as 'one of his disciples, whom Jesus loved'
   (13:23), not '*the* disciple whom Jesus loved' as he is in
   19:26; 20:2; 21:7,20. The difference is slight but shows
   that the reader is not expected to recognize the Beloved
   Disciple. At the end, the reader must also be told that it
   was the Beloved Disciple who bore witness to, and wrote,
   these things (21:24)."[1]
   Der Text erwartet also von seinen Lesenden nicht, daß sie
   den geliebten Jünger kennen, zumindest nicht so, wie er erzählt wird.

2. Textanfänge haben eine wichtige rezeptionssteuernde Funktion.
   Hier werden im allgemeinen alle für ein adäquates Verständnis
   notwendigen Informationen gegeben. Dazu gehören etwa Gattungszuordnungen und Verfasserschaftsangaben. Der Anfang des Joh
   macht nun keinesfalls den Eindruck, als beginne hier ein historischer Augenzeugenbericht. Die Erzählung beginnt nämlich
   mit dem vorweltlichen Anfang. Wenn dann in 1,14 das Thema
   der Augenzeugenschaft anklingt, bleibt die Identität des
   Verfassers gleichwohl im Dunkel. Der Beginn des Joh ist also

---

1) CULPEPPER 1983, 215.

in zweifacher Hinsicht als Textanfang defizitär. Angesichts
der Zuweisung des Textes an einen Augenzeugen als Verfasser
in 21,24 ist dieses Defizit umso erstaunlicher und es drängt
sich die Frage auf, warum ein so wichtiges makrosyntaktisches
Signal so spät kommt.

Die Antwort liegt darin, daß der Text die Indentität seines
'Autors' erst kontinuierlich aufbauen muß, um ihm am Ende
die Verfasserschaft zuweisen zu können. Das bedeutet aber,
daß es hier nicht nur darum geht, eine bekannte Autorität
neu zu zeichnen. Dann könnte nämlich zu Beginn eine Verfasserschaftszuweisung erfolgen und dann in den Lieblingsjüngertexten dieser 'Verfasser' anschließend genauer qualifiziert werden. Eine Verfasserangabe zu Beginn des Textes ist freilich
nur dann unproblematisch, wenn es für die Lesenden die Möglichkeit einer außertextlichen Referenz gibt. Die Tatsache,
daß eine solche Angabe erst am **Schluß** des Textes erfolgt, wenn
ein innertextlicher Bezugsrahmen aufgebaut ist, ist aber ein
Indiz dafür, daß es eine außertextliche Bezugsmöglichkeit
nicht gibt. Das bedeutet, daß der verehrte Lehrer der Gemeinde in der Lieblingsjüngergestalt nicht nur neu beschrieben
wird, sondern daß es ihn außertextlich wahrscheinlich gar
nicht gab. Zumindest erwartet der Text von seinen Lesenden
nicht, daß es ihnen möglich ist, die innertextliche Lieblingsjüngergestalt mit einer bekannten Persönlichkeit des johanneischen Christentums zu verknüpfen. Die Existenz einer apostolischen Lehrer- und Gründergestalt, die am Beginn des johanneischen Christentums steht oder zumindest in der Gemeindegeschichte eine wichtige Rolle gespielt hat, kann natürlich
nicht bestritten werden. Unbestreitbar ist ferner die Möglich-
kei, daß die Redaktion diese Gestalt kannte und bei der Gestaltung der Lieblingsjüngerfigur an diese dachte. Nur bedeuten diese **Möglichkeiten** weder für unsere Kenntnis der johanneischen Gemeindegeschichte noch für das Verständnis der
Lieblingsjüngertexte des Joh etwas, weil die Redaktion darauf
verzichtet hat, diese Figur mit dem Lieblingsjünger ihres
Textes in Verbindung zu setzen. Deshalb ist die Existenz dieser Urautorität auch bloß postulierbar, aber nicht zu beweisen.

Der letzten Schlußfolgerung könnte mit zwei Standardargumenten der Forschungsgeschichte begegnet werden.

Das erste lautet: Der geliebte Jünger muß doch eine historische Gestalt sein, weil er innertextlich immer zusammen mit anderen Personen auftritt, die auch außertextlich existieren, etwa Jesu Mutter, Petrus, Jesus selbst. - Natürlich könnte gefragt werden, was denn der erzählte Petrus außer dem Namen mit dem historischen Jesusjünger gemeinsam hat, aber davon abgesehen führt dieses Argument ohnehin nur dazu, daß anerkannt werden muß, daß der Lieblingsjünger als geschichtliche Gestalt gemeint ist. Für die historische Frage ist damit aber nichts gewonnen: Der Jünger soll ja auch Jünger Jesu und Verfasser des Joh gewesen sein.

Historisch war er keines von beiden.

Der zweite zu erwartende Einwand stützt sich auf das in 21,22 f thematisierte Gerücht, der Lieblingsjünger werde leben bis zur Wiederkunft des Herrn. Die historische Existenz dieses Gerüchts ist - soweit ich sehe - unumstritten. Wenn es aber ein solches Gerücht gab, dann muß es ja wohl auch den Jünger gegeben haben. Nun macht aber die Annahme, das betreffende Gerücht sei unter den Adressaten bekannt gewesen, einige Probleme.

- Zum einen setzt der Text das Gerücht nicht als bekannt voraus, sondern formuliert es voll aus. Das ist ungewöhnlich, weil bei einer gewissen Verbreitung des Gerüchts eine entsprechende Fassung des Jesuswortes zur Korrektur ausgereicht hätte.

- Außerdem halte ich die Vorstellung, ein unbequem gewordenes, durch die Geschichte widerlegtes 'Herrenwort' habe nicht schweigend übergangen werden können, für eine falsche Einschätzung der normativen Kraft solcher Worte.

- Drittens drückt sich in dem Brüderlogos eine eschatologische Erwartung aus, die angesichts der realized eschatology, die die von der Redaktion korrigierend verarbeitete Tradition zeigt, ein historisches Problem darstellt. Wenn nämlich das Konzept einer präsentisch vollendeten Eschatologie in der Gemeinde vorherrschend war - und das ist die Voraussetzung dafür, daß es zu ernsthaften Problemen damit kommen konnte -, dann ist nicht einsehbar, wie ein solches 'Herrenwort' überleben konnte. Die Aus-

kunft THYENs, das aktuelle Schisma habe akute Naherwartung sti-
muliert,[1] überzeugt nicht, weil die ausgewogene Synthese, die
die Redaktion in diesem Punkt herstellt, deutlich werden läßt,
daß die Reapokalyptisierung Teil eines wohlerwogenen theologischen Programms, nicht aber herrschende Ansicht unter den
Gläubigen war. Die apokalyptische Dimension des Eschatologie-
verständnisses entstammt einem geplanten Reaktivieren und
nicht einem 'urwüchsigen' Wiederaufleben.

- Schließlich weist die Formulierung in V. 23 ("unter den Brüdern")
darauf hin, daß der implizite Autor den Verbreitungskreis des
Gerüchts von seinen Adressaten unterscheidet, die der Erzähler
ja sonst direkt anreden kann. Das könnte bedeuten, daß das Gerücht im johanneischen Christentum verbreitet ist und Joh 21
sich an ein außerjohanneisches Publikum richtet.[2] Allerdings
ist RUCKSTUHLs entsprechende Vermutung nicht plausibel, weil
die Vorstellung, die Redaktion wende sich in der Not der innergemeindlichen Auseinandersetzung an 'petrinische' Gemeinden
als helfende Autorität, eine anachronistische ist.[3] Die zweite Möglichkeit, diesen Befund zu erklären und zugleich die anderen Probleme zu lösen, ist der Entschluß, das Gerücht für
eine literarische Fiktion zu halten.[4]
Das entspricht auch am besten der Tatsache, daß der Brüderlogos
so völlig in seinen literarischen Kontext integriert ist, und
in diesem Zusammenhang dazu dient, den Tod des geliebten Jüngers
auszublenden.
Mit dem Gerücht in Joh 21,22 f ist nun aber der letzte Anhalt
für die historische Existenz einer der erzählten Lieblingsjüngerfigur entsprechenden Person gefallen.
Das ist kein Verlust an Erkenntnis, sondern macht im Gegenteil
erst den Weg frei, für eine umfassende Würdigung der Anonymität
der Lieblingsjüngerfigur.

---

1) Vgl. THYEN 1977a, 293.
2) Vgl. RUCKSTUHL 1978, 356.
3) Gegen RUCKSTUHL 1978, 360 f.
4) Vgl. SCHWARTZ 1914, 215 f.

Ich habe ja die älteren Identifizierungsversuche kritisiert, weil sie jeweils eine Zerstörung der Anonymität anzielten. In diesem Punkt ist das Konzept vom namenlosen Lehrer der Gemeinde sicher ein Fortschritt, insofern es wenigstens für heutige Rezipienten die Respektierung der Anonymität einfordert. Die Identifizierung wird dabei aber nur rückdatiert, weil ja angenommen wird, das textzeitgenössische Publikum habe aufgrund außertextlichen Wissens, über das wir heute nicht mehr verfügen, die Anonymität auflösen und eine Identifizierung vollziehen können. Damit wäre aber die kommunikative Qualität der Leerstelle 'Anonymität' recht gering. Sie beschränkte sich darauf, eine gewisse Beteiligung der Lesenden bei der Identifizierung des (angeblichen) Verfassers zu initiieren, und wäre dann erschöpft.

Wenn es dagegen auch für das textzeitgenössische Publikum keine Möglichkeit gab, den Lieblingsjünger einfach zu identifizieren, dann bleibt die kommunikative Qualität der Namenlosigkeit als Leerstelle **auf Dauer** erhalten. Sie ist nicht nur momentane, sondern **permanente Herausforderung an die Lesenden.** Sie reizt ständig dazu, sie zu füllen, ohne daß dies durch eine einfache Namensgebung möglich wäre. Damit bleibt auch die Qualität der Figurenmerkmale erhalten, die innertextlich an die Stelle eines Namens getreten sind und die Figur individualisieren. Bei einer Identifizierung aufgrund außertextlichen Wissens verlieren die Merkmale diesen Rang; sie machen nicht mehr die Figur aus, sondern treten als zusätzliche Charakterisierungen zum Namen hinzu. Diese Relativierung der innertextlich zugewiesenen Merkmale tritt dann nicht ein, wenn eine Identifizierung nicht möglich ist. Dann bleiben die Lesenden dauerhaft auf sie verwiesen. Die Herausforderung der Leerstelle wird dann so angenommen, daß nicht die Person in die Lebenswelt übersetzt wird, sondern die **Charakterisierungen** der Person. Die Frage ist dann nicht: "Wer ist der Lieblingsjünger?", sondern: "Wo vollzieht sich in der Lebenswelt etwas, was der besonderen Autorität des geliebten Jüngers entspricht?

Die zweite Frage führt die Lesenden auf Rolle und Funktion der Redaktion im jüngst vergangenen Streit und in der Zukunft der Gemeinde.

Das Joh in seiner redaktionellen Endgestalt ist also ein pseud-
epigraphisches Werk, und zwar ein Fall jener **doppelten** Fiktion,
wo die Autorität, mit der Einfluß ausgeübt werden soll, selbst
erfunden und also manipuliert ist.[1] Eine fiktive Gestalt, die
entsprechend den theologischen Notwendigkeiten gestaltet ist,
wird als historische Gestalt, als Augenzeuge und Verfasser ausge-
geben, eine Täuschung der Adressaten damit mindestens in Kauf genommen.[2] Das damit verbundene moralische Problem kann hier
nicht ausführlich diskutiert werden. Einige Anmerkungen dazu haben die bisherigen Analysen freilich ermöglicht.

Kennzeichnend für die jüdisch-christliche Pseudepigraphie ist ja
ein ganz bestimmter Denkrahmen, nämlich die **Verbindung von Alter
und Wahrheit**. Was jetzt als Wahrheit zu gelten hat, darüber wurde in normativer Vergangenheit entschieden. Deshalb werden jetzt
gemachte Aussagen zu ihrer Autorisierung zurückprojiziert.[3] Für
die johanneische Redaktion ist die normative Vergangenheit der
irdische Jesus, dessen Wahrheit gerettet werden muß. Hinzuweisen
ist in diesem Zusammenhang auf die Beobachtung, daß die Redaktion
in ihrer theologischen Arbeit konservativ ist und traditionsgeschichtlich altes Material neu einbringt. Sie konnte ihre Arbeit
also nach ihrem Wissen als Versuch ansehen, dem 'guten Alten', der
Botschaft Jesu, wie sie 'von Anbeginn' galt, neu Geltung zu verschaffen.

Die enge Bindung der Redaktion an traditionsgeschichtlich alte
theologische Konzepte läßt übrigens auch die Frage nach der
Apostolizität des Joh in einem neuen Licht erscheinen. Ist der
geliebte Jünger auch nicht das (Selbst-)Porträt eines apostolischen Verfassers, so kann er doch als der (erzählte) Garant
alter Tradition, als die narrativ verdichtete **Personifizierung
des apostolischen Uranfangs** des johanneischen Christentums gelten.

Außerdem ist auf die zu Beginn der Arbeit gemachte Feststellung
aufmerksam zu machen, daß es im frühen Christentum ein positives

---

1) Vgl. BROX 1975, 57.
2) Daß die Pseudepigraphie des Joh kein literarisches Spiel ist,
   hat schon OVERBECK (1911, 220-242) energisch betont.
3) Vgl. BROX 1975, 117 f.

Fiktionalitätskonzept nicht gibt. Auch war festzustellen, daß
die Redaktion die Wirksamkeit des Geistes der Norm des Lieblingsjüngerzeugnisses, das **Jesu** Worte bewahrt, unterwirft. Diese 'Ru-
higstellung' des Geistes (und damit verbunden die pseudepigraphische Autoritätsbildung) scheint mir eine notwendige Folge der Mo-
moire-Collective-Funktion der frühchristlichen Erzählliteratur
zu sein.[1] Insofern um der identitätssichernden Aufgabe der Tradition willen ein Konzept **legitimer** Fiktionalität unmöglich war,
konnte die notwendige kreative Produktivität (als Anpassung von
Tradition an Veränderungen der Wirklichkeit) zunächst über in-
spirationstheologische Systeme abgesichert werden: Der Geist Gottes bzw. Jesu legitimiert das prophetische Wort als Wort Jesu.
Die Berufung auf den Geist als Präsenz des erhöhten Herrn gelang-
te aber dort an die Grenze ihrer theologischen Gültigkeit und
soziologischen Funktionalität, wo sie zu einer unüberschaubaren
Vielzahl widerstrebender Produktionen führte und letztlich kontraproduktiv zu werden drohte, weil gerade die identitätsstiftende
Funktion der Tradition in Gefahr geriet.[2] Wo Fiktionalität als
Ausweg nicht möglich ist und die prophetisch-pneumatische Legitimierung kontraproduktiv zu werden droht , ist aber Pseudepigraphie die einzige Alternative. Als Nichtfiktivitätsfiktion[3]
sichert sie einerseits die Memoire-Collective-Funktion, bleibt
aber andererseits flexibel genug, um Herausforderungen kreativ
(im Sinne uneingestandener Aktualisierung) anzugehen, ohne die
Auflösungserscheinungen pneumatischer Konzepte in Kauf nehmen zu
müssen. Auch wenn sich also die johanneische Redaktion bei ihrer
Arbeit als unter der Einwirkung des heiligen Geistes stehend betrachtete, konnte sie sich doch schwerlich explizit auf die Autorität des Geistes berufen. Schließlich wollte sie ein Konzept
korrigieren, dessen 'Spiritualisierung' zu Problemen in der Gemeinde geführt hatte.

---

1) Zum Begriff des kollektiven Gedächtnisses vgl. noch einmal
   1.2.3.
2) Eine entsprechende Problemlage im johanneischen Bereich rekonstruiert WOLL 1981.
3) Der Begriff wurde von MARQUARD 1983 geprägt, freilich in einem
   anderen Zusammenhang.

So schuf sie sich ihre fiktiv historische Autorität des geliebten Jüngers, um nachträglich die Funktion zu legitimieren und zu
stabilisieren, die sie in der Auseinandersetzung wahrgenommen
hatte[1] und als wesentlich auch für die Zukunft der Gemeinde(n)
erachtete.[2]

Die redliche Absicht, eine Wahrheit zu retten, die ihr lebens-
wichtig und lebenspendend war, heiligte der Redaktion das Mittel
der Verfasserschaftsfiktion.

---

1) Wenn 1 Joh tatsächlich älter ist als das Joh in seiner redaktionellen Endgestalt, dann ist dort gut zu sehen, wie die Redaktion
ihre Autorität im laufenden Konflikt ohne Berufung auf den Lieblingsjünger begründete. Vgl. KÜGLER 1988.

2) Es geht also nicht nur, aber immerhin auch um die Kanonisierung
des Textes, wie THYEN 1977a, 292 f richtig sieht.
Die Gründung von Lehrautorität auf Augenzeugenschaft und Apostolizität wird die Forschung zukünftig vor die Aufgabe stellen, das Joh
verstärkt dem Phänomen 'Frühkatholizismus' zuzuordnen, wenn denn
im "Willen zur Hinwendung zum 'Apostolischen' und zur Unterordnung
unter das 'Apostolische'" (LUZ 1974, 106) das zentrale Merkmal
des Frühkatholizismus zu sehen ist. Auch andere Charakteristika
des Joh legen eine solche Zuordnung nahe:
- die antienthusiastische Normierung des Geistes durch die Tradition,
- die Neigung zur Pseudepigraphie und
- die Tendenz zur Objektivierung des Glaubens als Orthodoxie (vgl.
LUZ 1974, 104-111).
Wie zu sehen war, gehört in diesen Rahmen auch die Auseinandersetzung zwischen Leitungs- und Lehrfunktion, wie sie sich in der
Konkurrenz zwischen Petrus und dem Lieblingsjünger spiegelt. Mit
dieser Auseinandersetzung ist das Joh ein frühes Zeugnis für den
späteren Konflikt zwischen Lehrern und Presbyter-Episkopen. Vgl.
dazu GRASMÜCK 1987, 97-101.

4. LITERATUR

Zu den im Folgenden verwendeten Abkürzungen vgl.

SCHWERTNER, Siegfried, Theologische Realenzyklopädie. Abkürzungsverzeichnis, Berlin/New York 1976.

Abweichend bzw. zusätzlich habe ich verwendet:

BiNo	=	Biblische Notizen
Hgg.	=	Herausgeber (Plural)
Hg.in	=	Herausgeberin
Hg.innen	=	Herausgeberinnen
JSNT	=	Journal for the Study of the New Testament.

Die mit ✻ gekennzeichneten Veröffentlichungen waren trotz intensiver Bemühungen nicht oder zu spät zugänglich.

4.1. TEXTE UND HILFSMITTEL

BAUER, Walter, Griechisch-Deutsches Wörterbuch zu den Schriften des Neuen Testaments und der übrigen urchristlichen Literatur, [5]Berlin 1958.

BIBLIA HEBRAICA STUTTGARTENSIA, hg.v. R.Kittel u.a., [16]Stuttgart 1971.

BURCHARD, Christoph, Ein vorläufiger griechischer Text von Joseph und Aseneth, DBAT 14 (1979) 5-53.

ders., Joseph und Aseneth, JSHRZ II, 577-735.   <= BURCHARD 1983 >

CONSTITUTIO DOGMATICA DE DIVINA REVELATIONE, AAS 58 (1966) 817-836.

FISCHER, Joseph A., Die sieben Ignatiusbriefe, in: Schriften des Urchristentums I. Die Apostolischen Väter, [8]Darmstadt 1981, 109-225.

FLAVIUS JOSEPHUS, De Bello Iudaico. Der Jüdische Krieg. Griechisch und Deutsch, hg.v. O.Michel/O.Bauernfeind, 3 Bde., [3]Darmstadt 1982.

LEWANDOWSKI, Theodor, Linguistisches Wörterbuch, 3 Bde., [4]Heidelberg 1984/85.

MAIER, Johann / SCHÄFER, Peter, Kleines Lexikon des Judentums, Stuttgart 1981.

MOULTON, W.F. / GEDEN, A.S. / MOULTON, H.K., A Concordance to the Greek Testament, [5]Edinburgh 1978.

PHILO von Alexandrien, Die Werke in deutscher Übersetzung, hg.v. L.Cohn/I.Heinemann/ M.Adler/W.Theiler, [2]Berlin 1962.

PHILONIS Alexandrini opera quae supersunt, hg.v. L.Cohn/P.Wendland, Berlin 1896.

NOVUM TESTAMENTUM GRAECE, hg.v. K.Aland/M.Black/C.M.Martini/B.M.Metzger/A.Wikgren, [26]Stuttgart 1979.   <= NESTLE[26] >

SEPTUAGINTA. Id est Vetus Testamentum graece iuxta LXX interpretes, hg.v. A.Rahlfs, 2 Bde., Stuttgart 1935.

ZERWICK, Max, Analysis philologica Novi Testamenti Graeci, Rom 1953.

4.2. Ausgewählte Literatur

ABRAMOWSKI, Luise, Die "Erinnerungen der Apostel" bei Justin, in:
Stuhlmacher 1983, 341-353.

ACKROYD, Peter R., The 153 Fishes in John XXI.11 - A Further Note, JThS 10 (1959) 94.

AGOURIDES, Savas C., The Purpose of John 21, in: B.L.Daniels/M.J.Suggs (Hgg.),
Studies in the History and Text of the New Testament. FS K.W.Clark,
Salt Lake City 1967, 127-132.

ALAND, Kurt, Die Bedeutung des P[75] für den Text des Neuen Testaments. Ein Beitrag zur
Frage der 'Western-non-Interpolations', in:
ders., Studien zur Überlieferung des Neuen Testaments und seines Textes,
Berlin 1967, 155-172.
ders., Noch einmal: Das Problem der Anonymität und Pseudonymität in der christlichen
Literatur der ersten beiden Jahrhunderte, in: E.Dassmann/K.S.Frank (Hgg.),
Pietas. FS B.Kötting, Münster 1980, 121-139.

ALSUP, John E., The Post-Resurrection Appearance Stories of the Gospel Tradition,
Stuttgart 1975.

ANDERSEN, Axel, Zu Joh 6,51b ff, ZNW 9 (1908) 163-164.

ASHTON, John, The Identy and Function of the ΙΟΥΔΑΙΟΙ in the Fourth Gospel,
NT 27 (1985) 40-75.

BACON, Benjamin W., The Disciple whom Jesus loved and his Relation to the Author,
Exp. 4 (1907) 324-339.
ders., The Fourth Gospel in Research and Debate, New Haven 1918.
ders., The Motivation of John 21,15-25, JBL 50 (1931) 71-80.
ders., The Sacrament of Footwashing, ET 43 (1931/32) 218-221.

BALL, R.M., S.John and the Institution of the Eucharist, JSNT 23 (1985) 59-68.

BALZ, Horst R., Anonymität und Pseudepigraphie im Urchristentum, ZThK 66 (1969) 403-436.

BAMPFYLDE, Gillian, Jn 19,28: A Case for a Different Translation, NT 11 (1969) 247-260.

BARBET, Pierre, Die Passion Jesu Christi in der Sicht des Chirurgen, Karlsruhe 1953.

BARRETT, Charles K., Das Fleisch des Menschensohnes (Joh 6,53), in:
R.Pesch/R.Schnackenburg/O.Kaiser (Hgg.), Jesus und der Menschensohn.
FS A.Vögtle, Freiburg 1975, 342-354.
ders., The Gospel According to St.John. [2] London 1978.

BARTHES, Roland, Introduction à l'analyse structurale des récits,
Communications 8 (1966) 1-27.

BARTHOLOMEW, Gilbert L., Feed My Lambs: John 21:15-19 as Oral Gospel,
Semeia 39 (1987) 69-96.

BARTON, George A., The Origin of the Discrepancy between the Synoptics and the Fourth
Gospel as to Date and Character of Christ's Last Supper with His Disciples,
JBL 43 (1924) 28-31.
ders., "A Bone of Him Shall Not be Broken": John 19,36, JBL 49 (1930) 13-19.

* BAUER, Bruno, Kritik der evangelischen Geschichte des Johannes, Bremen 1840.
ders., Kritik der evangelischen Geschichte der Synoptiker und des Johannes III,
Braunschweig 1842.

BAUER, Johannes B., 'Literarische' Namen und 'literarische' Bräuche (zu Joh 2,10 und 18,39), BZ 26 (1982) 258-264.

BAUER, Walter, Johannesevangelium und Johannesbriefe, ThR 1 (1929) 135-160.
ders., Das Johannesevangelium, [3]Tübingen 1933.

BAUMBACH, Günter, Gemeinde und Welt im Johannes-Evangelium, Kairos 14 (1972) 121-136.

BAUM-BODENBENDER, Rosel, Hoheit in Niedrigkeit. Johanneische Christologie im Prozeß Jesu vor Pilatus (Joh 18,28-19,16a), Würzburg 1984.

BAUR, Ferdinand Christian, Kritische Untersuchungen über die kanonischen Evangelien, ihr Verhältniß zu einander, ihren Charakter und Ursprung, Tübingen 1847.

BEARDSLEE, William A., Literary Criticism of the New Testament, Philadelphia 1970.

BECKER, Jürgen, Aufbau, Schichtung und theologiegeschichtliche Stellung des Gebetes in Johannes 17, ZNW 60 (1969) 56-83.
ders., Wunder und Christologie, NTS 16 (1969/70) 130-148.
ders., Die Abschiedsreden Jesu im Johannesevangelium, ZNW 61 (1970) 215-246.
ders., Johannes der Täufer und Jesus von Nazareth, Neukirchen-Vluyn 1972.
ders., Joh 3,1-21 als Reflex johanneischer Schuldiskussion, in: H.Balz/S.Schulz (Hgg.), Das Wort und die Wörter. FS G.Friedrich, Stuttgart 1973, 85-95.
ders., Beobachtungen zum Dualismus im Johannesevangelium, ZNW 65 (1974) 71-87.
ders., Das Evangelium des Johannes, 2 Bde., Gütersloh 1979/81.
ders., Zur gegenwärtigen Auslegung des Johannesevangeliums, EvErz 33 (1981) 169-184.
ders., Aus der Literatur zum Johannesevangelium (1978-1980), ThR 47 (1982) 279-301.305-347.
ders., Ich bin die Auferstehung und das Leben. Eine Skizze zur johanneischen Christologie, ThZ 39 (1983) 138-151.
ders., Das Johannesevangelium im Streit der Methoden (1980-1984), ThR 51 (1986) 1-78.

BELLE, Gilbert van, Les Parenthèses dans L'Evangile de Jean, Leuven 1985.

BENOIT, Pierre, Marie-Madeleine et les disciples au tombeau selon Jean 20,1-18, in: W.Eltester (Hg.), Judentum, Urchristentum, Kirche. FS J.Jeremias, Berlin 1960, 141-152.

BERGER, Klaus, Exegese des Neuen Testaments, Heidelberg 1977.
ders., Die impliziten Gegner. Zur Methode des Erschließens von "Gegnern" in neutestamentlichen Texten, in: Lührmann/Strecker 1980, 373-400.

BERGMEIER, Roland, Glaube als Werk? Die "Werke Gottes" in Damaskusschrift II,14-15 und Johannes 6,28-29, RdQ 6 (1967) 253-260.

BERTRAM, Georg, Die Leidensgeschichte und der Christuskult. Eine formgeschichtliche Untersuchung, Göttingen 1922.

BEST, E. / WILSON, R.Mc L. (Hgg.), Text and Interpretation. FS M.Black, Cambridge 1979.

BETZ, Johannes, Die Eucharistie in der Zeit der griechischen Väter. II,1: Die Realpräsenz des Leibes und Blutes Jesu im Abendmahl nach dem Neuen Testament, Freiburg 1961.
ders., Eucharistie in der Schrift und Patristik, Freiburg 1979.

BEUTLER, Johannes, Martyria. Traditionsgeschichtliche Untersuchungen zum Zeugnisthema bei Johannes, Frankfurt 1972.
ders., Die Heilsbedeutung des Todes Jesu im Johannesevangelium nach Joh 13,1-20, in: K.Kertelge (Hg.), Der Tod Jesu. Deutungen im Neuen Testament, Freiburg 1976, 188-204.

BILLINGS, J.S., Judas Iscariot in the Fourth Gospel, ET 51 (1939/40) 156-157.

BISHOP, E.F.F., "He that Eateth Bread with me hath Lifted up his Heel against me":
     Jn 13,18 (Ps XLI,9), ET 70 (1958/59) 331-333.

BLANK, Josef, Die Johanneische Brotrede und "Ich bin das Lebensbrot",
     BiLe 7 (1966) 193-207.255-270.

BODE, Edward L., The First Easter Morning. The Gospel Accounts of the Women's Visit to
     the Tomb of Jesus, Rom 1970.

BÖHMER, Wilhelm, Das Fußwaschen Christi, nach seiner sacramentalen Würde dargestellt,
     ThStKr 23 (1850) 829-842.

BOICE, James M., Witness and Revelation in the Gospel of John, Grand Rapids 1970.

BOISMARD, Marie-Emile, Le Chapitre XXI de saint Jean. Essai de critique littéraire,
     RB 54 (1947) 473-501.
   ders., Le Lavement des pieds, RB 71 (1964) 5-24.

BONSIRVEN, Joseph, Hora Talmudica: La notion chronologique de Jean 19:14, aurait-elle
     un sens symbolique?, Bib. 33 (1952) 511-515.

BORGEN, Peder, Bread from Heaven. An Exegetical Study of the Concept of Manna in the
     Gospel of John and the Writings of Philo, Leiden 1965.

BORING, M. Eugene, The Influence of Christian Prophecy on the Johannine Portrayal of
     the Paraclete and Jesus, NTS 25 (1979) 113-123.

BORNKAMM, Günther, Die eucharistische Rede im Johannesevangelium, in:
          ders., Geschichte und Glaube I, München 1968, 60-67.
   ders., Vorjohanneische Tradition oder nachjohanneische Bearbeitung in der eucharisti-
          schen Rede Johannes 6 ?, in: ders., Geschichte und Glaube II, München 1971,51-64.

BOUSSET, Wilhelm, Ist das 4.Evangelium eine literarische Einheit?,
          ThR 12 (1909) 1-12.39-64.
   ders., Johannesevangelium, RGG[1] III, 608-636.   <= BOUSSET 1912 >
   ders., Jüdisch-Christlicher Schulbetrieb in Alexandria und Rom, Göttingen 1915.
   ders., Kyrios Christos. Geschichte des Christusglaubens von den Anfängen des
          Christentums bis Irenäus, [6]Göttingen 1967.

BOVON, François, Structuralisme français et exégèse biblique, in: R.Barthes u.a.,
          Analyse structurale et exégèse biblique, Neuchâtel 1971, 9-25.
   ders., Le Privilège de Marie-Madeleine, NTS 30 (1984) 50-63.

BRACKERT, H. / STÜCKRATH, J. (Hgg.), Literaturwissenschaft: Grundkurs, 2 Bde.,
     Reinbek 1981.

BRANDT, Willy, Die Evangelische Geschichte und der Ursprung des Christentums auf Grund
     einer Kritik der Berichte über das Leiden und die Auferstehung Jesu, Leipzig 1893.

BRAUN, François-Marie, Le lavement des pieds et la réponse de Jésus à Saint Pierre
          (Jean xiii, 4-10), RB 44 (1935) 22-33.
   ders., L'eau et l'Esprit, RThom 49 (1949) 5-30.
   ders., La Mère des Fidèles. Essai de théologie johannique, Tournai/Paris 1953.
   ders., Quatre "signes" johanniques de l'unité chrétienne, NTS 9 (1962/63) 147-155.

BREYTENBACH, Cilliers, Das Problem des Übergangs von mündlicher zu schriftlicher Über-
     lieferung, Neotestamentica 20 (1986) 47-58.

BROER, Ingo, Die Urgemeinde und das Grab Jesu, München 1972.
   ders., Die Gleichnisexegese und die neuere Literaturwissenschaft. Ein Diskussionsbei-
          trag zur Exegese von Mt 20,1-16, BiNo 5 (1978) 13-27.

BROWN, Raymond E., New Testament Essays, Milwaukee 1965.
   ders., The Gospel according to John, 2 Bde, Garden City/New York 1966/70.
   ders., John 21 and the First Appearance of the Risen Jesus to Peter, In:
      Dhanis 1974, 246-260.
   ders., The 'Mother of Jesus' In the Fourth Gospel, In: Jonge 1977, 307-310.
      <= BROWN 1977a >
   ders., Johannine Ecclesiology. The Community's Origins, Interp. 31 (1977) 379-393.
      <= BROWN 1977b >
   ders., The Community of the Beloved Disciple, New York 1979.
   ders., The Epistles of John, Garden City/New York 1982.

BROWN, R. / DONFRIED, K. / REUMANN, J. (Hgg.), Der Petrus der Bibel. Eine ökumenische
      Untersuchung, Stuttgart 1976.

BROWN, R. u.a. (Hgg.), Maria im Neuen Testament. Eine Gemeinschaftsstudie von protestan-
      tischen und römisch-katholischen Gelehrten, Stuttgart 1981.

BROWNLEE, William H., Whence the Gospel According to John?, In:
      J.H. Charlesworth (Hg.), John and Qumran, London 1972, 166-194.

BROX, Norbert, Zeuge und Märtyrer. Untersuchungen zur frühchristlichen Zeugnistermino-
      logie, München 1961.
   ders., Historische und theologische Probleme der Pastoralbriefe des Neuen Testaments,
      Kairos 11 (1969) 81-94.
   ders., Zum Problemstand in der Erforschung der altchristlichen Pseudepigraphie,
      Kairos 15 (1973) 10-23.
   ders., Falsche Verfasserangaben. Zur Erklärung der frühchristlichen Pseudepigraphie,
      Stuttgart 1975.
   ders.(Hg.), Pseudepigraphie in der heidnischen und jüdisch-christlichen Antike,
      Darmstadt 1977.
   ders., 'Doketismus' - Eine Problemanzeige, ZKG 95 (1984) 301-314.

BRUCE, F.F., The Gospel of John, Grand Rapids 1983.

BRUNS, J.Edgar, John Mark: A Riddle Within the Johannine Enigma,
      Scrip. 15 (1963) 88-92.
   ders., The Confusion betweeen John and John Mark in Antiquity,
      Scrip. 17 (1965) 23-26.
   ders., Ananda: The Fourth Evangelist's Model for the "Disciple whom Jesus loved"?,
      SR 3 (1973) 236-243.

BULTMANN, Rudolf, Das Evangelium des Johannes, Göttingen 1941.
   ders., Theologie des Neuen Testaments. Ausgabe für die DDR, [3]Berlin 1959.
      <= BULTMANN 1959a >
   ders., Johannesevangelium, RGG[3] III, 840-850.   <= BULTMANN 1959b >
   ders., Die Geschichte der synoptischen Tradition, [7]Göttingen 1967.

BURCHARD, Christoph, Untersuchungen zu Joseph und Aseneth, Tübingen 1965.
   ders., The Importance of Joseph and Aseneth for the Study of the New Testament:
      A General Survey and a Fresh Cook at the Lord's Supper, NTS 33 (1987) 102-134.

* BURGE, Gary M., The Anointed Community: The Holy Spirit In the Johannine Tradition,
      Grand Rapids 1987.

BURTON, Henry, The Breakfast on the Shore, Exp. 1 (1895) 456-472.

BUSSE, Ulrich, Ernst Haenchen und sein Johanneskommentar. Biographische Notizen und
      Skizzen zu seiner johanneischen Theologie, EThL 57 (1981) 125-143.
   ders., Offene Fragen zu Joh 10, NTS 33 (1987) 516-531.

BUSSE, Ulrich / MAY, Anton, Das Weinwunder von Kana (Joh 2,1-11). Erneute Analyse eines
  "erratischen Blocks", BiNo 12 (1980) 35-61.

BYRNE, Brendan, The Faith of the Beloved Disciple and the Community in John 20,
  JSNT 23 (1985) 83-97.

CAMPENHAUSEN, Hans von, Zur Auslegung von Joh 13,6-10, ZNW 33 (1934) 259-271.

CAREY, G.L., The Lamb of God and Atonement Theories, TynB 32 (1981) 97-122.

CARPENTER, Joseph E., The Johannine Writings. A Study of the Apocalypse and the Fourth
  Gospel, London 1927.

CARSON, Dan A., Current Source Criticism of the Fourth Gospel: Some Methodological
  Questions, JBL 97 (1978) 411-429.
  ders., Historical Tradition in the Fourth Gospel: After Dodd, What?, in:
  France/Wenham 1981, 83-145.

CASSIAN, Bishop, John XXI, NTS 3 (1956/57) 132-136.

CEROKE, Christian P., Mary's Maternal Role in John 19,25-27, MarSt 11 (1960) 123-151.

CHAPMAN, John, We Know that His Testimony Is True, JThS (1930) 379-387.

CHATMAN, Seymour, Story and Discourse. Narrative Structure in Fiction and Film,
  Ithaca 1978.

CHEVALLIER, Max-Alain, La fondation de "l'Eglise" dans le quatrième évangile:
  Jn 19,25-30, ETR 58 (1983) 343-353.
  ders., L'exégèse du Nouveau Testament. Initiation à la méthode, Genf 1984.

CHRISTIE, W.M., Did Christ Eat the Passover with His Disciples? or The Synoptics versus
  John's Gospel, ET 43 (1931/32) 515-519.

CHWOLSON, D., Erwiderung gegen Dr.L.Grünhut, ZWTh 38 (1895) 335-378.

COLLINS, Raymond F., Mary in the Fourth Gospel. A Decade of Johannine Studies,
  LouvSt 3 (1970) 99-142.
  ders., The Representative Figures in the Fourth Gospel, DR 94 (1976) 26-46.118-132.

COLSON, Jean, L'énigme du Disciple, que Jésus aimait, Paris 1969.

COLWELL, Ernest, The Greek of the Fourth Gospel, Chicago 1931.

COMBRINK, H.J.B., Multiple Meaning and/or Multiple Interpretation of a Text,
  Neotestamentica 18 (1984) 26-37.

CONZELMANN, Hans, "Was von Anfang an war", in: W.Eltester (Hg.), Neutestamentliche
  Studien. FS R.Bultmann, Berlin 1954, 194-201.

CORSSEN, Peter, Monarchianische Prologe zu den vier Evangelien, Leipzig 1896.
  ders., Warum ist das vierte Evangelium für ein Werk des Apostels Johannes erklärt
  worden? ZNW 2 (1901) 202-227.

COSERIU, Eugenio, Textlinguistik. Eine Einführung, hg.v. J.Albrecht, Tübingen 1980.

COTHENET, Edouard, Gestes et actes symboliques du Christ dans le IVe évangile, in:
  Centro Liturgico Vicenziano (Hg.), Gestes et paroles dans les diverses familles
  liturgiques, Rom 1978, 95-116.

CROSS, John A., On St.John XXI.15-17, Exp. 7 (1893) 312-320.

CROSSAN, John Dominic, It is Written:A Structuralist Analysis of John 6, in:
  Society of Biblical Literature. Seminar Papers (1979) 197-214.

CULLMANN, Oscar, Urchristentum und Gottesdienst, [4]Zürich/Stuttgart 1962.

CULLMANN, Oscar, Der Johanneische Kreis. Sein Platz im Spätjudentum, in der Jünger-
    schaft Jesu und im Urchristentum, Tübingen 1975.

CULPEPPER, R.Alan, The Johannine School. An Evaluation of the Johannine-School Hypo-
    thesis Based on an Investigation of the Nature of Ancient Schools,
    Missoula 1975.
    ders., The Narrator in the Fourth Gospel: Intratextual Relationships, in:
        Society of Biblical Literature. Seminar Papers(1982) 81-96.
    ders., Anatomy of the Fourth Gospel. A Study in Literary Design, Philadelphia 1983.
    ders., Story and History in the Gospels, RExp 81 (1984) 467-478.
    ders., Synthesis and Schism in the Johannine Community and the Southern Baptist
        Convention, Perspectives in Religious Studies 13 (1986) 1-20.

CURTIS, K.Peter G., Luke XXIV.12 and John XX.3-10, JThS 22 (1971) 512-515.

DALMAN, Gustaf, Jesus - Jeschua, Leipzig 1922.

DAUER, Anton, Das Wort des Gekreuzigten an seine Mutter und den "Jünger, den er liebte",
    BZ 11 (1967) 222-239.
    BZ 12 (1968) 80-93.
    ders., Die Passionsgeschichte im Johannesevangelium. Eine traditionsgeschichtliche
        und theologische Untersuchung zu Joh 18,1-19,30, München 1972.
    ders., Schichten im Johannesevangelium als Anzeichen von Entwicklungen in der (den)
        Johanneischen Gemeinde(n) nach G.Richter, in: A.E.Hierold u.a. (Hgg.),
        Die Kraft der Hoffnung. FS J.Schneider, Bamberg 1986, 62-83.

DAVIS, J.C., The Johannine Concept of Eternal Life as a Present Possession,
    RestQ 27 (1984) 161-169.

DECHENT, Hermann, Zur Auslegung der Stelle Joh 19,35, ThStKr 72 (1899) 446-467.

DEKKER, C., Grundschrift und Redaktion im Johannesevangelium, NTS 13 (1966/67) 66-80.

DELEBECQUE, Edouard, Le tombeau vide (Jean 20,6-7), REG 90 (1977) 239-248.
    ders., Dans le tombeau vide (Jean 20,7-8), BAGB (1979) 171-174.
    ders., La mission de Pierre et celle de Jean: note philologique sur Jean 21,
        Bib. 67 (1986) 335-342.

DELFF, Hugo, Das vierte Evangelium, ein authentischer Bericht über Jesus von Nazareth,
    wiederhergestellt, übersetzt und erklärt, Husum 1890. <= DELFF 1890a >
    ders., Neue Beiträge zur Kritik und Erklärung des vierten Evangeliums, Husum 1890.
        <= DELFF 1890b >
    ders., Noch einmal das vierte Evangelium und seine Authenticität,
        ThStKr 65 (1892) 75-104.

DERRETT, J.D.M., The Footwashing in John XIII and the Alienation of Judas Iscariot,
    RIDA 24 (1977) 3-19.

DESCAMPS, Albert, La structure des récits évangéliques de la résurrection,
    Bib. 40 (1959) 726-741.

DHANIS, E. (Hg.), Resurrexit. Actes du Symposium International sur la Résurrection de
    Jésus, Rom 1974.

DIBELIUS, Martin, Johannesevangelium, RGG[2] III, 349-363. <= DIBELIUS 1929 >
    ders., Aufsätze zur Apostelgeschichte, hg.v. H.Greeven, Göttingen 1951.
    ders., Botschaft und Geschichte. Gesammelte Aufsätze I, hg.v. G.Bornkamm,
        Tübingen 1953.

DIESNER, Hans-Joachim, Einleitung, In: H.-J.Diesner/H.Barth (Hgg.), Herodot. Das Ge-
    schichtswerk in zwei Bänden, Berlin/Weimar 1985, I, V-XLII.

DIETZFELBINGER, Christian, Paraklet und theologischer Anspruch im Johannesevangelium,
    ZThK, 82 (1985) 389-408.

DINECHIN, Olivier de, ΚΑΘΩΣ. La similitude dans l'évangile selon Saint Jean,
    RSR 58 (1970) 195-236.

DOBSCHÜTZ, Ernst von, Ostern und Pfingsten. Eine Studie zu 1 Korinther 15, Leipzig 1903.
    ders.,   Sakrament und Symbol im Urchristentum, ThStKr 78 (1905) 1-40.
    ders.,   Zum Charakter des 4. Evangeliums, ZNW 28 (1929) 161-177.

DODD, Charles H., The Interpretation of the Fourth Gospel, Cambridge 1953.
        <= DODD 1953a >
    ders.,   Note on John XXI.24, JThS 4 (1953) 212-213.   <= DODD 1953b >
    ders.,   Historical Tradition in the Fourth Gospel, Cambridge 1963.

DOMERIS, W.R., The Holy One of God as a Title for Jesus, Neotestamentica 19 (1985) 9-17.

DORMEYER, Detlev / FRANKEMÖLLE, Hubert, Evangelium als literarische Gattung und als
        theologischer Begriff. Tendenzen und Aufgaben der Evangelienforschung im 20.
        Jahrhundert, mit einer Untersuchung des Markusevangeliums in seinem Verhältnis
        zur antiken Biographie, ANRW II, 25.2, 1543-1704.
        <= DORMEYER/FRANKEMÖLLE 1984 >

DORN, Klaus, Judas Iskariot, einer der Zwölf, in: H.Wagner (Hg.), Judas Iskariot.
        Menschliches oder heilsgeschichtliches Drama?, Frankfurt 1985, 39-89.

DRAPER, H.Mudie, The Disciple whom Jesus loved, ET 32 (1920/21) 428-429.

DRESSLER, Wolfgang, Einführung in die Textlinguistik, Tübingen 1972.
    ders. (Hg.), Textlinguistik, Darmstadt 1978.

DRUMWRIGHT, Huber L., The Appendix of the Fourth Gospel, in: E.J.Vardaman/J.L.Garret
        (Hgg.), The Teacher's Yoke. FS H.Trantham, Waco 1964, 129-134.

DUNLOP, Laurence, The Pierced Side: A Focal Point of Johannine Theology,
        BiTod 86 (1976) 960-965.

DUNN, James D.G., The Washing of the Disciples' Feet in John 13,1-20,
        ZNW 61 (1970) 247-252.
    ders.,   John VI - A Eucharistic Discourse?, NTS 17 (1970/71) 328-338.
    ders.,   Let John be John - A Gospel for its Time, in: Stuhlmacher 1983, 309-339.

DUPONT, Liliane / LASH, Christopher / LEVESQUE, Geoerges, Recherche sur la structure de
        Jean 20, Bib. 54 (1973) 482-498.

* DURKIN, Kenneth, A Eucharist Hymn in John 6?, ET 98 (1987) 168-169.

EBERHARDT, Max, Ev.Joh. c.21. Ein exegetischer Versuch als Beitrag zur johanneischen
        Frage, Leipzig 1897.

ECKHARDT, Karl A., Der Tod des Johannes als Schlüssel zum Verständnis der johanneischen
        Schriften, Berlin 1961.

EDWARDS, Hubert E., The Disciple Who Wrote These Things, London 1953.

EGGER, Wilhelm, Nachfolge als Weg zum Leben. Chancen neuerer exegetischer Methoden dar-
        gelegt an Mk 10,17-31, Klosterneuburg 1979.
    ders.,   Methodenlehre zum Neuen Testament. Einführung in linguistische und historisch-
        kritische Methoden, Freiburg 1987.

EISLER, Robert, Zur Fußwaschung am Tage vor dem Pascha, ZNW 14 (1913) 268-271.
    ders.,   Studies in Fourth Gospel Origins, The Quest 21 (1930) 113-128.225-243.340-357.
    ders.,   The Enigma of the Fourth Gospel, its Author and its Writer, London 1938.

ELTESTER, Walther, Der Logos und sein Prophet. Fragen zur heutigen Erklärung des johan-
         neischen Prologs, in: ders. (Hg.), Apophoreta. FS E.Haenchen, Berlin 1964,
         109-134.

EMERTON, John A., The Hundred and Fifty-Three Fishes in John XXI.11,
         JThS 9 (1958) 86-89.
    ders., Some New Testament Notes. IV. Gematria in John XXI.11, JThS 11 (1960) 335-336.

ERBES, C., Der Apostel Johannes und der Jünger, welcher an der Brust des Herrn lag,
         ZKG 33 (1912) 159-239.

EVANS, Ernest, The Verb 'ΑΓΑΠΑΝ in the Fourth Gospel, in:
         F.L. Cross (Hg.), Studies in the Fourth Gospel, London 1957, 64-71.

EVDOKIMOV, P., Etude sur Jean 13,18-30, EeV (1950) 201-216.

FARRELL, Thomas J., Kelber's Breakthrough, Semeia 39 (1987) 27-45.

FARRER, A.M., Note on John 21,1-14, JThS 4 (1953) 13-14.

FAULSTICH, Werner, Problemfeld I: Vermittlung und Rezeption, in: Ludwig 1985a, 13-40.

FAURE, Alexander, Die alttestamentlichen Zitate im vierten Evangelium und die Quellen-
         scheidungshypothese, ZNW 21 (1922) 99-121.

FEUILLET, André, Les adieux du Christ à sa Mère (Jn 19,25-27) et la maternité spirituelle
         de Marie, NRTh 86 (1964) 469-489.
    ders., L'heure de la femme (16,21) et l'heure de la Mère de Jésus (19,25-27),
         Bib. 47 (1966) 169-184.361-380.557-573.
    ders., Les christophanies pascals du quatrième évangile sont-elles des signes?,
         NRTh 97 (1975) 577-592.
    ders., La découverte du tombeau vide en Jean 20,3-10 et la foi au Christ resusscité,
         EeV 87 (1977) 257-266.273-284.
    ders., Jésus et sa Mère d'après les récits Lucaniens de l'enfance et d'après Saint
         Jean, [4]Paris 1981.

FIEBIG, Paul, Die Fußwaschung (Joh 13,8-10), Angelos 3 (1930) 121-128.

FILSON, Floyd V., Who was the Beloved Disciple?, JBL 68 (1949) 83-88.
    ders., The Gospel of Life. A Study of the Gospel of John, in: W.Klassen/G.F.Snyder
         (Hgg.), Current Issues in New Testament Interpretation. FS O.A.Piper, London
         1962, 111-124.

* FLEMING, W.K., The Authorship of the Fourth Gospel, The Guardian, 19th Decembre 1906,
         2118.
    ders., Who was the Beloved Disciple?, The Spectator, August 7, 1926, 201-203.

FORD, Lionel S.K., St.John XXI.23-25, Theol. 20 (1930) 229.

FORD, J.Massingberd, "Mingled Blood" from the Side of Christ, NTS 15 (1969) 337-338.

FRANCE, R.T. / WENHAM, David (Hgg.), Gospel Perspectives. Studies of History and Re-
         daction in the Four Gospels II, Sheffield 1981.

* FRANCK, E., Revelation Taught. The Paraclete in the Fourth Gospel, Lund 1985.

FRANKEMÖLLE, Hubert, Exegese und Linguistik - Methodenprobleme neuerer exegetischer Ver-
         öffentlichungen, ThRv 71 (1975) 1-12.
    ders., Evangelist und Gemeinde. Eine methodenkritische Besinnung (mit Beispielen aus
         dem Matthäusevangelium), Bib. 60 (1979) 153-190.
    ders., Kommunikatives Handeln in Gleichnissen Jesu. Historisch-kritische und pragma-
         tische Exegese. Eine kritische Sichtung, NTS 28 (1982) 61-90.

FREED, Edwin D., Old Testament Quotations in the Gospel of John, Leiden 1965.
  ders., The Son of Man in the Fourth Gospel, JBL 86 (1967) 402-409.
  ders., Psalm 42/43 in John's Gospel, NTS 29 (1983) 62-73.

FRIDRICHSEN, Anton, Bemerkungen zur Fußwaschung Joh 13, ZNW 38 (1939) 94-96.

FRIEDRICH, J. / PÖHLMANN, W. / STUHLMACHER, P. (Hgg.), Rechtfertigung. FS E.Käsemann,
      Tübingen 1976.

FRIER, W. / LABROISSE, G. (Hgg.), Grundfragen der Textwissenschaft, Amsterdam 1979.

FRITZ, Gerd, Kohärenz. Grundfragen der linguistischen Kommunikationsanalyse,
      Tübingen 1982.

FRITZ, Kurt von, Die Griechische Geschichtsschreibung, Berlin 1967.

FITZMYER, Joseph A., Crucifixion in Ancient Palestine, Qumran Literature and the New
      Testament, CBQ 40 (1978) 493-513.

FUCHS, Ottmar, Funktion und Prozedur herkömmlicher und neuerer Methoden in der Text-
      auslegung, BiNo 10 (1979) 48-69.
  ders., Textanalyse im Horizont kommunikativer Praxis, BiNo 35 (1986) 37-49.

FÜGLISTER, Notker, Die Heilsbedeutung des Pascha, München 1963.

GABRIEL, Gottfried, Fiktion und Wahrheit. Eine semantische Theorie der Literatur,
      Stuttgart-Bad Cannstatt 1975.

GÄCHTER, Paul, Die geistige Mutterschaft Mariens. Ein Beitrag zur Erklärung von
      Jo 19,26 f, ZKTh 47 (1923) 391-429.
  ders., Das dreifache 'Weide meine Lämmer!', ZKTh 69 (1947) 328-344.
  ders., Maria im Erdenleben. Neutestamentliche Marienstudien, [2]Innsbruck 1954.

GAERTNER, Bertill, John 6 and the Jewish Passover, Lund 1959.

GARDNER-SMITH, Percival, Saint John and the Synoptic Gospels, Cambridge 1938.

GARVIE, Alfred E., The Disciple whom Jesus loved, ET 29 (1917) 287.
 * ders., The Beloved Disciple, London 1922.

GEIGER, Georg, Aufruf an Rückkehrende. Zum Sinn des Zitats von Ps 78,24b in Joh 6,31,
      Bib. 65 (1984) 449-464.

GENUYT, F., Les deux bains. Analyse sémiotique de Jean 13, Sémiotique et Bible 25
      (1982) 1-21.

GERLEMANN, G., אכל 'kl essen, THAT I, 138-142.   <= GERLEMANN 1971 >

GEYSER, A.S., Israel in the Fourth Gospel, Neotestamentica 20 (1986) 13-20.

GIBERT, P., Les évangiles et l'histoire (Luc 1,1-4; Jean 20,30-31), LV(L) 34 (1985)
      19-26.

GILS, Felix, Pierre et la foi au Christ ressuscité, EThL 38 (1962) 5-43.

GIRARD, Marc, L'unité de composition de Jean 6, au regard de l'analyse structurelle,
      EeT 13 (1982) 79-110.

GLOMBITZA, Otto, Petrus - der Freund Jesu. Überlegungen zu Joh XXI 15 ff, NT 6 (1963)
      277-285.

GNILKA, J. (Hg.), Neues Testament und Kirche. FS R.Schnackenburg, Freiburg 1974.

GNILKA, Joachim, Johannesevangelium, Würzburg 1983.

GOEDT, Michel de, Bases bibliques de la maternité spirituelle de Notre-Dame, EtMar 16
      (1959) 35-53.

GOEDT, Michel de, Un schème de révélation dans la Quatrième Evangile, NTS 8 (1961/62)
        142-150.

GOPPELT, Leonhard, ΤΡΩΓΩ, ThWNT VIII, 256 f. <= GOPPELT 1969 >

GOURGUES, Michel, Section christologique et section eucharistique en Jean VI. Une pro-
        position, RB 88 (1981) 515-531.
    ders., Pour que vous croyiez ... Pistes d'exploration de l'évangile de Jean,
        Paris 1982.
    ders., Marie, la 'femme' et la 'mère' en Jean, NRTh 108 (1986) 174-191.

GOODY, Jack / WATT, Ian, Konsequenzen der Literalität, in: Goody 1981, 45-104.

GOODY, J. (Hg.), Literalität in traditionalen Gesellschaften, Frankfurt 1981.

GRAF, Eduard, Bemerkungen über Joh 13,1-4, ThStKr 40 (1867) 741-748.

GRANT, Robert M., 'One-Hundred-Fifty-Three Large Fishes', HThR 42 (1949) 272-275.
GRASMÜCK, Ernst Ludwig, Vom Presbyter zum Priester, in: Hoffmann 1987, 96-131.
GRASS, Hans, Ostergeschehen und Osterberichte, Göttingen 1961.
GRASSI, Joseph A., The Role of Jesus' Mother in John's Gospel: A Reappraisal,
        CBQ 48 (1986) 67-80.
    ders., Eating Jesus' Flesh and Drinking His Blood: The Centrality and Meaning of
        John 6:51-58, BTB 17 (1987) 24-30.

GRAYSTON, Kenneth, The Meaning of PARAKLETOS, JSNT 13 (1981) 67-82.

GRIFFITH, B.Grey, The Disciple whom Jesus loved, ET 32 (1920/21) 379-381.

GRIGSBY, Bruce, The Cross as an Expiatory Sacrifice in the Fourth Gospel,
        JSNT 15 (1982) 51-80.
    ders., Gematria and John 21,11 – another Look at Ezekiel 47,10, ET 95 (1984) 177-178.

GRIMM, Willibald, Über Evangelium Joh. 21,22 f, ZWTh 18 (1875) 270-278.

GROSLOUIS, Kenneth R.R., Some Methodological Considerations, in: ders. (Hg.), Literary
        Interpretations of Biblical Narratives II, New York 1982, 13-24.

GROSSOUW, William K., A Note on John 13,1-3, NT 8 (1966) 124-131.

GRÜNHUT, L., Das Verbot des Genusses von Gesäuertem am Rüsttage des Pessachfestes und
        die Opferungszeit des Pessachlammes, ZWTh 37 (1894) 542-555.
    ders., Noch einmal der Rüsttag des Pessachfestes und die Opferungszeit des Pessach-
        lammes, ZWTh 41 (1898) 250-306.

GÜLICH, E. / RAIBLE, W. (Hgg.), Textsorten. Differenzierungskriterien aus linguistischer
        Sicht, Frankfurt 1972.

GÜLICH, R., The Gospel Genre, in: Stuhlmacher 1983, 183-219.

GUNTHER, John J., The Relation of the Beloved Disciple to the Twelve, ThZ 37 (1981)
        129-148.

HAACKER, Klaus, Einige Fälle von 'Erlebter Rede' im Neuen Testament, NT 12 (1970) 70-77.
    ders., Neutestamentliche Wissenschaft. Eine Einführung in die Fragestellungen und
        Methoden, Wuppertal 1981.

HAENCHEN, Ernst, Aus der Literatur zum Johannesevangelium 1929-1956,
        ThR 23 (1955) 295-335.
    ders., Gott und Mensch. Gesammelte Aufsätze, Tübingen 1965.
    ders., Die Bibel und wir. Gesammelte Aufsätze II, Tübingen 1968.
    ders., Das Johannesevangelium, hg.v. U.Busse, Tübingen 1980.
    ders., The Gospel of John, hg.v. R.W.Funk/U.Busse, 2 Bde., Philadelphia 1984.

HAENSLER, Basilius, Zu Jo 20,9, BZ 14 (1917) 159-163.

HAHN, Ferdinand, Die alttestamentlichen Motive der urchristlichen Abendmahlsüberliefe-
        rung, EvTh 27 (1967) 337-374.
    ders., Sehen und Glauben im Johannesevangelium, in: H.Baltensweiler/B.Reicke (Hgg.),
        Neues Testament und Geschichte. FS O.Cullmann, Zürich 1972, 125-141.
    ders., Die Jüngerberufung Joh 1,35-51, in: Gnilka 1974, 172-190.
    ders., Die Worte vom lebendigen Wasser im Johannesevangelium. Eigenart und Vorge-
        schichte von Joh 4,10.13 f; 6,35; 7,37-39, in: Jervell/Meeks 1977, 51-70.
    ders., Das Glaubensverständnis im Johannesevangelium, in: E.Gräßer u.a. (Hgg.),
        Glaube und Eschatologie. FS W.G.Kümmel, Tübingen 1985, 51-70.

HALBWACHS, Maurice, Das Gedächtnis und seine sozialen Bedingungen, Berlin 1966.
    ders., Das kollektive Gedächtnis, Stuttgart 1967.

HARDMEIER, Christof, Texttheorie und biblische Exegese, München 1978.

HARING, N.M., Historical Notes on the Interpretation of Jn 13:10, CBQ 13 (1951) 355-380.

HARTMAN, Lars, An Attempt at a Text-Centered Exegesis of John 21, Studia Theologica 38
        (1984) 29-47.

HARTMANN, Gert, Die Vorlage der Osterberichte in Joh 20, ZNW 55 (1964) 197-220.

HARTMANN, Peter, Religiöse Texte als linguistisches Objekt, in: P.Hartmann/H.Rieger
        (Hgg.), Angewandte Textlinguistik I, Hamburg 1974, 133-158.

HAUBRICHS, W. (Hg.), Erzählforschung. Theorien, Modelle und Methoden der Narrativik,
        3 Bde., Göttingen 1976-1978.

HAUFE, Günter, Individuelle Eschatologie des Neuen Testaments, ZThK 83 (1986) 436-463.

HAUGG, Donatus, Judas Iskarioth in den neutestamentlichen Berichten, Freiburg 1930.

HAWKIN, David J., The Function of the Beloved Disciple Motif in the Johannine Redaction,
        LTP 33 (1977) 135-150.

HEISE, Jürgen, Bleiben. Menein in den Johanneischen Schriften, Tübingen 1967.

HEITMÜLLER, Wilhelm, Noch einmal "Sakrament und Symbol" im Urchristentum,
        ThStKr 78 (1905) 461-464.
    ders., Zur Johannes-Tradition, ZNW 15 (1914) 189-209.
    ders., Das Johannes-Evangelium, in: W.Bousset/W.Heitmüller (Hgg.), Die Schriften des
        Neuen Testaments IV, ³Göttingen 1918, 9-184.

HEMELSOET, Bernhard, L'ensévelissement selon Saint Jean, in: W.C.van Unnik (Hg.),
        Studies in John. FS J.N.Sevenster, Leiden 1970, 47-65.

HENDRY, James, Lazarus=John?, ET 32 (1920/21) 475.

HENGEL, Martin, Mors turpissima crucis. Die Kreuzigung in der antiken Welt und die 'Tor-
        heit' des 'Wortes vom Kreuz', in: Friedrich/Pöhlmann/Stuhlmacher 1976, 125-184.
    ders., Zur urchristlichen Geschichtsschreibung, Stuttgart 1979.

HENRICH, Dieter, Versuch über Fiktion und Wahrheit, in: Henrich/Iser 1983, 511-519.

HENRICH, D. / ISER, W. (Hgg.), Funktionen des Fiktiven, München 1983.

HILGENFELD, Adolf, Noch ein Wort über Joh 6,71, ZWTh 9 (1866) 336.
    ders., Die Rätselzahl Joh XXI,11, ZWTh 41 (1898) 480.

HILHORST, A., The Wounds of the Risen Jesus, EstB 41 (1983) 165-167.

HILLEBRAND, B. (Hg.), Zur Struktur des Romans, Darmstadt 1978.

HIRSCH, Emanuel, Studien zum vierten Evangelium, Tübingen 1936.
　　ders., Stilkritik und Literaranalyse im vierten Evangelium, ZNW 43 (1950/51) 128-143.

HIRSCH, Eric D., Prinzipien der Interpretation, München 1972.

HOFFMANN, Paul, Studien zur Theologie der Logienquelle, Münster 1972.
　　ders., Auferstehung der Toten. Neues Testament, TRE IV, 450-467. <= HOFFMANN 1979a >
　　ders., Auferstehung Jesu Christi. Neues Testament,TRE IV,478-513. <= HOFFMANN 1979b >
HOFFMANN, P. (Hg.), Priesterkirche, Düsseldorf 1987.

HOFIUS, Otfried, Erwählung und Bewahrung. Zur Auslegung von Joh 6,37,
　　ThBeitr 8 (1977) 24-29.

HOFRICHTER, Peter, Nicht aus Blut sondern monogen aus Gott geboren. Textkritische, dog-
　　mengeschichtliche und exegetische Untersuchung zu Joh 1,13-14, Würzburg 1978.

HOLTZMANN, Heinrich J., Das Evangelium des Johannes, ^{2}Freiburg 1893.
　　ders., Sakramentalisches im Neuen Testamente, ARW 7 (1904) 58-69.

HORN, Karl, Abfassungszeit, Geschichtlichkeit und Zweck von Evangelium des Johannes,
　　Kap.21. Ein Beitrag zur johanneische Frage, Leipzig 1904.

HOWARD, J.K., Passover and Eucharist in the Fourth Gospel, SJTh 20 (1967) 329-337.

HUETER, John E., Matthew, Mark, Luke, John - Now Judas and His Redemption (In Search of
　　the Real Judas), Brookline Village 1983.

HULTGREN, Arland J., The Johannine Foot-Washing (13.1-11) as Symbol of Eschatological
　　Hospitality, NTS 28 (1982) 539-545.

HULTKVIST, Gustaf, What does the Expression "Blood and Water" Mean in the Gospel of
　　John 19,34?, Vrigstad 1947.

IBUKI, Yu, Die Wahrheit im Johannesevangelium, Bonn 1972.

IHWE, Jens F., Sprachphilosophie, Literaturwissenschaft und Ethik: Anregungen zur Diskus-
　　sion des Fiktionsbegriffs, In: Frier/Labroisse 1979, 207-264.

ISER, Wolfgang, Die Appellstruktur der Texte. Unbestimmtheit als Wirkungsbedingung lite-
　　rarischer Prosa, Konstanz 1970.
　　ders., Die Appellstruktur der Texte, In: Warning 1975a, 228-252. <= ISER 1975a >
　　ders., Der Lesevorgang, In: Warning 1975a, 253- 276. <= ISER 1975b >
　　ders., Die Wirklichkeit der Fiktion. Elemente eines funktionsgeschichtlichen Text-
　　　　modells der Literatur, In: Warning 1975a, 277-324. <= ISER 1975c >
　　ders., Interaction between Text and Reader, In: Suleiman/Crosman 1980, 106-119.
　　ders., Der Akt des Lesens. Theorie ästhetischer Wirkung, ^{2}München 1984.

JAUSS, Hans R., Zur historischen Genese der Scheidung von Fiktion und Realität, In:
　　Henrich/Iser 1983, 423-431.

JEREMIAS,G. / KUHN, H.-W. / STEGEMANN, H. (Hgg.), Tradition und Glaube. FS K.G.Kuhn,
　　Göttingen 1971.

JEREMIAS, Joachim, AMNOΣ, APNH, APNION, ThWNT I, 342-345. <= JEREMIAS 1933 >
　　ders., Johanneische Literarkritik, ThBl 20 (1941) 33-46.
　　ders., The Last Supper, ET 64 (1952/53) 91-92.
　　ders., Joh 6,51c-58 redaktionell?, ZNW 44 (1953) 256-257.
　　ders., Die Abendmahlsworte Jesu, ^{3}Göttingen 1960.

JERVELL, J. / MEEKS, W.A. (Hgg.), God's Christ and His People, FS N.A.Dahl, Oslo 1977.

JOHNSON, Lewis, Who was the Beloved Disciple?, ET 77 (1965/66) 157-158.
　　　　<= JOHNSON 1965/66a >

JOHNSON, Lewis, The Beloved Disciple - A Reply, ET 77 (1965/66) 380.
　　<= JOHNSON 1965/66b >

JOHNSON, N.E., The Beloved Disciple and the Fourth Gospel, CQR 167 (1966) 278-291.

JONGE, M.de (Hg.), L'Evangile de Jean. Sources, rédaction, théologie, Louvain 1977.

JONGE, Marinus de, The Beloved Disciple and the date of the Gospel of John, in:
　　Best/Wilson 1979, 99-114.

JOÜON, Paul, Notes philologiques sur les évangiles. Jean 6,57, RSR 18 (1928) 345-359.

KAEFER, J.Ph., Les discours d'adieu en Jean 13:31-17:26. Rédaction et théologie,
　　NT 26 (1984) 253-282.

KÄSEMANN, Ernst, Rezension: Rudolf Bultmann, Das Evangelium des Johannes,
　　VF 3 (1947) 182-201.
　　ders., Ein neutestamentlicher Überblick, VF 5 (1949/50) 191-218.
　　ders., Jesu letzter Wille nach Joh 17, [4]Tübingen 1980.

KASSING, Altfrid, Das Evangelium der Fußwaschung, EuA 36 (1960) 83-93.

KEIM, Theodor, Geschichte Jesu von Nazara in ihrer Verkettung mit dem Gesammtleben seines
　　Volkes frei untersucht und ausführlich erzählt, 3 Bde., Zürich 1867 / 1871 / 1872.

KELBER, Werner, Markus und die mündliche Tradition, LingBibl 45 (1979) 5-58.
　　ders., The Oral and the Written Gospel. The Hermeneutics of Speaking and Writing in
　　the Synoptic Tradition, Mark, Paul and Q, Philadelphia 1983.
　　ders., Biblical Hermeneutics and the Ancient Art of Communication: A Reponse,
　　Semeia 39 (1987) 97-105.
　　ders., Narrative as Interpretation and Interpretation as Narrative: Hermeneutical Re-
　　flections on the Gospels, Semeia 39 (1987) 107-133.

KELLY, John, What Did Christ Mean by th Sign of Love?, AfER 13 (1971) 113-121.

KEMPER, Friedmar, Zur literarischen Gestalt des Johannesevangeliums, ThZ 43 (1987)
　　247-264.

KERMODE, Frank, The Genesis of Secrecy. On the Interpretation of Narrative,
　　Cambridge 1979.
　　ders., St. John as Poet, JSNT 28 (1986) 3-16.

KERRIGAN, Alexander, Jn 19,25-27 in the Light of Johannine Theology and the Old Testa-
　　ment, Anton. 35 (1960) 369-416.

KIEFFER, René, Au delà des recensions? L'évolution de la tradition textuelle dans Jean
　　VI, 52-71, Uppsala 1968.
　　ders., L'espace et le temps dans L'Evangile de Jean, NTS 31 (1985) 393-409.

KILMARTIN, Edward J., The Formation of the Bread of Life Discourse in John VI,
　　Scrip. 12 (1960) 75-78.
　　ders., The Mother of Jesus was there (The Signifcance of Mary in Jn 2,3-5 and
　　Jn 19,25-27), ScEc 15 (1963) 213-226.

KING, J.S., R.E.Brown on the History of the Johannine Community, ScrB 13 (1983) 26-30.
　　ders., Is Johannine Archaeology Really Necessary?, EvQ 56 (1984) 203-213.

KITTEL, Gerhard, Die Wirkungen des Abendmahles im Neuen Testament, ThStKr 96/97 (1925)
　　215-237.

KLAIBER, Walter, Die Aufgabe einer theologischen Interpretation des 4.Evangeliums,
　　ZThK 82 (1985) 300-324.

KLAUCK, Hans-Josef, Gemeinde ohne Amt? Erfahrungen mit der Kirche in den johanneischen
 Schriften, BZ 29 (1985) 193-220.
 ders., Judas - ein Jünger des Herrn, Freiburg 1987.

KLEIN, Günter, Die Berufung des Petrus, ZNW 58 (1967) 1-44.

KLEIN, Hans, Die lukanisch-johanneische Passionstradition, ZNW 67 (1976) 155-186.
 ders., Die Gemeinschaft der Gotteskinder. Zur Ekklesiologie der johanneischen Schriften, in: W.D.Hauschild (Hg.), Kirchengemeinschaft - Anspruch und Wirklichkeit.
 FS G.Kretschmar, Stuttgart 1986, 59-67.

KLEINKNECHT, Karl Theodor, Johannes 13, die Synoptiker und die "Methode" der johanneischen Evangelienüberlieferung, ZThK 82 (1985) 361-388.

KLÖPPER, Albert, Das 21. Kapitel des vierten Evangeliums, ZWTh 42 (1899) 337-381.

KLOS, Herbert, Die Sakramente im Johannesevangelium, Stuttgart 1970.

KNOX, Wilfred L., John 13,1-30, HThR 43 (1950) 161-163.

KÖSTER, Helmut, Geschichte und Kultus im Johannesevangelium und bei Ignatius von Anti-
 ochien, ZThK 54 (1957) 56-69.
 ders., Einführung in das Neue Testament, Berlin/New York 1980.

KÖTTING, Bernhard (/Halama, D.), Fußwaschung, RAC VIII, 743-777. <= KÖTTING 1972 >

KOSELLECK, R. / STEMPEL, W.D. (Hgg.), Geschichte, Ereignis und Erzählung, München 1973.

KOTZE, P.P.A., John and Reader's Response, Neotestamentica 19 (1985) 50-63.

KRAFFT, Eva, Die Personen im Johannesevangelium, EvTh 16 (1956) 18-32.

KRAGERUD, Alv, Der Lieblingsjünger im Johannesevangelium, Oslo 1959.

KREMER, Jacob, Die Osterbotschaft der vier Evangelien, [3]Stuttgart 1969.
 ders., Lazarus. Die Geschichte einer Auferstehung, Stuttgart 1985.

KRUIJF, Theo C., 'Hold the Faith' or 'Come to Believe'? A Note on John 20,31,
 Bijdr. 36 (1975) 439-449.

KÜGLER, Joachim, Das Johannesevangelium und seine Gemeinde - kein Thema für Science
 Fiction, BiNo 23 (1984) 48-62.
 ders., Die religionsgeschichtliche Methode. Anmerkungen zu Karlheinz Müllers metho-
 dologischer Konzeption, BiNo 38/39 (1987) 75-84.
 ders., Die Belehrung der Unbelehrbaren. Zur Funktion des Traditionsarguments in 1 Joh,
 BZ 32 (1988) -- | Im Erscheinen |

KUNDSIN, Karl, Topologische Überlieferungsstücke im Johannes-Evangelium, Göttingen 1925.

LAAF, Peter, Die Pascha-Feier Israels. Eine literarkritische und überlieferungsgeschicht-
 liche Studie, Bonn 1970.

LABROISSE, Gerd, Interpretation als Entwurf, in: Frier/Labroisse 1979, 311-323.

LACOQUE, André, The Narrative Code of the Fourth Gospel. A Response to Wolfgang Roth,
 BR 32 (1987) 30-41.

LÄMMERT, Eberhard, Bauformen des Erzählens, Stuttgart 1955.

LÄMMERT, E. (Hg.), Erzählforschung, Stuttgart 1982.

LAGRANGE, Marie-Joseph, L'Evangile selon Saint Jean, [6]Paris 1936.

LANDWEHR, Jürgen, Text und Fiktion, München 1975.

LANGBRANDTNER, Wolfgang, Weltferner Gott oder Gott der Liebe. Der Ketzerstreit in der
 johanneischen Kirche, Frankfurt 1977.

LATTKE, Michael, Einheit im Wort. Die spezifische Bedeutung von 'agape', 'agapan' und
    'philein' im Johannes-Evangelium, München 1975.
    ders., Joh 20, 30 f als Buchschluß, ZNW 78 (1987) 288-292.

LEA, Thomas D., The Early Christian View of Pseudepigraphic Writings,
    JETS 27 (1984) 65-77.

LEE, G.M., John XXI, 20-23, JThS 1 (1950) 62-63.

LEFORT, Pierre, Les structures de l'église militante selon Saint Jean, Genf 1970.

LEENHARDT, Franz Johan, La structure du chapitre 6 de l'Evangile de Jean,
    RHPhR 39 (1959) 1-13.

LEGASSE, Simon, Le pain de la vie, BLE 83 (1982) 243-261.

LEONARD, Jeanne-Marie, Notule sur l'évangile de Jean. Le disciple que Jésus aimait et
    Marie, ETR 58 (1983) 355-357.

LEON-DUFOUR, Xavier, Trois chiasmes johanniques, NTS 7 (1960/61) 249-255.
    ders., Situation de Jean 13, in: U.Luz/H.Weder (Hgg.), Die Mitte des Neuen Testa-
    ments. FS E.Schweizer, Göttingen 1983, 131-141.

LEON-DUFOUR, X. (Hg.), Exegese im Methodenkonflikt. Zwischen Geschichte und Struktur,
    München 1973.

LEPSIUS, Johannes, Das Evangelium des Johannes in deutscher Sprache nach dem revidier-
    ten Urtext übersetzt, Das Reich Christi 11 (1908) 481-568.

LEROY, Herbert, "Kein Bein wird ihm zerbrochen werden" (Joh 19,31-37). Zur Johanne-
    ischen Interpretation des Kreuzes, in: R.Kilian (Hg.), Eschatologie.
    FS E.Neuhäusler, St.Ottilien 1981, 73-82.

LEWIS, F.Warburton, The Disciple whom Jesus loved, ET 33 (1921/22) 42.

LIGHTFOOT, Robert H., St.John's Gospel. A Commentary, Oxford 1956.

LIMBECK, Meinrad, Das Judasbild im Neuen Testament aus christlicher Sicht, in:
    M.Limbeck/L.Goldschmidt, Heilvoller Verrat? Judas im Neuen Testament,
    Stuttgart 1976, 37-90.

LINDARS, Barnabas, The Composition of John XX, NTS 7 (1960/61) 142-147.
    ders., The Gospel of John, London 1972.
    ders., The Passion in the Fourth Gospel, in: Jervell/Meeks 1977, 71-86.
    ders., John and the Synoptic Gospels: A Test Case, NTS 21 (1981) 287-294.

LINDEMANN, Andreas, Gemeinde und Welt im Johannesevangelium, in:
    Lührmann/Strecker 1980, 133-161.

LINK, Jürgen, Literaturwissenschaftliche Grundbegriffe. Eine Einführung auf struktura-
    listischer Basis, [2]München 1979.

LIVINGSTONE, E.A. (Hg.in), Studia Biblica 1978. II.Papers on the Gospels, Sheffield 1980.

LOHMEYER, Ernst, Die Fußwaschung, ZNW 38 (1939) 74-94.

LOHSE, Eduard, Märtyrer und Gottesknecht. Untersuchungen zur urchristlichen Verkündigung
    vom Sühnetod Jesu Christi, Göttingen 1955.
    ders., Wort und Sakrament im Johannesevangelium, NTS 7 (1960/61) 110-125.

LOHSE, Wolfram, Die Fußwaschung (13,1-20). Eine Geschichte ihrer Deutung, Diss.masch.,
    Erlangen 1966/67.

LOISY, Alfred, Etudes Evangéliques, Paris 1902.
    ders., Le Quatrième Evangile, [12]Paris 1921.

LONA, Horacio E., Abraham in Johannes 8. Ein Beitrag zur Methodenfrage, Frankfurt 1976.
   ders., Glaube und Sprache des Glaubens im Johannesevangelium, BZ 28 (1984) 168-184.

LORENZEN, Thorwald, Der Lieblingsjünger im Johannesevangelium, Stuttgart 1971.

LOTMAN, Jurij M., Die Struktur literarischer Texte, München 1972.

LOUW, J.P., On Johannine Style, Neotestamentica 20 (1986) 5-12.

LUDWIG, H.-W. (Hg.), Arbeitsbuch Romananalyse, Darmstadt 1985. <= LUDWIG 1985a >

LUDWIG, Hans-Werner, Problemfeld V: Figur und Handlung, in: ders. 1985a, 106-144.
     <= LUDWIG 1985b >

LÜHRMANN, D. / STRECKER, G. (Hgg.), Kirche. FS G.Bornkamm, Tübingen 1980.

LÜTHI, Kurt, Das Problem des Judas Iskariot - neu untersucht, EvTh 16 (1956) 98-114.

LUX, Friedemann, Text, Situation, Textsorte, Tübingen 1981.

LUZ, Ulrich, Erwägungen zur Entstehung des "Frühkatholizismus". Eine Skizze,
     ZNW 65 (1974) 88-111.

Mac CLELLAN, William, Saint John's Evidence of the Resurrection, CBQ 1 (1939) 253-255.

Mac DOWELL, Edward A., 'Lovest Thou Me?'. A Study of John 21:15-17, RExp 32 (1935) 422-441.

Mac ELENEY, Neil J., 153 Great Fishes (John 21,11) - Gematriacal Atbash,
     Bib. 58 (1977) 411-417.

Mac GREGOR, George H.C., How far is the Fourth Gospel an Unity?, Exp. 24 (1922) 81-110.
   ders., The Eucharist in the Fourth Gospel, NTS 9 (1962/63) 111-119.

Mac KAY, K., Style and Significance in the Language of John 21,15-17,
     NT 27 (1985) 319-333.

Mac KNIGHT, Edgar V., The Contours and Methods of Literary Criticism, in:
     Spencer 1980, 53-69.
   ders., The Bible and the Reader. An Introduction to Literary Criticism,
     Philadelphia 1985.

MACLER, Frédéric, "Pais mes béliers", RHR 50 (1929) 17-29.

MAHONEY, Robert, Two Disciples at the Tomb. The Background and Message of John 20,1-10,
     Frankfurt 1974.
   ders., Die Mutter Jesu im Neuen Testament, in: G.Dautzenberg/H.Merklein/K.Müller
     (Hgg.), Die Frau im Urchristentum, Freiburg 1983, 92-116.

MAIBERGER, Paul, Das Manna. Eine literarische,etymologische und naturkundliche Untersu-
     chung, 2 Bde., Wiesbaden 1983.

MAIER, Johann, Jüdische Auseinandersetzung mit dem Christentum in der Antike,
     Darmstadt 1982.

MALATESTA, Edward, Blood and Water from the Pierced Side of Christ (Jn 19,34), in:
     Tragan 1977a, 165-181.

MALINA, Bruce J., The Gospel of John in Socio-linguistic Perspective, in: H.C.Waetjen
     (Hg.), Protocol of the Colloquy of the Center for Hermeneutical Studies in Helle-
     nistic and Modern Culture, Berkeley 1985, 1-23.

MANNS, Frédéric, Le Lavement des Pieds. Essai sur la Structure et la signification de
     Jean 13, RevSR 55 (1981) 149-169.
   ders., Le symbole eau - esprit dans le judaïsme ancien, Jerusalem 1983.
     <= MANNS 1983a >

MANNS, F., En marge des récits de la résurrection dans l'évangile de Jean: le verbe voir, RevSR 57 (1983) 10-28. <= MANNS 1983b >

MARQUARD, Odo, Kunst als Antifiktion - Versuch über den Weg der Wirklichkeit ins Fiktive, in: Henrich/Iser 1983, 35-54.

MARROW, Stanley B., John 21. An Essay in Johannine Ecclesiology, Rom 1968.

MARTIN, Josef, Symposion. Die Geschichte einer literarischen Form, Paderborn 1931.

MARTYN, James L., History and Theology in the Fourth Gospel, Nashville 1968.
    ders., Glimpses into the History of the Johannine Community, in: Jonge 1977, 149-175.

MATSUNAGA, Kikuo, Is John's Gospel Anti-Sacramental?, NTS 27 (1981) 516-524.

MAURER, Karl, Für einen neuen Fiktionsbegriff. Betrachtungen zu den historischen Voraussetzungen der Verwendung lebensweltlicher Bauformen in modernen Erzähltexten, in: Lämmert 1982, 527-551.

MAYNARD, Arthur H., The Role of Peter in the Fourth Gospel, NTS 30 (1984) 531-548.

MEEKS, Wayne A., The Man from Heaven in Johannine Sectarianism, JBL 91 (1972) 44-72.

MENDNER, Siegfried, Johanneische Literarkritik, ThZ 8 (1952) 418-434.
    ders., Nikodemus, JBL 77 (1958) 293-323.

MERKLEIN, Helmut, Die Einheitlichkeit des ersten Korintherbriefes, ZNW 75 (1984) 153-183.

METZGER, Bruce M., Literary Forgeries and Canonical Pseudepigrapha, JBL 91 (1972) 3-24.

MERX, A., Die vier kanonischen Evangelien nach ihrem ältesten bekannten Texte, II,2: Das Johannesevangelium, hg.v. J.Ruska, Berlin 1911.

MEYER, Arnold, Die Behandlung der johanneischen Frage im letzten Jahrzehnt, ThR 2 (1899) 255-263.295-305.333-345.
    ders., Johanneische Litteratur, ThR 5 (1902) 316-333.497-507.
    ders., Johanneische Litteratur, ThR 13 (1910) 15-26.63-75.94-100.151-162.
    ders., Johanneische Litteratur, ThR 15 (1912) 239-249.278-293.295-305.

MEYER, Eduard, Sinn und Tendenz der Schlußszene am Kreuze im Johannesevangelium, SPAW.PH (1924) 157-162.
    ders., Ursprung und Anfänge des Christentums, 3 Bde., Darmstadt 1962.

MEYER, R., MANNA, ThWNT IV, 466-470. <= MEYER 1942 >

MICHAELS, J.Ramsey, The Centurion's Confession and the Spear Thrust, (Jn 19,34 ff), CBQ 29 (1967) 102-109.

MICHEL, Otto, Ein johanneischer Osterbericht, in: Studien zum Neuen Testament und zur Patristik. FS E.Klostermann, Berlin 1961, 35-42.

MICHL, Johann, Der Sinn der Fußwaschung, Bib. 40 (1959) 697-708.

MILLER, Johnny V., The Time of the Crucifixion, JETS 26 (1983) 157-166.

MINEAR, Paul S., "We don't know where ...". John 20:2, Interp. 30 (1976) 125-139.
    ders., The Beloved Disciple in the Gospel of John - Some Clues and Conjectures, NT 19 (1977) 105-123.
    ders., The Original Functions of John 21, JBL 102 (1983) 85-98.

MOFFATT, James, The Lord's Supper in the Fourth Gospel, Exp. 3 (1913) 1-22.

MOHR, Till A., Markus- und Johannespassion. Redaktions- und traditionsgeschichtliche Untersuchung der markinischen und johanneischen Passionstradition, Zürich 1982.

MOLLA, Claude F., Le Quatrième Evangile, Genf 1977.

MOLLAT, Donatien, La foi pascale selon le chapitre 20 de l'évangile de Saint Jean, in:
    Dhanis 1974, 316-339.

MOLONEY, Francis J., When is John Talking about Sacraments?, ABR 30 (1982) 10-33.
  ders., The Structure and Meaning of John 13:1-38, ABR 34 (1986) 1-16.

MORETON, M.B., The Beloved Disciple Again, in: Livingstone 1980, 215-218.

MUDDIMAN, John, A Note on Reading Luke XXIV.12, EThL 48 (1972) 542-548.

MÜLLER, Günther, Die Bedeutung der Zeit in der Erzählkunst, Bonn 1947.

MÜLLER, Karlheinz, Das Judentum in der religionsgeschichtlichen Arbeit am Neuen Testa-
    ment, Frankfurt/Bern 1983.
  ders., Exegese/Bibelwissenschaft, in: P.Eicher (Hg.), Neues Handbuch theologischer
    Grundbegriffe I, München 1984, 332-353.
  ders., Die religionsgeschichtliche Methode. Erwägungen zu ihrem Verständnis und zur
    Praxis ihrer Vollzüge an neutestamentlichen Texten, BZ 29 (1985) 161-192.

MÜLLER, Ulrich B., Die Bedeutung des Kreuzestodes Jesu im Johannesevangelium,
    KuD 21 (1975) 49-71. <= MÜLLER 1975a >
  ders., Die Geschichte der Christologie in der johanneischen Gemeinde,
    Stuttgart 1975. <= MÜLLER 1975b >

MUSSNER, Franz, Die Fußwaschung (Joh 13,1-17), GuL 31 (1958) 25-30.
  ders., "Kultische" Aspekte im johanneischen Christusbild, in: ders., Praesentia
    Salutis. Gesammelte Studien zu Fragen und Themen des Neuen Testaments,
    Düsseldorf 1967, 133-145.

NAUCK, Wolfgang, Die Bedeutung des leeren Grabes für den Glauben an den Auferstandenen,
    ZNW 47 (1956) 243-267.

NEUGEBAUER, Fritz, Die Entstehung des Johannesevangeliums. Altes und Neues zur Frage
    seines historischen Ursprungs, Stuttgart 1968.

NEIRYNCK, Frans, The Uncorrected Historic Present in Lk XXIV.12, EThL 48 (1972)
    548-553.
  ders., The 'Other Disciple' in Jn 18,15-16, EThL 51 (1975) 113-141.
  ders., ΠΑΡΑΚΥΨΑΣ ΒΛΕΠΕΙ. Lc 24,12 et Jn 20,5, EThL 53 (1977) 113-152.
  ders., ΑΠΗΛΘΕΝ ΠΡΟΣ ΕΑΥΤΟΝ. Lc 24,12 et Jn 20,10, EThL 54 (1978) 104-118.
  ders., ΕΙΣ ΤΑ ΙΔΙΑ: Jn 19,27 (et 16,32), EThL 55 (1979) 357-365.
  ders., L'Epanalepsis et la critique littéraire. A propos de l'Evangile de Jean,
    EThL 56 (1980) 303-338.
  ders., La Traduction d'un Verset Johannique. Jn 19,27b, EThL 57 (1981) 83-106.
  ders., Tradition and Redaction in John XX,1-18, in: E.A.Livingstone (Hg.in),
    Studia Evangelica 7. Papers presented to the 5th International Congress on
    Biblical Studies held at Oxford 1973, Berlin 1982, 359-363.
  ders., John and the Synoptics. The Empty Tomb Stories, NTS 30 (1984) 161-187.
  ders., Note sur Jn 20,1-18, EThL 62 (1986) 404.

NESTLE, Eberhard, Zum Ysop bei Johannes, Josephus und Philo, ZNW 14 (1913) 263-265.

NOACK, Ludwig, Die Geschichte Jesu auf Grund freier geschichtlicher Untersuchungen über
    das Evangelium und die Evangelien III, [2]Mannheim 1876.

NORDEN, Eduard, Die antike Kunstprosa vom VI. Jahrhundert v.Chr. bis in die Zeit der
    Renaissance I, [3]Leipzig 1915.

NORTJE, S.J., The Role of Women in the Fourth Gospel, Neotestamentica 29 (1986) 21-28.

OBERWEIS, Michael, Die Bedeutung der neutestamentlichen 'Rätselzahlen' 666 (Apk 13,18)
     und 153 (Joh 21,11), ZNW 77 (1986) 226-241.

O'DAY, Gail R., Narrative Mode and Theological Claim: A Study in the Fourth Gospel,
     JBL 105 (1986) 657-668.

OEPKE, Albrecht, ΛΟΥΩ, ΑΠΟΛΟΥΩ, ΛΟΥΤΡΟΝ, ThWNT IV, 297-309.   <= OEPKE 1942 >

OFFERHAUS, Ulrich, Komposition und Intention der Sapientia Salomonis, Diss.masch.,
     Bonn 1981.

O'GRADY, John F., Individual and Community in John, Rom 1978.
    ders., The Role of the Beloved Disciple, BTB 9 (1979) 58-65.
    ders., The Gospel of John. Testimony of the Beloved Disciple, New York 1982.
    ders., The Human Jesus in the Fourth Gospel, BTB 14 (1984) 63-66.

OLSSON, Birger, Structure and Meaning in the Fourth Gospel, Lund 1974.

ONG, Walter J., Text as Interpretation: Mark and after, Semeia 39 (1987) 7-26.

ONUKI, Takashi, Zur literatursoziologischen Analyse des Johannesevangeliums,
     AJBI 8 (1982) 162-216.
    ders., Gemeinde und Welt im Johannesevangelium, Neukirchen-Vluyn 1984.

O'ROURKE, John J., Two Notes on St.John's Gospel, CBQ 25 (1963) 124-128.
    ders., The Historic Present in the Gospel of John, JBL 93 (1974) 585-590.
    ders., Asides in the Gospel of John, NT 21 (1979) 210-219.

OSBORNE, Grant R., John 21: Test Case for History and Redaction in the Resurrection
     Narratives, in: France/Wenham 1981, 293-328.
    ders., The Resurrection Narratives. A Redactional Study, Grand Rapids 1984.

OTTO, Hans-Peter, Funktion und Bedeutung des Lieblingsjüngers im Johannesevangelium.
     Zulassungsarbeit zum Theologischen Staatsexamen, Heidelberg 1969.

OTTOSSON, M., אכל 'akal, ThWAT I, 252-259.   <= OTTOSSON 1973 >

OVERBECK, Franz, Das Johannesevangelium. Studien zur Kritik seiner Erforschung, hg.v.
     C.A.Bernoulli, Tübingen 1911.

* PAHK, S.S., The Meaning of Bread: A Structuralist Analysis of John VI,1-58,
     Ph.D.Vanderbuilt University 1980.

PAINTER, John, Glimpses of the Johannine Community in the Farewell Discourses,
     ABR 28 (1980) 21-38.
    ders., The Farewell Discourses and the History of Johannine Christianity,
     NTS 27 (1981) 525-543.

PAMMENT, Margaret, The Fourth Gospel's Beloved Disciple, ET 93 (1983) 363-367.
    dies., Focus in the Fourth Gospel, ET 97 (1985) 71-75.   <= PAMMENT 1985 a >
    dies., Path and Residence Metaphors in the Fourth Gospel, Theol. 88 (1985) 118-124.
                                           <= PAMMENT 1985b >

PANCARO, Severino, The Law in the Fourth Gospel. The Torah and the Gospel, Moses and
     Jesus, Judaism and Christianity according to John, Leiden 1975.

PANNENBERG, Wolfhart, Das Irreale des Glaubens, in: Henrich/Iser 1983, 17-34.

PARKER, Pierson, John and John Mark, JBL 79 (1960) 97-110.
    ders., John the Son of Zebedee and the Fourth Gospel, JBL 81 (1962) 35-43.
    ders., Luke and the Fourth Evangelist, NTS 9 (1963) 317-336.

PASCHAL, R.Wade, Sacramental Symbolism and Physical Imagery in the Gospel of John,
     TynB 32 (1981) 151-176.

PAUL,Ludwig, Über die Zeit des Abendmahls nach Johannes, ThStKr 39 (1866) 362-374.

PESCH, Rudolf, Der reiche Fischfang. Lk 5,1-11/Joh 21,1-14. Wundergeschichte - Beru-
fungserzählung - Erscheinungsbericht, Düsseldorf 1969.

PENNEL, Stephen, The Spear Thrust (Mt 27,49b/Jn 19,34), JSNT 9 (1983) 99-115.

PETERSEN, Norman R., Literary criticism for New Testament critics, Philadelphia 1978.
ders., The Reader in the Gospel, Neotestamentica 18 (1984) 38-51.

PFITZNER, V.C., They knew it was the Lord. The Place and Function of John 21:1-14 in
the Gospel of John, Lutheran Theological Journal 20 (1986) 64-75.

PFLEIDERER, Otto, Das Urchristentum II, 2Berlin 1902.

PHILLIPS, Gary, "This is a Hard Saying: Who Can Be a Listener to it?" The Creation of
the Reader in John 6, Society of Biblical Literature. Seminar Papers
(1979) 185-196.

PLESSIS, J.G. du, Some Aspects of Extralingual Reality and the Interpretation of Texts,
Neotestamentica 18 (1984) 80-93.

PLETT, Heinrich F., Textwissenschaft und Textanalyse. Semiotik, Linguistik, Rhetorik,
Heidelberg 1975.

PLÜMACHER, Eckhard, Lukas als hellenistischer Schriftsteller. Studien zur Apostelge-
schichte, Göttingen 1972.
ders., Identitätsverlust und Identitätsgewinn. Studien zum Verhältnis von kaiserzeit-
licher Stadt und frühem Christentum, Neukirchen-Vluyn 1987.

POKORNY, Petr, Das theologische Problem der neutestamentlichen Pseudepigraphie,
EvTh 44 (1984) 486-496.

PORTER, J.R., Who Was the Beloved Disciple?, ET 77 (1965/66) 213-214.

POTTERIE, Ignace de la, ΟΙΔΑ et ΓΙΝΩΣΚΩ, les deux modes de la connaissance dans le
quatrième Evangile, Bib. 40 (1959) 709-725.
ders., Das Wort Jesu 'Siehe, deine Mutter' und die Annahme der Mutter durch den
Jünger (19,27b), in: Gnilka 1974, 191-219.
ders., "Et à partir de cette heure, le disciple l'acceuillit dans son intimité"
(Jn 19,27b). Réflexions méthodologiques sur l'interprétation d'un verset
johannique, Mar. 42 (1980) 84-125.
ders., La mort du Christ d'après saint Jean, St.Miss 31 (1982) 19-36.
ders., Genèse de la Foi Pascale d'après Jn 20, NTS 30 (1984) 26-49.
<= POTTERIE 1984a >
ders., Le Symbolisme du sang et de l'eau en Jn 19,34, DID(L) 14 (1984) 201-230.
<= POTTERIE 1984b >
ders., Le témoin qui demeure: le disciple que Jésus aimait, Bib. 67 (1986) 343-359.

POYTHRESS, Vern S., The Use of the Intersentence Conjunctions ΔΕ, OYN, KAI and
Asyndeton in the Gospel of John, NT 26 (1984) 312-340.
<= POYTHRESS 1984a >
ders., Testing for Johannine Authorship by Examining the Use of Conjunctions,
WThJ 46 (1984) 350-369.
<= POYTHRESS 1984b >

PREISKER, Herbert, Joh 2,4 und 19,26, ZNW 42 (1949) 209-214.

PREUSS, Julius, Biblisch-talmudische Medizin, New York 1971. (= 1911)

RAIBLE, Wolfgang, Was sind Gattungen? Eine Antwort aus semiotischer und textlinguistischer Sicht, Poetica 12 (1980) 320-349.

RAND, J.A. du, The characterization of Jesus as depicted in the narrative of the Fourth
  Gospel, Neotestamentica 19 (1985) 18-36.

REBELL, Walter, Gemeinde als Gegenwelt. Zur soziologischen und didaktischen Funktion
  des Johannesevangeliums, Frankfurt 1987.

REGOPOULOS, George Chr., Jesus Christ, "The Living Bread", Theol(A) 50 (1979)
  132-158.375-408.

REIM, Günter, Johannes 21 - Ein Anhang?, in: J.K.Elliot (Hg.), Studies in New Testament
  Language and Text. FS G.D.Kilpatrick, Leiden 1976, 330-337.

RENGSTORF, K.H. (Hg.), Johannes und sein Evangelium, Darmstadt 1973.

RENNER, George L., The Life-World of the Johannine Community: An Investigation of the
  Social Dynamics which resulted in the Composition of the Fourth Gospel,
  Ann Arbor 1982.

RHOADS, David, Narrative Criticism and the Gospel of Mark, JAAR 50 (1982) 411-434.

RICHTER, Georg, Die Fußwaschung im Johannesevangelium, Regensburg 1967.
  ders., Studien zum Johannesevangelium, hg.v. J.Hainz, Regensburg 1977.

RICHTER, Wolfgang, Exegese als Literaturwissenschaft. Entwurf einer alttestamentlichen
  Literaturtheorie und Methodologie, Göttingen 1971.

RIESNER, Rainer, Essener und Urkirche in Jerusalem, BIKI 40 (1985) 64-76.

RIGG, H., Was Lazarus 'the beloved disciple'? ET 33 (1921/22) 232-234.

RISSI, Mathias, Voll grosser Fische, hundertdreiundfünfzig, Joh 21,1-14,
  ThZ 35 (1979) 73-89.

RITT, Hubert, Das Gebet zum Vater. Zur Interpretation von Joh 17, Würzburg 1979.
  ders., Die Frauen und die Osterbotschaft. Synopse der Grabesgeschichten (Mk 16,1-8;
    Mt 27,62-28,15; Lk 24,1-12; Joh 20,1-18), in: G.Dautzenberg/H.Merklein/K.Müller
    (Hgg.), Die Frau im Urchristentum, Freiburg 1983, 117-133.

ROBERGE, Michel, Le discours sur le pain de vie (Jean 6,22-59). Problèmes d'interprétation, LTP 38 (1982) 265-299.
  ders., La composition de Jean 6,22-59 dans l'exégèse récente, LTP 40 (1984) 91-123.

ROBERT, René, Controverses sur les linges du tombeau vide (Jean 20,3-10),
  BAGB (1984) 40-50.

* ROBERTS, Colin, John 20:30 and 21: 24-25, JThS 38 (1987) 409-410.

ROBINSON, J.A.T., The Significance of the Foot-Washing, in: Neotestamentica et patristi-
  ca. FS O.Cullmann, Leiden 1962, 144-147.

RÖSLER, Wolfgang, Die Entdeckung der Fiktionalität in der Antike,
  Poetica 12 (1980) 283-319.

ROGERS, D.G., Who Was the Beloved Disciple?, ET 77 (1965/66) 214.

ROHDE, Joachim, Die redaktionsgeschichtliche Methode. Einführung und Sichtung des For-
  schungsstandes, Hamburg 1966.

ROLOFF, Jürgen, Der johanneische "Lieblingsjünger" und der Lehrer der Gerechtigkeit,
  NTS 15 (1968/69) 129-151.

ROMEO, Joseph A., Gematria and John 21,11 - The Children of God, JBL 97 (1978) 263-264.

ROTH, Wolfgang, Scripture Coding in the Fourth Gospel, BR 32 (1987) 6-29.

RUCKSTUHL, Eugen, Literarkritik am Johannesevangelium und eucharistische Rede
(Jo 6,51c-58), DT 23 (1945) 153-190.301-333.
ders., Die literarische Einheit des Johannesevangeliums, Fribourg 1951.
ders., Zur Aussage und Botschaft von Johannes 21, In: Schnackenburg/Ernst/Wanke 1978,
339-362.
ders., Der Jünger, den Jesus liebte. Geschichtliche Umrisse, BiKi 40 (1985) 77-83.
ders., Der Jünger, den Jesus liebte, Studien zum Neuen Testament und seiner Umwelt
11 (1986) 131-168.
* ders., Zur Antithese Idiolekt-Soziolekt im johanneischen Schrifttum, Studien zum
Neuen Testament und seiner Umwelt 12 (1987) 141-181.

RUSSELL, Ralph, The Beloved Disciple and the Resurrection, Scrip. 8 (1956) 57-62.

SABBE, M., The Footwashing in Jn 13 and its Relation to the Synoptic Gospels,
EThL 58 (1982) 279-308.

SACKS, Kenneth S., Rhetorical Approaches to Greek History Writing in the Hellenistic
Period, Society of Biblical Literature . Seminar Papers (1984) 123-133.

SAHLIN, Harald, Zur Typologie des Johannesevangeliums, Uppsala 1950.

SALVONI, Fausto, The So-Called Jesus Resurrection Proof (John 20:7),
RestQ 22 (1979) 72-76.

SANDERS, Joseph N., 'Those whom Jesus Loved' (John XI.5), NTS 1 (1954/55) 29-41.
ders., Who was the Disciple whom Jesus Loved?, in: F.L.Cross (Hg.), Studies in the
Fourth Gospel, London 1957, 72-82.

SAVA, A.F., The Wound in the Side of Christ, CBQ 19 (1957) 343-346.

SCHÄFER, Peter, Studien zur Geschichte und Theologie des rabbinischen Judentums,
Leiden 1978.
ders., Geschichte der Juden in der Antike. Die Juden Palästinas von Alexander dem
Großen bis zur arabischen Eroberung, Stuttgart 1983.

* SCHEFFER, Henri-Louis, Examen critique et exégétique du XXI.Chap. de l'évangile selon
S.Jean, Straßburg 1839.

SCHELKLE, Karl H., Das Herrenmahl, in: Friedrich/Pöhlmann/Stuhlmacher 1976, 385-402.

SCHENKE, Ludger, Die formale und gedankliche Struktur von Joh 6, 26-58,
BZ 24 (1980) 21-41.
ders., Das Szenarium von Joh 6,1-25, TThZ 92 (1983) 191-203.
ders., Die literarische Vorgeschichte von Joh 6,26-58, BZ 29 (1985) 68-89.

SCHLIER, Heinrich, Joh 6 und da johanneische Verständnis der Eucharistie, in: ders.,
Das Ende der Zeit, Freiburg 1971, 102-123.

SCHMIDT, Siegfried J., Ist 'Fiktionalität' eine linguistische oder eine texttheoretische
Kategorie?, in: Gülich/Raible 1972, 59-71.

ders., Literaturwissenschaft als argumentierende Wissenschaft, München 1975.
ders., Texttheorie. Probleme einer Linguistik der sprachlichen Kommunikation,
^{2}München 1976.
ders., "Bekämpfen Sie das häßliche Laster der Interpretation! Bekämpfen Sie das noch
häßlichere Laster der richtigen Interpretation!" (Hans Magnus Enzensberger), in:
Frier/Labroisse 1979, 279-309.

SCHNACKENBURG, Rudolf, Die Johannesbriefe, ^{2}Freiburg 1963. <= SCHNACKENBURG 1963a >
ders., Die Messiasfrage im Johannesevangelium, in: J.Blinzler/O.Kuss (Hgg.),
Neutestamentliche Aufsätze. FS J.Schmid, Regensburg 1963, 240-264.
<= SCHNACKENBURG 1963b >

SCHNACKENBURG, Rudolf, Der Menschensohn im Johannesevangelium, NTS 11 (1964/65) 123-137.
   ders., Das Johannesevangelium I, Freiburg 1965.
* ders., Die Durchbohrung der Seite Jesu nach Joh 19,34-37 und ihre theologische Be-
    deutung, Korrespondenzblatt Canisianum 101 (1967) 1-18.
   ders., Zur Rede vom Brot aus dem Himmel - eine Beobachtung zu Joh 6,52,
    BZ 12 (1968) 248-252.
   ders., Der Jünger, den Jesus liebte, in: EKK.V 2, Zürich 1970, 97-117.
    <= SCHNACKENBURG 1970a >
   ders., Zur Herkunft des Johannesevangeliums, BZ 14 (1970) 1-23.
    <= SCHNACKENBURG 1970b >
   ders., Das Brot des Lebens, in: Jeremias/Kuhn/Stegemann 1971, 328-342.
    <= SCHNACKENBURG 1971a >
   ders., Das Johannesevangelium II, Freiburg 1971.
    <= SCHNACKENBURG 1971b >
   ders., Das Johannesevangelium III, Freiburg 1975.
   ders., Die johanneische Gemeinde und ihre Geisterfahrung, in:
    Schnackenburg/Ernst/Wanke 1978, 277-306.
   ders., Das Johannesevangelium IV, Freiburg 1984.

SCHNACKENBURG, R. / ERNST, J. / WANKE, J. (Hgg.), Die Kirche des Anfangs. FS H.Schür-
   mann, Freiburg 1978.

SCHNEIDERS, Sandra M., THe Johannine Resurrection Narrative. An Exegetical and Theological Study of John 20 as a Synthesis of Johannine Spirituality, Rom 1975.
   dies., The Foot Washing (John 13,1-20): An Experiment in Hermeneutics,
    CBQ 43 (1981) 76-92.
   dies., Women in the Fourth Gospel and the Role of Women in the Contemporary Church,
    BTB 12 (1982) 35-45.
   dies., The Face Veil: A Johannine Sign (John 20,1-10) BTB 13 (1983) 94-97.

SCHNELLE, Udo, Antidoketische Christologie im Johannesevangelium. Eine Untersuchung zur
   Stellung des vierten Evangeliums in der johanneischen Schule, Göttingen 1987.

SCHOLTEN, Jan Hendrik, Das Evangelium nach Johannes. Historisch-kritische Untersuchung,
   Berlin 1867.

SCHÜRER, Emil, Über den gegenwärtigen Stand der johanneischen Frage, in:
   Rengstorf 1973, 1-27. <= SCHÜRER 1889 >

SCHÜRMANN, Heinz, Ursprung und Gestalt. Erörterungen und Besinnungen zum Neuen Testament,
   Düsseldorf 1970.

SCHULZ, Siegfried, Untersuchungen zur Menschensohn-Christologie im Johannesevangelium,
   Göttingen 1957.

   ders., Das Evangelium nach Johannes, Göttingen 1972.

SCHWARTZ, Eduard, Aporien im vierten Evangelium I, NGWG.PH 1907, 342-372.
   ders., Aporien im vierten Evangelium II-IV, NGWG.PH 1908, 115-188.497-560.
   ders., Johannes und Kerinthos, ZNW 15 (1914) 210-219.

SCHWARZ, Günther, ΤΟΝ ΚΟΣΜΟΝ ΧΩΡΗΣΑΙ, BiNo 15 (1981) 46.
   ders., ΥΣΣΩΠΩ ΠΕΡΙΘΕΝΤΕΣ (Johannes 19,29), NTS 30 (1984) 625-626.

SCHWARZE, Hans-Wilhelm, Problemfeld III: Die Ebenen narrativer Texte: Geschehen, Geschichte, Diskurs, in: Ludwig 1985a, 65-105. <= SCHWARZE 1985a >
   ders., Problemfeld VI: Ereignisse, Zeit und Raum, Sprechsituationen in narrativen
    Texten, in: Ludwig 1985a, 145-188. <= SCHWARZE 1985b >

SCHWEIZER, Alexander, Das Evangelium Johannes nach seinem innern Werthe und seiner Bedeutung für das Leben Jesu kritisch untersucht, Leipzig 1841.

SCHWEIZER, Eduard, Ego Eimi. Die religionsgeschichtliche Herkunft und theologische Be-
    deutung der johanneischen Bildreden, Göttingen 1939.
    ders., Neotestamentica, Stuttgart 1963.

SCHWEIZER, Harald, Metaphorische Grammatik. Wege zur Integration von Grammatik und Text-
    Interpretation in der Exegese, St.Ottilien 1981.
    ders., Prädikationen und Leerstellen im 1.Gottesknechtslied (Jes 42,1-4),
        BZ 26 (1982) 251-258.
    ders., Wovon reden die Exegeten? Zum Verständnis der Exegese als verstehender und
        deskriptiver Wissenschaft, ThQ 164 (1984) 161-185.
    ders., Biblische Texte verstehen. Arbeitsbuch zur Hermeneutik und Methodik der Bibel-
        Interpretation, Stuttgart 1986.

SEGOVIA, Fernando F., John 13,1-20, The Footwashing in the Johannine Tradition,
        ZNW 73 (1982) 31-51. <= SEGOVIA 1982a >
    ders., Love Relationships in the Johannine Tradition, Chico 1982.
                        <= SEGOVIA 1982b >
    ders., Recent Research in the Johannine Letters, Religious Studies Review 13 (1987)
        132-140.

SERRA, Aristide M., Marie à Cana - Marie près de la Croix (Jean 2,1-12 et 19,25-27),
        Paris 1983.

SEYNAEVE, Jaak, Les citations scripturaires en Jn 19,36-37: Une preuve en faveur de la
        typologie de l'Agneau Pascal?, Revue Africaine de Théologie 1 (1977) 67-76.

SHAW, Alan, The Breakfast by the Shore and the Mary Magdalene Encounter as Eucharistic
        Narratives, JThS 25 (1974) 12-26.
    ders., Image and Symbol in John 21, ET 86 (1975) 311.

SHEEHAN, John F.X., Feed my Lambs, Scrip.16 (1964) 21-27.

SHILLITO, Edward, The Beloved Disciple, ET 29 (1917) 473-474.

SIGAL, Phillip, Manifestations of Hellenistic Historiography in Select Judaic Literature,
        Society of Biblical Literature. Seminar Papers (1984) 161-185.

SILBERMAN, Lou H., Introduction: Reflections on Orality, Aurality and perhaps more,
        Semeia 39 (1987) 1-6.

SINT, Joseph A., Pseudonymität im Altertum, ihre Formen und ihre Gründe, Innsbruck 1960.

SMALLEY, Stephen S., The Sign in John XXI, NTS 20 (1974) 275-288.

SMITH, Dwight M., The Composition and Order of the Fourth Gospel, New Haven 1965.
    ders., John and the Synoptics, Bib. 63 (1982) 102-113.

SMITH, Robert H., Easter Gospels. The Resurrection of Jesus According to the Four Evange-
    lists, Minneapolis 1983.

SMITH, Terence V., Petrine Controversies in Early Christianity, Tübingen 1985.

SNYDER, Graydon F., John 13:16 and the Anti-Petrinism of the Johannine Tradition,
        BR 16 (1971) 5-15.

SOARDS, Marion L., ΤΟΝ ΕΠΕΝΔΥΤΗΝ ΔΙΕΖΩΣΑΤΟ, ΗΝ ΓΑΡ ΓΥΜΝΟΣ,
        JBL 102 (1983) 283-284.

SOLAGES, Bruno de, Jean fils de Zébédée et l'énigme du disciple que Jésus aimait,
        BLE 73 (1972) 41-50.

SOLAGES, Bruno de / VACHEROT, J.M., Le chapitre XXI de Jean est-il de la même plume que
        le reste de l'évangile?, BLE 80 (1979) 96-101.

SOLTAU, Wilhelm, Zum Problem des Johannesevangeliums, ZNW 2 (1901) 140-149.
   ders., Die Entstehung des vierten Evangeliums, ThStKr 81 (1908) 177-202.
   ders., Kannte der 4. Evangelist den Lieblingsjünger Jesu?, ThStKr 88 (1915) 371-380.
   ders., Das 4. Evangelium in seiner Entstehungsgeschichte dargelegt, Heidelberg 1916.

SPAETH, H., Nathanael. Ein Beitrag zum Verständnis der Composition des Logos-Evangeliums,
   ZWTh 11 (1868) 168-213.309-343.

SPARKS, H.F.D., St.John's Knowledge of Matthew. The Evidence of John 13,16 and 15,20,
   JThS 3 (1952) 58-61.

SPENCER, R.A. (Hg.), Orientation by Disorientation. Studies in Literary Criticism and
   Biblical Literary Criticism. FS W.A.Beardslee, Pittsburgh 1980.

SPEYER, Wolfgang, Die literarische Fälschung im heidnischen und christlichen Altertum.
   Ein Versuch ihrer Deutung, München 1971.

SPICQ, Ceslaus, ΤΡΩΓΕΙΝ: Est-il synonyme de ΦΑΓΕΙΝ et d'ΕΣΤΙΕΙΝ dans le Nouveau
   Testament?, NTS 26 (1980) 414-419.

SPITTA, Friedrich, Zur Geschichte und Litteratur des Urchristentums I, Göttingen 1893.
   ders., Das Johannes-Evangelium als Quelle der Geschichte Jesu, Göttingen 1910.

SPROSTON, Wendy E., Satan in the Fourth Gospel, in: Livingstone 1980, 307-311.
   dies., "Is not this Jesus, the son of Joseph ...?" (John 6.42), JSNT 24 (1985) 77-97.

SPURRELL, J.M., An Interpretation of "I Thirst", CQR 167 (1966) 12-18.

STANZEL, Franz K., Theorie des Erzählens, Göttingen 1979.
   ders., Zur Konstituierung der typischen Erzählsituationen, in:
   Hillebrand 1978, 558-576.

STAUFFER, Ethelbert, Zur Vor- und Frühgeschichte des Primatus Petri,
   ZKG 13 (1943/44) 3-34.

STENGER, Werner, Biblische Methodenlehre, Düsseldorf 1987.

STEITZ, Georg E., Über den Gebrauch des Pronomen ΕΚΕΙΝΟΣ im vierten Evangelium. Zur
   Entscheidung über die streitige Stelle 19,35, ThStKr 32 (1859) 497-506.
   ders., Der classische und der johanneische Gebrauch von ΕΚΕΙΝΟΣ,
   ThStKr 34 (1861) 267-310.

STIERLE, Karlheinz, Text als Handlung, München 1975.   <= STIERLE 1975a >
   ders., Was heißt Rezeption bei fiktionalen Texten, Poetica 7 (1975) 345-387.
                                             <= STIERLE 1975b >
   ders., The Reading of Fictional Texts, in: Suleiman/Crosman 1980, 83-105.

STOLT, Birgit, Rezension: Birger Olsson, Structure and Meaning in the Fourth Gospel,
   LingBibl 34 (1975) 110-123.

STRACHAN, Robert H., The Appendix to the Fourth Gospel, Exp. 9 (1914) 255-274.

STRAUSS, David Friedrich, Das Leben Jesu, kritisch bearbeitet, 2 Bde., [2]Tübingen 1837.

STRECKER, Georg, Die Anfänge der Johanneischen Schule, NTS 32 (1986) 31-47.

STUHLMACHER, P. (Hg.), Das Evangelium und die Evangelien. Vorträge vom Tübinger Symposion 1982, Tübingen 1983.
STUHLMACHER, Peter, Das neutestamentliche Zeugnis vom Herrenmahl, ZThK 84 (1987) 1-35.

STURCH, R.L., The Alleged Eyewitness Material in the Fourth Gospel, in: Livingstone
   1980, 313-327.
SUGGIT, J.N., John 13,1-30: The Mystery of the Incarnation and of the Eucharist,
   Neotestamentica 19 (1985) 64-70.

SULEIMAN, Susan R., Introduction: Varieties of Audience-Oriented Criticism, In:
Suleiman/ Crosman 1980, 3-45.

SULEIMAN, S.R. / CROSMAN, I. (Hg.innen), The Reader in the Text. Essays on Audience
and Interpretation, Princeton 1980.

SWETE, Henry B., The Disciple whom Jesus loved, JThS 17 (1916) 371-374. <= SWETE 1916a >
ders., John of Ephesus, JThS 17 (1916) 375-378.   <= SWETE 1916b >

TAEGER, Jens-W., Der konservative Rebell. Zum Widerstand des Diotrephes gegen den Presbyter, ZNW 78 (1987) 267-287.

TALBERT, Charles H., What Is a Gospel? The Genre of the Canonical Gospels,
Philadelphia 1977.

TEEPLE, Howard M., Methodology in Source Analysis of the Fourth Gospel,
JBL 81 (1962) 279-286.

TEMPLE, Sydney, The Two Traditions of the Last Supper, Betrayal and Arrest,
NTS 7 (1960/61) 77-85.
ders., A Key to the Composition of the Fourth Gospel, JBL 80 (1961) 220-232.
ders., The Core of the Fourth Gospel, London 1975.

TENNEY, Merrill C., The Footnotes of John's Gospel, BS 117 (1960) 350-364.

THEISSEN, Gerd, Lokalkoloritfoschung in den Evangelien. Plädoyer für die Erneuerung einer
alten Fragestellung, EvTh 45 (1985) 481-499.   <= THEISSEN 1985a >
ders., "Meer" und "See" in den Evangelien, Studien zum Neuen Testament und seiner
Umwelt 10 (1985) 5-25.   <= THEISSEN 1985b >

THEOBALD, Michael, Der Primat der Synchronie vor der Diachronie als Grundaxiom der Literarkritik, BZ 22 (1978) 161-186.
ders., Im Anfang war das Wort. Textlinguistische Studie zum Johannesprolog,
Stuttgart 1983.

THOMAS, John Christopher, A Note on the Text of John 13:10, NT 29 (1987) 46-52.

THOMPSON, J.M., Is John XXI an Appendix?, Exp. 10 (1915) 139-147. <= THOMPSON 1915a >
ders., The Structure of the Fourth Gospel, Exp. 10 (1915) 512-526.
                                                           <= THOMPSON 1915b >
ders,, The Interpretation of John VI, Exp. 11 (1916) 337-348.
ders., Some Editorial Elements in the Fourth Gospel, Exp. 12 (1917) 214-231.

THORNECROFT, John K., The Redactor and the 'Beloved' in John, ET 98 (1987) 135-139.

THYEN, Hartwig, Johannes 13 und die "Kirchliche Redaktion" des vierten Evangeliums, In:
Jeremias/Kuhn/Stegemann 1971, 343-356.
ders., Aus der Literatur zum Johannesevangelium, ThR 39 (1974) 1-69.222-252.289-330.
ders., "... denn wir lieben die Brüder" (1Joh 3,14), In:
Friedrich/Pöhlmann/Stuhlmacher 1976, 527-542.
ders., Entwicklungen innerhalb der johanneischen Theologie und Kirche im Spiegel von
Joh 21 und der Lieblingsjüngertexte des Evangeliums, In: Jonge 1977, 259-299.
                                                           <= THYEN 1977a >
ders., Aus der Literatur zum Johannesevangelium, ThR 42 (1977) 211-270.
                                                           <= THYEN 1977b >
ders., Aus der Literatur zum Johannesevangelium, ThR 43 (1978) 328-359.
ders., "Niemand hat größere Liebe als die, daß er sein Leben für seine Freunde hingibt" (Joh 15,13), In: C.Andresen (Hg.), Theologia Crucis - Signum Crucis.
FS E.Dinkler, Tübingen 1979, 467-481.   <= THYEN 1979a >
ders., Aus der Literatur zum Johannesevangelium, ThR 44 (1979) 97-134.
                                                           <= THYEN 1979b >

THYEN, Hartwig, "Das Heil kommt von den Juden", in: Lührmann/Strecker 1980, 163-184.

THYES, Armand, Jean 19,25-27 et la maternité spirituelle de Marie,
    Mar. 18 (1956) 80-117.

TILLMANN, Fritz, Das Johannesevangelium, Berlin 1914.
    ders., Das Johannesevangelium, [4]Bonn 1931.

TITUS, Eric L., The Identity of the Beloved Disciple, JBL 69 (1950) 323-328.

TITZMANN, Manfred, Strukturale Textanalyse. Theorie und Praxis der Interpretation,
    München 1977.

TOIT, H.C. du, Presuppositions of Source and Receptor, Neotestamentica 18 (1984) 52-65.

TOMPKINS, J.P. (Hg.in), Reader Response Criticism. From Formalism to Post-structuralism,
    [2]Baltimore 1981.   <= TOMPKINS 1981a >

TOMPKINS, Jane P., The Reader in History: The Changing Shape of Literary Response, in:
    dies. 1981a, 201-232.   <= TOMPKINS 1981b >

TRAGAN, P.-R. (Hg.), Segni e Sacramenti nel vangelo di Giovanni, Rom 1977.
                                                                    <= TRAGAN 1977a >

TRAGAN, Pius-Ramon, Le Discours sur le pain de vie: Jean 6,26-71. Remarques sur sa com-
    position littéraire, in: ders. 1977a, 89-119.   <= TRAGAN 1977b >

UECHTRITZ, Friedrich von, Studien eines Laien über den Ursprung, die Beschaffenheit und
    Bedeutung des Evangeliums nach Johannes, Gotha 1876.

UNNIK, Willem C. van, A Greek Characteristic of Prophecy in the Fourth Gospel, in:
    Best/Wilson 1979, 211-229.

VAGANAY, Léon, La finale du quatrième évangile, RB 45 (1936) 512-528.

VAWTER, Bruce, The Johannine Sacramentary, TS 17 (1956) 151-166.

VELDE, Roger G. van de, Interpretation, Kohärenz und Inferenz, Hamburg 1981.

VENETZ, Hermann-Josef, Zeuge des Erhöhten. Ein exegetischer Beitrag zu Joh 19,31-37,
    FZPhTh 23 (1976) 81-111.

* VERMEIL, Frank, Etude sur le 21. chapitre de l'évangile selon S.Jean, Straßburg 1861.

VILLIERS, P.G.R. de, The Interpretation of a Text in the Light of its Socio-cultural
    Setting, Neotestamentica 18 (1984) 66-79.

VIRGULIN, Stephen, Recent Discussion of the Title 'Lamb of God', Scrip. 13 (1961) 74-80.

VÖLTER, Daniel, Mater dolorosa und der Lieblingsjünger des Johannes-Evangeliums,
    Straßburg 1907.
    ders., Grundlage und Überarbeitung im Evangelium des Johannes I,
    TThT 8 (1910) 447-493.
    ders., Grundlage und Überarbeitung im Evangelium des Johannes II,
    TThT 9 (1911) 57-107.

VOGEL, Friedrich, Das Johannesevangelium vom philologischen Gesichtspunkt gesehen,
    AELKZ (1932) 775-779.
    ders., Zur Echtheit des Johannesevangeliums. Eine philologische Untersuchung,
    Bayerische Blätter für das Gymnasialwesen (1934) 157-166.
    ders., Das Johannesproblem in bündiger Fassung, ThBl 14 (1935) 105-106.

VOGLER, Werner, Judas Iskarioth. Untersuchung zu Tradition und Redaktion von Texten des
    Neuen Testaments und ausserkanonischer Schriften, Berlin 1983.

VORSTER, Willem S., Kerygma/History and the Gospel Genre, NTS 29 (1983) 87-95.

VORSTER, Willem S., Der Ort der Gattung Evangelium in der Literaturgeschichte,
    VF 29 (1984) 2-25.

WAHLDE, Urban C. von, A Literary Analysis of the Ochlos Passages in the Fourth Gospel
    in their Relation to the Pharisees and Jews Material, Ann Arbor 1975.
    ders., A Redactional Technique in the Fourth Gospel, CBQ 38 (1976) 520-533.
    ders., Faith and Works in Jn VI 28-29. Exegesis or Eisegesis?, NT 22 (1980) 304-315.
    ders., The Johannine 'Jews': A Critical Survey, NTS 28 (1981) 33-60.
    ders., Wiederaufnahme as a Marker of Redaction in Jn 6,51-58, Bib. 64 (1983) 542-549.
    ders., Literary Structure and Theological Argument in Three Discourses with the Jews
    in the Fourth Gospel, JBL 103 (1984) 575-584.

WALLIS, E.E., Four Gospels, Four Discourse Genres, Evangelical Journal 1 (1983) 78-91.

WARNING, R. (Hg.), Rezeptionsästhetik, München 1975.   <= WARNING 1975a >

WARNING, Rainer, Rezeptionsästhetik als literaturwissenschaftliche Pragmatik, in:
    ders. 1975a, 9-41.   <= WARNING 1975b >
    ders., Der inszenierte Diskurs. Bemerkungen zur pragmatischen Relation der Fiktion,
    in: Henrich/Iser 1983, 183-206.

WANKE, Joachim, Maria im vierten Evangelium, in: ThPQ 129 (1981) 105-113.

WEAD, David W., The Literary Devices in John's Gospel, Basel 1970.

WEDER, Hans, Die Menschwerdung Gottes. Überlegungen zur Auslegungsproblematik des Johan-
    nesevangeliums am Beispiel von Joh 6, ZThK 82 (1985) 325-360.

WEINRICH, Harald, Literatur für Leser. Essays und Aufsätze zur Literaturwissenschaft,
    Suttgart 1971.
    ders., Sprache in Texten, Stuttgart 1976.
    ders., Tempus. Besprochene und erzählte Welt, [3]Stuttgart 1977.

WEINSTOCK, Stefan, Die platonische Homerkritik und ihre Nachwirkung,
    Philologus 82 (1927) 121-153.

WEISER, Alfons, Joh 13,12-20 - Zufügung eines späteren Herausgebers?,
    BZ 12 (1968) 252-257.

WEISS, Bernhard, Das Johannesevangelium, [8]Göttingen 1893.
    ders., Das Johannesevangelium als einheitliches Werk, Berlin 1912.

WEISS, Harald, Foot-Washing in the Johannine Community, NT 31 (1979) 298-325.

WEISSE, Ch.Hermann, Die evangelische Geschichte kritisch und philosophisch bearbeitet,
    2 Bde., Leipzig 1838.

WEITZEL, K.L., Das Selbstzeugnis des vierten Evangelisten über seine Person,
    ThStKt 22 (1849) 578-638.

WELLHAUSEN, Julius, Erweiterungen und Änderungen im vierten Evangelium , Berlin 1907.
    ders., Das Evangelium Johannis, Berlin 1908.

WENDLAND, Paul, Die urchristlichen Literaturformen, Tübingen 1912.

WENDT, Hans H., Das Johannesevangelium. Eine Untersuchung seiner Entstehung und seines
    geschichtlichen Wertes, Göttingen 1900.
    ders., Die Schichten im vierten Evangelium, Göttingen 1911.

WENGST, KLaus, Häresie und Orthodoxie im Spiegel des ersten Johannesbriefes,
    Gütersloh 1976.
    ders., Der erste, zweite und dritte Brief des Johannes, Gütersloh 1978.
    ders., Bedrängte Gemeinde und verherrlichter Christus. Der historische Ort des Johan-
    nesevangeliums als Schlüssel zu seiner Interpretation, Neukirchen-Vluyn 1981.

WERLICH, Egon, Typologie der Texte, Heidelberg 1975.

WHITACRE, Rodney A., Johannine Polemic. The Role of Tradition and Theology, Chico 1982.

WIKENHAUSER, Alfred, Das Evangelium nach Johannes, Regensburg 1948.
    ders., Das Evangelium nach Johannes, ³Regensburg 1961.

WILCKENS, Ulrich, Der eucharistische Abschnitt der johanneischen Rede vom Lebensbrot
        (Joh 6,51c-58), In: Gnilka 1974, 220-248.
    ders., Der Paraklet und die Kirche, In: Lührmann/Strecker 1980, 185-203.

WILCOX, Max, The Composition of Joh 13,21-30, In: E.E.Ellis/M.Wilcox (Hgg.), Neotesta-
        mentica et Semitica. FS M.Black, Edinburgh 1969, 143-156.

WILKENS, Wilhelm, Das Abendmahlszeugnis im vierten Evangelium, EvTh 18 (1958) 354-370.
                                                                <= WILKENS 1958a >
    ders., Die Entstehungsgeschichte des vierten Evangeliums, Zollikon 1958.
                                                                <= WILKENS 1958b >
    ders., Evangelist und Tradition im Johannesevangelium, ThZ 16 (1960) 81-90.

WILKINSON, John, The Incident of the 'Blood and Water' in John 19,34,
        SJTh 28 (1975) 149-172.

WILLAM, Franz M., Johannes am Grabe des Auferstandenen (Joh 20,2-10),
        ZKTh 71 (1949) 204-213.

WILLIAMS, J.T., Cultic Elements in the Fourth Gospel, In: Livingstone 1980, 339-350.

WISTINGHAUSEN, Kurt von, Der verborgene Evangelist. Studie zur Johannes-Frage,
        Stuttgart 1983.

WOJCIECHOWSKI, Michał, Certains aspects algébriques de quelques nombres symboliques de la
        Bible (Gen 5; Gen 14,14; Jn 21,11), BiNo 23 (1984) 29-31.
    * ders., La source de Jean 13.1-20, NTS 34 (1988) 135-141.

WOLL, Bruce D., Johannine Christianity in Conflict: Authority, Rank and Succession in the
        First Farewell Discourse, Chico 1981.

WREDE, William, Vorträge und Studien, Tübingen 1907.

ZAHN, Theodor, Der Geschichtsschreiber und sein Stoff im Neuen Testament,
        ZKWL 9 (1888) 581-596.
    ders., Das Evangelium des Johannes, Leipzig 1908.

ZEITLIN, Solomon, The Date of the Crucifixion According to the Fourth Gospel,
        JBL 51 (1932) 263-271.

ZELLER, Dieter, Der Ostermorgen im 4. Evangelium (Joh 20,1-18), In: L.Oberlinner (Hg.),
        Auferstehung Jesu - Auferstehung der Christen. Deutungen des Osterglaubens,
        Freiburg 1986, 145-161.

ZELZER, Klaus, ΟΥΔΕΠΩ ΓΑΡ ΗΔΕΙΣΑΝ - denn bisher hatten sie nicht verstanden. Zu Über-
        setzung und Kontextbezug von Joh 20,9, BILI 53 (1980) 104-106.

ZERBST, Rainer, Problemfeld II: Kommunikation, In: Ludwig 1985a, 41-64.

ZERWICK, Max, The Hour of the Mother - John 19,25-27, BiTod 1 (1962) 1187-1194.

ZICKENDRAHT, Karl, Ist Lazarus der Lieblingsjünger im vierten Evangelium?,
        SThZ 32 (1915) 49-54.

ZIMMERMANN, Heinrich / KLIESCH, Klaus, Neutestamentliche Methodenlehre. Darstellung der
        historisch-kritischen Methode, ⁷Stuttgart 1982.